Du même auteur, chez d'autres éditeurs :

La Jungle hormone (1991)
Le Lait de la chimère (1992)
La Voie terrestre (1994)
Chrysalide (nouvelles)(2005)

Le Voile de l'espace :
1. *Le Voile de l'espace* (1998)
2. *Béantes portes du ciel* (1999)

www.bragelonne.fr

Robert Reed

Le Grand Vaisseau

Traduit de l'anglais (États-Unis) par Michel Demuth

Bragelonne SF

Collection Bragelonne SF dirigée par Jean-Claude Dunyach

Titre original : *Marrow*
Copyright © 2000 by Robert Reed

© Bragelonne 2006, pour la présente traduction.

Illustration de couverture :
© Stephan Martinière

ISBN : 2-915549-68-0

Bragelonne
35, rue de la Bienfaisance – 75008 Paris

E-mail : info@bragelonne.fr
Site Internet : http://www.bragelonne.fr

*Au premier artiste de ma vie,
mon grand-père,
Quentin « Heinz » Moore*

Première partie

LE VAISSEAU

... un sommeil, doux comme la mort... j'ai traversé le temps et franchi une distance incalculable... et un jet de lumière émerge de l'obscurité et du froid, et je comprends dans sa caresse tiède, lentement, ce que je vois, des soleils et des petits mondes, de grands tourbillons de gaz colorés et de poussière grondante, coléreuse.

C'est cela, une galaxie spirale barrée.

Avec tant de beauté et de majesté que je ne pouvais que regarder. Et, enveloppée dans cette majesté, une fragilité, ignorante et vaste.

La trajectoire de cette galaxie et la mienne étaient distinctes.

Inéluctablement, nous allions entrer en collision.

À mon regard répondraient bien d'autres regards. Je le savais, tout comme j'avais su que ce moment serait inévitable. Pourtant, quand je vis cette première machine dérisoire approcher, je fus surpris. Si tôt! Et, oui, la machine pouvait me voir. J'ai observé les miroirs de ses yeux qui faisaient le point sur les cicatrices de mon visage ancien. Je l'ai observée lorsqu'elle a poussé ses minuscules fusées à fond pour passer un peu plus près de moi. Et c'est alors qu'elle a craché un engin infinitésimal dont le seul but était d'entrer en collision avec ma face, suivi sans nul doute par une traînée de données et de questions nouvelles. C'est presque à la moitié de la vitesse de la lumière que nous nous sommes rencontrés. Moi seul ai survécu. L'autre machine m'a frôlé en tournant ses yeux vers moi, elle a épié ma face arrière, une part de moi a imaginé sa surprise émerveillée.

Mon dos est orné de tuyères.

Plus grands, plus anciens que les mondes, mes moteurs sont aussi glacés et paisibles que notre ancien Univers.

J'ai dit:

—Hello.

Sans voix.

—Machine-sœur, hello.

Mon amie a poursuivi sa route et, pendant un court moment, je me suis retrouvé seul à nouveau. C'est alors que j'ai senti à quelle profondeur ma solitude était parvenue.

Ignorant toute prudence, rejetant toute urgence, j'ai souhaité un autre visiteur. Quels dommages pourrait-il m'infliger? Un petit compagnon robot, transitoire et incompétent… comment un simple appareil pouvait-il présenter un risque pour moi?

Mais ce ne fut pas une sonde qui vint m'accueillir. Non, les machines survinrent en flottes, en troupeaux. Certaines se suicidèrent avec sérénité en plongeant dans ma face avant. D'autres se rapprochèrent assez près pour sentir ma trace, s'enroulèrent sur mon flanc et profitèrent d'une brève vision de mes grands moteurs. Leur forme et leur design de base étaient les mêmes que ceux de la première sonde, ce qui impliquait un même constructeur. En suivant leurs trajectoires à travers l'espace et le temps, je découvris une intersection révélatrice. Un unique soleil jaunâtre en occupait le centre. C'était lui et les autres soleils voisins qui avaient engendré les machines. J'ai admis lentement la réponse improbable qu'une seule espèce m'avait détecté avant toute autre. Mais il était clair que cette galaxie n'était pas un endroit simple.

Comme le temps passait et que les distances qui nous séparaient diminuaient, d'autres engins surgirent d'une multitude de lieux. J'ai observé une parade de machines faites de simples métaux, de gaz sculptés, enfermées dans de la glace d'hydrogène; des centaines de milliers de soleils émettaient toutes sortes de bruits électromagnétiques, des giclées douces et des couacs rauques, des mélodies complexes et des clameurs d'airain.

— Hello, criaient les voix. Qui es-tu, ami?

— Ce que je parais être, je le suis.

— Et que signifies-tu pour nous, ami?

— Seulement ce que je parais signifier, leur ai-je dit. (En silence.) De toutes les manières, ce que vous voyez en moi est très exactement ce que je suis.

Des animaux approchèrent, quelque part entre moi et ce soleil jaunâtre.

Leur première embarcation était minuscule, rudimentaire, et extraordinairement fragile. Il leur avait fallu un courage immense pour arriver aussi loin. Les créatures avaient dû quitter la brillance de leur galaxie et, au milieu du voyage, il leur avait fallu s'arrêter et faire machine arrière, rebrousser chemin en poussant à fond sur leurs petits moteurs pour se maintenir très exactement à ma vitesse étonnante. Puis elles avaient à nouveau ralenti, à peine, pour que je les rattrape. En se maintenant habilement à une distance prudente, elles s'étaient cantonnées sur une orbite tactique.

Et je vis des milliers de machines automatiques s'abattre sur moi.

Elles se stabilisèrent, puis se posèrent.

Mes cicatrices et ma trajectoire trahissaient mon âge.

Je n'avais laissé aucune galaxie derrière moi. Pas même une seule à demi née, sombre, destinée à devenir importante. Un vide tel qu'il n'avait que peu d'obstacles. Les comètes y étaient rares, plus encore les soleils, autant que les simples nuages de poussière. Pourtant, ma face avant était craquelée, creusée de cratères, ce qui signifiait pour les animaux curieux que j'avais franchi des distances terrifiantes, que j'étais aussi ancien que leur monde natal.

Pour le moins.

— Ce vaisseau est froid, rapportèrent les machines. Sans doute définitivement endormi et très probablement mort.

Une épave, tout simplement.

Entre ma face avant et ma face arrière, il y a de grandes baies, vides, fermées, soigneusement verrouillées. Mais des écoutilles plus petites et des accès peuvent s'ouvrir sous une poussée décidée et, après avoir demandé des instructions, c'est ce que firent plusieurs machines. Elles firent jouer des portes qui étaient fermées depuis une éternité ou presque et, derrière, elles découvrirent des coursives en pente et des escaliers impeccables, parfaitement adaptés à la démarche gracieuse des humanoïdes aux longues jambes.

Les animaux eux-mêmes firent le dernier petit bond.

Je ne me souvenais pas de la dernière fois où des pieds avaient dévalé mes escaliers. Mais les humains affluaient, par deux, par dix, ils investissaient mon intérieur, déterminés et prudents. Au début, ils portaient des scaphandres lourds, ils étaient armés et conversaient par radio avec des voix faibles et des codes élaborés. Mais en progressant, l'air ancien devint plus dense autour d'eux, les tests leur révélèrent qu'il y avait suffisamment d'oxygène pour respirer, qu'une multitude de systèmes de soutien vital fonctionnaient encore. Rassurés, ils ôtèrent leurs casques, reniflèrent avec méfiance, puis se mirent à inspirer à fond en souriant comme le font les humains.

La première voix dit :

— Hello.

Elle n'entendit que son propre écho nerveux en réponse.

Au-delà de ma coque blindée, il y existe un vaste océan froid de pierre tissé de grandes coursives, d'impasses et de salles trop immenses pour qu'on les embrasse d'un seul regard, ni même durant le temps d'une vie. L'obscurité y est totale, pénétrante. Mais, dans chaque paroi, dans chaque plafond, il y a des lampes et des projecteurs holographiques dont les mécanismes sont d'une simplicité transparente, faciles à activer. Avec, en plus, des armadas de réacteurs qui n'attendent que d'être tirés de leur sommeil pour distribuer de l'énergie.

Dans les volumes modestes et les plus vastes, je me suis réveillé.

Pourtant, je n'avais pas de voix.

Avais-je jamais eu la possibilité de parler ?

J'en ai pris conscience : peut-être pas. Il se pouvait que ce que je prenais pour ma voix soit en fait la voix de quelqu'un d'autre. Mais de qui ? Et comment se faisait-il qu'une période de mon temps d'existence m'ait volé cette connaissance basique, essentielle ?

La plupart des humains étaient maintenant à mon bord.

Avec de l'affection, de l'attention, je les ai dénombrés. Douze puissance quatre, plus quelques-uns. Ce qui était une population infime, presque négligeable par rapport à ma vastitude.

11

Mais c'est alors que d'autres vaisseaux survinrent – toute une armada en provenance d'autres soleils… d'autres mondes humains. Ces engins plus récents avaient des moteurs plus puissants et efficaces. J'ai compris alors que même si ces humains étaient des animaux, ils pourraient rapidement s'adapter. Ce qui devait être une bonne chose.

Mais pourquoi ?

Avec toutes mes énergies nouvelles, j'ai tenté d'interpeller mes compagnons innocents, de les supplier de m'écouter.

Mais j'étais muet.

À l'exception du murmure du vent, du crépitement aléatoire de l'énergie dans quelque mur granitique et du craquement sec du gravier qui précédait la pression d'une foulée humaine, je ne pouvais émettre le moindre son.

La population humaine décupla.

Et ensuite, pendant quelque temps, rien ne changea.

Tous les explorateurs étaient arrivés. Avec une efficacité nerveuse, ils firent le relevé de chaque tunnel, de chaque fissure en leur attribuant une fonction précise. Chacune des immenses salles et des chambres caverneuses eut droit à l'honneur d'un nom particulier. On découvrit en moi, à de multiples niveaux, de grandes mers d'eau et d'ammoniaque, de méthane et de silicones. Des batteries de machines pouvaient manipuler leur chimie et les rendre utilisables pour une large gamme de formes de vie. Naturellement, les humains adaptèrent l'une des mers salées à titre expérimental, réglèrent le taux d'acidité et de salinité à leur goût, avec une température clémente en surface et froide en profondeur. Et, dans un souci de permanence, ils édifièrent une petite cité qui dominait le rivage de galets noirs.

Ce que les humains découvraient en moi, je le découvrais en même temps qu'eux.

Jusqu'à ce moment, je n'avais pas pleinement compris à quel point j'étais immense, non plus que ma beauté glorieuse, harmonieusement patinée.

J'aurais voulu remercier mes hôtes et je ne le pouvais pas. Pas plus que je ne pouvais leur faire entendre mes mises en garde plaintives. Mas je m'habituais à ma mutité. Chaque chose a une raison d'être et, même si je suis aussi grand et glorieux qu'à présent, je ne suis rien comparé à ceux dont l'intelligence m'a créé… Et qui suis-je, sinon une simple machine, pour mettre en doute leur sagesse infinie ?

En dessous de mes mers d'eau, il y avait des océans d'hydrogène liquide.

Sans aucun doute, du carburant pour mes moteurs endormis.

Les humains apprirent à réparer mes pompes, mes réacteurs géants, et arrivèrent à relancer certains grands moteurs puissants lors d'un essai d'expérimentation de plasma à haute vélocité, plus énergétique et plus chaud que je ne l'avais prévu.

Alors, nous avons plongé dans leur galaxie.

Elle portait le nom des sécrétions d'une mère, la « Voie lactée ».

J'ai commencé à goûter ses poussières et son cœur affaibli a réchauffé ma peau ancienne. Il y avait sous moi un quart de milliard de soleils, une centaine de milliards de mondes, habités ou non. Sorti du néant, je plongeais dans le cœur cosmopolite de l'Univers. Des dizaines de milliers d'espèces m'avaient vu arriver et, naturellement, quelques-unes avaient envoyé leurs minuscules vaisseaux. Ils orbitaient autour de moi à distance respectueuse et leurs voix multiples me demandaient de les autoriser à monter à bord ou, plus brutalement, de prendre possession de moi.

Les humains rejetèrent toutes les demandes. Poliment d'abord, puis moins ensuite.

J'ai entendu leurs déclarations froides et officielles concernant la loi interstellaire et le statut des épaves spatiales. Suivit un silence calculé, prudent.

L'un des intrus décida alors de passer à l'action. Sans avertissement, il attaqua et pulvérisa les astronefs humains en lumière et en nuages de débris.

La plupart des espèces, non préparées à la guerre, battirent élégamment en retraite. Seules restèrent les plus violentes, qui déclenchèrent leurs armes sur ma coque. Mais j'étais capable de résister à l'impact d'une comète géante me percutant à une vitesse proche de celle de la lumière ; leurs bombes au tritium et leurs lasers ne pouvaient rien contre moi. Rien. Les humains, en sécurité à mon bord, vivaient leur vie, ignorant les bombardements extérieurs, s'activant à réparer et à recadrer mes vieilles entrailles pendant que leurs adversaires s'épuisaient sur mon corps colossal.

L'un après l'autre, les vaisseaux abandonnèrent le combat et se replièrent.

Les dernières espèces, désespérant de faire valoir leurs revendications, tentèrent un abordage en force. Leurs capitaines plongèrent vers ma face avant, louvoyèrent dans les cratères avant de filer vers l'accès le plus proche. Une action audacieuse, courageuse et téméraire. Il y avait dans mes bunkers profonds des générateurs de boucliers, des lasers et des canons antimatière. Dans un âge lointain, perdu, ils avaient dû me protéger des comètes et d'autres risques. Tout comme ils l'avaient fait pour mes autres systèmes, les humains avaient découvert ce dispositif et l'avaient réparé. Dans un mélange de représailles et de charité, ils se servirent des lasers afin de détruire les moteurs des attaquants, leur armement, et firent prisonniers les survivants.

Puis, ils grondèrent vers leur Voie lactée :

—Ce vaisseau est à nous !

—À nous !

—Désormais et pour toujours, le Vaisseau nous appartient !

On avait installé des chaises en bois noir sur un bloc de pierre noire et, assis sur ces chaises, il y avait la Maîtresse Capitaine et son équipe, dans leur uniforme de fantaisie miroitant, qui profitaient du faux soleil.

—Nous avons gagné, commença la Maîtresse, mais qu'avons-nous gagné au juste ?

Personne ne répondit.

—Nous avons un droit de propriété sur le plus immense vaisseau interstellaire qu'on ait connu, poursuivit-elle en désignant le plafond bleu, le ressac tiède et le rocher de basalte plus tiède encore.

» Mais nos sociétés et nos gouvernements ont payé cette mission et ils ne sont pas assez déraisonnables pour ne pas en attendre de gros bénéfices.

Tous acquiescèrent, puis patientèrent. Ils connaissaient suffisamment la Maîtresse pour s'abstenir d'exprimer leur opinion, du moins jusqu'à ce qu'elle se tourne vers eux et prononce leur nom.

— Ce vaisseau voyage à une vitesse effarante, remarqua-t-elle. Même si nous parvenions à le faire pivoter de cent quatre-vingts degrés et à allumer ses moteurs jusqu'à vider ses réservoirs, notre vélocité nous interdirait d'aborder où que ce soit. On ne peut faire danser vingt fois la masse de la Terre, non ?

Silence.

La Maîtresse prit une expression figée, professionnelle.

— Miocène ?

— Oui, madame, répondit l'une de ses assistantes.

— Vous avez des idées ? N'importe lesquelles ?

— Nous ne pouvons nous arrêter, madame, mais on peut se servir des moteurs pour ajuster notre trajectoire.

Miocène était une femme de haute taille, perpétuellement calme. Elle consulta le compas posé sur ses genoux, puis leva ses yeux noisette et affronta le regard impatient de la Maîtresse.

— Devant nous, il y a une naine blanche. Si nous nous appuyons sur elle durant trois jours à compter de maintenant, et à distance relativement réduite, au lieu de fendre la galaxie, nous pourrons revenir en arrière. Le vaisseau traversera l'espace humain avant de continuer sa route vers le noyau galactique.

— Mais dans quel but ? demanda la Maîtresse.

— Afin de gagner du temps pour étudier cette technologie, madame.

Quelques capitaines se hasardèrent à acquiescer timidement.

Mais, pour une raison ou une autre, la Maîtresse ne parut pas convaincue. Elle se leva dans un craquement. Elle dominait ses subalternes. Durant un instant, elle ne réagit pas et tous l'observèrent en silence. Elle se détourna alors et contempla la surface de l'eau, le ressac sur le basalte. Son esprit vif et sans couleur essayait de distiller la meilleure des possibilités.

C'est alors que surgit une baleine.

C'était un petit rorqual modifié – une espèce très répandue sur les mondes terraformés – qui portait sur son dos énorme et sombre un enfant. Une fillette, à en juger par son apparence et son rire que relayait le vent. La Maîtresse demanda d'un ton mesuré :

— À qui est cette enfant ?

Dès la fin du conflit, les capitaines et l'équipage avaient engendré occasionnellement un descendant et implanté ainsi plus profondément leurs racines dans le vaisseau. Miocène se redressa, cligna des yeux dans les reflets de lumière sur l'eau et déclara :

— Je ne suis pas certaine de l'identité des parents. Mais elle habite à proximité. Je suis sûre de l'avoir déjà vue.

— Qu'on la capture et qu'on me l'amène.

Les capitaines sont des capitaines parce qu'ils peuvent accomplir n'importe quelle corvée et, généralement, sans trop protester. Mais la baleine et l'enfant s'avérèrent un problème difficile. La fillette ignora les ordres qu'elle entendit dans ses oreillettes. Quand elle vit approcher l'écumeur, elle partit d'un grand rire et fit plonger son amie. Elles se servirent de leurs branchies à hydrolyse pour respirer et rester hors de portée une heure durant.

On trouva finalement un parent qui convainquit sa fille de remonter à la surface. Là, elle fut prise, vêtue d'une robe trop grande ; on sécha ses longs cheveux noirs et on les coiffa avant de la ramener jusqu'au sommet du rocher.

La Maîtresse se leva et lui offrit son siège majestueux avant de s'installer sur un nœud de basalte. Son uniforme scintillait dans la lumière d'après-midi ; elle demanda d'un ton ferme et amical :

— Ma chérie, que faisais-tu sur le dos de cette baleine ?

— Je m'amusais, répondit la fillette.

— Mais nager est aussi un amusement. Tu sais nager, non ?

— Mieux que vous, madame, probablement.

La Maîtresse partit d'un grand rire et tous l'imitèrent. À l'exception de Miocène, qui assistait à l'interrogatoire avec une irritation grandissante.

— Tu préfères monter sur la baleine plutôt que nager, dit la Maîtresse. J'ai raison ?

— Quelquefois.

— Quand tu te serres contre ton amie, tu te sens en sécurité ?

— Oui, je le crois. C'est sûr.

« En sécurité ». Le mot était tellement important qu'il fallait le répéter. La Maîtresse le répéta donc quatre fois. Avant de regarder la fillette en souriant :

— Très bien. Je te remercie. Tu peux partir pour aller t'amuser, ma chérie.

— Oui, madame.

— À propos, comment t'appelles-tu ?

— Washen.

— Tu es une jolie petite femme, Washen. Je te remercie.

— Pourquoi ?

— Pour ton aide, bien sûr, ronronna la Maîtresse Capitaine. Qui m'a été absolument essentielle.

Tous les capitaines, intrigués, regardèrent la fillette s'éloigner avec cette démarche lente et prudente des enfants qui savent qu'on les observe. Mais avant que Washen ait disparu, Miocène proféra :

— Qu'est-ce que cela signifie, madame ?

— Vous le savez parfaitement. Les voyages interstellaires ne sont pas vraiment sûrs. (Un large sourire se dessina sur le visage doré de la Maîtresse.) Nos plus gros vaisseaux, les plus durables, peuvent être anéantis par un objet guère plus gros que mon poing.

Oui, bien sûr, c'était une certitude de toujours.

— Mais à bord de ce vaisseau immense, une passagère est parfaitement en sécurité. Aujourd'hui et à jamais, elle est protégée par des centaines de kilomètres d'hyperfibre à haut degré, des lasers et des boucliers, encadrée par les meilleurs capitaines qu'on puisse trouver.

Elle s'interrompit brièvement pour savourer cet instant dramatique, puis annonça en dominant le grondement du ressac :

— Nous allons faire payer le voyage à bord de ce grand vaisseau. Pour une croisière autour de la galaxie – une croisière sans égale – et chaque touriste suffisamment riche sera le bienvenu. Qu'il soit humain ou non et cela inclut les machines !

Il y eut une bourrasque soudaine. Le siège vide de la Maîtresse bascula sur le côté.

Une dizaine de capitaines se précipitèrent pour avoir le privilège de le redresser, alors que Miocène, qui savait y faire, s'avançait vers la Maîtresse et s'inclinait en souriant avant de lui déclarer :

— Quelle idée merveilleuse, belle et parfaite…, madame !

Un

Washen était un capitaine important.

Elle était grande, élégante ; l'âge n'avait pas marqué son corps athlétique. Elle avait un joli visage et des yeux bruns au regard sage. Ses cheveux d'un noir d'obsidienne étaient noués en un chignon habile, avec quelques traces de blanc pour renforcer son apparence autoritaire. Il émanait d'elle une impression de certitude tranquille et de compétence ; d'un simple mot aimable ou d'un bref regard, elle savait transmettre sa confiance à qui la méritait. En public, elle portait son uniforme miroitant de façon royale, avec une fierté réservée. Cependant, elle possédait le don rare d'empêcher les autres de jalouser sa position ou de se sentir intimidés en sa présence. Elle avait aussi le talent plus rare encore d'appréhender les instincts et les coutumes des espèces vraiment étrangères. C'était la raison pour laquelle, sur l'insistance de la Maîtresse Capitaine, elle avait le devoir d'accueillir les passagers les plus bizarres, de leur expliquer ce qu'était réellement le vaisseau et ce qu'il attendait de ses hôtes bien-aimés.

Sa journée, comme tant d'autres, avait commencé au fond du sabord Bêta.

Elle rectifia l'inclinaison de sa casquette avant de lever les yeux vers le taxi long d'un kilomètre que l'on descendait du sas. Débarrassé de ses fusées, de ses réservoirs volumineux et de sa proue blindée, le taxi ressemblait à une grande aiguille. Sa coque d'hyperfibre luisait sous les lampes du sabord tandis que l'équipage et les tentacules de calmar des IA contrôlaient sa descente au bout du câble mince comme un cheveu, afin de le déposer avec la douceur d'un cap-car.

Ce qui était une faute. Washen interpella l'officier par son implant nexus.

— Laissez-le tomber. Tout de suite.

Un humain au visage blanc glacé lui répondit avec une grimace.

— Mais, madame…

— Immédiatement, insista Washen. Laissez-le tomber.

La parole d'un capitaine pesait plus que la mise en garde d'un officier d'équipage. Et puis, la coque du taxi pouvait endurer des chocs plus graves, ils le savaient l'un et l'autre.

Les tentacules se détachèrent avec un craquement sourd.

Un instant, l'aiguille du taxi ne réagit pas. Puis, la gravité du vaisseau – plus élevée que celle de la Terre – exerça son effet et le largua dans le berceau prévu pour lui. L'impact fut violent, mais amorti par le sol d'hyperfibre et une dose généreuse d'antibruit. Le choc se propagea dans les orteils et les genoux de Washen ; elle sourit brièvement en imaginant la surprise ravie des passagers.

— Il va falloir que je rédige un constat d'accident, grommela l'humain blanc.

— Naturellement. Et j'assume tous les torts. D'accord ?

— Merci…, capitaine…

— Non. C'est moi qui vous remercie.

Washen se dirigea vers le taxi et son sourire s'effaça pour être remplacé par l'expression sévère et théâtrale que sa fonction lui imposait.

Les passagers débarquaient.

Des Pataugeurs, comme on les avait surnommés.

À première vue, les Pataugeurs ressemblaient à d'épais tapis de laine portés par des dizaines de pattes courtes et solides. Ils venaient d'un monde superterrien où la gravité était cinq fois supérieure à celle qui régnait dans le sabord. Comme de nombreuses espèces, ils avaient besoin d'une atmosphère plus dense, plus riche que celle qui régnait ici. Des implants de compression les aidaient à maintenir leur respiration courte et rapide. Une paire d'yeux énormes, effrayants, dominait leur long corps, rattachée à ce que l'on pouvait appeler une tête, et observait Washen.

— Bienvenue, annonça-t-elle.

Son traducteur émit un grondement sourd.

— Je vous méprise tous ! rugit Washen.

Elle appliqua alors les conseils des exopsychologues, s'inclina et établit le contact visuel en se souvenant de ce qu'elle savait de ces nouveaux venus.

— Ici, vous n'avez aucun statut. Pas le moindre. Un mot de ma part et vous serez tous écrasés de façon atroce.

La politesse humaine n'avait pas sa place dans cette société alienne.

Les Pataugeurs – dont le nom réel était une série de tic-tac poétiques – confondaient la courtoisie avec les relations intimes. Et ce genre d'intimité n'était permis qu'aux membres d'une même famille, par affinité sanguine ou par cérémonial. Les exopsychologues étaient inflexibles sur ce point. Si Washen ne parvenait pas à intimider les Pataugeurs, ils se sentiraient mal à l'aise, tout comme un humain abordé familièrement par un étranger qui l'embrasserait longuement sur la bouche en lui susurrant un mot d'amour.

— Ceci est mon vaisseau !

Washen avait devant elle plusieurs centaines d'aliens qui pointaient bien droit leurs petites oreilles et digéraient sa voix tonitruante retransmise par le traducteur.

—Vous avez payé le prix de ma patience tout comme ce berceau de réception. Vous avez payé avec des technologies nouvelles, que nous avons déjà reçues, maîtrisées et améliorées.

Les aliens conversaient par contact, leurs longues moustaches déployées.

Washen affrontait le regard vif de deux yeux bleu cobalt.

—Mes règles sont simples, petits monstres.

Les moustaches se raidirent.

Le public retenait son souffle.

—Mon vaisseau est *le Vaisseau*. Il n'a pas besoin qu'on le nomme autrement. Il est énorme, sans pareil, mais il n'est pas infini. Ni vide. Des milliers d'espèces partagent ses labyrinthes avec vous. Et si vous ne respectez pas de façon absolue vos compagnons de croisière, vous serez évincés. Jetés par-dessus bord.

Les Pataugeurs retrouvèrent leur souffle, plus rapide qu'auparavant.

Est-ce qu'il se pouvait qu'elle joue trop bien le jeu?

Mais, plutôt que de se restreindre, elle renforça la pression.

—On a préparé une salle vide à votre intention, comme vous nous avez suppliés de le faire. Étanche, pressurisée. L'espace habitable est suffisant et vos vivres ignobles disponibles en abondance. Vous serez libres d'agir à votre convenance dans ce nouveau foyer. Toutefois, procréer ne se fera qu'avec ma permission. Et avec des frais supplémentaires. Étant donné que les enfants sont de nouveaux passagers, leur statut est négociable. Et si j'ai quelque raison de le souhaiter, je peux personnellement les faire jeter par-dessus bord. Est-ce bien compris?

Le traducteur transmit la question, avant de restituer d'une voix asexuée un échantillonnage des réponses des aliens.

—Oui, seigneur capitaine.

—Certainement, seigneur.

—Seigneur, vous m'effrayez!

—Mère, quand ce spectacle cessera-t-il? J'ai faim!

Washen se retint de rire. Elle haleta une seconde avant de répondre:

—Il en a toujours été ainsi depuis que j'ai éjecté quelqu'un du Vaisseau.

Les autres capitaines s'occupaient des expulsions. De façon humaine, bien entendu. Les taxis et divers vaisseaux interstellaires étaient chargés de reconduire les espèces étrangères jusqu'à leur monde ou vers d'autres planètes obscures où elles auraient de meilleures chances de survivre.

—Mais ne vous y trompez pas! gronda Washen. J'aime ce vaisseau. J'y suis née, je vais y mourir, et, durant le temps qui s'écoulera, je ferai tout ce qui est en mon pouvoir pour protéger ses halls antiques, ses nobles pierres contre tous ceux qui ne sauraient pas lui montrer un respect absolu. Vous me comprenez, bande de petits crétins?

—Oui, Votre Seigneurie.

—Oui, Déesse!

—Mais elle n'a pas encore fini? La faim engourdit toutes mes langues!

— J'ai presque terminé, répliqua Washen. (Avant d'ajouter un peu plus fort :) Je vous ai à l'œil dès maintenant. Je vous observe comme la Nuit Fantôme.

Un silence respectueux accueillit cette déclaration.

La Nuit Fantôme était une déesse pour les Pataugeurs. Lorsqu'ils prononçaient son nom, un croassement rauque, Washen elle-même éprouvait un frisson.

Avec une attitude hautaine qu'elle avait longuement cultivée, elle se détourna et s'éloigna.

Elle était la quintessence des capitaines.

L'un des seigneurs de la galaxie.

Et en cet instant déterminant, elle était un monstre mythique capable de voler les âmes de ceux qui oseraient dormir.

Il y avait bien longtemps, Washen avait atteint cet âge où le passé est devenu trop vaste pour qu'on le supporte ; où la mémoire la plus vive, la plus efficace doit se dépouiller des petits détails et de siècles complets, quand l'enfance adorée s'est effacée et qu'il ne reste que des séries de souvenirs fragmentaires, d'instants durs comme des diamants qui ne sauraient être dilués par le temps, même en dix millions d'années.

Les premiers aliens que Washen avait accueillis étaient des Phénix.

Le vaisseau, à l'époque, était encore à l'extérieur de la Voie lactée. Elle était un peu plus qu'une enfant et ses parents – des ingénieurs qui étaient arrivés dans le premier engin interstellaire – appartenaient à la grande et malheureuse équipe chargée de construire un habitat pour les Phénix.

Ces aliens n'étaient pas les bienvenus. Après tout, ils avaient tenté de conquérir le vaisseau. L'invasion avait échoué, mais tous les autres avaient eu du mal à leur pardonner. Le père de Washen, qui se montrait d'ordinaire indulgent, déclara que son travail avait été un gâchis et, pire encore, un crime.

— Tout ce qu'il faut à cette merde, c'est une minuscule catacombe, un peu d'eau, un minimum de nourriture et qu'on les oublie ensuite. C'est mon opinion, vous en faites ce que vous voulez.

Washen ne se rappelait plus ce qu'en avait dit sa mère. Ses propres concepts avaient fondu avec le temps. Et elle ne se souvenait même pas de sa première visite dans la prison. Est-ce qu'elle y avait cherché ses parents ? Ou bien, plus tard, après le travail, les jeunes comme elle y étaient-ils attirés par simple curiosité ?

Quelle qu'en fût la raison, elle se souvenait aujourd'hui de l'enterrement.

Elle n'avait jamais vu la mort. Durant sa vie courte et heureuse, aucun humain n'était décédé à bord du vaisseau. Le vieillissement et les maladies avaient été maîtrisés ; l'organisme de l'humain moderne pouvait résister aux plus horribles dommages. Si l'on était prudent et sobre, on n'avait pas besoin de mourir. Jamais plus.

Mais les Phénix ne partageaient pas ces certitudes. Ils provenaient d'un petit monde brûlant. Ils avaient le sang noir, trois poumons pourvus de branchies ; leur métabolisme était rapide et violent. La plupart des aliens volants étaient des planeurs, des plongeurs, passifs et efficaces, mais les Phénix étaient l'équivalent écologique d'un faucon pèlerin de la taille d'un humain. Ils étaient des chasseurs doués, des guerriers déterminés et possédaient un riche héritage plus ancien que la culture humaine. Pourtant, même s'ils disposaient de technologies de pointe, ils désapprouvaient l'immortalité que presque toutes les autres espèces considéraient comme un bien acquis.

Leur nom, dans une bouche humaine, était un arpège impossible à chanter.

Leur nom, « Phénix », provenait d'un ancien mythe de la Terre. Ou était-ce Mars ? En tout cas, il n'était que partiellement approprié. Ils n'étaient pas vraiment des oiseaux, après tout, et ils ne vivaient pas cinq cents ans. Trente années standard étaient trop longues pour la majorité d'entre eux, leurs infirmités physiques et la sénilité interdisaient aux plus âgés de voler, de chanter ou de conserver une trace de dignité.

À l'heure de la mort, le corps et le nid de cérémonie étaient incinérés. Mais, plutôt que d'attendre une douce résurrection, les cendres étaient emportées par la famille et les amis avant d'être répandues dans les courants d'air, dispersées par les battements d'ailes aux quatre coins de leur prison immense et adorable.

Leur habitat n'avait pas été conçu avec le simple souci de l'accueil. La Maîtresse, qui visait loin comme toujours, avait décidé que si le vaisseau devait attirer des passagers aliens, son équipage avait besoin de savoir comment manipuler, tirer et retordre les contrôles d'environnement, comment transformer des cavités à l'état brut en domiciles dans lesquels toute forme de vie biologique pourrait séjourner à l'aise. Pour cela, elle avait demandé à ses meilleurs ingénieurs de se lancer sur le projet. Des éons plus tard, quand Washen avait compris la Maîtresse, elle avait imaginé à quel point elle aurait été irritée par quelqu'un comme son père – un employé doué qui osait protester contre son travail, incapable d'apprécier les bénéfices à long terme de cette bienveillance apparemment imméritée.

L'habitat des Phénix avait autrefois servi de bouteille magnétique à quelqu'un. Cela aurait pu être une cuve d'endiguement d'antimatière, mais une pareille supposition était aussi hasardeuse que péremptoire.

Avec ses cinq kilomètres de diamètre, profonde de plus de vingt, la prison était une colonne d'air tiède et dense, ponctuée d'épais nuages et d'îlots de végétation flottante. Les souches biologiques du vaisseau des Phénix avaient été cultivées, puis modifiées. La cuve d'origine avait manqué de lumière mais l'éclairage du vaisseau avait été récupéré et amélioré pour générer un ciel acceptable, ainsi qu'une luminosité réglée sur les fréquences les mieux adaptées. Comme il n'y avait pas suffisamment de volume pour des typhons ou des alizés, l'air était brassé par une batterie de ventilateurs cachés et par diverses astuces d'ingénierie. Et, pour dissimuler les grandes murailles cylindriques, une illusion de nuages tapissait toutes les surfaces – tellement parfaite qu'elle semblait réelle au regard des humains, mais pas à celui des Phénix qui la frôlaient de trop près.

Dans la prison, on incarcérait les éléments affaiblis ou mauvais, mais ceux qui y étaient détenus vieillissaient rapidement et périssaient.

Washen avait assisté à la cérémonie funéraire d'un des anciens guerriers. Même si cela lui semblait aujourd'hui improbable, elle se souvenait de la plate-forme où elle avait attendu, contre la grande paroi, en compagnie de milliers d'humains dont les mains étreignaient la rambarde, regardant les créatures ailées qui passaient, qui volaient de plus en plus haut, avec une précision merveilleuse, qui chantaient très fort au point de dominer le sifflement constant du vent.

Quand on avait lâché les cendres, les affligés étaient loin, hors de vue.

Intentionnellement, sans le moindre doute.

La jeune Washen regardait. Le lendemain, ou bien l'année d'après, elle suggéra :

— Nous pourrions libérer les autres, puisque les plus mauvais sont morts.

Mais tel n'était pas l'avis de son père.

— Au cas où tu ne l'aurais pas remarqué, les Phénix ne sont pas humains, déclara-t-il à sa fille trop sensible. Ces créatures ont un proverbe qui dit : « Tu hérites de ta direction avant que poussent tes ailes. » Ce qui signifie, ma chérie, que leurs enfants et petits-enfants sont décidés à nous massacrer, tout comme leurs ancêtres le furent.

— Sinon encore plus décidés, ajouta sa mère d'un ton grave qui ne lui ressemblait guère.

— Ces créatures cultivent leur rancune envers nous, avait repris son père. Crois-moi, elles ne font qu'accroître et nourrir leurs haines.

— À la différence des humains, dit leur petite-fille, spirituelle.

Mais on ne remarqua pas son ironie, qui passa sans doute inaperçue.

Elle ne se souvenait pas que cette algarade ait eu une suite. Le cerveau moderne est dense et extraordinairement résistant – un composé de biocéramiques, de protéines supraconductrices, de graisses anciennes et de micro-tubules quantiques. Mais, comme tout cerveau raisonnable, il doit simplifier ce qu'il apprend. Redresser. Définir les lignes. L'habitude et l'instinct sont ses alliés ; même le plus avisé des esprits a recours à l'art de l'extrapolation.

Lorsqu'elle se concentrait, Washen se remémorait de multiples querelles avec ses parents. Les chances de liberté et de responsabilisation de l'enfant ne semblaient avoir jamais changé ; elle se rappelait assez clairement de leurs politiques et de leurs personnalités pour retrouver leurs prises de bec et leurs affreux éclats – des maelströms émotionnels qui laissaient les bons ingénieurs qu'avaient été son père et sa mère désemparés, se demandant comment ils avaient pu devenir aussi ineptes, inefficaces.

Pour Washen et ses amis intimes, les Phénix étaient devenus une vraie cause, un point de ralliement et une épine extraordinairement utile.

Un mouvement politique, encore vacillant, était né. Ses plus fervents adhérents, dont Washen, s'opposaient avec force à la prison. Ils allèrent même jusqu'à manifester devant les locaux de la Maîtresse. Ils furent des centaines à défiler pour la liberté et la décence en brandissant des holos qui montraient les Phénix enchaînés. Un événement courageux et spectaculaire qui aboutit à une petite victoire : quelques délégations réduites furent admises dans la prison pour observer les conditions de détention des aliens et s'entretenir avec eux sous le regard vigilant des capitaines.

C'est alors que Washen avait rencontré son premier alien.

Les Phénix mâles étaient toujours beaux, mais celui-ci était exceptionnel. Ses plumes étaient d'or scintillant frangé d'un noir absolu ; dans son visage volontaire et harmonieux, on ne voyait que son bec et ses yeux. Ses pupilles étaient d'un vert profond, teinté de cuivre, avec l'éclat d'une gemme polie. Son bec acéré, aigu, semblait fait de jade. Il s'ouvrait grand quand il chantait, et le restait longtemps ensuite quand il aspirait les profondes bouffées d'air qui lui étaient nécessaires pour retrouver sa place sur un perchoir et survivre.

L'appareillage placé sur son bréchet traduisait son chant compliqué.

— Hello, avait-il dit à Washen, avant de l'appeler « Porteuse d'œuf humaine ».

Les jeunes humains étaient nombreux dans la délégation, mais c'était Washen qui dirigeait l'entrevue. Obéissant au protocole des Phénix, elle devait entendre toutes leurs questions et parler au nom des autres, selon une liste de sujets établie des semaines auparavant.

— Nous voulons vous aider, déclara-t-elle.

Son traducteur chantonna ses paroles un long moment.

— Nous voulons que vous soyez libres de circuler et de vivre n'importe où dans le vaisseau. Et, en attendant que ce soit autorisé, nous souhaitons rendre votre existence aussi confortable que possible.

Le Phénix chanta sa réponse.

— Le confort, nous n'en avons rien à foutre, traduisit la boîte.

Un violent malaise secoua la délégation humaine.

— C'est quoi, votre nom, porteuse d'œuf humaine ?

— Washen.

Elle n'entendit pas de traduction, ce qui signifiait que pour le Phénix un tel nom était impossible. Il reprit alors son souffle et émit une note qui pouvait être : « Plume de neige ».

Ce nom séduisit Washen et elle le lui dit. Avant d'ajouter :

— Et vous ?

— Suprême Exemple de virilité.

Washen rit brièvement. Puis, avec calme et prudence, elle demanda :

— Viril. Est-ce que je peux vous appeler Viril ?

— Oui, Plume de neige, vous le pouvez.

C'est alors que les plumes qui entouraient son bec de jade se hérissèrent – un sourire de Phénix, se souvint-elle – et qu'il tendit l'un de ses longs bras bien au-delà de l'épaule de Washen pour poser sa main petite et forte, douce, tellement douce, en caressant la rémige extrême de sa grande aile artificielle.

Tous les humains de la délégation portaient des ailes sanglées.

Elles étaient animées par des réacteurs grands comme le pouce, dirigées par les muscles et, ce qui était plus essentiel, elles réagissaient à des capteurs complexes et des réflexes induits. Dix jours durant, en temps humain, les membres de la délégation avaient pour mission de vivre avec les Phénix comme observateurs autant que comme délégués. Le volume de l'habitat était entièrement sous surveillance et ils ne couraient aucun danger immédiat. Même quand les nuages se faisaient plus denses, quand le tonnerre roulait plus fort, les enfants ne pouvaient rien faire sans qu'on puisse les voir, les enregistrer, sans que leurs paroles les plus bienveillantes parviennent à un public plus vaste et infiniment plus soupçonneux.

C'est sans doute pour cela que Plume de neige prit Viril pour amant.

Ce fut un acte provocateur, agressif et absolument délibéré; elle ne pouvait qu'espérer que ses parents en auraient de lointains échos.

Oublions le cynisme. C'était sans doute un peu comme l'amour, ou du moins le désir. C'était peut-être l'excitation que l'alien avait suscitée, cette mise en scène somptueuse, onirique, étrange, et aussi le bonheur sensuel absolu qu'elle éprouvait entre ses ailes puissantes pendant que le vent fouettait sa chair nue.

Ou alors il fallait dénier l'amour, ne garder que la curiosité comme racine essentielle.

Ou bien la repousser pour ne voir qu'un acte profondément politique fondé sur le courage, l'idéalisme ou encore sur les modes les plus simples, les plus pervers de la naïveté.

Mais, quelle qu'en fût la raison, elle avait séduit Viril.

Au sommet d'une jungle aérienne, son long dos appuyé contre une cosse végétale tiède et lisse, Plume de neige invita l'alien à l'aimer. Elle le supplia même, à vrai dire. Il finit rapidement et recommença tout aussi vite, irréductible; son corps puissant à la chaleur de fournaise l'étreignait avec une grâce impossible. Pourtant, leurs géométries n'étaient pas en prise. Et, à terme, ce fut elle qui demanda:

— Assez. Arrête. Laisse-moi me reposer, d'accord?

Son corps avait souffert, plus qu'un peu.

Curieux, mais à l'évidence sans émotion, son amant observait le flot de sang qui s'écoulait entre ses jambes et qui virait très vite au noir dans l'air hyperoxygéné. Puis, il coagula et les tissus meurtris commencèrent à guérir. Sans la moindre cicatrice, sans aucune douleur, la blessure qui aurait été mortelle à une autre époque avait simplement disparu. Elle n'avait jamais existé.

Viril gardait son sourire de Phénix sans rien dire.

Plume de neige avait besoin de mots.

— Tu as quel âge? cria-t-elle. Et comme la réponse se faisait attendre, elle répéta. Plus fort cette fois.

— Tu as quel âge?

Il lui répondit selon le calendrier des Phénix.

Viril avait un peu plus de vingt années standard. Un âge moyen. Presque dans sa maturité, en fait.

Elle grimaça et lui dit :

—Je peux t'aider.

Il chantonna une réponse qui devint pour le traducteur :

—M'aider ? De quelle façon ?

—Médicalement. Je peux faire remplacer ton ADN par de meilleures structures génétiques. Tes membranes lipidiques pourraient être supplantées par d'autres, plus durables. Ce genre de chose. (Elle fut surprise plus que lui quand elle ajouta :) Les techniques sont complexes, mais elles ont fait leurs preuves. J'ai des amis dont les parents docteurs seraient ravis de reconfigurer ta chair.

Il coassa :

—Non.

Elle avait reconnu ce ton de méfiance avant que le traducteur n'émette un « non » froid et râpeux.

Viril ajouta :

—Jamais. Je ne crois pas en votre magie.

Et, dans le même instant, ses adorables plumes dorées se dressèrent ; son corps et son visage parurent plus larges encore.

—Ça n'est pas de la magie ! protesta-t-elle. Et la plupart des espèces l'utilisent.

— La plupart des espèces sont faibles, répliqua-t-il aussitôt.

Elle savait qu'elle devait abandonner ce sujet. Mais, portée par la compassion et la pitié et une bonne dose de méfiance et d'espérance, elle mit en garde son amant :

—Il y aura bientôt des changements. Si vous êtes incapables de rallonger le cours de votre existence, vous resterez ici, dans cette prison étroite.

Silence.

—Vous ne pourrez plus voler jusqu'à un autre monde, encore moins celui qui est le vôtre.

Il émit une plainte musicale et ses plumes frissonnèrent en imitant un haussement d'épaules.

—Une maison suffit à une âme véritable, dit le traducteur. Même si elle n'est qu'une cage exiguë.

Autre plainte.

Viril lui dit :

—Seuls les faibles et les sans âme ont besoin de vivre durant des éons de temps.

Plume de neige ne se hérissa pas, ni ne se plaignit. Et quand elle répondit, sa voix fut mesurée et grave :

—Si j'en crois cette logique, je suis faible.

—Et sans âme, ajouta-t-il. Condamnée à disparaître.

—Tu pourrais essayer de me sauver, non ?

Le visage du Phénix afficha une expression perplexe, pour le moins. Son bec se pencha vers elle, elle sentit son haleine violente comme le vent et, pour la première fois, dans un instant terrible, elle fut dégoûtée par les lourds relents de viande.

— Je ne mérite pas qu'on me sauve ? ajouta-t-elle.

En réponse, les yeux verts se fermèrent.

Elle secoua la tête, ainsi que le faisaient tous les humains. Puis elle se redressa, agita ses ailes et demanda d'une voix douloureuse, lourde :

— Tu ne m'aimes pas ?

Il émit un chant majestueux. La boîte fixée sur son torse musclé réduisit toute cette majesté et cette passion en mots simples :

— Le Grand Néant a conspiré pour me faire. Il entendait que je vive un jour. Comme Il le veut pour chacun de nous. Oui, je suis un homme égoïste, bruyant, arrogant, viril. Mais si je vis deux jours, je vole la vie d'un autre. Quelqu'un qui devait naître mais qui s'est retrouvé sans une place. Si je vis trois jours, je vole deux vies. Et si je vivais aussi longtemps que tu le souhaites… un million de jours… combien de nations ne naîtraient jamais ?…

Il continua son discours, mais elle ne l'entendait plus.

Elle n'était plus Plume de neige, elle était redevenue une jeune humaine. Elle se retrouva debout et interrompit le flot de bêtises du traducteur avec un rire rauque. Le mépris prit le dessus et elle hurla à l'adresse de Suprême Exemple de virilité :

— Tu sais ce que tu es ? Un dindon stupide qui ne pense qu'à lui-même !

La boîte de Viril hésita, peinant à trouver une traduction.

Avant qu'elle parle et sans un regard en arrière, Washen sauta de la cosse, déploya ses ailes mécaniques, et plongea, la poitrine dangereusement proche de la surface noir bleuté, avant d'être prise dans un souffle de vent qui la porta jusqu'au pont d'observation.

À nouveau sur pied, Washen défit les sangles de ses ailes encore neuves et les lança par-dessus la rambarde. Puis elle retourna tranquillement chez elle. Ce jour-là, ou plus tard dans les mois qui suivirent, elle contacta ses parents et leur demanda ce qu'ils penseraient si elle s'inscrivait à l'académie des capitaines.

— Ce serait merveilleux, ronronna son père.

— Comme tu voudras, ajouta sa mère avec un sourire de soulagement.

Il ne fut pas question des Phénix. Ce que savaient ses parents, Washen ne l'apprit jamais. Mais, après son admission à l'académie et sous l'influence de quelques libations pour célébrer l'événement, son père la serra mollement contre lui et, avec la sagesse et la conviction de l'homme ivre, il lui dit :

— Il y a différentes façons de voler, chérie.

— Et des ailes différentes.

— Et je crois… Je sais… que tu as choisi les meilleures !

Washen avait toujours habité le même appartement niché loin dans les districts populaires des capitaines. Ce qui ne voulait pas dire que son domicile n'avait pas changé durant son grand cheminement de vie. Le mobilier. Les œuvres d'art. Les plantes et les animaux domestiques. Avec plusieurs hectares sous contrôle climatique, un terrain sous gravité terrestre pour jouer et les ressources du vaisseau à son entière disposition, le danger était qu'elle se lance dans des changements trop nombreux, dominée par son inspiration, sans jamais se donner le temps d'apprécier chacune de ses réussites.

En revenant du sabord Bêta, elle rédigea son rapport quotidien avant d'étudier la liste des prochains passagers qui allaient monter à bord : une société de machines minuscules, en métal super-refroidi, avides de construire une nation nouvelle dans un volume plus petit que la plupart des tiroirs.

Quand elle s'ennuyait, Washen se surprenait à rêver de nouveaux styles de décoration pour les pièces et les jardins de la maison.

Elle se mettrait bientôt au travail, se dit-elle.

Dans un an, dans dix ans.

Le cap-car la déposa devant sa porte. En sortant, elle décida que les choses s'étaient bien passées aujourd'hui. Mille siècles de pratique constante avaient fait d'elle une experte en xénopsychologie, ainsi que dans tout l'art dramatique qu'il fallait maîtriser. Comme tout bon capitaine, Washen se permettait d'éprouver de la fierté car elle savait que ce qu'elle faisait, elle le faisait mieux encore que presque tous ceux qui étaient à bord du vaisseau.

En admettant qu'il existe quelqu'un de meilleur, bien sûr.

Elle ne pensait pas consciemment à son amant mort depuis longtemps, ni aux Phénix, non plus qu'à ce jour fatal qui l'avait incitée à devenir capitaine. Mais tout ce qu'elle représentait à présent était né de ce moment-là. La jeune Washen n'avait que peu de sentiments véritables pour les espèces étrangères, encore moins pour Viril. Elle n'avait jamais soupçonné ce que préparaient les Phénix. Lorsque les événements se produisirent, ce fut la surprise totale, une révélation, et ce ne fut que par chance et grâce à sa popularité que Washen ne fut pas salie par cette vilaine affaire.

À l'instar de Washen, plusieurs jeunes gens avaient pris des amants parmi les Phénix. Ou bien les Phénix s'étaient-ils laissé prendre. Quoi qu'il en fût, des liens émotionnels se créèrent en plus des espoirs politiques, et lentement, dans les années suivantes, les humaines aidèrent leurs amants par des moyens douteux d'abord, puis illégaux, avant d'aboutir à la trahison.

Des machines interdites investirent la prison par des milliers de conduits.

Sous la surveillance vigilante des IA paranoïdes et des capitaines soupçonneux, on conçut et fabriqua des armes qui furent ensuite stockées dans des capsules flottantes – invisibles puisque les capteurs des capitaines avaient été sabotés par les sympathisants.

La rébellion éclata sans prévenir. Cinq capitaines furent assassinés en même temps que neuf cents membres de l'équipage, ingénieurs et jeunes humains, dont beaucoup avaient été des amis de Washen. Leurs corps et leurs cerveaux de biocéramique furent annihilés par les lasers sans laisser aucun souvenir à sauver. Le Grand Néant n'avait réclamé que quelques-uns de ses enfants aliens les plus faibles – une réussite qui aurait dû rendre Viril intensément fier ; pour un temps, le vaisseau lui-même parut en péril.

C'est alors que la Maîtresse Capitaine prit la tête du combat et, en quelques minutes, la rébellion fut matée. La guerre était gagnée. Les prisonniers sans repentir furent repoussés jusque dans leur prison dont le mécanisme fut réveillé pour la première fois depuis cinq milliards d'années au moins. La température chuta dans le grand cylindre. Le givre se transforma en glace dure et, engourdis par le froid, les Phénix descendirent jusqu'au sol, où ils se blottirent les uns contre les autres en quête de chaleur, maudissant la Maîtresse de leurs chants harmonieux. Puis, dans un dernier souffle calculé, leur chair devint de verre, rigide et solide ; dans une vengeance fortuite, ils se figèrent dans une immortalité étincelante.

Des millénaires plus tard, quand le Grand Vaisseau frôla l'espace des Phénix, les guerriers congelés furent entassés dans un taxi-cargo et renvoyés vers leur monde.

C'était Washen qui avait supervisé elle-même le transfert des corps. Elle n'avait pas demandé cette mission, mais la Maîtresse, qui avait certainement un dossier sur les erreurs de jeunesse de son capitaine, s'était dit que ce serait un moment révélateur.

Il l'avait peut-être été.

Et le souvenir fut comme une rébellion. Dès qu'elle franchit la porte de son appartement, elle se rappela soudain cette épreuve lointaine et, en particulier, l'image d'un mâle phénix saisi en plein souffle, ses branchies grandes ouvertes et le sang noir encore apparent après des milliers d'années de sommeil sans rêve. Viril, toujours adorable. Comme tous les autres. Durant un bref instant, Washen avait touché les plumes gelées, le bec menaçant avec le gant sensitif de sa combinaison.

Elle avait tenté de se souvenir de ce qu'elle avait pensé en effleurant son amour perdu. Une trace de tristesse, la résignation de l'âge face à des choses qui jamais ne changeraient, plus le soulagement d'un capitaine qui avait survécu à l'assaut. Le vaisseau était une machine et un mystère, il était rempli d'âmes vivantes qui comptaient sur elle pour leur sécurité… Et c'est à l'instant où elle s'avançait dans le corridor, que le cours de ses pensées fut interrompu par la voix de son appartement :

— Message.

L'entrée était de marbre soyeux usé sous les pas, les parois décorées de tapisseries tissées par l'intelligence communautaire d'organismes proches des fourmis. Avant que Washen ait pu s'avancer, elle entendit :

— Message prioritaire. Codé et urgent.

Elle cilla, son attention déconcentrée.

— Niveau noir. Protocoles alpha.

Un exercice. Ces protocoles avaient été conçus pour les pires désastres, les secrets les plus graves. Elle acquiesça en activant l'un de ses liens d'accès au nexus. Elle attendit plusieurs minutes avant de prouver qu'elle était elle-même, puis reçut le message décodé.

Elle le relut deux fois. Avant de demander la confirmation essentielle, sachant qu'il ne s'agissait que d'un exercice et que le bureau de la Maîtresse allait la remercier pour sa réaction efficace et rapide. Mais l'impensable se produisit. Après une brève pause, elle reçut l'ordre : « Exécutez ».

Elle le répéta à haute voix avant de murmurer les mots incroyables qui suivaient :

— « Exécutez votre mission dès maintenant, avec la plus extrême prudence. »

Il en faut beaucoup pour étonner une vieille femme. Mais là, la vieille femme était étonnée au point d'en être engourdie, peut-être même un peu effrayée, sans oublier la joie incandescente de se trouver devant ce défi inattendu et abrupt.

Deux

Les Rémoras travaillaient sans relâche pour mettre Miocène mal à l'aise et, sans exception, leurs meilleures tentatives échouaient.

Celles d'aujourd'hui étaient absolument typiques. Miocène effectuait une de ses inspections rituelles de la coque extérieure. Son guide, un séduisant aîné au charme étincelant qui se nommait Orléans, pilotait l'écumeur au-dessus de la façade avant du vaisseau, survolant des statues, des balises et de minuscules mémoriaux en nombre presque inconcevable. Il le faisait sans subtilité et sans s'excuser. Ce qui pouvait lui servir de bouche restait figé en un sourire à l'adresse de la sous-maîtresse, et sa main gantée désignait chaque site tout en commentant d'une voix profonde et larmoyante le nombre de ceux qui étaient morts, qui avaient été ses amis ou bien des membres de sa famille énorme et hargneuse.

Miocène ne faisait aucun commentaire.

L'expression réservée de son visage pouvait être prise pour de la compassion, alors même que ses pensées se concentraient sur les sujets où elle excellait vraiment.

—Une dizaine ont trouvé la mort ici, commenta Orléans.

Plus tard, il ajouta :

—Et quinze autres là. Y compris l'un de mes arrière-petits-enfants.

Miocène n'était pas idiote. Elle savait que les Rémoras menaient une existence rude. Elle éprouvait quelque sympathie pour leurs malheurs. Mais il existait également trop de raisons valables pour gaspiller un instant à plaindre ces supposés héros.

—Et là, trompeta Orléans, la nébuleuse Noire a tué trois de nos équipes. Cinquante-trois morts en l'espace d'une seule année.

La coque qu'ils survolaient avait été bien réparée. De larges rubans d'hyperfibre formaient une surface brillante, presque miroitante, qui reflétait les tourbillons de couleurs des boucliers du vaisseau. Les trois mémoriaux étaient des spires couleur d'os qui ne dépassaient guère vingt mètres de haut. Miocène ne fit que les entrevoir brièvement tandis que la navette poursuivait sa course.

—Nous nous sommes trop rapprochés de cette nébuleuse, l'informa Orléans.

La sous-maîtresse exprima ses sentiments en fermant les yeux. Insolent comme tous les Rémoras, son guide ignora cette simple mise en garde.

—Je sais pour quelles bonnes raisons : il y avait beaucoup de mondes riches à proximité et à l'intérieur de la nébuleuse. Il fallait la frôler pour attirer de nouveaux clients. Après tout, nous ne sommes qu'au cinquième de notre grande croisière et nous avons encore des quotas à remplir et de nombreux berceaux libres…

—Non, l'interrompit Miocène. (Lentement, avec un soupir de mépris, elle le regarda et ajouta :) Un monstre tel qu'un quota n'existe pas. Pas plus officiellement qu'autrement.

—J'ai commis une erreur. Désolé.

Pourtant, le Rémora gardait une expression dubitative.

Et même sceptique, à vrai dire.

Mais que pouvait bien signifier l'expression d'un Rémora ? Ce qu'elle observait en cet instant était affreux : le front large était d'un teint cireux avec d'épais grumeaux de graisse alignés en rangées nettes. Au lieu et à la place des yeux qui auraient dû lui renvoyer son regard, il n'y avait que deux puits velus. Chaque poil, supposait-elle, était photosensible et l'ensemble de la touffe était l'équivalent d'un œil. S'il existait un nez, il était caché. Mais la bouche était un organe caoutchouteux important qui ne se fermait jamais vraiment. Pour l'instant, elle pendouillait, béante, à tel point que Miocène pouvait compter les grandes pseudo-dents, les deux langues bleues et voir, tout au fond, distinctement, ce qui semblait être l'image blanche d'un vieux crâne humain.

Le reste du corps du Rémora était dissimulé par sa combinaison.

Son apparence était un mystère qui n'avait pas de solution. Les Rémoras n'enlevaient jamais leur combinaison, même lorsqu'ils étaient en privé.

Malgré tout, Orléans était humain. Légalement, il était un membre précieux de l'équipage, et, à son poste, ce mâle humain assurait des tâches qui exigeaient du talent et un sens absolu du sacrifice.

Miocène déclara alors à son subordonné, avec une gravité calculée :

—Il n'existe pas de quotas.

—C'est ma faute, répliqua-t-il. Absolument, comme toujours.

Sa grande bouche semblait sourire, ou bien était-ce une grimace ?

—Et, continua la sous-maîtresse, d'autres considérations futures étaient en jeu. Un danger imminent mais bref est préférable à un danger éloigné qui risque de durer. Vous n'êtes pas d'accord ?

Les poils des yeux frémirent et se rapprochèrent, comme s'ils cillaient. Et le Rémora répliqua d'une voix profonde :

—Non, franchement, je ne suis pas d'accord.

Elle ne dit rien. Elle attendait.

—Le mieux, ce serait de se dégager de ce bras spirale et de tous ces putains d'obstacles. Oui, ce serait préférable, capitaine, si vous voulez mon avis.

Elle voulait bien. Ça ne la dérangeait pas vraiment. Par définition, on pouvait ignorer facilement un son sans conséquence.

Mais Orléans la poussait bien au-delà de ce que la tradition permettait, plus que sa nature ne l'autorisait. Son regard se porta vers le doux panorama d'hyperfibre, l'horizon lointain parfaitement plat, le ciel constellé de tourbillons violets et magenta et des éclats occasionnels des lasers quand ils traversaient les boucliers du vaisseau. Alors, avec une rage tranquille et calculée, elle dit au Rémora ce qu'il savait déjà :

— C'est vous qui avez décidé de vivre ici. C'est votre vocation, c'est inscrit dans votre culture. Si je me souviens bien, vous avez choisi d'être un Rémora, et si vous ne voulez pas être responsable de vos propres décisions, je devrai peut-être disposer de votre vie pour vous. C'est vraiment ce que vous voulez, Orléans ?

Les yeux velus devinrent deux petites touffes serrées. D'une voix sombre il demanda :

— Si j'acceptais, madame, que me feriez-vous ?

— Je vous ramènerais en bas et ensuite je découperais votre combinaison pour vous en extraire. Pour commencer. Je réhabiliterais votre corps et vos organes génétiques atrophiés jusqu'à ce que vous puissiez passer pour un humain. Puis, pour vous rendre particulièrement malheureux, je ferais de vous un capitaine. Je vous donnerais mon uniforme, une autorité réelle avec tout le poids des responsabilités. Y compris ces inspections occasionnelles de la coque.

Elle lut de la fureur sur l'horrible visage.

Et le Rémora, d'un ton indigné, lui répondit :

— Ce que vous dites est vrai. Vous avez l'âme encore plus laide que n'importe lequel d'entre *eux*.

Calmement, furieusement, Miocène dit :

— Assez. (Et elle ajouta :) L'inspection est finie. Ramenez-moi au sabord Eridini. Et tout droit, cette fois. Si je vois un autre mémorial, je vous promets de vous arracher moi-même de cette combinaison. Là, tout de suite.

De façon accidentelle, les Rémoras étaient une création de Miocène.

Bien des âges auparavant, quand le Grand Vaisseau avait atteint la frange poussiéreuse de la Voie lactée, il était devenu urgent de réparer sa coque ancienne et de la protéger de futurs impacts. Un travail qui submergea les moyens du bord – ceux du vaisseau et ceux que les humains avaient créés. Ce fut Miocène qui suggéra d'envoyer des équipes d'humains à l'extérieur de la coque. Les dangers y étaient évidents, multiples. Après des milliards d'années de négligence, les boucliers électromagnétiques et les batteries de lasers étaient dans un état lamentable. Les équipes d'entretien n'étaient pas protégées des impacts et les alertes étaient vraiment à court terme. Miocène avait créé un système dans lequel on n'exigeait de personne de prendre plus de risques que les autres. Les ingénieurs les plus doués, les capitaines de haut rang servaient le temps de leur mandat et mouraient avec une régularité digne d'éloges. Ils espéraient combler les cratères les plus profonds grâce à un simple *assaut* de type guerrier. Ensuite, les ingénieurs survivants convertiraient tous les systèmes en automatique, ce qui n'obligerait plus les humains à se déplacer à la surface de la coque.

Mais la nature humaine avait ruiné leurs plans méticuleux.

Un membre de l'équipage de rang modeste pouvait se voir infliger des points négatifs. À la suite de violations mineures de la tenue exigée à bord ou d'épisodes évidents d'insubordination. Dans tous les cas, les contrevenants pouvaient blanchir leur dossier à coups d'heures supplémentaires sur la coque. Miocène considérait cela comme une absolution et c'est avec joie qu'elle avait expédié quelques âmes « en haut ». Mais certains capitaines confondirent la corvée avec une punition et, durant plusieurs siècles, ils mirent au ban de la société des milliers de subordonnés, parfois pour un simple mot grossier entendu au passage.

Il se trouva qu'une femme du nom de Wune, à l'âme étrange, fut envoyée sur la coque et y resta. Non seulement elle accepta les corvées infligées, mais elle les adora. Elle déclara qu'elle avait désormais une vie moralement pure, nourrie d'un travail essentiel et de contemplation. Avec le talent de manipulation de tous les prophètes, elle rassembla des convertis à sa foi naissante, et ces convertis devinrent une population unie de philosophes qui refusaient de quitter la coque.

« Rémora » fut d'abord une insulte proférée par les capitaines. Mais elle fut récupérée par cette nouvelle culture inattendue qui en fit fièrement son nom.

Un Rémora n'ôtait jamais sa combinaison. De sa naissance à sa mort, il était un monde en lui-même. Des systèmes de recyclage élaborés lui donnaient de l'eau, de la nourriture et de l'oxygène frais, sa combinaison faisait partie de son corps, et sa structure génétique était soumise en permanence au flux constant des radiations. Les mutations étaient courantes sur la coque et très appréciées. Plus encore, un vrai Rémora apprenait à diriger ses propres mutations, se dotant de nouveaux yeux, de nouveaux organes et de bouches cauchemardesques de toutes les formes.

Wune mourut très tôt et de façon héroïque.

Mais la prophétesse laissa derrière elle des milliers d'adeptes. Ils inventèrent d'autres moyens d'avoir des enfants et à terme ils furent des millions. Ils construisirent leurs propres cités, trouvèrent leurs propres formes d'art et leurs passions et, présumait Miocène, des rêves étranges qui n'appartenaient qu'à eux. Par certains côtés, elle admirait leur culture, à défaut des Rémoras eux-mêmes. Mais, en observant Orléans qui pilotait l'écumeur, elle se demanda – et ce n'était pas la première fois – si ces gens n'étaient pas trop obstinés pour le bien du vaisseau et comment elle pourrait les dompter avec un minimum de force et de controverses.

C'est ce que pensait Miocène quand le message codé lui parvint.

Ils étaient encore à quelques milliers de kilomètres du sabord Eridini, et le message devait être un exercice. Niveau noir, protocoles alpha ? Bien sûr que c'était un test !

Pourtant, elle suivit les anciens protocoles. Sans un mot, elle quitta Orléans, gagna l'arrière du cap-car, ferma la porte des toilettes et scanna le plafond et les parois, le sol et les appareils pour s'assurer qu'il n'y avait aucune molécule d'écoute.

Par le lien nexus implanté dans son esprit, Miocène téléchargea le bref message et le traduisit. Aucune émotion n'était lisible sur son visage. Elle ne pouvait pas se le permettre. Mais ses mains, bien plus honnêtes, se débattaient sur ses longues cuisses : deux adversaires parfaites incapables de gagner dans cet affrontement.

Le Rémora la ramena au sabord.

Miocène, consciente de l'importance du moment, essaya de le quitter avec quelques mots de consolation mensongers.

— Je suis navrée.

Elle posa la main sur sa combinaison grise, ses pseudo-neurones projetant la chaleur de sa paume tiède dans la chair étrange de l'autre. D'une voix ferme, calme, elle ajouta :

— Vous avez de bons arguments. La prochaine fois que je serai à la table de la Maîtresse, je ferai plus que mentionner notre conversation d'aujourd'hui. Je vous le promets.

— C'est comme ça que l'on dit ? répondirent les langues bleues et la bouche caoutchouteuse. Une promesse ?

Toujours la même absurdité de merde.

Mais Miocène se permit une brève inclinaison, feignant le respect avant de se glisser tranquillement dans le chaos ordinaire du sabord.

Des passagers débarquaient en roulant d'une grande capsule. Des aliens, chacun de la taille d'une pièce confortable. À en juger par leurs combinaisons autonomes sur roues, ils venaient d'un monde à faible gravité. Elle faillit interroger ses nexus sur cette espèce particulière. Mais elle y renonça, baissa les yeux et, d'un pas pressé, l'air distrait, elle se glissa parmi eux, écoutant au passage des voix qui évoquaient le ruissellement de l'eau dans une conduite étroite.

— Une sous-maîtresse, lui dit son implant traducteur.

— Hé, regardez !

— Celle-là, elle a l'air maligne !

— Et elle a du pouvoir !

— Regardez-la !

Le cap-car privé de Miocène était à proximité. Mais elle passa devant sans un regard pour entrer dans l'une des cabines publiques qui avaient acheminé les aliens jusqu'au sabord Eridini. Une machine vaste, vide et parfaite. Elle indiqua sa destination et acheta ses prestations avec des crédits anonymes. Dès qu'elle démarra, Miocène ôta sa casquette, enleva ses vêtements et les déposa par habitude sur une banquette. Elle ne put s'empêcher d'admirer son uniforme, son reflet, son visage et son long cou dans les plis et les indentations du tissu miroir.

— Regarde ça ! souffla-t-elle.

Elle accéda aux commandes qu'elle avait préréglées et qu'elle seule connaissait. La cabine accepta docilement toutes les nouvelles séries de destinations et autres petits bricolages bizarres qu'on lui imposa. Une garde-robe indescriptible attendait Miocène à l'un des arrêts. Elle n'y toucha pas. Durant l'heure qui suivit, elle parcourut plusieurs milliers de kilomètres et récupéra deux colis scellés. Le premier contenait une petite fortune en crédits anonymes. Quand le second s'ouvrit, il révéla un robot à l'aspect de scorpion, sans code de fabrication ni identification quelconque.

Il bondit vers la passagère. Avec un accent d'inquiétude, la cabine demanda :

— Quelque chose ne va pas, madame ? Vous avez besoin d'aide ?

— Non, non, répondit Miocène en essayant de rester immobile sur la longue banquette.

La queue du scorpion s'insinua dans sa bouche et tira violemment pour fracturer l'os moderne[1]. Nue, Miocène se raidit, en état de choc. Un instant, de tout un tas de façons discrètes, la sous-maîtresse fut morte. Alors, ses gènes de désastre s'éveillèrent et réparèrent les dommages avec une efficacité stricte. L'os ainsi que divers liens neuroniques furent reconstitués. Mais les nexus qui avaient été inscrits dans Miocène, qui faisaient partie d'elle depuis plus d'une centaine de millénaires, avaient été arrachés par les crochets de titane du robot au design étroit.

Il les avala et les digéra dans sa fournaise de plasma.

Il fit de même avec l'uniforme compliqué de la sous-maîtresse.

Puis, la fournaise se retourna contre elle-même et, dans un éclair blanc et violet, le métal devint une flaque qui se refroidissait dans une puanteur tenace.

Une faible quantité de sang devait être brûlée. Quand l'épreuve s'acheva, Miocène revêtit une simple robe marron qu'aurait pu porter n'importe quelle touriste humaine. Dans la sacoche qui y était fixée, elle prit des poignées de pseudo-chair – qui frémit entre ses doigts froids –, prête à modifier l'apparence de son visage bien connu.

La cabine s'arrêta trois fois encore pour son étrange passagère.

D'abord dans une station artérielle majeure, puis au centre d'une caverne remplie d'arbres jaunâtres qui se courbaient sous un vent perpétuel. Finalement, elle stoppa dans un secteur de demeures cossues appartenant à des humains et des aliens parmi les entités les plus riches de la galaxie, chacun propriétaire d'au moins un kilomètre cube du Grand Vaisseau.

Quand sa passagère débarqua, le cap-car ne s'en aperçut pas et s'en soucia encore moins.

Ensuite, il repartit à grande vitesse vers sa destination initiale. Mais les coordonnées reçues se révélèrent inaccessibles et le pilote IA était trop endommagé pour réaliser que cette mission était excessivement téméraire. Livré à lui-même,

---

1. Os artificiel de céramique et polycarbonates employé surtout en neurochirurgie (NdT).

dément, il sillonna les artères les plus larges, les plus longues, dans des vides absolument purs qui lui permettaient des accélérations extrêmes. La cabine fit plusieurs fois le tour du vaisseau dans les jours qui suivirent et ne s'arrêta que lorsqu'une équipe de sécurité l'incapacita avec ses armes, avant de donner l'assaut, prête à tout, si ce n'est au vide et à l'absence totale d'indices.

Une semaine plus tard, en prenant son petit déjeuner tout en observant les autres, Miocène se demanda pourquoi, en cet instant précis, il était tellement important pour elle de disparaître.

Quelle était l'intention de la Maîtresse ?

Le plan de base était ancien et d'une intelligence rigoureuse : après les guerres contre les Phénix, la Maîtresse avait demandé à ses capitaines d'être prêts à se fondre dans l'anonymat. Si le vaisseau devait être envahi, l'ennemi voudrait naturellement capturer les capitaines pour les tuer. Mais si chaque capitaine se lançait sur une trajectoire de fuite permanente, ignorée de tous – y compris de la Maîtresse – les esprits les plus brillants demeureraient libres suffisamment longtemps pour monter une contre-offensive et réoccuper le vaisseau.

La Maîtresse avait ajouté en commentaire :

— Une précaution désespérée.

Plus tard, quand la routine fut rétablie à bord, on conserva les trajectoires d'urgence pour d'autres raisons.

Pour des tests, par exemple.

De jeunes capitaines inexpérimentés reçurent un message codé du bureau de la Maîtresse. Étaient-ils assez loyaux pour obéir à cet ordre pénible ? Connaissaient-ils suffisamment le vaisseau pour disparaître durant des mois, voire des années ? Et, plus important encore, une fois qu'ils auraient disparu, continueraient-ils d'agir comme des capitaines responsables ?

La simple inertie bureaucratique constituait un autre facteur. Une fois définies, les trajectoires de fuite étaient faciles à maintenir. Chaque année, Miocène consacrait une poignée de minutes à mettre à jour les siennes et elle était probablement plus assidue que la plupart de ses subordonnés.

La raison finale relevait de l'imprévisible.

Depuis les Phénix, personne n'avait tenté d'investir le Grand Vaisseau. Mais, dans ce voyage autour de la Voie lactée, il n'était pas recommandé de rejeter un outil qui pouvait se révéler utile, de façon plus ou moins inattendue, pour la cause de la Maîtresse.

Et si l'imprévisible s'était produit ?

Miocène se trouvait dans un petit café, avec un déguisement sûr, quand elle remarqua une dizaine d'officiers de la sécurité en uniforme noir qui questionnaient les passants. Une mesure de routine dans le quartier. Mais elle s'interrogea à propos des autres capitaines. Combien avaient reçu des ordres semblables de la Maîtresse ?

Elle résista à la tentation d'utiliser des outils secrets pour dénombrer ceux qui manquaient à l'appel. Ses sondages pouvaient être repérés et tracés ; mieux valait être ignorée que piégée dans le réseau maladroit de n'importe qui.

La moitié de l'équipe de sécurité s'était déployée dans le café. Elle était encore à deux cents mètres quand une bonne dose de paranoïa déferla en elle. Elle abandonna ses cakes aux saucisses et son café glacé, tout en se levant avec une grâce désinvolte pour gagner la sortie la plus discrète. Dans ce quartier, chaque avenue était large de cent mètres, haute de dix mètres et longue de près de cent kilomètres. Il y en avait un millier, toutes identiques, taillées dans la roche et alignées avec une parfaite précision géométrique.

L'hypothèse originale, formulée par les premières équipes d'investigation, était que ces rapports géométriques étaient d'une importance significative. Ceux qui avaient construit le vaisseau étaient au moins aussi habiles que ceux qui l'avaient découvert, et un plan détaillé de toutes les salles, de toutes les avenues, du réservoir de carburant comme de la tuyère, révélerait un océan d'indices mathématiques. Il était sans doute possible de concevoir un langage authentique à partir de ces proportions compliquées. En termes simples, le Grand Vaisseau fournissait ses propres explications... à condition que des données suffisantes et un minimum d'intelligence soient dévolus à ce problème retors et merveilleux.

Miocène avait toujours douté de cette logique.

L'intelligence à son pinacle était un talent inégal. L'imagination, selon elle, pouvait leurrer celui qui la possédait, l'amener à perdre son temps en explorant toutes les possibilités qu'il trouvait souhaitables. C'était pour cela que depuis longtemps elle avait prédit qu'aucun humain, ni aucune IA ou autre entité pensante ne découvrirait rien de particulièrement important dans l'architecture du vaisseau. C'était une de ces circonstances où les esprits ennuyeux et les plus obtus fournissaient les meilleures réponses. Ces milliers d'avenues, ainsi que chacune des cavités du Grand Vaisseau, avaient été forées par des machines stériles qui suivaient les mêmes programmes stériles. Ce qui expliquait les plans répétitifs, insectoïdes. Plus important encore, rien ne révélait le moindre indice qu'une expédition ait découvert la trace d'une vie ancienne.

Aucun organisme étranger.

Aucun microbe mystérieux.

Ni même un noyau moléculaire qui pouvait avoir été jadis une protéine précieuse pour quelqu'un d'autre.

Là où l'imagination voyait un mystère, Miocène voyait la simplicité. À l'évidence, ce vaisseau n'avait pas été construit pour naviguer entre les étoiles, mais de galaxie en galaxie. Ceux qui l'avaient conçu, qui qu'ils aient été, s'étaient servis de machines stériles à tous les stades de la fabrication. Puis, pour des raisons inconnues, jamais ces constructeurs n'étaient montés à bord de leur création.

La première hypothèse était une catastrophe naturelle. Sans doute énorme et terrifiante.

Dans la jeunesse de l'Univers, alors qu'il était plus dense, les galaxies avaient l'habitude agaçante d'exploser. En galaxies de Seyfert[2]. En quasars. En cascades de supernovæ. Tous les symptômes d'une jeunesse dangereuse. Il était évident que l'histoire de la Voie lactée avait suivi le même cours. La vie qui y était née dans sa jeunesse avait été éradiquée par la pulsion anormale de rayons gamma : une fois, deux fois, mille fois peut-être…

Ce que suggéraient les experts les plus crédibles et les plus ternes – et que Miocène acceptait désormais sans sourciller – était que des espèces intelligentes avaient évolué dans un passé paisible et extrêmement lointain. Et qu'elles avaient prédit les tempêtes à venir. Un programme d'urgence de machines autorépliquantes avait été expédié vers une planète jovienne, probablement un monde qui dérivait dans une nébuleuse poussiéreuse, loin de tout soleil. À partir de programmes simples, de type automates cellulaires, ce monde avait été reconstruit. On avait allumé son atmosphère d'hydrogène pour lui donner de la vélocité. On y avait ajouté quelques coups de fronde. Mais, quand il était passé au large du monde d'origine, il n'y avait plus personne à sauver. Les avenues vides attendaient des humanoïdes qui avaient déjà été tués par le feu des étoiles de Seyfert. Et, dans les milliards d'années qui suivirent, le vaisseau attendit, vide et patient, voué à un itinéraire aveugle entre les galaxies, se dégradant lentement tout en gagnant la Voie lactée.

Nul n'avait jamais identifié la galaxie mère.

En retraçant la trajectoire du vaisseau, nul n'était parvenu à repérer une nébuleuse, même naine et terne, qui aurait pu être une mère probable.

Et puis, il y avait cette question obsédante à propos de l'âge du vaisseau qui restait en suspens.

Le verdict officiel était de cinq milliards d'années. Un laps de temps énorme, particulièrement énorme, qui n'exigeait pas trop de réécriture de l'histoire initiale de l'Univers.

Le problème était que le rocher parental pouvait être plus vieux d'un milliard d'années. Avant qu'il se soit solidifié, on avait trafiqué le basalte et le granit. Les radionucléides révélateurs avaient été moissonnés avec des moyens hyperefficaces. Pour masquer son âge ou dans un but moins proche de la conspiration ? De toute façon, la roche était dure et froide ; ce n'était qu'une des pistes que les constructeurs du vaisseau avaient laissées derrière eux, une pièce du difficile puzzle que devaient reconstituer les savants modernes.

Les plus imaginatifs, les plus audacieux, abreuvés de cocktails et de drogues plus dangereuses, se plaisaient à estimer que l'âge probable du vaisseau était de huit, dix, voire douze milliards d'années. Et douze milliards d'années n'était sans doute pas l'estimation la plus élevée. En savourant les impondérables, ils prétendaient que cette épave venait de cette lointaine giclée de petites galaxies bleues qui s'était répandue sur les ciels les plus distants, toutes nées au commencement des temps. Comment des humanoïdes ou d'autres formes de

---

2. C'est à partir de 1943 que Seyfert releva la présence de galaxies particulières à forte émission ionique, proches des quasars (NdT).

vie avaient-ils pu évoluer aussi tôt ? La question demeurait sans réponse. Mais le mystère étant leur passion, ceux qui cherchaient la réponse y prenaient plus de plaisir qu'avec n'importe quelle boisson forte.

Miocène, quant à elle, n'appréciait guère les questions trop vastes et les réponses grotesques, tout particulièrement quand les unes et les autres n'étaient pas nécessaires.

Elle avançait une explication plus simple : le vaisseau était encore dans sa prime jeunesse avec ses cinq milliards d'années et quelque part entre les galaxies, sans doute peu après sa naissance, sa trajectoire avait été déviée par un trou noir invisible ou toute autre masse de matière obscure non cartographiée. Ce qui expliquait qu'il était orphelin dans tous les sens. Penser autrement était penser trop et dans de mauvaises directions.

Une épave, un orphelin que les êtres humains avaient trouvé.

À présent, il leur appartenait. Ainsi qu'à Miocène, en partie du moins.

En arpentant cette longue, longue avenue, elle percevait les odeurs d'une centaine de mondes. Des humanoïdes et des aliens de toutes formes appréciaient le faux ciel bleu, et la plupart s'appréciaient même entre eux. Elle captait des mots, des chansons, respirait les muscs de bavardages de phéromones. Occasionnellement, à son gré, elle s'aventurait dans une des petites boutiques pour y fouiller comme n'importe qui.

Mais non, elle n'avait pas l'imagination de certains autres.

Très souvent, elle le confessait sans hésiter. Mais, l'instant d'après, toujours, elle ajoutait qu'elle avait suffisamment d'imagination pour se délecter de la majesté du vaisseau, de son attrait cosmopolite, et assez de créativité pour participer à la gestion de cette société aussi originale que précieuse.

C'est ainsi qu'elle descendait l'avenue avec une fierté bien justifiée.

Les articles aliens étaient bien plus nombreux que ceux que proposaient les humains, y compris dans les boutiques humaines. Dès qu'elle entrait, elle s'attendait à ce qu'on la remarque. Comme ce n'était pas le cas, elle devait se rappeler qu'elle n'était plus la sous-maîtresse. Sans son uniforme, libre de toute responsabilité, elle possédait une identité anonyme qui était pour elle une surprise sans fin.

Elle acheta à une machine intelligente arachnoïde une encyclopédie entièrement consacrée au Grand Vaisseau.

Dans une épicerie minuscule, elle s'offrit un fruit du péché hurluberlu dont les protéines et les sucres bizarres avaient été reconfigurés pour les estomacs humains. Tout en le dégustant, elle consulta son autre acquisition.

Elle y trouva une modeste entrée de cent térabits à son propos. Elle lut quelques passages qui la firent le plus souvent sourire, et prit mentalement des notes sur des centaines de points où l'auteur devrait apporter des corrections.

Dans un bazar de n'importe quoi, elle accepta une drogue douce que lui proposait un Yik Yik bizarre.

Un moment plus tard, elle se reprocha cette faiblesse et revendit la drogue à un mâle humain qui lui donna du « madame », en ajoutant un conseil :

—Vous me semblez fatiguée. Faites l'amour, puis dormez un bon moment.

Il semblait lui proposer un service, qu'elle décida d'ignorer.

Peu après, elle repéra une autre équipe de sécurité. Des humains et des Hurluberlus déguisés en passagers. Mais qu'y a-t-il de plus voyant qu'un officier de police en service ? Jamais aucun passager ne se montrait aussi attentif. Pourtant, ils ne remarquèrent pas Miocène qui venait d'enfiler une ruelle étroite et sombre qui accédait à une avenue parallèle.

Sa peau se mit à la picoter quand elle passa devant les portes invisibles des démons. L'ambiance, ici, était plus fraîche ; l'air délicieux était aussi ténu que celui des montagnes.

Une autre machine arachnoïde louait des rêves et des chambres pour en profiter. Miocène prit le tout et dormit douze heures durant. Elle rêva de la découverte du vaisseau, vide. Elle erra sur ses avenues sombres et vit les murs verts d'olivine ancienne qui un jour seraient creusés de salles. Le temps d'un clin d'œil géologique, elles deviendraient des boutiques foisonnantes.

Au début, ce n'était que le rêve qu'elle avait loué.

Puis, ce furent ses souvenirs personnels qui construisirent des images. Combien de tunnels et de pièces avait-elle découverts en premier ? Nul ne le savait. Pas plus l'auteur de l'encyclopédie qu'elle-même. Ce qui lui laissa un sentiment d'exultation le lendemain matin au petit déjeuner, alors qu'elle prenait un café glacé avec des cakes épicés tremblotants.

Dans ses ordres secrets, il y avait eu une destination. Et un vague agenda.

Elle présumait qu'elle aurait les réponses à ses questions. Mais parfois, plus particulièrement dans des moments heureux comme celui-ci, Miocène se demandait si ce travail ne s'expliquait pas par une astuce habile de la Maîtresse pour que sa subalterne favorite se repose vraiment.

Un congé : une explication simple, terne.

Irréfutable.

Bien sûr qu'elle était en congé !

Elle se leva. Devant elle, elle distinguait parfaitement un millier de visages et elle se mit en chasse du garçon de la veille en se disant : *Mes premières vacances après mille siècles de dévouement. Pourquoi pas ?*

Trois

C'était un légume coûteux, surtout si l'on tenait à la qualité. Mais Washen connaissait son public. Elle savait que son vieil ami appréciait les voix qui montaient des bouches multiples de la plante et emplissaient la cavité vide et presque obscure d'une mélodie sereine, née de l'espace profond. Son oreille particulière la trouvait adorable.

Cet ami n'était pas là à cette heure. Mais, où qu'il soit, il entendrait la llano-vibra chanter le noir, le vide et le froid glorieux qui régnaient entre les galaxies.

Dans une autre vie, son ami avait cultivé la llano-vibra comme un hobby ; il avait maîtrisé la génétique complexe d'une espèce précise et tordu ses gènes élaborés jusqu'à ce qu'elle chante des mélodies encore plus sereines que ce spécimen. Sur le marché ouvert, elle avait infiniment plus de valeur.

Mais jamais son ami n'aurait vendu ses compagnons.

C'est alors que sa vie et ses activités particulières avaient pris des directions étranges et qu'il avait perdu tout intérêt pour son hobby, naguère si précieux.

À terme, il perdit son poste de capitaine d'avenir.

Il y avait eu des crimes. On avait lancé des accusations. En utilisant l'itinéraire de fuite que la Maîtresse elle-même avait ordonné à ses capitaines de créer, l'homme se cacha. Le seul contact que Washen avait eu avec lui était une note cryptée où il lui disait que, si elle voulait le joindre, elle devait planter une llano-vibra dans ce recoin obscur et vide du vaisseau avant d'aller se planter elle-même dans un fauteuil confortable de la plus proche taverne humaine.

Ce qu'elle fit durant deux jours.

La taverne était sombre et presque déserte, mais considérablement plus chaude que l'espace profond. Elle s'était installée tout au fond, dans une loge taillée dans un chêne fossile. Elle buvait un océan de cocktails divers en pensant à tout et à rien, pour conclure finalement que c'était trop d'espérer que quelqu'un se souvienne de vous après tous ces siècles… Et elle décida qu'il était temps de reprendre sa mission…

Un homme apparut alors, clignant des yeux dans la pénombre, et elle sut que c'était lui. Il était corpulent, tel qu'elle s'en souvenait. Son visage avait changé, mais restait séduisant. Il avait perdu de son arrogance de capitaine et portait des vêtements civils avec une aisance que Washen ne pouvait qu'envier. Qui pouvait savoir sous quel nom il se cachait ? Mais, sans se soucier des risques, elle cria dans le creux de sa main :

— Hé, Pamir ! Par ici !

Ils avaient été amants, mais ils ne formaient pas un bon couple. C'était rare chez les capitaines. Il était décidé et confiant, également intelligent, et dans la plupart des circonstances, tout à fait indépendant. Mais ces qualités qui avaient fait de lui un brillant capitaine avaient pesé lourd sur sa carrière. Il ne montrait aucun intérêt ni talent pour trouver les mots qu'il fallait ou offrir de petits cadeaux aux gens plus haut placés que lui. S'il n'avait eu cette qualité d'avoir raison plus souvent que la plupart, la Maîtresse aurait sapé sa carrière dès le début, en le laissant à un rang inférieur et sans responsabilités. Ce qui aurait été préférable, comme le confirma sa trajectoire.

Il s'assit en face de Washen et commanda un larmes-de-souffrance, et Washen, en observant son beau visage, revécut sa chute tragique.

Alors qu'il était capitaine, Pamir s'était lié d'amitié avec un alien très étrange. Et, dans le vaisseau, il en fallait beaucoup pour être étrange. C'était une entité gaïenne – un être de petite taille, un humanoïde trompeusement ordinaire qui avait la capacité secrète de couvrir n'importe quel monde. Ses tissus étaient capables de croître rapidement pour former des arbres, des animaux, des amas de fongus, tous reliés par une conscience unique. La créature était un réfugié qui avait perdu son monde natal au profit d'un autre Gaïen. Et, lorsque son archi-ennemi était arrivé à bord, la guerre totale avait éclaté entre eux, détruisant à terme une installation coûteuse en même temps que la carrière de Pamir.

Les Gaïens s'étaient affrontés jusqu'à l'épuisement, mais leur haine restait brûlante.

Même dans ses bons jours, Pamir était un homme difficile à vivre, mais il gardait le don de discerner la meilleure part dans n'importe quelle situation désespérée. Il avait attaqué les Gaïens au laser en leur laissant juste assez de tissus pour revivre. Ensuite, il s'était servi de sa propre chair pour concevoir un enfant qui possédait les dons de l'un et l'autre camp. Et, parce que Washen était son amie et que c'était la chose à faire, elle avait élevé l'Enfant. C'était le nom qu'elle lui avait donné. L'Enfant. Comme n'importe quelle mère, elle avait veillé sur lui, lui avait appris ce qu'il devait connaître ; quand il était devenu trop puissant pour rester à bord du Grand Vaisseau, elle l'avait empoigné, l'avait embrassé avant de l'expédier vers une planète déserte où il pourrait vivre seul et absoudre ses anciens méfaits.

Il semblait que l'Enfant était assis avec eux en cet instant et écoutait les récits heureux et valeureux de sa mère. Et qu'il pouvait sentir à quel point il était prodigieux de voir son père verser des larmes de joie.

Pamir pleurait comme un capitaine. Calmement et en se maîtrisant comme toujours. Puis, il se frotta les yeux avec ses doigts épais et afficha un sourire grinçant en dévisageant sa vieille amie un peu trop longtemps, en étudiant son visage, ses vêtements et la façon dont elle se tenait dans cette loge de bois, au fond de ce pub douteux.

Il demanda enfin :

— Est-ce que tu es comme moi ?

Elle ne trouva rien à répondre. Il posa une main lourde, noueuse, sur la manche de sa blouse de soie et, d'un ton calme, ferme et assuré, il lui dit :

— Non. Tu n'es pas comme moi. C'est tout à fait évident.

Elle secoua la tête.

— Je ne suis pas un traître que l'on pourchasse, si c'est ce que tu veux dire.

— Mais qui l'est donc ? (Il éclata de rire et ajouta :) Je n'ai jamais rencontré de vrai criminel. Pose la question au pire des sociopathes et il te dira que non. Il te parlera de toutes les bonnes raisons qu'il avait pour lui, des mauvaises circonstances et de sa malchance injuste.

— C'est de ça dont tu parles ?

— Perpétuellement, dit-il, tandis que son sourire s'accentuait.

— Tu en as entendu parler ? D'autres capitaines ont disparu ?

— Non. Je n'ai rien entendu.

Elle observait ses mains.

— Tu le saurais, Washen ? (Elle détourna les yeux.) Mais vous pourriez tous disparaître sans qu'on s'en aperçoive, ajouta-t-il avec un rire grave. Et on ne s'en ferait pas pour autant. Pas du tout.

— Vraiment ?

Son rire s'adoucit, et il s'expliqua :

— N'importe quelle vie en dehors de celle d'un capitaine t'en apprend beaucoup. Entre autres leçons, on t'enseigne que les capitaines ne sont pas aussi importants qu'on nous le dit. Pas dans la conduite de ce vaisseau au quotidien, ni même dans les affaires globales, essentielles et lentes.

— Là, je suis effondrée, répliqua Washen en riant.

Il haussa les épaules.

— Tu ne me crois pas.

— Si je te croyais, tu serais drôlement étonné.

Elle secoua son nouveau cocktail – un narcotique efficace bourré de bulles de gaz carbonique – et, après l'avoir reniflé, elle suggéra :

— Tout ce que tu souhaites, c'est que nous ne soyons pas importants. Mais si nous ne faisions pas notre travail, tout s'écroulerait. En moins d'un siècle. Ou même en moins d'une décennie.

L'ex-capitaine haussa encore une fois les épaules. Ce sujet l'ennuyait. Il était temps de l'abandonner. Elle acquiesça. Puis elle finit son verre et laissa le silence s'installer entre elle et son vieil ami.

Il dura presque une heure.

C'est alors que Pamir, avec une prudence délicate, demanda :

— Quelque chose ne va pas ? Tu es descendue dans le monde clandestin… ce qui veut dire qu'une sorte de désastre se prépare ?

Elle hocha la tête avec assurance. Et Pamir, grâce lui soit rendue, était encore un vrai capitaine pour ne rien demander d'autre et éviter de regarder tout au fond de ses grands yeux chocolat.

Ils passèrent deux jours et deux nuits ensemble. Par souci d'intimité, ils louèrent un abri dans un habitat alien. Durant la journée, ils se promenaient dans une jungle mauve et dense. Ils avaient chaussé des bottes spéciales pour garder l'équilibre : les seuls sentiers étaient des rubans de mucus épais et visqueux laissés par les occupants de passage. Au milieu de la seconde nuit, une chose massive traîna devant leur petite porte. Washen se réfugia dans le lit de Pamir et, avec nervosité et un zeste d'obscénité, ils firent l'amour avant de sombrer dans un profond sommeil.

Dans son sommeil, Washen étreignit l'Enfant. Férocement, avec tristesse. Mais en s'éveillant, elle prit conscience que ce n'était pas lui qu'elle avait serré entre ses bras dans son rêve. C'était le vaisseau lui-même. Elle avait fait le tour de ce corps énorme et beau d'hyperfibre, de métal, de pierre et de machineries en le suppliant de ne pas la quitter. Sans aucune raison, elle souffrait et, à la façon d'un capitaine, elle pleura.

Pamir s'était assis sur le lit et la regardait sans rien dire. L'empathie dans ses yeux et ses lèvres serrées pouvait échapper à un regard larmoyant. Mais Washen n'était pas larmoyante. Elle renifla, s'essuya avec la paume de ses mains et reconnut calmement :

— J'ai besoin d'être ailleurs. Je devrais déjà y être, à vrai dire.

Il acquiesça. Et, après un long souffle, il demanda :

— Ça prendrait longtemps ?

— Qu'est-ce qui prendrait longtemps ?

— Si je me rendais à la Maîtresse, que je me prosterne et la supplie de me pardonner… combien de temps me ferait-elle enfermer… et quand est-ce que je pourrais redevenir une espèce de capitaine ?

En esprit, Washen vit le Phénix rigide, plus froid que la mort.

En se rappelant le châtiment infligé et les sautes d'humeur de la Maîtresse, elle posa les doigts sur les lèvres de son nouvel ancien amant et lui dit :

— Quoi que tu aies l'intention de faire, ne le fais pas.

— Elle m'enfermerait pour toujours. C'est ça ?

— Je ne sais pas. Mais il ne faut pas la tester, d'accord ? Promis ?

Pourtant, Pamir était trop entêté pour lui répondre par un mensonge rassurant. Il se détourna, sourit dans le vide et dit à Washen, ou à lui-même :

— Je n'ai toujours pas décidé. Peut-être que je ne me déciderai jamais.

Quatre

Il y avait six réservoirs de carburant primaire. Chacun avait la taille d'une lune et ils étaient disposés selon une configuration équilibrée loin dans les profondeurs du vaisseau – des sphères d'hyperfibre isolées sous vide à bonne distance de la coque et des secteurs habités, sous les usines de retraitement, les réacteurs géants et les entrailles les plus distantes des grands moteurs.

Chaque réservoir était une contrée sauvage.

Occasionnellement, les équipes de maintenance ou quelques aventuriers les visitaient. À bord de bateaux sculptés dans des aérogels, ils naviguaient sur l'hydrogène liquide sans voir plus que les froides lumières de leurs embarcations, l'océan vitreux et glacé, et, au-delà, une nuit sans déchirure, pénétrante, qui laissait la plupart des visiteurs avec une profonde impression de malaise.

Les aliens, parfois, demandaient à résider à l'intérieur d'un réservoir.

Les Sangsues étaient de ces espèces opaques. Ascétiques et pathologiquement secrètes, elles avaient édifié leur colonie afin d'y être seules. En tissant des liens de plastique denses et des fils de diamant, elles avaient suspendu leur demeure à partir du plafond du réservoir. La structure était vaste mais elle obéissait à la logique des Sangsues, et l'intérieur ne constituait qu'une seule et unique pièce. La salle semblait s'étendre à l'infini en deux dimensions mais le plafond gris était si bas qu'on pouvait le toucher. Washen s'y était essayée de temps à autre. Elle s'arrêtait, posait les mains sur la surface étonnamment tiède, et respirait longuement pour rejeter le pire de sa claustrophobie.

Des voix l'appelaient.

Elle ne pouvait les dénombrer toutes, et elles étaient trop denses pour qu'elle déchiffre un sens ou comprenne quelles espèces l'interpellaient.

Elle n'avait jamais approché les Sangsues.

Pas directement du moins.

Mais elle avait fait partie de la délégation de capitaines qui avaient dialogué avec les plus courageuses des Sangsues, les parties n'étant séparées que par une paroi d'hyperfibre sans découpe. Les aliens s'exprimaient par des cliquetis et des couinements, qu'elle n'entendait plus en cet instant. Mais si ce n'était pas les Sangsues, qui était-ce? Ce qui déclencha en elle un vague souvenir. Lors d'un des dîners annuels de la Maîtresse, un collègue capitaine avait déclaré en passant que les Sangsues avaient abandonné leur habitat.

Pourquoi?

Sur le moment, Washen ne put se souvenir d'aucune raison, ni même si elle s'était interrogée.

Elle espérait que les Sangsues avaient atteint leur destination et qu'elles avaient débarqué sans incident. Ou que, peut-être, elles avaient trouvé un foyer encore plus isolé, si tant est que cela fût possible. Mais il existait aussi le risque malheureux que les pauvres exophobes aient péri dans un gigantesque désastre.

Les extinctions d'espèces étaient plus communes que les capitaines ne l'admettaient en public ou entre eux. Certains passagers se révélaient trop vulnérables pour supporter les longs trajets. Les suicides en masse et les guerres privées emportaient les autres. Mais Washen se plaisait à se rappeler que, pour chaque hôte qui échouait à bord, une centaine d'espèces proliféraient ou, du moins, se trouvaient une façon de vivre dans quelque recoin de la machine glorieuse.

Et elle chuchota sa question :

—Qui êtes-vous?

Une heure s'était écoulée depuis qu'elle était sortie de l'unique ascenseur. Elle s'était avancée dans le centre de l'habitat en franchissant un collier de chambres de nettoyage destinées à purifier les nouveaux arrivants. Aucune d'elles ne fonctionnait et toutes les portes étaient béantes ou disloquées. Il était évident que quelqu'un était venu ici. Mais il n'y avait aucun panneau d'instructions, ni même un simple avis sur la dernière porte. Dans cette gravité subterrestre, Washen avait parcouru huit ou neuf kilomètres, quelques pas à mi-chemin du mur circulaire de l'habitat.

Elle s'arrêta à nouveau, leva les mains jusqu'au plafond et inclina la tête pour repérer d'où venaient les voix. L'acoustique était fine à ce point.

Elle s'élança avec des foulées souples.

La salle n'était meublée que de coussins durs et gris. L'air était tiède, avec des relents de moisi, de poussières bizarres et de phéromones résistantes. Les couleurs paraissaient interdites dans ce lieu. Même la tenue de touriste de Washen, haute en couleur, semblait virer à la grisaille.

Les voix se firent plus fortes, familières. Elle réalisa qu'elles étaient humaines. Et, après un moment, elle sut qui elles étaient. Non pas à cause des mots, qui n'étaient qu'un amas inextricable de sons. Mais du ton. Ces voix devaient donner des ordres auxquels on obéissait instantanément, sans question ni regrets.

Elle s'arrêta. Cligna des yeux. Elle discernait un élément plus sombre sur la grisaille. Comme une tache, une maculature. Presque rien, à une telle distance.

Elle appela :

—Hello ?

Elle attendit pendant un moment qui lui parut suffisant, décida que personne ne l'avait entendue, et cria encore :

—Hello !

Et plusieurs voix lui répondirent :

—Hello !

—Par ici !

—Bienvenue, vous êtes presque en retard !

Oui, c'était vrai.

Selon les ordres de la Maîtresse, elle avait eu deux semaines pour se glisser dans ce lieu étrange. Elle avait gaspillé un peu de temps pour dire au revoir à Pamir. Mais ensuite, alors qu'elle attendait un cap-car dans une station secondaire, elle était tombée sur des soldats de la sécurité qui avaient examiné sa fausse identité et ses gènes d'emprunt avant de la laisser finalement repartir. Afin de s'assurer que personne ne la suivait, elle avait erré pendant toute la journée avant de venir *ici*.

Elle se mit à courir. Puis, quand la tache noire se changea en silhouettes qui attendaient en groupes et en petites rangées, elle ralentit dans un souci de cérémonial.

L'averse d'applaudissements s'éteignit très vite. Tout soudain, elle était incapable de dénombrer tous les capitaines qui étaient là, devant elle. Elle arbora son plus beau sourire de capitaine et les rejoignit. Elle était au bord du fou rire quand elle demanda :

—Mais pourquoi, pourquoi donc sommes-nous là ?

Nul ne semblait savoir ce qui s'était passé. Mais il était évident que tous les capitaines avaient passé les derniers jours à ne guère parler d'autre chose. Chacun avait sa théorie mais personne n'avait le mauvais goût de trop la défendre. Quand le rituel eut pris fin, du moins momentanément, ses collègues interrogèrent Washen sur ses voyages. Tous voulaient savoir dans quel secteur elle s'était aventurée, quelles merveilles elle avait accomplies et si elle avait deux ou même vingt bonnes idées sur ce que signifiait cette histoire dingue ?

Elle mentionna diverses errances touristiques mais ne laissa pas échapper un seul mot qui aurait pu évoquer Pamir. Puis, avec un haussement d'épaules, elle admit :

—Je n'ai pas d'hypothèse. Je présume que c'est une mission nécessaire et d'une importance glorieuse, mais, en l'absence de faits, c'est tout ce que je peux supposer.

—Bravo ! lança un capitaine aux yeux gris.

Washen mangeait. Et buvait. Le premier qui était arrivé là avait suivi un bruit de goutte à goutte régulier. Il avait découvert des piles de rations scellées et une dizaine de fûts du meilleur vin du vaisseau, ramenés du district de la mer Alpha, où des singes modifiés s'occupaient des vignes avec leurs mains et leurs pieds agiles. À en juger par l'écoulement et la flaque de vin, le fût s'était ouvert de lui-même à l'instant où le premier capitaine sortait de l'ascenseur.

Un vin délicieux, pensa Washen.

Le capitaine aux yeux gris répéta :

— Bravo.

Elle se tourna vers lui.

— Diu, dit-il en lui tendant la main avec un grand sourire.

Elle tenait sa chope en équilibre sur son plateau et serra la main du capitaine en lui disant :

— Nous nous sommes rencontrés au banquet de la Maîtresse. C'était il y a vingt ans, n'est-ce pas ?

— Vingt-cinq.

Comme beaucoup de capitaines, Diu était grand pour son espèce. Il avait des traits marqués et un charme qui inspirait confiance aux passagers humains. Même vêtu d'une robe simple, il semblait un personnage important.

— C'est gentil de vous souvenir de moi, dit-il. Merci.

— Mais de rien.

Même quand il était immobile, Diu bougeait. Sa chair semblait vibrer, comme s'il allait entrer en ébullition.

— Que pensez-vous du goût de la Maîtresse ? demanda-t-il, et ses yeux gris brillaient. Est-ce que ce n'est pas un endroit bizarre pour se rassembler ?

— Bizarre, dit Washen en écho. C'est bien le mot.

Un instant, ils examinèrent les lieux. Le plafond et le sol s'achevaient sur un mur gris uni dans lequel s'ouvraient de rares fenêtres espacées.

Washen se décida :

— Qu'est-il arrivé aux Sangsues ? Quelqu'un s'en souvient ?

— Elles ont sauté dans la mer Inférieure, dit Diu.

— Non, marmonna Washen.

— Ou bien nous les avons emmenées jusqu'à leur destination.

— Alors, c'est quoi ?

— Les deux, répliqua Diu. Ou quelque chose d'entièrement différent. Elles constituent une espèce si étrange. Apparemment, elles peuvent prendre n'importe quelle direction en faisant semblant d'aller vers une centaine d'autres destinations au même moment.

— Pour dérouter leurs ennemis imaginaires, sans doute.

— Où qu'elles soient, assura Diu, je suis certain qu'elles sont bien.

— Oui, je suis sûre que vous avez raison, dit Washen, qui tenait à rester polie.

Face à l'ignorance, un capitaine doit trouver les paroles positives.

Diu se dressait à son côté et sa peau frémissait sous l'influx nerveux.

Ils s'étaient rencontrés vingt-cinq ans auparavant… et quel souvenir avait-elle de cet homme ?

Une voix proche et familière interrompit le cours de ses pensées :

— Vous avez failli être en retard, chérie. Mais tous ne l'ont pas remarqué. Miocène.

Washen se retourna avec une vivacité pleine de respect et vit un visage qui lui était plus familier que tout autre. Celui de la sous-maîtresse, mince comme un fer de hache, et moins chaleureux encore. Sous la peau tendue, chaque os avait son propre tranchant à toute épreuve. Les yeux noirs avaient un éclat glacé. Les cheveux bruns étaient striés de neige. Miocène dépassait tous les autres en taille et sa tête frôlait le plafond. Toutefois, elle refusait de s'incliner, même par simple souci de son confort.

— Je ne dirais pas que vous en savez plus que le reste de nous autres, dit-elle. Mais que pensez-vous que veuille la Maîtresse ?

Les autres se firent silencieux. Les capitaines retinrent leur souffle, secrètement ravis que quelqu'un d'autre soit soumis à l'investigation de la femme.

— Je ne sais rien, déclara Washen d'un ton convaincu.

— Je vous connais, vous devez bien avoir une idée… ou dix.

— Peut-être.

— Tout le monde attend, chérie.

Washen leva les mains en soupirant.

— Ici, je compte plusieurs centaines d'indices.

— Et qui sont ?

— Nous.

Ils étaient rassemblés devant l'une des rares fenêtres – une fente épaisse de plastique déformé. Au dehors, il n'y avait que le noir et le vide. L'océan d'hydrogène liquide, vaste, calme et infiniment froid, se déployait à cinquante mille mètres en dessous. Dans la fenêtre, ils ne discernaient que leurs reflets brouillés. Washen voyait son beau visage sans âge, ses cheveux neigeux et aile de corbeau noués en chignon, ses grands yeux bruns où elle lisait la confiance et un plaisir bien mérité.

— La Maîtresse nous a sélectionnés, suggéra-t-elle. Ce qui signifie que nous sommes les indices.

Miocène ne quittait pas des yeux son propre reflet.

— Que voyez-vous, chérie ?

— L'élite de l'élite.

Washen se mit à chantonner des noms, des listes de primes et de promotions qui avaient été méritées durant le dernier millénaire.

— Manka a été récemment nommé au second échelon. Aasleen était responsable de la dernière mise à niveau du moteur qui a été effectuée il y a cinq ans, en dessous du budget prévu. Saluki et Westfall ont remporté l'*Award* de la Maîtresse plus de fois que je ne puis m'en souvenir…

— Je suis sûr qu'eux s'en souviennent ! lança quelqu'un.

Les capitaines éclatèrent de rire jusqu'à en perdre le souffle. Washen reprit :

— Portion est le plus jeune sous-maître en titre. Johnson Smith, avec sa dernière promotion, a gravi trois échelons d'un coup. Et maintenant nous avons

Diu. (Elle désigna son voisin.) Déjà au onzième échelon, ce qui est étonnant. Vous êtes monté à bord – corrigez-moi si je me trompe – en tant que passager, touriste ordinaire. C'est exact ?

—Exact, madame, confirma l'énergique capitaine avec un clin d'œil. Et je vous suis reconnaissant de vous en souvenir.

Elle haussa les épaules avant de se détourner.

—Enfin, voici Mme Miocène. L'une des plus anciennes assistantes de la Maîtresse, l'une de ses favorites et l'une des plus loyales. Alors que j'étais encore une petite fille, que je vivais à Près-de-la mer, je vous voyais, vous et la Maîtresse, assises sur les rochers, préparant notre glorieux avenir.

—Ce qui veut dire que je ne suis qu'une vieille peau.

—Non, que vous avez pris de l'âge. Et j'ajouterai que vous faites partie des trois seules sous-maîtresses qui auront acquis le statut de Premier Siège à la table de la Maîtresse.

Miocène approuva, ravie.

—Quelle qu'en soit la raison, la Maîtresse a besoin de ses meilleurs capitaines. À l'évidence.

D'un ton amusé, la sous-maîtresse commenta :

—Mais, chérie, n'oublions pas vos propres mérites, n'est-ce pas ?

—Ça, jamais ! rétorqua Washen, déclenchant des rires libérateurs.

Et parce que toute fausse modestie était inadmissible de la part d'un capitaine, elle reconnut :

—J'ai entendu les rumeurs qui courent. Je suis en passe de devenir la prochaine sous-maîtresse.

Miocène sourit sans faire de commentaire sur les rumeurs. À juste titre. Mais elle prit son souffle et, d'une voix sonore, demanda à la cantonade :

—Vous sentez ça, vous aussi ?

Par réflexe, tous les capitaines reniflèrent.

—C'est l'odeur de l'ambition, mes très chers amis. De l'ambition à l'état pur. (Elle inspira à nouveau et reconnut d'une voix tonitruante :) Il n'y a pas de puanteur plus tenace, ou à moitié aussi agréable à mon esprit !

Cinq

Deux autres capitaines arrivèrent sous une averse d'applaudissements et d'insultes amicales. Aucun autre ne devait les suivre, mais il était impossible de le savoir à ce moment-là. Quelques heures plus tard, l'un des nouveaux venus qui utilisait les latrines des Sangsues – un simple trou dans un endroit éloigné de la pièce – et qui regardait dans une direction imprécise, détecta un mouvement. Avec son regard plus acéré que celui d'un ancien faucon de la Terre, il réussit à discerner *quelque chose* qui semblait grandir et qui venait droit sur lui depuis une direction nouvelle, inattendue.

En hâte mais avec dignité, il remonta son pantalon et courut rejoindre les autres en racontant à Miocène ce qu'il venait de voir. Elle acquiesça en souriant.

— Très bien. Je vous remercie.

— Qu'est-ce que nous devons faire, madame ? balbutia le jeune capitaine.

— Attendre. C'est ce que souhaiterait la Maîtresse.

Le regard de Washen se perdait dans le lointain, là où le plafond et le sol se rencontraient en une perspective parfaite. Un long moment plus tard, l'horizon présenta une bosse. Une chose gonflée et brillante, faite de rien, venait sur les officiers, couvrant la distance qui les séparait avec une patience glaciale. Ils s'étaient tous regroupés et attendaient. La bosse se divisa alors en plusieurs boules de dimensions inégales. La plus grosse avait l'éclat d'un diamant. Les autres s'écartèrent sur le côté et c'est alors que les capitaines chuchotèrent :

— C'est Elle.

Une heure plus tard, le chef incontesté du vaisseau arriva.

Accompagnée par la mélodie de trompes de Vesta et de chœurs humains angéliques, la Maîtresse franchit les derniers cent mètres. Alors que ses officiers étaient déguisés en civils, elle arborait une casquette miroitante et l'uniforme robuste qu'exigeait son rang. Le corps qu'elle avait choisi était grand et extraordinairement large. En partie, il correspondait à son statut. Mais la Maîtresse avait également besoin de volume pour abriter un cerveau minutieusement augmenté. Des milliers de fonctions du vaisseau devaient être contrôlées et réglées sans retard au moyen d'une galaxie de nexus enfouis. Tout comme n'importe quelle personne qui devait marcher et respirer, la Maîtresse Capitaine régissait inconsciemment le vaisseau de n'importe quel endroit où elle pouvait se trouver, qu'elle soit debout, assise ou allongée dans un lit suffisamment spacieux pour que ses composants puissent trouver le sommeil.

Une large main glissait sur le plafond d'un gris d'huître pour empêcher que la tête de la Maîtresse ne s'y cogne. La peau satinée de celle-ci avait un éclat doré – un teint très populaire parmi les espèces non-terriennes – et ses fins cheveux blancs étaient rassemblés en un chignon gordien. Son visage adorable était rond et doux comme celui d'un petit enfant. Mais ses yeux noirs ardents ainsi que sa large bouche souriante reflétaient son âge et la souplesse de sa sagesse.

Tous les capitaines s'étaient inclinés.

Et, comme le voulait la coutume, les sous-maîtres encore plus bas.

Puis, une dizaine de capitaines d'échelon inférieur commencèrent à pousser vers elle les durs coussins des Sangsues. Diu était au nombre des suppliants, agenouillé, souriant, même après que la grande femme se fut éloignée.

—Merci d'être venus, dit la voix qui prenait toujours Washen par surprise.

C'était une voix calme, patiente, qui reflétait constamment l'amusement de ce que voyaient les grands yeux de la Maîtresse Capitaine.

—Je sais que vous êtes perplexes, et je suis certaine que vous êtes tous inquiets. Que vous ressentez même une terreur réelle, peut-être justifiée.

Washen sourit intérieurement.

Le visage d'enfant se fit souriant.

—Commençons donc. Avant tout, laissez-moi vous expliquer les raisons de ce grand jeu. Ensuite, si vous n'êtes pas morts de surprise, je vous dirai très exactement ce que j'attends de vous.

Quatre gardes accompagnaient la Maîtresse.

Deux humains, deux robots. Toutefois, il était impossible de dire qui étaient les machines déguisées en humains, ou les humains au comportement de machine – une ruse intentionnelle contre des ennemis susceptibles d'exploiter n'importe quelle faiblesse.

L'un des gardes libéra un globe flotteur qui se stabilisa à côté de la Maîtresse. L'éclat gris du plafond diminua et la salle se trouva plongée dans une ambiance crépusculaire. La Maîtresse ajouta alors d'un ton amusé :

—Le vaisseau, s'il vous plaît.

Une image en temps réel dilata le globe flotteur. Surgi des données internes des systèmes de la Maîtresse, le vaisseau monta du sol jusqu'au plafond. Sa face avant était tournée vers l'assistance. Sa coque était lisse et grise, revêtue d'une ceinture colorée de boucliers de poussière dont les milliers de lasers tiraient à chaque seconde pour désintégrer les risques majeurs. Sur la ligne d'horizon, un éclat minuscule annonça l'arrivée d'un autre engin interstellaire. Sans doute de nouveaux passagers. Washen pensa aux intelligences de la machine en se demandant qui allait les accueillir en son absence.

— À présent, déclara la Maîtresse, je vais peler l'oignon.

En un instant, la cuirasse du vaisseau s'évapora. Washen put discerner les cavernes et les salles les plus profondes, les grands sabords cylindriques et l'ossature d'hyperfibre qui donnait sa puissance gigantesque à toute la structure.

Ensuite, les quelques kilomètres suivants furent retirés. La roche, l'eau, l'air et l'hyperfibre profonde furent mis à nu.

— L'architecture parfaite ! proféra la Maîtresse.

Elle se rapprocha de la projection qui rétrécissait, le visage souriant dans la clarté. Comme une petite fille géante avec son jouet favori, elle confessa :

— Pour moi, il n'existe pas de plus grande épopée dans toute l'Histoire. L'Histoire humaine ou n'importe quelle autre.

Washen connaissait ce discours, mot pour mot.

— Je ne parle pas de notre odyssée actuelle, poursuivit la Maîtresse. Le tour de la galaxie est un exploit, bien sûr. Mais la grande aventure a été de trouver ce vaisseau avant n'importe qui d'autre, de sortir de notre galaxie pour être les premiers à l'aborder. Imaginez cet honneur : nous avons été le premier organisme vivant à investir ces salles immenses, la première intelligence vivante en des milliards d'années à en découvrir la majesté et l'envoûtant mystère. Ce fut un âge magnifique ; demandez à tous ceux qui l'ont vécu. Au plus profond de notre âme, nous nous considérons comme bénis.

Une revendication ancienne, honorable, une prérogative de la Maîtresse.

— Nous avons accompli un travail exemplaire. Je n'accepterai aucun autre verdict. Durant le premier siècle – en dépit de nos ressources limitées, de l'ombre de la guerre et de l'énormité de l'entreprise – nous avons cartographié plus de quatre-vingt-dix-neuf pour cent de l'intérieur du vaisseau. Pour autant que je puisse le définir, j'ai dirigé personnellement la première équipe qui a exploré la plomberie qui nous domine, et j'ai été la première à découvrir la beauté sublime de la mer d'hydrogène déployée sous nos pieds…

Washen se permit un sourire en songeant : *Un réservoir de carburant n'est qu'un réservoir de carburant.*

— Et voici où nous en sommes, résuma la Maîtresse.

La projection avait presque diminué de moitié. Les réservoirs principaux du vaisseau émergeaient de l'enveloppe gelée : six minuscules bosses régulièrement espacées à la ceinture du vaisseau – chacune installée directement sous les sabords principaux. L'habitat des Sangsues se trouvait juste sous le doigt pointé de la Maîtresse, et, à cette échelle, il n'était guère plus grand qu'un protozoaire bien gras.

— Et maintenant, nous disparaissons.

Sans bruit, sans perturbation, un autre niveau de pierre fut ôté. Puis un autre encore. Des tranches plus profondes révélèrent dans les réservoirs de grandes sphères remplies d'hydrogène qui, du paisible état liquide se changèrent en une matière noire et dure, et, plus profondément, en un déconcertant métal transparent.

—On a toujours cru que ces mers d'hydrogène étaient situées au niveau le plus profond du vaisseau, commenta la Maîtresse. En dessous, il n'y a que du fer et un ragoût de divers métaux sous des pressions fantastiques.

Le vaisseau n'était plus maintenant qu'une boule noire et lisse – l'ingrédient essentiel d'une multitude de jeux de société.

—Jusqu'à présent, nous connaissions tout du noyau. (La Maîtresse fit une pause avec un sourire entendu.) Tout, à l'évidence, prouve clairement que lors de la construction du vaisseau, sa croûte, son enveloppe et son noyau furent débarrassés des radionucléides. Dans le but, nous le présumons, d'accélérer le refroidissement de l'intérieur. Afin que la roche et le métal soient immobiles et contrôlables. Nous ignorions comment les constructeurs avaient réussi ce tour, mais il y avait un réseau de tunnels étroits orientés vers le bas, qui s'interconnectaient en descendant, tous renforcés d'hyperfibre et de poutres énergétiques.

Le souffle de Washen s'était accéléré. Et elle hocha la tête.

—Avec l'effet du temps ou de leur design, ces petits tunnels se sont effondrés. (La Maîtresse s'interrompit avec un soupir en secouant sa tête dorée.) Même une micromachine ne pouvait pas passer. Du moins, c'est ce que nous avons toujours cru.

Le cœur de Washen battait plus fort, une joie pure et délicieuse montait en elle.

—Jamais, au grand jamais nous n'avons trouvé le plus faible indice de l'existence d'une chambre cachée. Je ne tolérerai aucune critique sur ce chapitre. Nous avons essayé tous les tests. La séismologie. L'imagerie neutrino. Y compris les calculs à la main de la masse et du volume. Il y a cinquante-trois ans, nous n'avions pas la moindre raison plausible de penser que nos cartes pouvaient être incomplètes en quoi que ce soit.

L'assistance avait sombré dans le silence.

Calmement, doucement, la Maîtresse enchaîna :

—Le vaisseau dans son ensemble, s'il vous plaît.

La boule de fer fut rhabillée de roche froide et d'hyperfibre.

—Rotation de quatre-vingt-dix degrés.

Soudain pudique, le visage du vaisseau se détourna. Des batteries de tuyères apparurent, suffisamment énormes pour abriter chacune une lune. Aucune d'elles n'était allumée et, selon le plan, aucune ne s'allumerait avant une trentaine d'années.

» L'impact, s'il vous plaît.

Washen se rapprocha, sachant déjà ce qu'elle allait voir. Cinquante-trois ans auparavant, en traversant la nébuleuse Noire, le vaisseau était entré en collision avec un essaim de comètes. Nul n'avait été surpris par cet événement. Des brigades de capitaines et leurs équipes avaient passé des décennies à se préparer, à cartographier encore et encore l'espace devant eux, en quête de dangers possibles autant que de touristes payants. Mais éviter ces comètes aurait coûté beaucoup trop cher en carburant. Et pourquoi s'en soucier ? L'essaim n'était pas inoffensif, mais presque, croyait-on.

On lança des crachats d'antimatière sur les dangers majeurs.

Les lasers évaporèrent les fragments.

Les capitaines assistaient à nouveau au drame dans les moindres détails : dans de lointains recoins de la salle, de petits soleils clignotèrent et s'éteignirent. Graduellement, les explosions se rapprochèrent, et finalement trop. Les lasers tiraient sans arrêt, évaporant des milliards de tonnes de glace et de roche. Les boucliers flamboyaient, passant d'une couverture rouge terne à une cape de violet intense pour repousser les gaz et la poussière. Mais les débris continuaient de cribler la coque et un millier de piqûres dansaient sur la face gris argent du vaisseau. Au plus fort du bombardement, il y eut un éclair blanc foudroyant qui écrasa les autres explosions. Les capitaines clignèrent des yeux en grimaçant. Ils se souvenaient de cet instant précis et de leur totale confusion.

Une montagne de nickel-fer avait franchi les défenses dont ils s'étaient tant vantés.

L'impact ébranla le vaisseau. Des plats gélatineux frémirent dans les assiettes, des rides coururent sur les mers calmes et les passagers les plus méfiants, ou les plus intelligents, dirent « Mon Dieu ! » en s'agrippant à tout ce qui pouvait être plus solide qu'eux. Ensuite, durant des mois, les Rémoras avaient travaillé pour remplir le nouveau cratère avec de l'hyperfibre neuve, alors que les passagers nerveux ou inoccupés ne cessaient de bavarder à propos de ce moment de frayeur.

Le vaisseau n'avait jamais été en danger.

En réaction, les capitaines avaient brandi leurs schémas approfondis et leurs calculs rigoureux prouvant que la coque du vaisseau pouvait absorber une énergie mille fois supérieure et qu'il n'y avait aucune raison d'être inquiet, encore moins terrifié. Mais, d'un autre côté, il s'était trouvé des humains et diverses espèces pour déclarer qu'ils avaient peur.

Avec une délectation perceptible, la Maîtresse demanda :

— Maintenant, la coupe transversale, s'il vous plaît.

L'hémisphère le plus proche s'évapora. Dans le nouveau schéma, des ondes de pression se dessinèrent en couleurs subtiles à partir du site de l'explosion, se répandirent et se diluèrent avant de repartir vers la face arrière, secouant gravement la plomberie du vaisseau avant de fusionner et de refluer vers le site de l'impact où elles se rassemblèrent à nouveau pour un nouveau cycle.

Même en cet instant, une infime vibration était perceptible, comme un chuchotement qui courait dans le vaisseau de même que dans les os de tous les capitaines.

— Analyse IA, s'il vous plaît.

Une carte se déploya sur la coupe transversale, montrant tout ce qui était normal et familier. À l'exception du détail le plus important.

—Madame, dit Miocène d'un ton ferme, je reconnais que c'est une anomalie. Mais est-ce qu'elle ne paraît pas… improbable ?

—C'est pourquoi j'ai pensé que ce n'était rien, confirma la Maîtresse. Et mon IA la plus fiable – celle qui fait partie de mon propre réseau neural – était d'accord avec moi. Cette région délimite un certain changement dans sa composition. Ou sa densité. Rien de plus, assurément.

Elle se tut un long moment en observant attentivement ses capitaines. Puis, avec un sourire heureux, exagéré, elle admit enfin :

—La possibilité d'un noyau creux devait nous paraître absurde.

Les sous-maîtres et les capitaines acquiescèrent avec un espoir vague. Mais ils n'étaient pas tous venus ici à cause des anomalies, Washen en était convaincue et elle se rapprocha encore. Quelle était la largeur de ce trou ? Les estimations étaient faciles, mais les simples mathématiques faisaient apparaître des nombres vertigineux.

—Absurde, répéta la Maîtresse. Toutefois, je me suis souvenue du temps où j'étais encore un bébé à peine âgé d'un siècle. Qui aurait soupçonné alors qu'un monde jovien pouvait devenir un vaisseau interstellaire et que j'hériterais d'une telle merveille ?

Cela dit, songea Washen, *il y a des idées qui resteront toujours démentes.*

—Madame, souligna Miocène avec une certaine délicatesse, je suis convaincue que vous avez conscience qu'une chambre avec de telles proportions rendrait le vaisseau considérablement moins massif. Si nous connaissons les densités du fer qui intervient dans le processus, naturellement…

—Mais vous supposez que notre noyau est creux.

La Maîtresse souriait à son officier préféré, elle savourait l'ignorance et la confusion de son public. Et elle rappela calmement :

—Au début, c'était le vaisseau de quelqu'un d'autre. Nous ne devrions pas oublier que nous ignorons encore pourquoi ce qui est notre domicile a été construit. Pour ce que nous en savons, il s'agissait d'un cargo conçu pour transporter autre chose que des gens. Et, finalement, ici, nous sommes tombés dans la cale du vaisseau.

La plupart des capitaines frissonnèrent.

—Imaginez que quelque chose se cache dans notre intérieur. La cargaison, particulièrement ce qui est important, doit être sous contrainte, protégée. Imaginez donc des séries de champs d'arcs-boutants qui empêchent notre cargaison d'être secouée chaque fois que nous changeons de cap. Et imaginez aussi que ces arcs-boutants sont tellement puissants et résistants qu'ils peuvent masquer ce qui se trouve là-dessous, quoi que ce soit…

—Madame ! lança quelqu'un.

—Oui, Diu, dit la Maîtresse.

—S'il vous plaît, dites-nous seulement ce qui se trouve là-dessous, bon Dieu…

—Un objet sphérique. De la taille de Mars, à peu près, mais d'une masse bien plus considérable.

Le cœur de Washen était lancé au galop. Un gémissement sourd et douloureux monta de l'assistance.

—Montre-leur, ordonna la Maîtresse à son IA. Montre-leur ce que nous avons trouvé.

Une fois encore, l'image changea. Niché à l'intérieur du grand vaisseau, il y avait un autre monde, d'un noir de fer et nettement plus petit que la chambre qui l'environnait. La seule possibilité d'une découverte aussi improbable, énorme, n'apparut pas comme une simple révélation aux yeux de Washen, mais comme plusieurs. Elles lui arrivaient en vagues. Le souffle coupé, elle secoua la tête en observant les visages de ses collègues. C'est à peine si elle les distinguait.

—Ce monde – un monde authentique – possède une atmosphère. (La Maîtresse riait doucement et, d'une voix calme, elle leur proposait des impossibilités.) En dépit de l'abondance de fer, cette atmosphère contient de l'oxygène à l'état libre. Et de l'eau en quantité suffisante pour avoir des rivières et des lacs. Tous les symptômes délicieux qui caractérisent les planètes habitables y sont présents.

—Comment le savez-vous ? demanda Washen. (Avant d'ajouter, par réflexe.) Avec tout le respect que je vous dois, madame !

—Je n'ai pas visité ce monde, si tel est le sens de votre question, répliqua la Maîtresse en pouffant de rire comme une enfant. Néanmoins, cinquante années de travail dans le secret le plus absolu ont rapporté des intérêts. En utilisant des drones autorépliquants, je suis parvenue à rouvrir certains de ces tunnels effondrés. Et j'ai lancé des sondes fureteuses pour un premier survol de la chambre. C'est pour ça que vous me voyez ici et que je peux vous assurer que non seulement ce monde existe mais que chacun d'entre vous pourra le constater.

Washen lança un bref regard à Diu tout en se demandant si elle était aussi souriante que lui.

—À ce propos, ajouta la Maîtresse avec un clin d'œil, j'ai donné à ce monde le nom de « Marrow ». Marrow est un mot très ancien. Il signifie « là où naît le sang ». La moelle.

Washen sentait soudain le sang qui courait dans tous les vaisseaux de son corps tremblant.

—Marrow vous est réservée, promit la Maîtresse Capitaine.

Washen sentit le sol basculer et rouler sous ses pieds. Elle était incapable de dire quand elle avait vraiment repris son souffle.

—Pour vous, clama la femme géante. Mes amis talentueux et fidèles !

Washen chuchota :

—Merci.

Et tous le répétèrent en un chœur chaotique.

—Applaudissons la Maîtresse ! lança Miocène. Applaudissons-la !

Mais Washen n'entendait plus rien, ne disait plus rien, les yeux rivés sur l'étrange face noire de ce monde absolument inattendu.

Deuxième partie

MARROW

*L*e ciel est doux et intemporel comme la perfection, rond comme la perfection, et suprême en tout point comme devrait l'être la fin de l'Univers.

Un milliard de visages ignorent le ciel. La perfection est insignifiante. Ennuyeuse.

En conséquence tout est malade, défectueux, triste, en colère, tout ce que vous mangez, tout ce qui pourrait vous manger et tout ce qui est un bon coup sexuel potentiel. Seule l'imperfection peut en changer la nature, ou la vôtre, et le ciel ne change jamais. Jamais. C'est pour ça que ce milliard de regards ne se lève que pour guetter des choses volantes, ou flottantes – tout ce qui est plus proche que cette rondeur lisse et argentée.

Ici, en bas, il n'y a pas de perfection.

Dans ce lieu, rien ne saurait rester pareil très longtemps, et rien ne peut réussir sans s'adapter rapidement, sans hésiter ni se plaindre, ni même sans le plus léger remords.

Il ne faut pas faire confiance au sol, ici en bas. Le prochain souffle n'est pas certain.

Il se peut qu'un esprit éveillé, pensant et raisonnable, désire goûter un peu à cette glorieuse perfection. Afin d'ingérer l'éternel. De lui emprunter sa force et son endurance absolues, ne serait-ce que pour un moment. Mais ce souhait est trop compliqué et bien trop prodigue pour ces esprits. Ils sont faibles, petits et temporaires. Concentrés sur l'instant. Sur le fait de manger, de s'accoupler et de se reposer quand il n'y a pas de choix. Rien d'autre n'est aussi gravé plus profondément dans leur schéma génétique brûlant, rien qui ne tourbillonne autant dans leur sang, qui s'envole avec le pollen et le sperme.

Un moment gaspillé avant de périr.

C'est un univers furieux, sans espoir. Profondément, absolument vicié. Mais, dans chacun de ces esprits minuscules, ce qui pourrait passer pour une fierté d'acier, déclare :

—Je suis là.

» Je suis vivant.

» *De l'autre côté de cette feuille, ou bien encore perché sur le haut de ce caillou de fer chaud, je domine. De même que sur ces choses vivantes qui sont sous mes pieds, trop petites pour que je les voie. Je suis une chose qui paraît grande et puissante…*

» *Parfaite à vos petits yeux pathétiques !*

Six

Des merveilles secrètes avaient été accomplies en quelques décennies. Des drones taupiers avaient grignoté des kilomètres de nickel et de fer et rouvert les anciens tunnels effondrés. Dans leur sillage, des fourmis industrieuses avaient étalé sur les parois de l'hyperfibre de haute qualité. L'un des réservoirs de fuel des stations de pompage avait été fermé, puis dirigé vers le projet. Des flottes de cap-cars fabriqués sur le site, sans marques distinctives, attendaient autour de l'excavation, prêtes à amener les capitaines jusqu'au centre lointain du vaisseau. Pendant ce temps, une brigade de drones constructeurs était partie en avant pour édifier une base d'opérations, une petite ville efficace et stérile faite de dortoirs, d'entrepôts pour les machines, de cuisines confortables et de labos de première classe, le tout enfermé dans une bulle transparente de diamant fraîchement taillé.

Washen fut l'une des dernières à gagner le camp de base.

La Maîtresse avait insisté pour qu'elle dirige les travaux de voierie destinés à effacer toute trace du séjour des capitaines dans l'habitat des Sangsues.

Cette précaution était nécessaire dans une opération qui exigeait une sécurité sans faille, ainsi qu'un travail dur et précis.

Nettoyer les latrines, pourchasser les moindres pellicules de peau, était une corvée fastidieuse et peu ragoûtante. Certains capitaines s'en plaignaient.

— Nous ne sommes pas des femmes de ménage, non?

— Non, avait acquiescé Washen. Elles auraient déjà terminé le boulot.

Diu appartenait à son équipe et, à la différence des autres, il travaillait sans se plaindre, essayant à l'évidence de faire bonne impression sur sa supérieure. Il déployait un égoïsme charmeur. Bientôt, Washen porterait les épaulettes de sous-maîtresse; s'il la séduisait par son zèle, elle pourrait le protéger. Simple calcul, certes, mais elle considérait cela comme une attitude raisonnable, et même noble. Elle se disait qu'il n'y avait rien de mal à ce qu'un capitaine fasse des calculs sur son avenir, que ce soit à propos de la trajectoire du vaisseau ou de l'orientation de sa propre carrière. C'était une forme de philosophie qu'elle n'avait jamais exprimée devant Pamir et que Pamir, jamais au grand jamais, n'admettrait, même dans ses formes les plus polies.

Il leur fallut deux semaines plus un jour pour venir à bout de leur mission de nettoyage.

Ils embarquèrent dans les cap-cars étroits à deux places et regagnèrent le camp de base. Washen décida que Diu l'accompagnerait et qu'ils partiraient les derniers. Diu la remercia avec une anecdote charmante et particulièrement fleurie de son existence.

— Né sur Mars et riche, je suis venu sur le vaisseau par simple intérêt touristique. La promesse de moments excitants. De la nouveauté. De l'aventure en toute sécurité, à doses contrôlables. Et, bien sûr, la possibilité très improbable qu'un jour, quelque part dans un endroit exotique de la Voie lactée, je puisse vraiment devenir un être humain meilleur.

— Les passagers ne s'engagent pas dans l'équipage, remarqua Washen.

Diu sourit largement, avec son expression perpétuelle de petit garçon.

— Parce que c'est tellement difficile, admit-il. Car nous devons démarrer au tréfonds du fond. Il nous faut abandonner notre statut, que nous l'ayons gagné durement ou que nous l'ayons volé. Même si nous sommes riches par notre naissance, cela ne fait pas de nous des idiots pour autant. Nous savons comprendre. Le talent a des goûts divers, et nos talents à nous ne sont pas à l'aise dans ces vêtements.

Personne ne pouvait les voir et ils avaient revêtu leurs uniformes miroitants.

Washen acquiesça en touchant ses épaulettes noires et mauves, puis demanda :

— Pourquoi as-tu fait ça ? Est-ce que tu es idiot ?

— Absolument, chantonna-t-il.

Elle ne put s'empêcher de rire. D'un ton confidentiel, il ajouta :

— J'ai joué au passager riche pendant quelques milliers d'années. Ensuite, j'ai pris conscience qu'en dépit de mes aventures et de tous mes sourires décidés, je m'ennuyais et que je m'ennuierais toujours.

Les vitres du cap-car étaient obscurcies. La seule source de lumière du minuscule véhicule était la console de contrôle dont les voyants verts indiquaient que tous les systèmes étaient opérationnels. Le vert des forêts terrestres. *Une couleur apaisante pour les humains, un écho de l'évolution*, songea Washen au passage.

— Mais les capitaines ne paraissaient jamais s'ennuyer. Ils étaient souvent furieux, oui. Parfois tourmentés. Mais c'est justement ce qui m'a attiré vers vous. Comme on peut s'y attendre, vous avez une âme constamment active, fiévreuse.

Diu avait suivi un itinéraire unique dans l'élite du vaisseau. Il relata ses affectations et son ascension régulière dans la hiérarchie, d'abord comme simple membre de l'équipage, puis comme capitaine de grade mineur. Mais, alors qu'il allait devenir ennuyeux, il s'interrompit. Soudain silencieux, il conserva son sourire jusqu'à ce que Washen le remarque. Et là, tranquillement, respectueusement, il l'interrogea sur sa longue vie.

Elle décrivit quelques milliers d'années en onze phrases.

— Je suis née dans le vaisseau. Ma maison d'enfance était à Près-de-la-mer. La Maîtresse avait besoin de capitaines et je suis devenue capitaine. J'ai fait tous les boulots réservés aux capitaines, plus quelques autres. Depuis cinquante mille ans, je suis chargée d'accueillir et de surveiller nos hôtes aliens. À en croire mes notes et mes points d'évaluation, je suis très bonne dans ma spécialité. Je n'ai pas d'enfant. Je me plais dans mon appartement avec mes animaux de compagnie. Tout bien considéré, je me sens aussi à l'aise en compagnie des autres capitaines. Je ne peux m'imaginer vivant ailleurs que dans ce vaisseau mystérieux, merveilleux. Comment quiconque, dans toute la Création, pourrait profiter d'une telle diversité chaque jour de sa vie ?

Diu ferma brièvement ses yeux gris, mais son sourire ne quitta pas le pli de ses lèvres.

— Est-ce que tes parents sont encore à bord ? demanda-t-il.

— Non, ils ont vendu leurs parts quand le vaisseau est entré dans la Voie lactée et ils ont émigré.

Elle n'ajouta pas qu'ils étaient partis pour un monde-colonie. Un endroit rude, sauvage qui était sans doute devenu surpeuplé et terriblement banal.

— Je suis certain qu'ils seront très fiers, dit Diu.

— De quoi ?

— De toi.

Un bref instant, Washen fut troublée, et son trouble fut sans doute lisible sur son visage d'ordinaire impassible.

— Parce qu'ils auront appris les nouvelles, reprit Diu. Quand la Maîtresse annoncera à toute la galaxie ce que nous avons découvert et qu'elle fera le récit du rôle que nous avons joué dans cette grande aventure… Là, je crois qu'ils sauront tous ce que nous avons vécu.

À vrai dire, Washen n'avait pas envisagé cette perspective évidente. Jusqu'à cet instant, en fait.

— Notre célèbre vaisseau nous cache quelque chose, dit Diu. Imagine ce que vont penser les gens.

Elle acquiesça, mais une pellicule de soie, en elle, fut parcourue d'un frisson gris et doux, comme un signe avant-coureur.

Sept

Les nouveaux arrivants n'étaient pas prêts pour Marrow.

Washen n'avait vu aucune image de leur camp de base ou de leur monde d'origine. Les images, tout comme les chuchotements, avaient leur vie propre et un talent particulier pour se répandre plus loin que prévu. Ce qui expliquait pourquoi elle n'avait en esprit que ces schémas que la Maîtresse avait montrés à tous ses capitaines, ce qui lui avait donné le sentiment de n'être qu'une innocente.

Quand ils entrèrent dans un garage, leur minuscule cap-car devint transparent. L'hyperfibre régnait de toutes parts. Gris argenté, elle avait été moulée en une structure de diamant avec des berceaux, des armoires de stockage et des escaliers qui n'en finissaient plus.

Le cap-car s'installa dans le premier berceau disponible.

C'est à pied, quatre à quatre, que Diu et Washen conquirent le premier kilomètre de marches. Ils avançaient sur une passerelle récente, spartiate et un peu fraîche. Puis les escaliers disparurent et, sans avertissement, ils se retrouvèrent sur une large terrasse d'observation. Côte à côte, ils se penchèrent par-dessus le bord.

Le blister de diamant les séparait de quelques centaines de kilomètres d'espace animé et sans air. Des champs de force tourbillonnaient dans ce vide apparent, créant un dispositif d'arcs-boutants têtus. En eux-mêmes, les arcs-boutants étaient une grande découverte. D'où provenait leur énergie? Comment fonctionnaient-ils depuis si longtemps sans jamais tomber en panne? Washen pouvait maintenant les observer : une lumière intense, blanc-bleu, semblait jaillir de toutes parts et inonder la chambre gigantesque. Et la lumière ne semblait jamais faiblir. Même sous le blister de diamant, son éclat restait constamment intense. Permanent. Les yeux des êtres civilisés avaient besoin de s'adapter – une épreuve physiologique qui impliquait la teinte des lentilles aussi bien que la rétine, un réflexe inconscient qui durait une heure au plus. Pourtant, Washen doutait que, même avec une génétique adaptée, quelqu'un, en un temps raisonnable, puisse se sentir à l'aise dans ce jour interminable.

Le mur était une sphère d'hyperfibre gris-argent ponctuée des minuscules accès des tunnels qui s'étaient effondrés au temps de sa création. Le volume de la chambre était supérieur à celui de Mars ; selon les capteurs et les meilleures hypothèses, l'hyperfibre qui le constituait était aussi épaisse que le blindage de la coque lointaine du vaisseau. À en juger par sa pureté et sa qualité, elle était deux fois ou vingt fois plus résistante. Et peut-être bien plus encore.

Au-dessus des capitaines, la muraille d'argent du plafond retombait avec une douce ampleur de tous les côtés et disparaissait derrière le corps arrondi de la planète captive.

— Marrow, souffla Washen, fascinée.

Sur une portion réduite du monde, celle que rencontrèrent d'abord ses yeux plissés, il y avait une dizaine de volcans en activité qui vomissaient du feu et des gaz noirs, des rubans de fer incandescents qui se déversaient dans un lac de fer qui se refroidissait tant bien que mal, formant une frange de scories sombre et crasseuse sur la plage. Dans des bassins plus froids et plus proches, l'eau chaude se déversait dans des lacs tout aussi chauds qui semblaient à peine plus attirants, teintés de corps minéraux riches en violets, en tourbillons cramoisis, noirâtres et en bruns fangeux. Au-dessus de ces lacs, les nuages s'accumulaient pour former des cumulus bourgeonnants que les vents musclés emportaient vers la terre. Quand la croûte n'avait pas éclaté, elle était rugueuse, noire et sans ombre, et ce noir n'était pas dû au fer. Ce que Washen contemplait était une végétation aux tons de suie qui se baignait dans un jour sans fin. Des forêts. Des jungles. Des masses de vie photosynthétique sans écueil. Un prodige naturel. En observant le spectacle à partir du camp de base, les capitaines pouvaient deviner ce qui se passait. La végétation agissait comme un tapis infini de filtres, elle rejetait les toxines et extirpait l'oxygène à partir de la rouille, créant une atmosphère qui n'était pas limpide mais qui semblait suffisamment claire pour que les humains, une fois conditionnés, puissent la respirer et même vivre à l'aise.

— Je voudrais descendre là-bas, avoua Washen.

— Un jour, dit Diu en pointant un doigt par-dessus son épaule. Les choses impossibles prennent généralement du temps.

Le blister de diamant recouvrait plus de deux kilomètres carrés d'hyperfibre. Des hangars, des dortoirs et des labos pendaient comme des stalactites. Leurs toits servaient de fondations. Sur le seuil du blister, des drones s'agitaient comme des insectes frénétiques pour déverser de l'hyperfibre fraîche, édifiant lentement un cylindre blanc argenté qui descendait vers le rude paysage noir.

Ce cylindre allait être le pont qui les relierait au nouveau monde.

Un jour.

Il n'existait aucune autre route vers le bas. Les champs d'arcs-boutants avaient détruit toutes les machines qui avaient été lancées sur eux. Pour bien des raisons, dont certaines restaient obscures, les arcs-boutants érodaient aussi, avant de la tuer, toute forme d'esprit qui osait les toucher. Des capitaines ingénieurs expérimentés s'étaient attaqués au problème. La directrice de l'équipe était une magicienne du nom d'Aasleen. Elle avait conçu un puits d'hyperfibre dont l'intérieur était revêtu de quasi céramiques et de superfluides. Les bonnes vieilles théories éprouvées prétendaient que le danger cesserait en même temps que la lumière, c'est-à-dire à la lisière supérieure de l'atmosphère de Marrow. Une brève exposition sous bouclier ne tuerait personne. Toutefois, avant que les capitaines n'entrent dans l'Histoire, on devait procéder à des tests. Dans un labo proche, des centaines de cochons et de babouins immortels patientaient dans des cages spacieuses et impeccables, choyés et absolument inconscients du moment d'héroïsme qui les attendait tous.

Washen pensait aux babouins et aux programmes. Une voix familière interrompit sa rêverie :

— Quelles sont vos impressions, mes chéris ?

Miocène se tenait derrière elle en uniforme, plus imposante et froide que jamais. Mais Washen réussit à lui répondre avec son plus joli sourire et une brève inclinaison.

— Madame, je suis surprise, reconnut-elle. J'ignorais que ce monde était aussi beau.

— Vraiment ? (Un sourire fendit le profil acéré de Miocène. Sans même baisser les yeux, elle ajouta :) Je ne peux pas le savoir. Je n'ai aucun sens de l'esthétique.

Un instant silencieux de malaise, puis Diu intervint :

— Nous parlons d'une beauté austère, madame. Mais ce monde la possède.

— Je vous crois, dit la sous-maîtresse avec un sourire lointain. Toutefois, dites-moi, si ce monde se révèle inoffensif autant que splendide, combien croyez-vous que nos passagers seront prêts à payer ? Juste pour venir ici et voir. Ou bien descendre et y faire un petit tour ?

— S'il y a un peu de danger, risqua Washen, ils payeront un peu plus.

Diu acquiesça. Le sourire de Miocène se durcit.

— Et si c'est vraiment très dangereux ?

— Nous laissons tomber, répliqua Washen.

— Et si ça se révèle dangereux pour le vaisseau ?

— Nous n'aurons qu'à faire s'écrouler notre nouveau tunnel, suggéra Diu.

— Et nous serons en sécurité au-dessus, ajouta Miocène.

— Bien entendu, conclurent les deux capitaines d'une seule voix.

Diu affichait un rictus mauvais et, un instant, ce fut comme s'il souriait avec tout son corps.

Au-delà du pont en croissance, des dizaines de miroirs et d'antennes complexes étaient accrochés sur la paroi lisse de la chambre. Diu pointa le doigt et demanda :

— Est-ce que nous avons relevé des traces de vie intelligente, madame ? Ou des artefacts ?

— Non, dit Miocène. Absolument pas.

Ce serait un étrange endroit pour l'évolution de l'intelligence, se dit Washen. Et même si les constructeurs du vaisseau avaient laissé derrière eux des cités, elles devaient avoir disparu depuis longtemps. Avalées. La croûte n'avait sans doute pas plus d'un millier d'années. Marrow était une forge énorme qui fabriquait constamment non seulement sa face noire mais aussi les os brûlants qui se trouvaient en dessous.

— Ce monde a une particularité importante, releva Diu. C'est la seule région du vaisseau à posséder ses propres formes de vie.

C'était vrai. Quand les humains étaient arrivés, toutes les coursives et les salles géantes s'étaient révélées stériles. Aussi dépourvues de traces de vie que les mains habiles et propres d'un autodoc expert.

— Mais ce ne pourrait être qu'une simple coïncidence, remarqua Washen. La vie exige une géologie active pour naître. Tout le reste du vaisseau n'est constitué que de roche froide et d'hyperfibre et les énormes usines de purification auraient détruit tout composé organique ambitieux dès sa formation.

Diu regarda les deux femmes et avoua :

— Pourtant, je ne peux m'empêcher de rêver. Et, dans mes rêves, les constructeurs sont là, juste sous nous ; ils nous attendent.

— Un rêve délirant, dit Miocène.

Mais Washen avait le même sentiment que Diu. En contemplant ce merveilleux domaine, elle imaginait facilement une espèce de bipèdes étalant des couches d'hyperfibre sur les murs de la chambre, créant Marrow à partir du noyau même du vaisseau. Pourquoi, elle ne le savait pas. Elle n'osait risquer la moindre hypothèse secrète. Mais elle imaginait quelqu'un qui lui ressemblait, cinq ou dix milliards d'années plus tôt… une vision irrésistible, effrayante, profonde et cohérente qu'elle ne pourrait partager avec les autres…

Qui pouvait savoir ce qu'ils allaient trouver ? Ici, tout était immense. Ils n'avaient qu'un aperçu de ce monde du point de vue où ils étaient. Qui pouvait dire ce qu'il y avait derrière ces montagnes qui rotaient du fer, par-delà cet horizon rugueux ?

Washen ruminait ces lourdes pensées quand Diu déversa un nouveau flot de paroles.

— C'est fantastique ! s'exclama-t-il en scrutant le sol de diamant de la plate-forme. Et c'est un immense honneur. Je suis subjugué que la Maîtresse, dans sa grande sagesse, m'ait accepté sur ce projet.

La sous-maîtresse hocha la tête, décidée à ne rien dire.

— À présent que je suis là, balbutia Diu, je parviens presque à tout voir. Le but final de cet endroit et de tout le vaisseau.

Washen adressa un regard oblique à son compagnon pour lui dire : « Du calme. » Mais Miocène avait déjà incliné la tête en fixant son collègue de onzième rang.

— Pour ma part, j'aimerais entendre toutes vos idées sur la question, chéri.

Diu haussa ses sourcils sombres. L'instant d'après, amusé et désabusé, il répondit :

— Toutes mes excuses, mais je ne le pense pas, madame. (Il se pencha sur ses mains et, sur le ton froid d'un capitaine, il ajouta :) Dès qu'elle est exprimée, une pensée utile appartient au moins à une autre âme.

Huit

Même dans ses quartiers, avec les fenêtres opaques et toutes les lampes en veille, Miocène percevait encore la lumière de l'extérieur. Elle s'incrustait dans son esprit, violente et bleue, même quand elle fermait les yeux, les paupières serrées. Son rayonnement s'infiltrait au travers des moindres plis de sa peau, il transperçait sa chair, comme si elle ne demandait rien de plus que de fondre ses vieux os.

Quand avait-elle bien dormi pour la dernière fois ? Il n'y avait pas une nuit dont elle se souvenait en particulier, ce qui rendait le problème plus grave encore. La pression de cette mission et de cet environnement particulier lui abrasait les nerfs, ravageait sa confiance et fendillait son vernis qu'elle avait si efficacement laqué.

Éveillée, sachant bien qu'elle ne devait pas l'être, la sous-maîtresse avait les yeux plongés dans les ténèbres ; elle s'imaginait un plafond différent, un moi différent. Quand elle était encore un bébé, ses parents – des gens aux moyens extrêmement modestes – lui avaient offert un jouet inattendu, merveilleux. Un modèle miniature en aérogel et diamant de la sonde spatiale que le Grand Vaisseau avait récemment découverte. Elle avait insisté pour que le jouet soit suspendu au-dessus de son lit. Il ressemblait à une toile d'araignée bleuâtre qui aurait capturé une cinquantaine de minuscules miroirs ronds. Au centre, il y avait un boîtier gros comme le poing où était logée une simple IA avec les souvenirs et la personnalité de son prédécesseur historique. Durant la nuit, alors que la petite fille qu'elle était remontait ses couvertures, l'IA lui décrivait d'une voix profonde et patiente les mondes lointains qu'elle avait cartographiés et comment sa trajectoire aventureuse l'avait amenée à quitter la Voie Lactée. Les faux miroirs reflétaient les images de milliers de mondes, puis le vide noir, pour finir par le premier timide éclat terni du vaisseau. Qui s'embrasait par la suite, se dilatait dans la face ancienne et martelée. C'est alors que Miocène dépassait le vaisseau, qu'elle revoyait les moteurs mammouths qui propulsaient cette merveille. Vers elle. Car elle savait que le Grand Vaisseau était lancé vers elle. Elle le savait depuis cet âge. Depuis toujours.

Et au matin, le jouet l'accueillait toujours avec ses mots d'envie.

— J'aurais aimé avoir des jambes pour marcher! clamait-il. Et ton esprit, ta liberté, et aussi la moitié de ton glorieux avenir.

Elle aimait ce jouet. Parfois, il était son meilleur ami et son allié le plus fidèle.

— Tu n'as pas besoin de jambes, lui disait Miocène. Je t'emmènerai avec moi partout où j'irai.

— Les gens vont rire, la prévint son ami.

Miocène n'était encore qu'une enfant mais elle détestait qu'on se moque d'elle.

— Je te connais, ajouta son jouet en riant de sa candeur. Bientôt, tu m'abandonneras. Plus tôt que tu ne le crois.

— Non. Jamais, proféra-t-elle.

Bien sûr, elle avait tort. Moins de vingt ans après, Miocène avait un corps d'adulte, à peu près un cerveau d'adulte et, envers et contre toutes les perspectives brutales, elle avait eu droit à une bourse pour entrer à plein-temps à l'académie Belter. Elle avait dès lors entamé sa brillante carrière et, bien entendu, elle avait laissé ses jouets derrière elle. Aujourd'hui, son ami d'un temps était abandonné, ou perdu, ou, plus vraisemblablement, ses parents – qui ne s'étaient jamais trop préoccupés de sentiments – s'en étaient débarrassés.

Et pourtant.

Il y avait certains moments où elle restait éveillée dans son lit, seule ou non, et levait les yeux pour découvrir son ami au-dessus d'elle. Et elle écoutait sa voix profonde et emphatique lui raconter comment c'était que de naviguer seul entre les étoiles.

Une voix désincarnée lui dit:

— Miocène.

Elle était éveillée, alerte. Elle n'avait pas dormi, elle en était certaine. Mais le lit la redressa en position assise, une lampe s'alluma et c'est alors seulement qu'elle remarqua que le temps avait passé. Quatre-vingt-quinze minutes de sommeil et de rêves ininterrompus, lui annonça son horloge interne.

La voix répéta:

— Miocène.

La Maîtresse Capitaine était assise à l'autre bout de la chambre. Ou plutôt, une simple projection dans une chaise hypothétique. Massive, même si elle était constituée uniquement de photons apprivoisés. La voix familière déclara à sa subordonnée favorite, la plus loyale:

— Vous avez l'air en forme.

Elle sous-entendait exactement le contraire. La sous-maîtresse fit appel à tout son équilibre et s'inclina.

— Merci, madame. Comme toujours.

Une brève pause, une fraction d'année-lumière.

—Mais de rien.

L'humour de cette femme était étrange, donquichottesque, ce qui expliquait que Miocène n'ait jamais essayé de le cultiver personnellement. La Maîtresse n'avait nul besoin d'une amie drôle mais d'une assistante raisonnable et dévouée.

—Votre demande d'équipement supplémentaire…

—Oui, madame ?

—… est refusée, acheva la Maîtresse en souriant, avec un haussement d'épaules. Vous n'avez pas réellement besoin d'autres ressources. Et, franchement, quelques-uns de vos collègues posent des questions.

—J'imagine, répliqua Miocène. (Puis, après une autre brève inclinaison, elle ajouta :) L'équipement que nous avons est adéquat. Nous pourrons atteindre notre objectif. Mais, comme je l'ai signalé dans mon rapport, une deuxième ligne de com et un autre réacteur de champ nous donneraient plus de flexibilité.

—Quelle ressource ne vous serait pas utile ? dit la Maîtresse, avant de rire.

Une éternité d'expérience interdisait à Miocène de parler ou de monter le moindre malaise

—Ils posent des questions, répéta la Maîtresse.

Miocène savait comment réagir : ne pas répondre.

—Vos collègues ne croient pas à notre histoire, je le crains. (Le visage doré et souriant de la Maîtresse brillait dans la lumière.) Et cela m'a préoccupée aussi. Un taxi spatial avec le plein de carburant. Des fac-similés robotiques vous montrant à bord. Puis le lancement en grande pompe. Toutefois, chacun sait combien il est facile de mentir, ce qui rend difficile à quiconque de croire à quoi que ce soit…

Miocène ne disait toujours rien.

Leur couverture était une pure invention : une délégation de capitaines était partie pour une mission sur un monde à haute technologie. Ils étaient censés rencontrer diverses espèces d'exophobes, nouer des liens d'amitié ou, au moins, échanger leurs talents. De telles missions avaient eu lieu dans le passé ; elles avaient toujours été frappées du sceau du secret. Ce qui expliquait pourquoi les autres capitaines – les moins qualifiés qui avaient été écartés – n'avaient aucun intérêt à répandre des rumeurs.

—Si je vous envoyais un réacteur, dit la Maîtresse, on pourrait le remarquer.

Peu probable, pensa Miocène.

—Et si nous établissions une deuxième ligne de communication, nous doublerions le risque que quelqu'un écoute, ou nous envoie ce qu'il ne faudrait pas.

Une estimation probable, effectivement. D'un ton calme, la sous-maîtresse répondit :

—Oui, madame. Comme vous voudrez.

—Comme je veux. (La Maîtresse acquiesça d'un air amusé avant de poser la question évidente :) Vous respectez votre programme ?

—Oui.

—Vous atteindrez la planète dans six mois ?

—Oui, madame. (Depuis la veille, le pont d'Aasleen était à mi-distance de Marrow.) Nous tiendrons les délais, sauf imprévus.

—Ce qui devrait être le cas, dit la Maîtresse.

Avec un hochement de tête circonspect, Miocène déclara :

—Le moral est bon, madame.

—Je n'en doute pas. Le pont est entre des mains exceptionnelles.

Miocène se sentit réchauffée par le compliment et elle ne put s'empêcher de sourire en demandant :

—Ce sera tout, madame ?

—Pour le moment.

—Je vais donc vous quitter pour aller vers des tâches plus importantes.

—Nous avons fait le plus important. Seules des tâches de routine m'attendent, dit la Maîtresse.

—Bonne journée, madame.

—À vous aussi, ma chérie. Et à tous vos proches.

L'image se dissipa, suivie d'une pulsion lumineuse qui allait explorer la ligne com en quête de fuites ou de faiblesses.

Miocène se dressa devant l'unique fenêtre de sa chambre.

—Ouvrez, ronronna-t-elle.

La noirceur se dissipa et la clarté du jour se déversa sur elle, dure, bleutée, torride. En retrouvant la petite ville, les drones et les capitaines qui s'affairaient à leurs tâches importantes, elle laissa dériver ses pensées. Oui, c'était un honneur d'être ici, un plaisir sans bornes de conduire cette mission vitale. Pourtant, si elle était honnête dans ses ambitions, elle devait l'être aussi à propos de ses talents, sans mentionner ceux de ses collègues. Pourquoi la Maîtresse l'avait-elle choisie, elle en particulier ? Il existait dans ce domaine d'autres chefs plus agréables, plus imaginatifs, avec plus d'expérience. Mais, à l'évidence, elle avait été jugée comme la meilleure candidate. Et quand elle s'observait de son regard le plus dur, elle trouvait en elle une qualité qui dépassait toutes les autres.

Le dévouement.

Bien des millénaires auparavant, elle et la Maîtresse s'étaient trouvées ensemble à l'académie. Elles avaient beaucoup de points communs – elles étaient ambitieuses et suivaient les mêmes cours, elles étaient devenues amies et échangeaient à l'occasion leurs sentiments profonds sur des sujets qu'elles n'auraient pas abordés avec leurs amants, et parfois pas avec elles-mêmes.

Elles déclaraient ensemble :

—Je veux être la première à atteindre ce grand vaisseau.

Dans ses rêves, la Maîtresse commandait la première mission. Alors que dans ceux de Miocène, elle était simplement un organe important dans le corps de la mission.

Un distinguo essentiel. Miocène se demandait pourquoi la Maîtresse elle-même n'était pas venue ici ?

Oui, cela aurait créé quelques problèmes. Avec les barrières logistiques et les cauchemars de la sécurité, certainement. Toutefois, avec les projections holos et les robots fac-similés, elle pouvait diriger le vaisseau de n'importe où. C'était pourquoi une âme dynamique et hardie comme la sienne devait détester se trouver loin, à l'écart. Il était possible qu'à la dernière minute, la Maîtresse ravale son bon sens et accoure ici en cap-car, à l'instant de leur débarquement sur la planète. Et qu'elle vole à Miocène l'essence de cet épisode historique.

Pour la première fois, la sous-maîtresse prit conscience qu'elle abominait cette perspective. Une colère diffuse montait en elle. Elle était étrangement délicieuse, mieux encore : appropriée. Une colère justifiée et qui monterait en elle chaque fois qu'elle prendrait conscience que c'était peut-être pour cela qu'elle se trouvait là. La Maîtresse savait qu'elle pouvait exploiter son dévouement absolu. Elle pouvait débarquer ici, lui dérober l'honneur de l'exploit, et Miocène n'aurait d'autre possibilité que de sourire en approuvant, abandonnant la gloire et le mérite qui lui étaient dus.

Calmement, elle ordonna à la fenêtre de s'étendre.

Le panneau transparent se dilata vers l'extérieur et devint une bulle mince.

Miocène se pencha en avant et regarda le bas du dortoir, la rue de diamant, le visage brûlant et noir du monde étrange… Elle dit, d'une voix sèche et sereine :

— S'il vous plaît, madame, ne venez pas ici. Laissez-moi la gloire. Rien que pour cette fois, je vous en prie.

Neuf

Les capitaines ne sont rien sans des plans et de la routine.

Le débarquement sur la planète eut lieu un an et neuf jours après le briefing de la Maîtresse, et chaque événement historique, petit ou autre, se passa comme les capitaines l'avaient anticipé. Le site de l'atterrissage avait été choisi en fonction de la maturité et de l'apparente stabilité de la croûte. Le pont fut pincé et tortillé jusqu'à être en position, puis abaissé dans la haute atmosphère, avec une immense inhalation des souffleries. L'atmosphère capturée fut soumise à tous les tests imaginables. Les ultimes kilomètres du pont furent déployés dans une précipitation soigneusement orchestrée. Au dernier instant, les capteurs étudièrent le terrain qui montait vers eux et en firent le relevé au niveau microscopique. Puis une hyperfibre mince comme une lame de rasoir fut implantée dans le sol, à une vitesse maximale, protégée par des champs complexes. La traversée des arcs-boutants corrosifs fut rapide, sans incident, et la première équipe se posa avec un minimum de problèmes.

La rumeur courait : la Maîtresse n'allait pas tarder à intervenir. Mais, comme toutes les rumeurs, elle se révéla fausse et, plus tard, devint une histoire vaguement ridicule. Pourquoi la Maîtresse, après toutes ces mesures de sécurité, aurait-elle pris un risque aussi absurde ?

Non, c'était à Miocène seule que revenait le mérite de l'opération.

Accompagnée d'un essaim de caméras et d'IA de sécurité, elle s'aventura prudemment à la surface de Marrow. Depuis le camp de base, Washen surveillait ce visage trop calme qui scrutait le paysage étranger et elle remarqua quelque chose dans les grands yeux fixes de la sous-maîtresse. Une sorte d'émerveillement, peut-être. Une fascination absolue. Puis le regard changea, s'évapora, et des mots impétueux s'échappèrent de la bouche de Miocène :

— Nous sommes arrivés, au nom de la Maîtresse.

Les capitaines, tout en haut, applaudirent avant de se mettre à chanter.

L'équipe de débarquement prit des échantillons symboliques du sol et de la végétation avant de se retirer vers le camp de base, comme prévu. Ils dînèrent tardivement et ce fut une fête. Des verres sans fond de champagne authentique arrosèrent les plats épicés et les légumes bizarres. Au plus fort de la soirée, les capitaines reçurent les félicitations chaleureuses de la Maîtresse.

Elle interpella Miocène devant tous. Sa projection, dans un mouvement gracieux, désigna le monde qu'elle dominait :

— Courageuse leader, ce jour est un pinacle dans l'histoire capitale de notre vaisseau.

Mais non, se dit Washen.

La déception la harcelait de plus en plus. Six équipes, y compris celle de Miocène, retournèrent sur Marrow dès le lendemain et étudièrent la récolte de données et d'images. Washen trouva exactement ce qu'elle avait espéré trouver. Les capitaines étaient des administrateurs et non des explorateurs. Chaque moment historique était l'objet d'une chorégraphie de routine. Miocène voulait que chaque buisson, chaque insecte reçoivent un nom, que chaque centimètre carré de terrain rouillé soit mémorisé. Les surprises les plus infimes n'étaient pas tolérées face à ces premières équipes totalement décidées, dures à la tâche.

Cette seconde journée fut intense et haletante. Mais Washen ne mentionna pas sa déception et ne réussit pas à mettre un nom sur les émotions qui l'agitaient.

L'habitude était l'habitude, et elle avait toujours été un capitaine exemplaire. Et puis, quel genre de personne attendrait des fautes, des blessures ou toute autre sorte d'ennuis ? Ce que peut toujours apporter ce qui est inattendu.

Et pourtant...

Au troisième jour, alors que son équipe allait embarquer, Washen retrouva les accents d'un capitaine :

— Nous allons refaire notre petite promenade sur le fer, et nous dépasserons tous les objectifs. Dans les délais prévus, sinon avant.

Ce fut un voyage rapide, totalement étrange. Diu était avec Washen. Il avait demandé à faire partie de son équipe et insisté pour l'accompagner. Leur véhicule blindé commença par faire marche arrière dans le tunnel d'accès avant de se lancer vers le bas. Puis il traversa les arcs-boutants. Des milliards de doigts électriques pénétrèrent les boucliers à superfluides avant de vriller les crânes fragiles et de jouer brièvement avec leur santé mentale.

Le véhicule toucha l'atmosphère supérieure, freina, et la gravité terrifiante meurtrit leur chair et brisa les os les plus fragiles. Les gènes d'alerte s'éveillèrent, tissèrent des codeurs analogiques pour résorber en quelques instants les lésions les plus importantes. Le pont fut implanté sur une colline de rouille et de jungle noire. Malgré le ciel lourdement chargé, l'air était aussi brillant que brûlant ; à chaque souffle, on inspirait des odeurs de métaux et de sueur nerveuse. Les capitaines procédèrent au déchargement. En tant que chef d'équipe, Washen donnait des ordres que tous connaissaient par cœur. Leur cap-car fut enlevé du pont et reconfiguré. Le nouveau véhicule fut chargé et testé. Quant aux capitaines, ils furent testés par leurs autodocs : des gènes récemment implantés étaient déjà à l'œuvre et aidaient leurs tissus à s'adapter à la chaleur et à l'environnement hautement métallique. Miocène, installée dans un campement de proximité, donna son accord ; Washen décolla et mit le cap sur le site de reconnaissance.

Le paysage était chaotique, tourmenté, traversé par des lignes de failles, des montagnes rudes et d'innombrables cheminées volcaniques qui étaient en sommeil depuis un siècle, dix ans, ou seulement quelques jours. Pourtant, le terrain environnant était fertile, vivant, avec des bosquets denses de pseudo-arbres qui évoquaient des champignons géants et rouges. Leurs chapeaux noirs et vernis se gavaient de l'éblouissante lumière bleutée.

Marrow était au moins aussi inusable que les capitaines qui volaient au-dessus de sa surface. Le taux de croissance de la végétation était phénoménal, pour des raisons qui allaient bien au-delà de la lumière et d'une photosynthèse hyperefficace. Les premiers relevés confirmèrent une hypothèse ancienne : la jungle était également alimentée par ses racines, qui s'inséraient comme des burins dans les fissures jusqu'à des sources d'eau chaude riches en bactéries thermophiles.

Mais les écosystèmes aquatiques étaient-ils aussi productifs ? Telle était la question que se posait Washen, et elle avait sélectionné un petit lac riche en métaux pour l'étudier. Ils l'atteignirent dans le temps prévu et, après en avoir fait deux fois le tour, elle décida de se poser sur une plaque de scories noires, pétrifiées. Ils passèrent le reste de la journée à installer le labo et leurs quartiers, à poser des pièges à spécimens et, ultime précaution, à déployer un périmètre de défense : trois IA paranoïdes qui allaient passer leur temps à imaginer le pire de toutes les bestioles, de toutes les spores qu'elles verraient.

Ce fut une nuit vigilante.

Même si la lumière ne déclinait pas, Miocène insista pour que chaque capitaine prenne son temps de sommeil et s'investisse durant une heure dans le repas et les corvées rituelles.

À l'heure prévue, Washen et ses équipiers grimpèrent dans leurs abris gonflables, se déshabillèrent, s'allongèrent et écoutèrent le bourdonnement incessant de la jungle en comptant les secondes jusqu'à l'heure du réveil.

Ils prirent leur petit déjeuner en cercle parfait, les yeux levés vers le ciel. Le vent changeant avait emporté les nuages ; l'air était redevenu chaud, sec, et la lumière encore plus intense. La paroi lointaine de la chambre était d'un blanc argenté, lisse. Le camp de base des capitaines n'était qu'une cicatrice sombre, uniquement visible à cause de la limpidité de l'air. Le pont avait disparu au loin, dans la lumière. Washen, avec un peu de concentration, en venait presque à croire qu'ils étaient les seuls êtres vivants au monde. Avec un rien de chance, elle pouvait oublier que les télescopes sophistiqués qui la cernaient n'étaient là que pour la voir assise dans son fauteuil d'aérogel, à déguster ses rations alimentaires et, en cet instant précis, à gratter son oreille très humide.

Diu était assis à sa droite, et quand elle le regarda, il eut un sourire malin, comme s'il lisait dans ses pensées.

— Je sais de quoi nous avons besoin, dit-elle.

— Et de quoi ?

— D'une cérémonie. D'une sorte de rituel avant que nous démarrions.

Elle se leva et alla jusqu'au lac, sans savoir vraiment pourquoi jusqu'à ce qu'elle l'atteigne. L'eau noirâtre léchait les cailloux rouillés. Elle s'agenouilla, y plongea une main, et sentit sa tiédeur apaisante avec, entre ses doigts, la présence graisseuse de la boue, de la vie. Un bouquet de plantes de fondrière aux capitules en dôme attira son regard et, tout près de là, un piège à spécimens. Plein. Elle s'essuya la main sur son uniforme et, avec précaution, détacha le piège avant de ramener sa prise jusqu'au camp.

Sur Marrow, tous les appâts étaient remplis de pseudo-insectes.

Dans le piège, elle trouva une libellule à six ailes, couleur de pierre de lune, plus longue que son avant-bras. Sous le regard des autres capitaines, Washen prit doucement la proie, rabattit les ailes et, en maintenant le corps de la main gauche, elle déclencha sa torche laser et trancha la tête. La libellule frémit puis mourut. Ensuite, Washen dépouilla la carcasse de ses ailes et de sa queue pour ne garder que l'épais thorax qu'elle déposa sur la minuscule cuisinière. La cuisson ne prit que quelques secondes. Avec un bruit mat, la carapace se fendit. Washen arracha un lambeau de chair noirâtre et brûlante ; avec une grimace, elle mordit dedans et s'efforça de mâcher.

Diu eut un rire affectueux. Saluki, un autre capitaine, fut le premier à réagir :

— Nous ne sommes pas censés faire ça.

Broq, un capitaine de douzième rang, ajouta :

— Ce sont les ordres de Miocène. Sauf urgence, nous devons nous contenter de nos rations.

Washen eut de la peine à avaler. Puis, avec un large sourire, elle leur déclara :

— Vous souhaiterez ne jamais remanger ça. Croyez-moi.

Il n'existait aucun virus, aucune toxine que leur système génétique renforcé ne puisse détruire ou évacuer. Miocène jouait le rôle de la mère précautionneuse, et quel mal y avait-il à cela ?

Washen fit circuler la viande de cérémonie. Saluki, pour plaire à sa supérieure, mit le morceau sur sa langue et l'avala sans mâcher. Broq protesta, mais s'en tira avec le même tour.

Deux enfants nés sur le vaisseau et prénommés Promesse et Rêve, eurent un clin d'œil malin vers le ciel avant de dire merci à Washen.

Le dernier à accepter sa part fut Diu et sa première bouchée fut timide. Mais il ne fit pas la grimace, accepta le reste de la carcasse dont il arracha un morceau bien gras qu'il mâcha avant d'avaler.

Avec un gloussement bizarre, il déclara à l'assemblée :

— Ce n'est pas aussi atroce que ça. Si ma bouche voulait bien se calmer, je pense que le goût me plairait presque.

Dix

Des semaines de travail incessant firent que ce qui avait été une possibilité devint un fait réel.

Marrow avait été taillée dans le cœur du vaisseau. Ou, plus justement, elle avait été taillée dans le noyau de la jeune planète jovienne qui allait devenir, à terme, le Grand Vaisseau.

C'est à cette conclusion que les capitaines aboutirent à partir de la composition du sol et en se fondant sur leur bon sens. Quels qu'aient été les bâtisseurs, ils avaient dû commencer en arrachant le radium, le thorium et autres radionucléides du reste de la planète jovienne pour les injecter dans le noyau. Le monde avait été alors compressé par des champs d'arcs-boutants et le fer tassé de plus en plus avant que la paroi exposée de la chambre soit renforcée avec de l'hyperfibre. Comment cela avait-il été possible, nul ne le savait. Pas même Aasleen, génie de l'ingénierie, qui se contenta de hocher la tête en disant :

— Du diable si j'en ai la moindre idée.

Pourtant, après des milliards d'années, sans l'aide apparente des constructeurs ou de quiconque, cette vaste machine ronronnait encore parfaitement bien.

Pourquoi créer une telle merveille ?

La raison la plus évidente, la plus répandue, était que le vaisseau avait besoin d'un corps rigide. Sinon, les éléments tectoniques alimentés par la chaleur interne auraient fait fondre les chambres et fracassé les plafonds de pierre dans le premier millier d'années. Mais pourquoi tant d'efforts et de dépenses à seule fin de créer Marrow ? Avec ce genre d'énergie à disposition, pourquoi ne pas rejeter l'uranium dans l'espace, où il pourrait être utilisé à bon escient ?

À moins qu'il ne soit utilisé ici, bien sûr.

Certains capitaines suggéraient que Marrow était ce qui subsistait d'un énorme réacteur à fission presque fondu.

— Sauf qu'il existe des moyens plus efficaces pour obtenir de l'énergie, répliquaient d'autres, avec plus de politesse que d'amabilité.

Mais si ce monde avait été conçu pour emmagasiner l'énergie ?

Telle était la suggestion d'Aasleen : en pinçant les arcs-boutants, les constructeurs auraient pu forcer ce monde à entrer en rotation. Avec leur force et leur patience – deux ressources dont ils avaient dû disposer en abondance – ils auraient pu lui donner une vélocité formidable. En tournant dans le vide, maintenue constante par les arcs-boutants autant que par la couverture d'hyperfibre disparue, cette boule de fer massive aurait constitué un sérieux volant de commande.

Lentement, très lentement, cette énergie s'était écoulée dans le vaisseau vide.

Quelque part entre les galaxies, la rotation se réduisit presque à néant. C'est alors que les systèmes du vaisseau passèrent en hibernation.

Aasleen alla jusqu'à créer un calcul numérique élaboré, aussi réel que possible au premier regard. Dans l'Univers du début, les éléments lourds étaient rares. Les constructeurs avaient moissonné les radionucléides du dessus pour les enfouir ici et, au fur et à mesure que Marrow devenait de plus en plus chaude, sa couverture d'hyperfibre avait commencé à dépérir. À se dégrader. Et à mourir.

L'hyperfibre était riche en carbone et en oxygène, en hydrogène et en azote. Tous les atomes étaient alignés et chaque lien était renforcé par d'infimes pulsions quantiques prévisibles. Stressée au-delà de ses limites, l'hyperfibre ancienne se disloquait et les nouveaux éléments réactifs entamaient leur danse de fête en donnant à la vie une chance raisonnable de naître.

— C'est absolument évident ! clama Aasleen. Dès que vous voyez ça, vous ne pouvez croire à rien d'autre. Impossible.

Elle proposa ce défi à ses collègues lors d'un briefing hebdomadaire.

Tous les chefs d'équipe étaient assis dans une projection illusoire d'une salle de conférence de la Maîtresse, perchés sur leurs sièges d'aérogel, transpirant dans la touffeur de Marrow. La salle était sculptée d'ombres et de lumières ; la projection de la Maîtresse était visible à l'extrémité de la longue table de bois de perle, entre deux imposants bustes d'or d'elle-même. Elle semblait à la fois vive et remarquablement sereine. Dans ces briefings, chacun attendait des rapports tranchants et des attitudes atténuées. Les vastes théories surprenaient. Néanmoins, quand Aasleen eut fini et après une pause contemplative, la Maîtresse sourit et déclara à son imaginatif capitaine :

— C'est une possibilité intrigante. Merci, chérie. Merci beaucoup.

Avant de se tourner vers les autres et d'ajouter :

— Des commentaires ?

Son expression déclencha une vague de murmures approbateurs.

Washen doutait que Marrow puisse être une simple batterie épuisée. Cependant, le moment n'était pas bien choisi pour dresser la liste des problèmes soulevés par les volants de commande et les origines de la vie. Et puis, les équipes bio devaient ensuite présenter leur rapport et elle devait leur faire partager ses propres illuminations.

Un tremblement interrompit les compliments.

L'image du capitaine qui parlait trembla, et d'autres secousses suivirent. En sachant quelle était la place de chacun, il fut facile de repérer l'épicentre. Dès que Washen avait ressenti la première onde de choc, puis les tremblements suivants, elle avait pris conscience que le séisme était important, même pour Marrow.

Un silence vigilant s'installa.

Washen perçut soudain sa propre transpiration. Une huile volatile, discrètement parfumée, qui montait de ses pores, laissant sa chair glacée dans la chaleur de fournaise. C'est alors que la Maîtresse, insensible au séisme, leva sa large main pour annoncer abruptement, sur un ton doux :

— Nous devons discuter de votre programme.

Qu'allaient devenir les équipes bio ?

— Ici, on vous regrette. Je suis sûre que c'est ce que vous souhaitiez entendre. (La Maîtresse eut un rire prolongé, sans écho, avant d'ajouter :) L'histoire que nous avons montée pour vous envoyer là en bas n'est pas assez astucieuse ou assez souple, et l'équipage commence à avoir des soupçons.

Miocène acquiesça d'un air entendu. La Maîtresse laissa retomber sa main et expliqua :

— Avant d'avoir à maîtriser une vague de panique, je dois vous rapatrier.

Les sourires fleurirent autour d'elle. Certains capitaines étaient las de l'inconfort, d'autres pensaient simplement aux promotions et aux honneurs qui les attendaient. Washen demanda :

— Vous voulez dire nous tous, madame ?

— Pour le moment, oui.

Elle n'aurait pas dû être surprise que l'histoire qu'ils avaient forgée pour se couvrir ait eu des fuites. Des centaines de capitaines ne pouvaient disparaître de la scène sans susciter des interrogations. Et Washen ne devait pas se sentir déçue. Même dans l'agitation des dernières semaines, elle s'était surprise à souhaiter que l'histoire qu'ils avaient mise sur pied fût réelle. Elle voulait qu'elle et ses collègues soient vraiment en mission auprès d'exophobes à haute technologie pour les convaincre de devenir une force utile. Un défi difficile qui pouvait être fructueux. Mais, en apprenant que leur mission s'arrêtait là, il lui venait à l'esprit des centaines de projets dignes de son petit domaine – de quoi remplir un bon siècle.

En tant que chef de la mission, ce fut Miocène qui posa la question :

— Madame, vous souhaitez que nous interrompions notre travail dès maintenant ?

La Maîtresse posa la main sur un des bustes. Pour elle, sa salle, son ameublement et ses décorations étaient authentiques, alors que les capitaines n'étaient que des illusions.

— Les plans de mission peuvent toujours être modifiés. Ce qui est essentiel, c'est que vous acheviez vos relevés des deux hémisphères. Et que vous vous assuriez qu'aucune grosse surprise ne nous attend. J'aimerais aussi que vous rassembliez vos études les plus critiques. Dix jours suffiront. Après, vous reviendrez, vous laisserez des drones poursuivre votre travail et nous prendrons le temps nécessaire pour décider de la prochaine phase importante.

Les sourires se firent hésitants, mais aucun ne s'effaça vraiment.

Miocène chuchota avec un respect forcé :

— Dix jours.

— Il y a un problème ?

— Madame, je me sentirais un peu plus à l'aise si nous étions sûrs que Marrow ne constitue pas une menace.

Une pause suivit, et pas seulement parce que la Maîtresse se trouvait à des milliers de kilomètres au-dessus d'eux : un silence prolongé, tendu. Et puis, le capitaine de tous les capitaines demanda à travers la lointaine distance imaginaire :

— D'autres opinions ?

Les autres sous-maîtres étaient d'accord avec Miocène. Ce serait un éclatement.

Accomplir ce travail en dix jours et avec confiance exigerait l'aide de tous. Y compris des capitaines chargés des équipes d'assistance. Le camp de base devrait être abandonné, ou presque. Ce qui constituait peut-être un risque acceptable. Mais toutes ces paroles modérées, conciliatrices, étaient entachées par les mains nouées et les regards lointains, mal assurés.

La Maîtresse absorba les critiques sans commentaire, avant de se tourner vers sa future sous-maîtresse et d'ajouter d'un ton acéré :

— Washen, vous avez d'autres remarques à apporter, chérie ?

Washen hésita aussi longtemps qu'elle pouvait se le permettre.

— Marrow était probablement un volant de commande, madame, acquiesça-t-elle enfin, ignorant les expressions intriguées.

— Est-ce une plaisanterie ? dit la Maîtresse sans la moindre trace d'amusement. Nous discutons bien de votre programme ?

— Mais si Marrow était un volant de commande, poursuivit Washen, et si ces arcs-boutants avaient faibli ne serait-ce qu'un instant, Marrow aurait éclaté en morceaux. Cela aurait été un échec catastrophique. La couverture d'hyperfibre n'aurait pas absorbé la poussée angulaire et elle aurait été brisée. Le fer en fusion aurait détruit le mur de la chambre et les ondes de choc auraient déferlé dans tout le vaisseau.

Elle proposa une série de calculs bruts, simples, puis, en évitant le regard furieux d'Aasleen, elle ajouta :

— C'était sans doute un volant de commande très élaboré, mais aussi un mécanisme d'autodestruction efficace. Nous l'ignorons, madame. Nous ne connaissons pas les intentions des constructeurs. Nous ne pouvons même pas deviner s'ils avaient des ennemis, réels ou imaginaires. Toutefois, si nous devons obtenir des réponses, je ne vois pas de meilleur endroit.

L'expression de la Maîtresse était impénétrable. Celle-ci avait fermé ses grands yeux bruns et murmura enfin, lentement, en secouant la tête d'un air affligé :

— Depuis le premier instant où je suis montée à bord de ce glorieux vaisseau, j'ai proclamé : «Je me suis toujours laissé guider par un principe essentiel : les constructeurs, les architectes, quels qu'ils aient été, n'auraient jamais pris le risque de mettre en péril cette merveilleuse création. »

Washen aurait aimé partager une telle confiance.

Puis la Maîtresse, cette apparition de lumière et de sons, se redressa, se pencha sur les bustes et le bois de perle avant de déclarer :

— Washen, vous avez besoin de changer d'affectation. Vous et votre équipe allez prendre le commandement des opérations. Aidez-nous à explorer l'hémisphère opposé. Trouvez-y votre indice, s'il est là. Quand vos reconnaissances seront achevées, vous rentrerez tous. D'accord ?

— Comme vous voudrez, madame, acquiesça Washen.

Ainsi que tous les autres.

Washen remarqua alors le regard subreptice de Miocène et lut dans ses yeux étrécis : « Bien joué, chérie ». Avec une infime trace de respect.

Onze

À trois occasions, des vols de drones-ptérosaures avaient systématiquement cartographié cette région. Mais Washen, en suivant l'itinéraire des machines, constata que le relevé le plus récent, qui ne remontait qu'à huit jours, était déjà trop ancien pour être utile.

Canonné par les séismes, le paysage autrefois plat avait été soulevé avant de se fendre. Des torrents de fer en fusion avaient dévalé les pentes nouvelles. Par-dessus le murmure étouffé du moteur, elle pouvait entendre la voix du fer, profonde, posée, massive et fantastiquement furieuse. Elle volait parallèlement au fleuve violent. À l'endroit où trois cartes montraient un grand bras mort, le fer se refroidissait en consumant ce qui subsistait d'eau et de boue. Des colonnes d'hydrogène et de vapeur crasseuse montaient vers le ciel avant de se tordre vers l'est. Washen risqua l'expérience de voler dans la vapeur. Les écopes atmosphériques capturèrent des échantillons qui furent filtrés et examinés par des centaines de capteurs et un unique microscope. En se penchant sur l'image, Diu eut un rire étouffé et dit à Washen :

— Tu ne le croiras pas ! De la vie.

La vapeur portait des spores et des œufs, des insectes emprisonnés dans des biocéramiques dures, indifférents à la chaleur brûlante. À l'extrémité d'un flacon aiguille, trop minuscules pour être visibles à l'œil nu, il y avait assez d'herbes aquatiques et de coléoptères à nageoires pour conquérir une dizaine d'autres lacs.

La catastrophe était la force motrice de Marrow.

Cette intuition grandissait en Washen de jour en jour, à chaque heure, toujours accompagnée d'un principe plus large : sous une forme ou une autre, le désastre avait toujours dominé l'Univers.

Quand la vapeur se dispersait brusquement, remplacée par la lumière bleue du ciel, avec le mur de la chambre dressé entre le bas et le haut, très loin, aussi loin que portait le regard de Washen, il y avait les ossements noirs et dénudés d'une jungle.

Les flammes et les exhalaisons avaient carbonisé tous les arbres.

Jusqu'au moindre insecte rampant.

Le carnage avait dû être horrible. Pourtant, le sinistre avait frappé des jours auparavant et, déjà de nouvelles pousses étaient visibles entre les troncs convulsés et les crevasses récentes. Des milliers de feuilles en ombrelle, d'un noir verni, luisaient dans l'air surchauffé.

Au passage, Diu murmura quelque chose. Broq se pencha sur l'épaule de Washen pour répéter sa question :

— Est-ce que nous ne devrions pas descendre ? Jeter un coup d'œil, peut-être ?

Encore cinquante kilomètres, et ils seraient à distance maximale du pont. La fin du monde au sens proverbial. Du champagne frappé et quelques autres plaisirs plus intenses les attendaient pour ce moment symbolique. Ils devraient être patients, décida Washen, et, par le biais d'un sous-système implanté, elle demanda au véhicule de trouver une surface horizontale assez fraîche où six capitaines pourraient s'ébattre un peu.

Le cap-car fit du sur-place en hésitant, avant d'aller se poser.

L'air extérieur était respirable par petites inhalations rapides. Ils appliquèrent le protocole de la mission, recueillirent des échantillons de sol brûlé et de ce qu'ils pensaient être des restes de rochers prometteurs. Ils découpèrent des fragments de choses vivantes ou mortes, mais tout cela n'était qu'une excuse pour apprécier le paysage, naguère étrange et maintenant, après des semaines de travail, totalement familier.

Promesse et Rêve examinaient une énorme souche blanche.

— De l'amiante, dit Promesse en frottant l'écorce poudreuse. L'arbre a dû être arraché du sol, ou bien emporté dans les airs, à moins qu'il n'ait été ébouillanté en pleine fraîcheur. Puis couché autour des racines, tu vois ? Comme une couverture.

— Le tronc et les branches étaient probablement riches en lipides, ajouta son frère. Une sorte de cierge vivant, pratiquement.

— Destiné à être brûlé.

— Et content de brûler.

— Né pour brûler.

— Par amour.

Ils gloussèrent. Washen ne demanda pas ce que ces paroles voulaient dire. Ces chansonnettes étaient anciennes et incompréhensibles. Les enfants eux-mêmes ne semblaient pas sûrs de savoir d'où elles venaient.

Agenouillée à côté de Rêve, elle vit des dizaines de pousses plates surgir de la souche. Sur Marrow, avec toute l'énergie existante et si peu de répit, la végétation n'emmagasinait rien sous forme de sucres. Les graisses, les huiles et les cires suractivées à haute compression étaient la norme. Certaines espèces avaient réinventé le principe de la batterie et stockaient des énergies électriques dans leurs tissus complexes. Combien faudrait-il de temps pour que le hasard et ses caprices accomplissent ce travail élaboré ? Cinq milliards d'années ? Au moins, estima Washen. Elle n'avait aucun fossile à interroger, mais les explorations génétiques avaient révélé une diversité fantastique, ce qui impliquait un début véritablement ancien. Ils se trouvaient dans un jardin qui pouvait avoir dix ou quinze milliards d'années. Et cette ultime estimation pouvait être au seuil de l'absurde.

Quelle que soit la vérité, c'était une erreur que de quitter Marrow. Washen ne cessait de se le répéter en secret. Elle dit aux enfants :

— Je suis curieuse. Si l'on en juge par leurs gènes, quelles sont les deux espèces qui sont les plus dissemblables ?

Promesse et Rêve devinrent sérieux, déroulant leurs souvenirs profonds et efficaces. Néanmoins, avant qu'ils puissent proposer une réponse, tous ressentirent une secousse violente suivie d'une cascade de frissons profonds. Washen elle-même, en toute indignité, fut jetée sur son postérieur.

Un instant, elle en rit.

Puis, quelque part non loin de là, deux grosses masses de fer se heurtèrent et des grondements déchirants fendirent l'air, comme si deux monstres allaient s'affronter en un combat terrifiant.

Quand la secousse fut passée, elle se redressa et rajusta son uniforme avant de déclarer :

— Il est temps de repartir.

Son équipe courait déjà vers le cap-car. Seul Diu était resté en arrière, et ce fut sans vraiment sourire qu'il lui dit :

— Quel dommage !

Elle comprit et hocha la tête.

— Oui, quel dommage.

Leur carte datait de huit jours et elle n'était plus qu'un fossile pas très utile.

Washen n'obéissait plus qu'à son instinct et elle éteignit son écran. Dans dix minutes, sans doute moins, ils atteindraient leur destination. Aucune autre équipe ne pourrait aller aussi loin. Cette pensée lui apporta brièvement une satisfaction jubilatoire ; elle entama son demi-tour, prête à demander à quiconque se trouvait à proximité de vérifier leur position.

Elle avait la bouche ouverte quand une voix distordue, presque inaudible, l'interrompit :

— … toutes les équipes… Au rapport !

— Qui est-ce ? demanda Broq.

Miocène. Mais ses paroles étaient déformées par un miaulement électronique perçant.

— Que… voyez-vous ? leur demanda la sous-maîtresse.

Et puis, ils entendirent à nouveau :

— … équipes. Au rapport !

Washen cherchait frénétiquement un lien audio.

Une dizaine d'autres chefs d'équipe échangeaient des commentaires en un chœur discordant.

Zale clama :

— Nous sommes arrivés à l'heure ici !

Kyzkee remarqua :

— J'ai une bizarre interférence. À part ça, tous les systèmes sont nominaux.

Aasleen, plus curieuse qu'inquiète, demanda :

— Pourquoi, madame ? Vous voyez quelque chose d'anormal ?

Ils ne reçurent en réponse qu'un vague bourdonnement.

Washen relia ses nexus au dispositif des capteurs, et découvrit que Diu était déjà là. D'une voix tendue, il s'exclama :

— Merde !

— Qu'est-ce que…, cria Washen.

Une plainte stridente balaya toutes les voix, et jusqu'à la moindre pensée. Et le jour se fit plus brillant, encore et encore, des rubans d'éclairs se déversèrent du ciel, puis se liquéfièrent en se mêlant et fondirent droit sur eux.

Ils entendirent alors une voix distordue qui venait de l'autre côté du monde :

— Le pont. Est-il… vous le voyez… où ?

Le cap-car fut secoué comme s'il paniquait, il perdit de l'altitude et de la vitesse, et chaque IA à son bord était impuissante. Washen activa les commandes manuelles et des siècles d'habitude l'aidèrent à se concentrer : rien n'existait plus maintenant que leur engin en perdition, ses réflexes amollis et un vaste terrain de terre craquelée et de forêt brûlée.

Le prochain barrage d'éclairs était d'un mauve incandescent, plus intense encore, dévorant et féroce. Aveuglée, Washen ne pilotait plus que de mémoire.

Leur véhicule avait été conçu pour supporter des assauts d'envergure. Mais tous les systèmes étaient morts et l'hyperfibre elle-même avait dû être endommagée. En percutant le sol de fer, la coque se tordit jusqu'à céder dans sa partie la plus faible, et elle se fracassa. Les champs de contrainte agrippèrent les corps impuissants. Mais leurs mécanismes parfaits défaillirent à leur tour. Seuls les airbags et les ceintures renforcées maintenaient les capitaines dans leurs sièges. Leur chair fut agitée de spasmes, puis déchirée, lacérée. Leurs os se brisèrent et s'arrachèrent des articulations, transpercèrent les organes roses et tendres avant de tomber en vrac. Puis les sièges furent arrachés du sol et allèrent rouler sur des hectares de fer et de souches grillées.

Pas une seconde Washen ne perdit conscience.

Avec une curiosité engourdie, elle regarda ses jambes et ses bras se casser et se recasser sans cesse, un millier d'œdèmes se répandre jusqu'à former une tapisserie mauve, ses côtes réduites en poussière et son échine renforcée se fendre jusqu'à ce qu'elle reste sans douleur, sans le moindre signe de mobilité. Étendue sur le dos, toujours rivée à son siège tordu, elle ne pouvait bouger sa tête écrasée.

Et les mots, lorsqu'ils vinrent, furent un lent gargouillis car sa bouche molle était remplie de dents et de caillots de sang.

—Abandon, marmonna-t-elle. (Puis :) Vaisseau.

Elle riait. Faiblement, désespérément. Une houle grise parcourut son corps.

Les gènes d'urgence étaient déjà réveillés et se frayaient une route dans le carnage. Ils protégèrent immédiatement le cerveau en déversant de l'oxygène et des anti-inflammatoires, plus une couverture de narcotiques apaisants. Des souvenirs fiables et heureux pétillèrent dans la conscience de Washen. Pendant un petit moment, elle redevint une petite fille chevauchant sa baleine préférée. C'est alors que les gènes de guérison entreprirent de reconstruire les organes, la colonne vertébrale. Ils cannibalisèrent la chair en matière brute et en énergie, l'organisme du capitaine fut délabré par la fièvre, suinta des huiles parfumées et du sang noir, mort.

Pendant quelques minutes, Washen se sentit rapetisser.

Une heure après le crash, une douleur déchirante la tortura. Une souffrance bénéfique, presque réconfortante. Elle se tordit en gémissant, elle pleura ; avec ses mains faibles, à peine reconstituées, elle parvint à se libérer de son siège détruit. Avec ses jambes flageolantes, déséquilibrées, elle s'efforça de marcher.

Elle avait perdu vingt centimètres et elle était frêle. Mais elle parvint à s'approcher du corps le plus proche, à s'agenouiller et à essuyer son visage ravagé. C'était Diu. Il avait été plus gravement blessé qu'elle. Il s'était ratatiné comme un vieux fruit et son visage avait été défoncé par un poing de fer anguleux. Toutefois, ses traits étaient déjà à moitié guéris. Dans sa souffrance, il y avait une évidente méfiance, mais quand il réussit à produire un sourire mutilé et à cligner son unique œil gris en regardant Washen, il cracha quelques dents en murmurant :

—Vous êtes magnifique, madame. Comme toujours…

Saluki avait été empalé sur une poutrelle d'hyperfibre brunie. Broq avait eu les jambes tranchées et, dans la brume de l'angoisse, il s'était traîné pour les retrouver et les avait mal replacées.

Mais le cas des enfants était le pire. Rêve avait fait une chute dans une faille de la couche de fer et son frère s'était écrasé sur elle. Leur chair et leurs os étaient emmêlés. Lentement, très lentement, la guérison succéda au carnage.

Washen remit en place les jambes de Broq.

Puis, avec l'aide de Diu, elle libéra Saluki de la poutrelle et le coucha à l'ombre pour qu'il se répare. Elle laissa Diu veiller sur les enfants et patrouilla dans l'épave en quête de n'importe quoi d'utile. Elle trouva des rations et des uniformes de combat, mais les machines étaient inopérantes. Elle tenta de les réactiver, mais elles n'étaient même pas en état de déclarer : « Je suis cassée ».

Par chance, la croûte semblait stabilisée pour le moment. Ils pouvaient se permettre de guérir, de se reposer, d'ingurgiter une triple dose de leurs rations. Plus tard, Saluki parvint même à déplier deux autres abris d'urgence avec leurs packs de survie, plus une flasque de diamant pleine de champagne. Aussi chaud que le sol, à vrai dire. Mais délicieux quand même.

C'est dans l'ombre d'un abri que les six capitaines vidèrent la flasque.

Ils décidèrent que c'était le soir, se rassemblèrent et discutèrent du lendemain, en évoquant des options, en les estimant avant de les rejeter pour la plupart.

Attendre et voir, telle fut leur décision collective.

— Nous allons donner trois jours à Miocène pour nous retrouver, décida Washen.

Puis, elle se concentra pour tenter d'accéder à son horloge implantée, par pure habitude. Mais chacun de ses implants, chaque minuscule nexus avaient été grillés par le feu électrique qui les avait arrachés du ciel.

Dans un monde où la nuit n'existait pas, combien de temps duraient trois jours ?

Ils se fixèrent une date butoir et y ajoutèrent un jour, au cas où... Mais Miocène ne se manifesta pas, non plus que tout autre capitaine. Ce qui avait détruit leur véhicule avait dû neutraliser tous les autres. Washen se tourna vers ses compagnons avec une sorte de sourire embarrassé et se résigna à leur dire :

— Si nous voulons rentrer chez nous, on dirait bien qu'il va falloir le faire à pied.

Douze

Faites quelque chose de nouveau, et rien d'autre, et faites-le sans vous arrêter – tout particulièrement si c'est douloureux, dangereux, et entièrement improvisé, et votre mémoire commencera à vous jouer l'un de ses plus vieux tours, l'un des plus sournois.

Washen ne parvenait pas à se rappeler avoir été ailleurs.

Elle se trouvait au pied d'une montagne récente, ou bien dans une jungle grasse et noire sans aucune piste, et c'était comme si tout ce qu'elle pouvait se rappeler de sa vie antérieure n'était qu'un rêve compliqué, impossible, plus oublié que revécu et, au fond de son cœur, totalement ridicule.

C'était une balade mortelle. Quelle que soit la distance à parcourir, ils avançaient lentement, dangereusement, même avec toutes les astuces qu'ils avaient apprises et qui les maintenaient dans ce qu'ils priaient pour être la bonne direction.

Marrow les méprisait. Elle voulait leur mort et peu lui importait de quelle façon elle les tuerait. Sa haine était évidente pour chacun. Chaque fois qu'elle s'éveillait, Washen la ressentait, mais elle se refusait à l'admettre, du moins devant les autres. Elle se contentait de jurer, parce que ça ne comptait pas.

—Putain de montagne! Putain de vent! Saleté de merde d'herbes à chier!

Ils avaient tous leurs insultes favorites, des mots violents, cruels, pour des épreuves cruelles.

—Saleté de con de fer, je te déteste! Tu m'entends? Autant que tu me détestes!

Chaque journée était une marche pénible ponctuée des instants où ils se mettaient en quête de nourriture. Ce qu'ils avaient goûté auparavant pour leur cérémonial était devenu le menu du jour: ils attrapaient des insectes géants, épluchaient les ailes et les faisaient griller sur de grands feux crépitant de graisse. La chair était riche en calories et en vitamines, de sorte que les capitaines retrouvèrent leur taille et presque la santé qui avait été la leur. Washen, avec le temps, apprit quels insectes étaient moins dégoûtants que d'autres. Elle descendait de l'espèce des singes chasseurs et elle apprit à traquer les bestioles, à les attraper. Au bout de ce qui devait être une année – plus ou moins – elle ne s'endormit plus avec la faim au ventre. Ils n'étaient jamais plus affamés, ni les uns, ni les autres. Promesse et Rêve goûtaient à la végétation luxuriante, ils recrachaient tout ce qui était amer, insupportable, mais ils maîtrisaient bien la cuisson prudente et lente de tout ce qui était comestible.

Quand le palais s'adapte, l'âme suit.

Au début de la deuxième année, ils connurent un jour heureux. Intense et vraiment heureux. Pour Washen et les autres, ce fut simplement le réveil. Leur premier vrai repas les rassasia. Ensuite, ensemble, tous les six, ils coururent vers l'horizon avec leurs quelques biens autour des hanches et sur leur dos mouillé de sueur. Ils retrouvaient la trajectoire de leur arrivée. Dépourvus de cartes numériques, ils devaient se fier aux pics volcaniques bizarres, aux gorges tourmentées et noires et à la mer ocellée de minéraux quand ils la rencontraient.

Marrow prenait plaisir à dessécher ses mers et à faire exploser ses montagnes. Ce qui engendrait la confusion, le doute et des retards dans la marche. Des barrières avaient été soulevées vers le ciel, ce qui les obligeait à faire de longs détours. Quand ils se perdaient, au premier signe, ils devaient s'arrêter et partir en reconnaissance. Sans soleil, sans étoiles, ils couraient le risque certain de se retrouver absolument, honteusement perdus. Mais, durant cette bonne journée, ils maintinrent leur cap. Diu trouva une arête en lame de couteau qui offrait un sol stable. Ils purent même courir sous le ciel plaisamment assombri, et une fine bruine les rafraîchit presque. Au bord de l'épuisement, ils atteignirent leur repère suivant – un vaste escarpement noir qui les domina vers la fin du jour.

Ils dressèrent leur camp dans les ombres denses de ce qui devait être une vallée. Un torrent d'eau de pluie cascadait dans un lit étroit qui n'avait pas plus de cinquante ans d'âge. L'eau de pluie était toujours meilleure que l'eau de source. À vrai dire, chaque gorgée avait un goût de fer. Et un arrière-goût de soufre. Néanmoins, ça n'avait rien à voir avec le bouillon épais de minéraux et de bactéries qui venait du sous-sol. Cette eau était en fait assez fraîche pour qu'ils s'y baignent, un luxe inouï. Washen se brossa puis se rhabilla – à l'exception de ses bottes détériorées – avant de s'étendre sous l'ombrelle d'un arbre immense et d'examiner ses longs pieds nus, l'eau agitée, et de prendre conscience de l'émotion inattendue qu'elle éprouvait. Envers et contre tout, cela ressemblait à du contentement. Et même à du bonheur, d'une façon très subtile.

Diu apparut. La seconde d'avant, elle était seule, et puis Diu surgit. Il avait ôté le haut de son uniforme qu'il traînait derrière lui comme la carapace d'un insecte en mue. Il serrait sous un bras son dîner – une espèce de coléoptère noir comme du fer forgé et plus long que son avant-bras. Il se tourna en souriant vers Washen, ce qui laissait supposer qu'il savait déjà où elle était. Son dîner agita ses huit pattes, passivement. Il l'ignora et, en s'approchant, avec un vague rire, il demanda :

— Ça vous dirait de le partager avec moi ?

Pour un capitaine, il était plutôt beau. Avec un torse imberbe, sculpté par cette dernière rude année. Il y avait dans ses yeux gris une étincelle qui se fit encore plus brillante quand il s'avança dans l'ombre de l'arbre.

— Ça me va. Merci.

Il se contenta de sourire.

Un instant, elle se sentit mal à l'aise. Mais quand elle s'interrogea sur les raisons de ce sentiment, elle découvrit qu'elle affrontait seulement un de ces instants bizarres qu'elle n'avait jamais su prévoir. Elle était vieille de mille siècles, mais elle n'avait pas imaginé qu'elle pourrait se retrouver assise ici, dans ces circonstances, à regarder un homme appelé Diu, avec une saveur de plaisir qui naissait dans sa bouche.

Pour une bestiole bien grillée, ou quoi d'autre ?

Et elle se surprit en train d'avouer :

— Je ne me souviens pas avoir été aussi heureuse depuis longtemps.

Diu eut un rire tendre.

— C'était une bonne journée, ajouta Washen.

— Oui, dit-il, en un certain sens.

— Ligotez votre petit ami pour le moment. (Et elle referma son piège) : Si vous le voulez bien, je voudrais vous voir sans ces vêtements, monsieur Coléoptère…

Le pont était leur dernier repère.

Sous la lumière intense, ils l'observaient depuis une crête battue par le vent, et il était comme un fil rigide, noir, sans substance, tendu contre le mur blanc argenté de la chambre. Arraché jusqu'à la stratosphère, il était trop court de quelques centaines de kilomètres. Il n'existait pas d'autre chemin de retour pour eux. C'était pourtant leur destination. Ils avaient mis trois ans pour parvenir jusque-là et c'était une raison suffisante pour continuer d'avancer malgré la fatigue habituelle. Mais ce territoire était exceptionnellement rude, même pour Marrow. Pire encore, les capitaines devaient franchir le lit de pierres de toutes les failles, de tous les torrents ainsi que des courtes bandes de terre plate hérissées de jungles anciennes aux traquenards sournois.

En atteignant la dernière crête, ils en trouvèrent d'autres en embuscade. Quant au pont, il avait à peine grossi mais il était toujours aussi douloureusement lointain.

Ils s'effondrèrent sous la crête suivante.

Ils ne dressèrent pas vraiment le camp. Ils s'étaient laissés tomber dans un creux tapissé de rouille cerné de nickel pur ; quand la brume se changea en averse drue, ils l'ignorèrent. Trois années de milliers de kilomètres zigzaguant avaient rendu Washen et son équipe indifférents à ces petits sauts de climat. Ils restaient étendus sur le dos, ils respiraient quand ils en avaient besoin, et tranquillement, avec leurs voix douces, épuisées, ils murmurèrent des mots d'espoir.

— Imaginez la surprise des autres capitaines, se dirent-ils.

— Imaginez quand nous sortirons de la jungle demain ! Est-ce que ça ne vaudra pas la peine de lire la stupéfaction sur leurs nobles visages ?

Si ce n'est que personne ne les attendait pour être pris en défaut. À la fin du jour suivant, tardivement, ils atteignirent le pont pour trouver un campement depuis longtemps oublié, dévasté. Le sommet de la colline où était enraciné le pont avait été fracturé par les séismes ; l'hyperfibre, d'un noir dégradé, avait un aspect malsain. La structure penchait de façon précaire. Les portes bloquées s'ouvrirent d'un simple coup de barre. Une échelle improvisée avait été installée dans le puits intérieur obscur, mais, à en juger par la couche de rouille, il était évident que personne ne l'avait empruntée depuis des mois, sinon des années.

En faisant un tour dans la jungle, Broq découvrit un sentier possible. Ils choisirent une direction au hasard jusqu'à ce que le sentier s'enfonce dans la végétation noire. Ils firent demi-tour et revinrent sur leurs pas jusqu'à ce que le sentier devienne assez large pour qu'on y trotte avant d'y courir. Ils s'y détendirent parce que quelqu'un était passé ici. Quelqu'un était passé là. Et soudain, Washen se retrouva en tête, à pleine foulée.

Quand ils atteignirent le lit de la rivière, ils étaient tous hors d'haleine.

Le chemin devenait une piste plus large et abondamment foulée, mais ils durent ralentir à nouveau, à bout de souffle en abordant chaque courbe avec une impression de danger imminent.

Au terme de leur course, c'est eux qui se retrouvèrent surpris.

Ils trottaient alors dans les ombres vives. Un jeu de lumière leur masquait la femme qui se trouvait devant eux. Son uniforme miroitant empêcha Washen de la voir jusqu'à l'instant où son visage familier parut surgir et s'animer. Le visage familier de Miocène, inchangé au premier regard. Elle avait une attitude royale et parfaitement glacée.

— Ça vous a pris du temps, laissa-t-elle tomber. (C'est alors seulement qu'elle sourit avec une bizarre inclinaison de la tête.) Ça me fait plaisir de vous revoir. Tous. Honnêtement, j'avais perdu tout espoir.

Washen ravala sa colère et ses questions.

Ses compagnons les posèrent pour elle. Qui d'autre se trouvait ici ? Comment survivaient-ils ? Est-ce qu'il y avait une machinerie en fonction ? Est-ce que la Maîtresse avait eu des contacts avec eux ?

Avant qu'ils aient obtenu une seule réponse, Diu demanda :

— Quelle sorte de mission de secours nous a-t-on envoyée ?

— Une mission prudente, répondit Miocène. Tellement prudente qu'on se laisse abuser. Au point de croire qu'elle n'existe même pas.

Sa colère était puissante, opulente et aiguisée.

Elle leur fit signe de la suivre et, dans la lumière éclatante, elle leur résuma l'essentiel. Aasleen et certains autres avaient réussi à bricoler plusieurs télescopes et il y avait toujours eu un capitaine pour surveiller le camp de base. D'après les observations, le blister de diamant était intact, de même que toutes les constructions. Mais les drones et les phares de signalisation étaient inactifs et le réacteur débranché. Un élément du pont, long de trois kilomètres, se trouvait à proximité du blister et constituerait une fondation parfaite pour une nouvelle structure. Néanmoins, Miocène secoua la tête, en admettant avec calme qu'il n'y avait pas trace de capitaines ou de quiconque en train de former une équipe de secours.

— Ils pensent peut-être que nous sommes morts, suggéra Diu dans une tentative désespérée pour se montrer charitable.

— Je ne pense pas que nous soyons morts, rétorqua Miocène. Et même si nous l'étions, quelqu'un s'intéresserait à nos os et chercherait des réponses.

Washen ne dit pas un mot. Après trois ans d'épreuves, de repas répugnants et d'espoir forcené, elle se sentait brusquement dégoûtée et désespérément triste.

La sous-maîtresse ralentit et revint aux questions qui lui avaient été posées.

— Toutes les machines ont été détruites lors de l'Événement. C'est le nom que nous avons donné à ce phénomène énorme. L'Événement. D'après ce que nous avons pu reconstituer, les arcs-boutants ont fusionné. Ceux qui sont au-dessus de nous et ceux qui sont en dessous. Quand cela s'est produit, nos cap-cars, nos drones, nos capteurs et nos IA n'ont plus été que de jolis détritus.

— Vous ne pouvez pas les réparer ? demanda Promesse.

— Nous ne savons même pas ce qui les a cassés, répliqua Miocène.

Ils acquiescèrent tous et attendirent la suite.

Elle eut un sourire distrait et avoua :

— Mais nous survivons néanmoins. Nous avons des abris en bois. Des outils en fer. Des horloges à balancier. De la vapeur en cas de besoin. Et puis aussi ce que nous avons réussi à fabriquer, comme les télescopes, ce qui nous donne une sorte de science rudimentaire.

La piste abordait une courbe.

La jungle avait été éclaircie et les coupes n'avaient laissé que les arbres en pleine maturité pour garder leur ombre précieuse. Le nouveau camp s'était étendu de tous les côtés. Comme tout ce que les capitaines construisaient, la communauté était stricte. Chaque maison était carrée et solide, bâtie dans le même bois gris que les autres à coups de hache de fer, et les entailles avaient été comblées avec le même mortier rougeâtre. Les allées étaient bordées de troncs de plus petite taille et portaient toutes un nom. Rue Centrale. Avenue Principale. Allée de Gauche. Allée de Droite. Rue Dorée. Tous les capitaines étaient en uniforme, souriants et impeccablement alignés. Tous tentaient de cacher la fatigue qu'on décelait dans leur regard et leur voix tendue.

Ils furent plus de deux cents à clamer :

— Bonjour et bienvenue !

Washen sentait leur transpiration douce en même temps qu'un flux de parfums concoctés maison. Puis un souffle de vent lui apporta l'odeur familière d'une bestiole qui grillait quelque part sur un feu qui couvait.

On préparait un festin en leur honneur.

Elle dit enfin :

— Comment saviez-vous que nous arrivions ?

— Nous avons repéré les traces de vos bottes, dit Miocène. Près du pont.

Aasleen s'avança, heureuse de s'impliquer.

— Oui, je les ai vues. Je les ai comptées et mesurées. J'ai compris que j'étais tombée sur vos traces et j'ai fait un rapport.

— Il existe un itinéraire plus court que celui que vous avez trouvé, dit Miocène.

— Qui ne prend pas trois ans ? releva Diu avec humour.

Un rire embarrassé répondit à sa plaisanterie et Aasleen leur avoua :

— Disons que ça s'approche plutôt des quatre ans.

Elle avait un visage vif, intelligent, la peau noire comme du fer forgé et, parmi ses pairs, elle semblait la plus gaie – ex-ingénieur qui était devenue capitaine à la force du poignet et qui avait désormais la responsabilité de réinventer tout ce que les humains avaient créé. À partir de rien, de restes, de ressources minimales… Ce qui semblait la ravir.

— Vous n'aviez pas d'horloges, remarqua-t-elle. Vous avez vécu selon vos sensations, et les humains, quand ils n'ont plus de repères, basculent dans des journées de trente ou de trente-deux heures.

Ce qui, bien entendu, ne fut une révélation pour personne.

Il ne se trouva que Saluki pour s'exclamer :

— Quatre ans !

Il s'avança dans la lumière et leva les yeux vers un trou dans la canopée, comme s'il cherchait le camp de base abandonné. Et il ajouta :

— Quatre longues années !

Si seulement un capitaine était demeuré en arrière. Un survivant aurait pu demander de l'aide, ou au moins faire la longue escalade jusqu'au réservoir et à l'habitat des Sangsues, puis jusqu'aux quartiers de la Maîtresse. En supposant, bien sûr, qu'il s'y trouve quelqu'un…

Les pires pensées s'imposèrent à Washen et elle hésita avant de demander prudemment, avec peine :

— Lesquels ne sont plus ici ?

Miocène prononça une dizaine de noms.

Neuf d'entre eux étaient des amis de Washen ou bien des collègues. Le dernier de la liste était Hazz – un sous-maître et un vieux camarade de voyage de Miocène.

— Il a été le dernier à mourir, expliqua-t-elle. Il y a deux mois, dans une crevasse qui s'est ouverte brusquement. Il a été emporté par le fer en fusion.

Le silence était tombé sur le village.

— Je l'ai vu mourir, continua Miocène, les yeux humides, le regard perdu, furieux. Et j'ai maintenant un seul but. (Sa voix était soudain chargée de haine.) Je veux trouver un moyen de regagner le monde d'en haut. Et j'irai trouver la Maîtresse pour lui demander pourquoi elle nous a envoyés ici. Pour explorer cet endroit ? Ou parce que c'était le moyen le plus abominable de se débarrasser de nous ?

Treize

L'amertume convenait à Miocène.

Elle méprisait son destin et, avec une rage brûlante, elle maudissait ces actes déraisonnables qui l'avaient laissé abandonnée sur ce monde tellement abominable. Les désastres nombreux nourrissaient ses émotions et son énergie. Chaque mort était une tragédie qui effaçait un océan de vie et d'expérience. Et chaque rare succès n'était qu'une minuscule avancée pour redresser ce qui était à l'évidence énormément anormal.

La sous-maîtresse ne dormait que rarement. Quand ses paupières se fermaient, elle sombrait dans des cauchemars violents et confus qui l'arrachaient au sommeil pour rôder encore dans son esprit comme des toxines neurologiques sophistiquées.

Sa constitution immortelle la maintenait en vie.

Leurs ancêtres humains auraient péri ici. L'épuisement ou les anévrismes, ou bien la folie auraient été le résultat naturel du manque de sommeil et de toute cette colère rentrée. Mais aucune incarnation naturelle de l'humanité n'aurait pu survivre une seule journée dans cet environnement, avec un régime aussi rude, en ingérant des métaux lourds à chaque souffle, chaque bouchée, chaque gorgée. Quand il était devenu évident que la Maîtresse n'avait pas l'intention de risquer sa grosse carcasse jusqu'en bas du tunnel pour les secourir, Miocène comprit clairement que si elle devait s'échapper, cela demanderait du temps. Un temps inestimable. Et de l'acharnement. Et du génie. Et de la chance, naturellement. Et aussi la constitution immortelle de tous les autres.

La mort de Hazz leur avait rappelé toutes les leçons les plus rudes. Deux années après, elle ne pouvait s'empêcher de la revoir. Un Terrien grégaire qui se plaisait à parler de courage et qui, à la fin, en avait montré beaucoup. Impuissante, Miocène l'avait vu pris au piège sur un îlot de métal ancien, cerné par un fleuve de fer couvert de scories. Hazz, très droit, regardait le courant sauvage. Il respirait encore avec ses poumons brûlés, grimaçant en une sorte de sourire qui semblait inutile, comme tout dans ce milieu terrible.

Ils avaient tenté désespérément de le sauver.

Aasleen et son équipe d'ingénieurs avaient essayé de lancer trois passerelles séparées, mais elles avaient fondu avant d'être achevées. Pendant ce temps, le fleuve de fer grossissait, devenait plus violent et réduisait l'îlot à un simple bouchon sur lequel l'homme condamné réussissait à garder l'équilibre, prenant appui sur un pied jusqu'à ce qu'il soit trop brûlé pour passer à l'autre.

À l'instant de sa fin, il ressemblait à un héron.

Puis le courant déferla, la mince couche noire de scories éclata, une langue rouge de fer ardent dissolut les bottes de Hazz, puis calcina ses pieds avant d'embraser sa chair. Noyé dans les flammes, il réussit à rester immobile un long moment, avec son sourire qui s'élargit, se fit triste, puis très fatigué. Sous les regards de tous les capitaines, il dit alors quelque chose, mais sa voix était trop faible, et Miocène cria :

—Non !

Si fort que Hazz dut l'entendre car, soudain, avec ses jambes grillées, il fit une tentative héroïque pour s'avancer sur les scories et le métal fondu.

Son corps musclé, adaptable, atteignit ses limites. Lentement, calmement, Hazz bascula en avant, et son uniforme miroitant, son visage souriant et sa tignasse de cheveux blond clair éclatèrent en flammèches sales. L'eau de son corps explosa en vapeur, en rouille, en hydrogène. Il ne resta rien de lui sinon ses os d'un blanc choquant puis une vague de fer plus chaude et plus rapide disloqua le squelette et les ossements furent pris dans le courant tandis qu'un nuage de fumée ardente repoussait les capitaines.

Miocène aurait aimé récupérer le crâne de Hazz.

Les biocéramiques étaient dures et son esprit dur aurait pu résister un peu plus longtemps à une pareille température. Et n'y avait-il pas des histoires de miracles accomplis par des autodocs et des chirurgiens patients ?

Mais même si elle n'avait pas pu le ressusciter, Miocène aurait quand même aimé garder le crâne de Hazz. Dans ses rêves, elle se voyait en train de l'installer à côté d'un des bustes dorés de la Maîtresse. D'une voix trompeusement sereine, elle lui expliquait qui il avait été et comment il était mort. Puis, sur un ton plus vrai, furieux, elle expliquait au capitaine de tous les capitaines pourquoi elle n'était qu'une répugnante saleté, d'abord pour tout ce qu'elle avait accompli, et pour tout le bien qu'elle aurait pu faire et n'avait pas fait.

L'amertume donnait à Miocène une force incroyable, irrésistible. Sans crainte.

De plus en plus, elle se fiait à cette force et à sa résolution. Plus que jamais auparavant dans sa vie prodigieusement longue, elle se retrouvait avec un objectif, un but net et pur dans son existence.

Miocène savourait son amertume.

À certains moments, durant ses nuits sans sommeil, elle se demandait comment elle avait pu réussir. Comment pouvait-on accomplir quoi que ce soit sans un cœur vengeur, plein de rancœur ? Qui jamais, quoi qu'il endure, ne cesserait de battre, brûlant, violent, dans sa poitrine ?

Le retour de Washen avait été un succès inattendu. Et, comme la plupart des succès, il fut suivi d'un désastre. La croûte se plissa et se déchira : un barrage né du séisme avait fracassé le lit du fleuve de métal en même temps que le flanc de la colline proche. Le restant du pont bascula sur le côté et, dans un rugissement grinçant, l'épaisse structure d'hyperfibre se brisa ; les débris jaillirent à plus de cinquante kilomètres au-dessus des montagnes nouvelles.

La chute du pont fut impressionnante et imprévisible.

Le camp des capitaines avait déjà été oblitéré par un geyser prodigieux de métal liquéfié. Les maisons proprettes furent vaporisées. Deux autres capitaines trouvèrent la mort et les survivants s'enfuirent avec un minimum d'outils et de provisions. Dans leur retraite, ils eurent les poumons brûlés, les mains et les pieds couverts de cloques. Leurs langues gonflées se déchirèrent, et certains eurent les yeux liquéfiés. Les plus forts portèrent les plus faibles sur des civières improvisées et, enfin, après des jours d'errance, ils se retrouvèrent dans une vallée lointaine, dans un bocage d'arbres bleu noir qui bordaient une mare profonde d'eau de pluie. Là, ils s'effondrèrent, trop épuisés pour jurer.

Comme pour les bénir, les arbres lancèrent alors de minuscules ballons d'or. L'air frais, dans leur ombre, s'emplit de l'éclat des ballons et de la musique sèche qu'ils faisaient en se frottant les uns contre les autres.

— L'arbre de vertu ! s'exclama Diu en saisissant un ballon entre ses mains et en le pressant jusqu'à ce qu'il éclate et que l'hydrogène s'échappe en sifflant doucement, son enveloppe changée en un souffle en une pellicule d'or malléable.

Miocène envoya ses équipiers au travail. Il fallait construire de nouvelles maisons, avec des rues nouvelles, et le site lui semblait idéal. Avec leur seule force et des haches, ils parvinrent à abattre une demi-douzaine des arbres de vertu. Le bois était facile à tailler au fil de son grain et le liber doré était nourrissant. Ils avaient dressé vingt jolies demeures quand le sol s'ouvrit dans un grondement angoissant.

Méfiants, les capitaines s'écartèrent.

Une fois encore, ils escaladèrent des crêtes plus acérées que les fers de leurs haches. Tout en bas, la campagne était en feu, elle fondait, devenait un lac de fer et de scories.

Ils avaient retrouvé leur nature de nomades.

Quand ils firent à nouveau étape, aucun d'eux n'espérait s'attarder. Miocène exigea des maisons rudimentaires qui pourraient être reconstruites en une journée de voyage. Elle ordonna à Aasleen et aux autres de fabriquer des outils plus légers et de stocker des vivres pour la prochaine migration. C'était à ces seules conditions qu'elle pourrait prendre le risque de leur nouvelle étape : ils avaient besoin d'étudier leur monde et, si possible, d'apprendre à déchiffrer ses humeurs capricieuses.

Elle nomma Washen à la tête des équipes biologiques.

Le capitaine de premier grade choisit vingt équipiers, au nombre desquels les cinq survivants de sa première équipe et, avec quelques outils, plus leur instinct affiné et leurs souvenirs précis, ils se dispersèrent dans la campagne alentour.

Trois mois et un jour après, chaque équipe se présenta au rapport.

— La clé, ce sont les cycles de reproduction, résuma Washen. Mais il y en a peut-être d'autres. Pourtant, certains semblent apparemment presque infaillibles.

Les capitaines étaient entassés dans l'immeuble étroit qui servait à la fois de cafétéria et de salle commune. La table centrale était un bloc de fer habillé de planches, entouré de chaises et de tabourets. Les plats étaient chargés de fourmis grillées et de confiseries, mais personne n'y toucha.

On servait du thé froid, à la saveur acide et familière, qui se mêlait au relent huileux des hommes et des femmes qui avaient passé trop de temps dans la chaleur.

Miocène hocha la tête, à l'intention de Washen et de tous.

— Continuez, chérie. Expliquez-nous.

— Nos arbres de vertu. Ces ballons sont bien leurs œufs, comme nous l'avions supposé. Mais ils n'en font qu'un ou deux par jour, d'ordinaire. À moins qu'ils ne sentent que la croûte devient instable ; ils utilisent alors toute leur réserve d'or. D'un seul coup, précipitamment. Car les adultes vont être carbonisés et le paysage va changer.

— Si nous avons droit à un autre spectacle, l'interrompit Diu, nous serons prévenus. On aura un jour, peut-être moins, pour ficher le camp d'ici.

Les capitaines éclatèrent d'un rire sombre.

Miocène marqua sa désapprobation par un regard et un silence froids, rien de plus. Normalement, elle exigeait que les réunions de son staff se tiennent sous le signe de la discipline et de l'efficacité. Mais c'était une journée exceptionnelle et plus spéciale encore qu'ils ne s'y étaient attendus.

L'équipe de Washen s'exprima sur les espèces qui méritaient d'être surveillées et sur les signes avertisseurs d'éruptions en préparation.

Durant les périodes stables, certains insectes ailés se transformaient en chenilles bien grasses dont certaines étaient plus longues que le bras. Si de nouvelles ailes leur poussaient, c'était la fin de la stabilité.

Au premier signe de péril, des coléoptères hautement sociaux, de la taille d'un crabe, se lançaient dans de fantastiques migrations par milliers, par millions, à travers la contrée. Mais, ainsi que l'avait remarqué Rêve, ces hordes se ruaient souvent dans la pire direction. Trois espèces de prédateurs, y compris les ailes-marteaux, surgissaient dans des régions sur le point d'être abandonnées. Elles s'adaptaient peut-être dans la perspective d'une chasse fructueuse quand les habitants des lieux se précipiteraient hors de leurs nids et de leurs tanières.

Dans les périodes de danger, des ailes apparaissaient sur certaines chenilles qui se joignaient alors aux prédateurs.

D'infimes changements dans la température de l'eau et sa structure chimique amenaient les communautés aquatiques à paniquer ou à montrer un optimisme béat. Quelle était la nature de ces changements, nul n'en était certain. Il aurait fallu des instruments délicats et des années d'expériences supplémentaires pour déchiffrer ces signes aussi aisément que la plus ordinaire des ordures noires.

Tout ce qui fut évoqué fut enregistré. Un capitaine de grade inférieur, en bout de table, prenait une foule de notes sur de grandes ailes de mouche cuivrée qui avaient été blanchies.

Quand ce fut fini, ce fut à Miocène de les inviter tous à poser des questions.

— Et nos arbres de vertu ? demanda Aasleen. Est-ce qu'ils ont leur propre comportement ?

— Comme s'ils devaient vivre éternellement, répliqua Washen. Ils ne sont pas encore trop avancés dans leur cycle de croissance, ce qui ne signifie rien. Les éruptions peuvent se produire n'importe quand. Mais ils investissent leurs énergies dans le bois et la graisse, pas dans les ballons d'or. Et comme leurs racines sont profondes et sensibles, ils savent ce que nous ne pouvons pas savoir. Je peux vous garantir que nous pouvons rester ici deux, trois ou même quatre jours pleins.

Une fois encore, des rires lugubres lui répondirent.

La confiance de Washen était contagieuse mais utile. La perdre aurait été un désastre pour tous. Malgré tout, des années auparavant, la Maîtresse avait envoyé cette femme de talent sur l'autre face de Marrow, faisant de son mieux pour qu'un accident la débarrasse d'elle.

Miocène acquiesça avant de lever la main.

Doucement, presque trop doucement pour être entendue, elle dit :

— Les cycles.

Les regards des capitaines les plus proches se fixèrent sur elle.

— Merci, Washen.

La sous-maîtresse porta son regard au loin et frissonna. Sans signe annonciateur, elle était secouée par sa propre éruption intérieure. Ses pensées, fractales comme n'importe quel séisme, la firent trembler. Durant un bref instant, elle fut heureuse.

Diu demanda :

— C'était quoi, madame ?

Plus fort, cette fois, Miocène répondit :

— Les cycles.

Tous attendaient en clignant des yeux. Elle se tourna vers le chef de l'équipe géologique et, avec un ravissement à peine masqué, elle lui demanda :

— Les secousses tectoniques de Marrow ? Sont-elles plus actives ou bien auraient-elles diminué ?

Le chef s'appelait Twist. Il était sous-maître de second rang et on pouvait dire qu'il avait un esprit encore plus sérieux que Miocène. Avec un hochement de tête circonspect, il annonça :

— Nos failles locales sont plus actives. Bien sûr, nous ne disposons que de sismographes rudimentaires. Mais les secousses ont doublé d'intensité depuis notre arrivée sur Marrow.

— Et sur l'ensemble de la planète ?

— À vrai dire, madame… À ce stade, je ne suis pas compétent pour traiter de façon compréhensive cette question.

— Qu'y a-t-il, madame ? intervint Diu.

Honnêtement, elle n'en était pas absolument certaine.

Miocène se tourna vers chaque visage en s'interrogeant : que lisaient les capitaines sur son visage à elle pour qu'ils se montrent tellement intrigués, inquiets ? Paisiblement, sur un ton d'excuse, elle leur dit :

— Cela peut sembler prématuré. Téméraire. Et même dément. (Elle s'interrompit, hocha la tête et, plus pour elle que pour les autres, elle acheva :) Un autre cycle est entamé. Plus vaste, et bien plus important.

Le bourdonnement solitaire d'une aile-marteau leur parvint, puis ce fut le silence.

— La tâche que je me suis fixée, reprit Miocène, est de surveiller notre ancien camp de base. C'est une corvée désespérée, franchement, et c'est pourquoi je n'ai demandé l'aide de personne. Le camp est encore désert. Et jusqu'à ce que nous ayons trouvé le moyen d'y retourner, je pense qu'il restera abandonné.

Quelques capitaines acquiescèrent aimablement. Un ou deux buvaient leur thé âcre.

— Nous n'avons qu'un petit télescope et un tripode rudimentaire. (Miocène déploya une aile de mouche cuivrée d'une main longue et tremblante.) J'ai laissé le télescope installé sur la crête est, en terrain plat, dans un creux abrité, rien que pour observer le camp. Cinq fois par jour, sans exception.

Quelqu'un dit, d'un ton presque patient :

— Oui, madame.

Miocène se leva et montra les ailes rougeâtres couvertes de chiffres et de mots brefs.

— Lorsque nous vivions en dessous du camp, nous braquions rarement nos télescopes. En général à cause d'une secousse ou d'un vent fort. Mais, depuis que nous nous sommes déplacés ici, à cinquante-trois kilomètres de notre position d'origine… Eh bien, je peux vous le dire : durant ces dernières semaines, j'ai dû réajuster deux fois l'alignement de mon télescope. Ce que j'ai fait ce matin. Toujours pour les baisser d'un cran vers l'horizon.

Silence.

Elle promena son regard sur les autres, sans les voir. Et elle se demanda : *Comment est-ce possible ?*

D'un ton respectueux et tranquille, Aasleen suggéra :

— Les secousses perturbent l'alignement des télescopes. Comme vous l'avez dit.

—Non, répliqua la sous-maîtresse. Le sol est plat. Il l'a toujours été. Je l'ai testé précisément pour cette erreur.

L'erreur était en croissance rapide, elle l'avait décelée dans ses calculs minutieux. Elle lut ses données. Quand elle fut absolument certaine qu'elle comprenait la réponse, elle demanda :

—Qu'est-ce que ça signifie ?

Quelqu'un suggéra :

—Marrow s'est remise en rotation.

Encore une fois, ils retrouvaient l'hypothèse du volant moteur. Aasleen avança :

—C'est sans doute dû aux arcs-boutants. Il suffit d'une fraction de leurs énergies apparentes pour agir sur le fer et ainsi le déplacer – et nous avec – de quelques kilomètres...

Oui. De quelques kilomètres.

Miocène leva encore une fois une longue main fine pour imposer le silence. Un sourire effleura ses lèvres.

—Il existe une autre option. Dont les arcs-boutants font partie, mais d'une façon plutôt différente.

Le silence résista, et personne ne cilla.

—Imaginons que l'Événement, quel qu'il ait été... imaginons qu'il ait fait partie d'une espèce de grand cycle. Après qu'il se fut produit, les arcs-boutants ont commencé à céder sous nos pieds. À relâcher leur emprise sur Marrow, ne serait-ce qu'un peu.

—La planète est en train de grossir, dit quelqu'un.

Washen.

—Bien sûr ! clama Aasleen. Le fer interne subit des pressions fantastiques et si on ouvre le couvercle, même au minimum...

Inconsciemment, quelques capitaines gonflèrent les joues.

Miocène eut un sourire fugace. Cette étrange idée s'était imposée à elle peu à peu et, excitée, elle fit appel à ses anciens instincts pour déclarer à tous :

—C'est prématuré. Il nous faut de nouvelles estimations et des études différentes ; même alors nous n'aurons aucune certitude. Pas avant très longtemps.

Washen levait les yeux au plafond, imaginant peut-être leur lointain camp de base.

Diu, charmeur de bas rang, eut un rire discret. Heureux. Il prit la main de son amante et la serra jusqu'à ce qu'elle réponde à son sourire.

—Si les arcs-boutants qui sont sous nous faiblissent, intervint Aasleen, alors ceux qui sont dans le ciel doivent être encore plus défaillants.

—Nous pouvons contrôler ça facilement, dit Twist.

Rien n'est facile dans ce monde, songea Miocène, sur le point de les prévenir. Elle choisit néanmoins de ne décourager personne, reprit ses ailes de mouche cuivrée couvertes de ses précieux chiffres et, en jouant de la trigonométrie la plus simple, elle interpola une estimation grossière. Ce n'est que dans les régions les plus obscures de son esprit qu'elle entendit vaguement Washen et les ingénieurs émettre de nouvelles hypothèses. Si l'expansion de ce monde était un fait réel, cela leur donnerait des indices sur le fonctionnement des arcs-boutants. Sur l'énergie qui les faisait fonctionner et pourquoi. Aasleen suggéra qu'un cycle d'expansion et de compression était le moyen évident par lequel Marrow expulsait la chaleur excédentaire de la désintégration nucléaire ou d'autres sources. Ce qui pouvait même expliquer comment les arcs-boutants supérieurs se rechargeaient en énergie. L'hypothèse semblait être parfaitement fondée. Et même quelque peu vraie. Mais sa vérité était sans conséquence. Tout ce qui importait, c'était les résultats secs que le stylet de Miocène avait tracés.

Celle-ci leva la tête.

Si brusquement que le silence s'abattit sur la salle. Un essaim de criquets couleur de jade se mit à crisser puis, comme s'ils sentaient qu'ils brisaient l'étiquette, ils se turent.

— En supposant qu'il existe une forme d'expansion, dit Miocène, ce monde où nous sommes aurait grossi d'un peu moins d'un kilomètre depuis l'Événement. À ce rythme, en supposant que Marrow puisse maintenir cette modeste progression durant cinq mille années… Dans cinq millénaires, le monde emplira toute cette chambre et nous serons en mesure de regagner notre camp de base.

Elle ajouta dans un chuchotement, avec un rire décidé qui lui ressemblait :

— Et après ça, s'il le faut, nous rentrerons à pied…

Quatorze

C'était l'heure où les enfants dormaient.

Washen avait eu l'intention de visiter la nursery. Mais, en approchant, elle entendit un murmure et hésita avant de s'avancer, curieuse et prudente face à ce jeu qui dérangeait la routine.

La nursery de la communauté avait été construite avec des parpaings et des briques de fer ; la toiture pentue était en bois d'ombra noir. Elle jouxtait la cafétéria et elle était la plus grande construction du monde, sans doute aussi la plus durable. Washen s'appuya contre le mur, une oreille contre la fenêtre à store et écouta. Elle prit conscience que c'était l'aîné des enfants qui racontait une histoire.

— On les appelle les Constructeurs, disait-il. Parce qu'ils ont construit le vaisseau et tout ce qu'il y a à l'intérieur.

— Le vaisseau, reprirent les enfants dans un seul chuchotement.

— Le vaisseau est trop grand pour qu'on puisse le mesurer, il est seulement beau. Pourtant, quand il était tout neuf, personne ne se le partageait. Il n'y avait que les Constructeurs. Ils étaient fiers et c'est pourquoi ils appelèrent dans les ténèbres et invitèrent d'autres qu'eux-mêmes à partager son immensité. Pour que d'autres voient ce qu'ils avaient fait et chantent les louanges de leur admirable création.

Washen ne perdait pas un mot, dans le parfum délicat du bois.

— Et qu'est-ce qui est venu des ténèbres ? demanda l'aîné.

— Les Mornes, répondirent aussitôt des dizaines de voix.

— Y avait-il quelqu'un d'autre ?

— Personne.

— Parce que l'Univers était tellement jeune, expliqua le garçon. (D'un ton assuré, il expliqua la leçon bizarre qu'il avait tirée de ce que les capitaines lui avaient enseigné.) Tout était nouveau et il n'y avait que les Mornes et les Constructeurs.

— Les Mornes, répéta une petite fille d'un ton convaincu.

— C'était une espèce égoïste et cruelle, insista le garçon. Mais ils souriaient toujours et mesuraient leurs paroles. Dès qu'ils arrivèrent, ils chantèrent la gloire de notre admirable vaisseau. Toutefois, que voulaient-ils ? Depuis le premier instant ?

— Nous voler le vaisseau, répondirent les enfants.

— Une nuit, alors que les Constructeurs dormaient paisiblement et sans méfiance, les Mornes les ont attaqués et ils ont massacré la plupart d'entre eux alors qu'ils étaient impuissants dans leurs lits, encore endormis.

— Ils les ont massacrés ! soufflèrent les enfants.

Washen se rapprocha de la porte. Chaque enfant avait disposé son lit selon sa logique personnelle. Certains s'étaient regroupés, par deux, trois ou cinq, alors que d'autres avaient préféré rester éloignés dans une forme de solitude. En risquant un regard par le store, elle repéra le conteur. Il se tenait à l'écart des autres, assis sur son lit, et un rai de lumière qui filtrait du toit soulignait son visage. Il s'appelait Till. Il ressemblait vraiment à sa mère, avec ses traits aigus. Mais il bougea la tête et ne ressembla plus qu'à lui-même.

— Où sont partis les Constructeurs ? demanda-t-il.

— Ici.

— Et qu'est-ce qu'ils ont fait ensuite ?

— Ils ont purifié le vaisseau.

— Oui, ils ont purifié le vaisseau, répéta Till en haussant le ton. Tout ce qui se trouvait au-dessus de nous devait périr. Les Constructeurs n'avaient pas d'autre solution.

Un silence de réflexion suivit.

— Que sont devenus les Constructeurs ?

— Ils ont été pris au piège ici, répondirent en chœur les autres enfants.

— Et ?

— Ils sont morts ici. L'un après l'autre.

— Qu'est-ce qui est mort ?

— Leur chair.

— Mais il n'est question que de chair ?

— Non !

— De quoi d'autre alors ?

— De leurs esprits.

— Ce qui n'est pas de chair ne peut pas mourir, déclara le conteur bizarre.

Les mains rivées sur l'encadrement de fer tiède de la porte, Washen attendait en essayant de se souvenir du dernier instant où elle avait respiré pleinement.

Dans un chuchotement musical, Till demanda :

— Savez-vous où survivent les esprits des Constructeurs ?

— En nous, répondirent les enfants à l'unisson avec un ravissement palpable.

— Maintenant, nous sommes les Constructeurs, proféra Till. Après cette longue attente, cette solitude, nous sommes enfin ressuscités !

Après huit décennies, la vie sur Marrow était devenue plus tolérable et presque prévisible. L'équipe tectonique de Twist avait dressé une carte des fumerolles et déjections locales, ainsi que des fissures majeures ; elle connaissait désormais les secteurs où la croûte de fer était plus épaisse et où les constructions étaient susceptibles de rester debout plus longtemps. La nourriture était abondante et promettait de l'être plus encore. Les biologistes de Washen avaient développé les plantes sauvages ; depuis quelques années, ils avaient élevé les insectes les plus comestibles dans des cages ou des huttes spéciales. Diverses expériences scientifiques, certaines maladroites, avaient abouti à des résultats : Marrow était en croissance régulière au fur et à mesure que les arcs-boutants faiblissaient ; le ciel brillant s'était déjà terni à plus d'un pour cent. Les collaborateurs d'Aasleen, dopés par le génie et la consanguinité, avaient élaboré au moins dix plans complexes qui permettraient à tous de s'évader de Marrow.

Ce qui demanderait encore quarante-neuf siècles, à prendre ou à laisser.

Les enfants étaient inévitables et essentiels. Ils apportaient des mains nouvelles, de nouvelles possibilités, et ils allaient combler les pertes subies dans ces lieux affreux. Et, quand ils auraient leurs enfants à eux, un sursaut démographique se déclencherait.

Chaque capitaine femme devait au moins un garçon ou une fille en bonne santé : telle était le jugement de Miocène.

Mais ses paroles se heurtaient à la physiologie moderne. Dans chaque capitaine, il n'y avait pas le moindre ovule ou le moindre spermatozoïde utile. Dans toute société moderne, les médecines complexes et les autodocs sophistiqués assuraient le prolongement de la fertilité. Ici, ils n'avaient ni les uns ni les autres. Ce qui expliquait pourquoi il fallut vingt ans de recherche acharnée à Promesse et Rêve, dans leur labo personnel, pour découvrir que le crachat d'une aile-marteau, toxique pour la plupart des formes de vie locales, pouvait susciter une fécondité temporaire chez les êtres humains.

Mais certains dangers subsistaient. Une femme exigeait des doses quasi mortelles et les effets sur un embryon en développement étaient loin d'être clairs.

Miocène fut la première volontaire.

Ce fut un acte héroïque, et s'il réussissait, ce serait une performance orgueilleuse, puisque son enfant serait l'aîné de tous. Elle ordonna à ses deux capitaines de collecter le sperme de tous les donneurs et, seule, la sous-maîtresse s'ensemença elle-même. Pour autant que Washen pût en juger, nul autre que Miocène ne pouvait être certain de l'identité du père de Till.

Miocène porta son enfant durant onze mois, jusqu'à terme. L'accouchement se passa sans problème et, durant les premiers mois, Till parut parfaitement normal. Il était vif et joyeux, prêt à répondre à tous les sourires. Plus tard, quand les naufragés essayèrent de reconstituer les événements, il n'apparut pas à l'évidence quand exactement le bébé avait changé. Cela avait dû se passer lentement et ce n'est que beaucoup plus tard que les changements devinrent évidents. Till était un enfant rieur qui se tenait gracieusement sur la hanche dure de sa mère, puis tout changea : les gens commencèrent à s'apercevoir qu'il était particulièrement calme, qu'il restait accroché à sa mère sans se plaindre, mais avec un regard lointain et, d'une façon étrange, indéfinissable, distrait.

Le crachat de l'aile-marteau n'était pas en cause.

L'enfant aurait sans doute grandi de la même manière sur le vaisseau. Ou sur la Terre. Ou n'importe où. Les enfants sont imprévisibles et jamais faciles. Dans les années qui suivirent, le campement découvrit des étrangers. Ils étaient petits, décidés et infiniment distrayants. Et, au-delà de toutes les prévisions, les enfants étaient autant de défis à l'autorité sans faille des capitaines.

Non, ils ne voulaient pas manger de ces bestioles-là.

Ni faire caca dans les nouvelles latrines perfectionnées.

Et, merci bien, ils ne voulaient pas se montrer gentils, ni même dormir durant la nuit arbitraire, ou encore écouter leurs parents qui leur expliquaient ce qu'étaient Marrow et le vaisseau, et pourquoi il était tellement important qu'ils quittent un jour leur lieu de naissance.

Mais ces problèmes étaient mineurs. Depuis quelques dizaines d'années, Washen avait essayé tous les états d'âme et l'optimisme était de loin le plus séduisant. Elle faisait son possible pour rester positive face aux difficultés et à tout ce qui était gris.

De bonnes et solides raisons empêchaient les naufragés d'être secourus. L'explication la plus probable était la plus simple : l'Événement était un phénomène récurrent et il avait affecté le vaisseau bien au-delà de Marrow, provoquant l'effondrement du tunnel d'accès au point que se frayer un passage vers le haut était une épreuve lente, pénible, cruelle. C'était sans doute ce qui s'était passé pour les tunnels d'origine. Des Événements plus anciens les avaient détruits. Et la Maîtresse devait agir avec prudence, en tenant compte de la survie des meilleurs de ses capitaines face aux dangers inconnus, du bien-être de milliards d'innocents et des nouveaux passagers qui s'installaient avec désinvolture.

Les autres capitaines se montraient à l'aise en public, mais, en privé, le soir, dans leurs lits d'amour, ils confessaient leurs soucis les plus sombres.

— Supposons que la Maîtresse nous ait rayés des rôles ?

Diu avait posé la question et proposa aussitôt un scénario plus grave encore.

— Ou alors il lui est arrivé quelque chose, grommela-t-il. Cette mission était ultra-secrète. Si elle est morte inopinément et si les sous-maîtres de premier rang ignorent que nous sommes là en bas…

— C'est ce que tu penses ? demanda Washen.

Diu haussa les épaules comme pour dire : « Oui, quelquefois. »

Le martèlement d'un scarabée leur parvint à travers les murs épais et les stores scellés. Puis, le silence s'installa à nouveau. Un instant, ils eurent le sentiment que Marrow les épiait.

Washen joua le jeu de Diu et lui rappela :

—Il y a une autre possibilité.

—Il y en a beaucoup d'autres. Laquelle ?

—L'Événement était plus important que nous le pensons. Et tous les autres sont morts.

Sur le coup, Diu ne réagit pas. C'était le tabou absolu. Mais Washen insista et lui rappela :

—Il se pourrait que nous n'ayons pas été les premiers à découvrir ce vaisseau en perdition. D'autres seraient intervenus avant nous. Les constructeurs auraient pu laisser un piège derrière eux, activé, prêt à se déclencher.

—Peut-être, admit enfin Diu.

Il s'assit dans son lit et le matelas grinça quand il lança ses jambes vers le plancher frais. Il répéta, un ton plus bas :

—Peut-être.

—Il se peut que le vaisseau se nettoie à chaque million d'années. L'Événement détruirait alors tout ce qui est organique et étranger.

Il esquissa un sourire.

—Et nous avons survécu ?

—Marrow a survécu, répliqua Washen. Sinon, nous serions prisonniers d'un désert de fer.

Diu porta les mains à son visage avant de coiffer ses longs cheveux couleur café. Même dans la pénombre de la chambre, Washen distinguait son visage. Elle le connaissait depuis tant d'années qu'il lui était plus familier que ses propres traits ; dans sa longue existence, elle ne se souvenait pas d'un homme dont elle avait été aussi proche.

—Je parle, c'est tout, dit-il. Je ne crois même pas à ce que je dis.

—Je sais.

Elle posa la main sur son dos en sueur et s'aperçut à cet instant seulement qu'il observait le berceau. Leur fils, Locke, était plongé dans un sommeil profond, loin de leur sombre discussion. Dans trois ans, il serait dans la nursery. Elle ne cessait de se dire qu'il vivrait avec Till. Un mois s'était écoulé depuis qu'elle avait entendu son histoire à propos des Constructeurs et des Mornes. Elle n'en avait parlé à personne. Même pas à Diu.

—Il existe plus d'explications que de gens, reconnut-elle.

Une fois encore, il passa la main sur son visage en sueur et elle lui demanda d'un ton grave :

—Chéri, est-ce que tu as jamais écouté d'autres enfants ?

Il tourna la tête.

—Pourquoi ?

Elle lui raconta brièvement. Depuis qu'ils avaient construit la maison, le même rai de lumière filtrait à travers les stores. Il brillait dans son œil gris et sur le méplat de sa joue.

—Tu connais Till. Tu sais à quel point il peut paraître bizarre.

— C'est pour cela que je ne l'ai pas mentionné.

— Tu l'as entendu répéter cette histoire ?

— Non.

— Mais tu l'as guetté, je pense.

Elle ne répondit pas. Il hocha la tête avec l'ombre d'un sourire. Puis il lui fit un clin d'œil, se leva et, pieds nus, s'approcha du berceau.

Ce n'était pas leur fils qu'il regardait. Il s'intéressait au mobile suspendu à une corde solide, au-dessus du bébé. Il était constitué de morceaux de bois peints ajustés souplement sur un fil quasi invisible et était destiné à montrer à Locke toutes les merveilles qu'il ne pouvait encore voir par lui-même. Le vaisseau était au centre, plus grand que toutes les autres pièces, accompagné de vaisseaux interstellaires plus petits et de plusieurs oiseaux génériques comme le Phénix que sa mère avait gravé pour des raisons toutes personnelles.

Après un instant, Washen rejoignit Diu devant le berceau.

Locke était un enfant calme et patient qui ne se plaignait jamais. Il avait hérité de ses parents un bouillon de gènes d'immortalité, une force tranquille. Et de son lieu de naissance… Oui, que tenait-il de Marrow ? Pour la première fois, Washen se demanda s'il était juste d'élever des enfants sur un monde qu'on comprenait à peine. Qui était susceptible de les tuer tous. Cette nuit même, s'il le voulait.

— Je ne me fais pas de souci à propos de Till, dit Diu.

— Moi non plus, assura-t-elle, en s'adressant à elle-même plutôt qu'à lui.

Mais Diu continua :

— Les gamins sont des machines à imagination. On ne sait jamais ce qu'ils peuvent penser à propos de n'importe quoi.

Washen se rappelait l'Enfant, cette créature mi-humaine, mi-gaïenne, qu'elle avait élevée pour Pamir ; elle répondit avec un sourire doux-amer :

— Mais c'est un bonheur de les élever. Du moins, c'est ce que l'on m'a toujours dit…

Le garçon marchait. Il regardait ses pieds nus qui frottaient le sol de fer chaud sous la lumière intense.

— Hello, Till !

Il n'était jamais surpris. Il leva lentement les yeux vers Washen avec un sourire.

— Hello, madame Washen. Vous allez bien, je suppose.

Elle avait devant elle, là, sous le ciel bleu lumineux, un jeune garçon ordinaire et aimable, âgé de onze ans. Son visage était mince, aussi mince que son corps ; comme la plupart de ses aînés, il ne portait que le minimum de vêtements autorisé par les adultes. La génétique moderne était très embrouillée : Washen avait abandonné l'idée de lui faire deviner qui était son père. Parfois, elle se demandait si Miocène elle-même était au courant. Il était évident qu'elle voulait être son unique parente et qu'elle veillait sur lui pour qu'un jour il soit à ses côtés. Quand elle observait le jeune rebelle vêtu d'une simple culotte, Washen éprouvait du ressentiment, même si c'était mesquin et même stupide vis-à-vis d'un enfant de onze ans.

Elle lui décocha un grand sourire en déclarant :

— Il y a quelque temps, tu étais dans la nursery, et je t'ai entendu parler aux autres enfants. Tu leur racontais une histoire très compliquée.

Il cilla à peine. Ses grands yeux bruns étaient ocellés de fléchettes noires.

— Ton récit était intéressant, ajouta Washen.

Till avait l'air de n'importe quel garçonnet qui ne sait comment se débarrasser d'un adulte ennuyeux. Il soupira en se dandinant avec une expression d'ennui absolu.

— Comment as-tu imaginé cette histoire ?

Il haussa les épaules.

— Je sais bien que nous aimons parler du vaisseau, reprit Washen. Trop souvent sans doute. (Son explication lui paraissait pratique et logique. Mais, avant tout, elle ne voulait pas avoir l'air de lui infliger une leçon.) Tout le monde adore ce genre de spéculation. À propos de son histoire, de ses constructeurs et de tout le reste. Tous nos bavardages sont voués à la confusion. Et, puisque nous devons reconstruire le vaisseau avec votre aide, cela vous range dans la catégorie des Constructeurs, non ?

Till haussa encore une fois les épaules en évitant le regard de Washen.

De l'autre côté de la cour, devant le hangar des machines, une équipe de capitaines en sueur venait de lancer leur dernière turbine – une petite merveille primitive construite avec de l'acier brut, à partir de vagues souvenirs auxquels était venue s'ajouter une série d'erreurs et d'essais douteux. Les alcools de fabrication locale combinés à l'oxygène engendraient un grondement ravissant. Quand il fonctionnait, le moteur avait une puissance suffisante pour travailler à n'importe quelle tâche qu'on lui proposait, du moins pendant une journée. Il était néanmoins polluant et bruyant, inefficace, et son fracas couvrait presque la voix impérieuse du garçon.

— Je ne spécule pas. À propos de quoi que ce soit, dit-il.

— Excuse-moi ? fit Washen, comme si elle ne l'avait pas entendu.

— Je ne vous le dirai pas. Que j'ai inventé tout ça.

La turbine crachota puis devint silencieuse.

Washen acquiesça avec un sourire las. C'est alors qu'elle vit Miocène qui s'approchait. Elle portait ses vieilles épaulettes sur une simple robe tissée à la main. Elle semblait épuisée, comme toujours, et gonflée de colère.

— Je n'invente rien, protesta le garçon.

— Et pourquoi pas ? demanda sa mère.

Il resta silencieux.

Le regard de Till affronta celui de Washen un instant comme s'ils concluaient un pacte. Puis il se tourna vers Miocène et déclara d'un ton plaintif :

— Cette machine… elle fait un bruit horrible.

—Oui, c'est vrai. Tu as raison.

—Le vaisseau est comme ça? Avec de gros moteurs qui grondent tout le temps?

—Non, nous avons des réacteurs à fusion. Extrêmement efficaces, sûrs et silencieux. (Elle se tourna vers Washen.) N'est-ce pas, chérie?

—Oui, bien sûr, la fusion, commenta Washen tout en réajustant les plis raides de son uniforme fait main. Les meilleurs réacteurs de la galaxie, à mon avis.

Miocène ajouta, comme un milliard de mères :

—Till, où étais-tu? Je ne t'ai pas vu depuis si longtemps.

—Un peu partout.

Il leva la main en un geste imprécis. Trois de ses doigts étaient plus petits que les autres. Et plus pâles. Ils se régénéraient sans doute après un accident.

—Tu es reparti en exploration?

—Pas très loin. Je n'ai pas quitté la vallée.

Il ment, songea Washen. Elle le sentait dans chacune de ses paroles. Mais Miocène acquiesça pourtant avec conviction.

—Je sais que tu étais ici.

C'était une illusion qu'elle s'imposait, ou bien une comédie qu'elle jouait pour le public.

Un moment de silence pénible suivit. Puis la turbine redémarra à grand bruit, plus fort qu'avant. Cela parut réveiller l'attention de Miocène qui se porta à nouveau sur le hangar des machines.

Washen sourit à Till avant de s'agenouiller près de lui.

—Tu aimes bien inventer des choses, lui dit-elle. N'est-ce pas?

—Non, madame.

—Ne sois pas modeste.

Mais il secoua la tête en baissant les yeux sur ses pieds nus et le sol de fer noir.

—Madame Washen, affirma-t-il avec la patience fragile d'un enfant, c'est comme ça. C'est la seule chose qu'on ne peut pas inventer.

Quinze

Locke attendait entre les ombras. C'était un homme mûr, mais il avait l'expression coupable d'un jeune garçon et le regard apeuré de quelqu'un qui guette le danger dans toutes les directions.

Ses premiers mots furent :

— Je ne devrais pas faire ça.

L'instant d'après, il ajouta, comme attendu :

— Je sais, mère. Les promesses doivent être tenues.

Washen n'avait pas émis un son. C'est Diu qui enchaîna.

— Si cela doit créer des ennuis, peut-être vaudrait-il mieux retourner à la maison.

— Oui, peut-être, admit leur fils.

Puis il se détourna brusquement et s'éloigna sans leur demander de le suivre, sachant bien qu'ils ne sauraient pas se sortir de cette situation.

Washen se précipita sur le chemin, suivie de Diu. La jeune jungle d'ombras noirs et de buissons de lambdas débouchait brusquement sur une contrée de fer nu : un labyrinthe furieux d'arches et de piliers d'encre. Chaque pas était un défi, un acte de grâce conscient. Les lames de rasoir du feuillage entaillaient la chair et, très vite, les mollets et les mains se couvraient de coupures roses. Des crevasses sans fond piégeaient celui qui s'aventurait là ; le vent et la pluie crépitaient et résonnaient sur le terrain métallique. Plus grave encore, le corps de Washen était accoutumé au sommeil à cette heure. La fatigue amortissait ses sens et ses réactions. Quand elle vit Locke qui les attendait sur le bord rouillé d'une falaise, elle ne remarqua que son dos large et ses longs cheveux dorés noués en tresses compliquées. Et sa chemise noire de faux coton tissée sur le métier du village et qu'elle avait essayé tant de fois de raccommoder.

Jusqu'à ce qu'elle arrive près de lui, Washen resta indifférente au spectacle de la vallée longue et étroite, au fond plat couvert d'arbres de vertu noirs comme la nuit.

—Noirs comme la nuit, murmura-t-elle.

Son fils saisit l'appât et secoua la tête.

—Mère. Ça n'existe pas.

Il voulait dire la nuit. Qu'il n'y en avait pas dans son monde.

C'était un terrain propice. Lorsque les entrailles ardentes du monde avaient commencé à se déverser de tous les côtés, cette plaque de croûte épaisse et résistante était tombée dans la grande fissure. La jungle d'arbres de vertu avait brûlé mais n'était pas morte. Ses racines devaient avoir un siècle, sinon plus. Elles étaient probablement aussi anciennes que les humains sur Marrow. Il émanait du sol une impression de richesse, d'éternité ; c'était sans doute pour cela que les enfants avaient choisi ce lieu.

Les enfants.

Washen savait que le mot n'était pas juste, mais malgré ses intentions prudentes, elle ne pouvait s'empêcher de penser qu'ils étaient jeunes et, en un certain sens, profondément vulnérables.

—Du calme, fit Locke sans regarder ses parents.

Qui lui a parlé ? se demanda Washen. Mais elle ne lui posa pas la question.

C'est alors que Locke s'avança sur le fer avec ses pieds calleux et durs, sautant d'un perchoir à l'autre en grognant à chaque impact, avant de se tourner vers ses parents en clignant des yeux dans la lumière éblouissante.

—Restez près de moi. S'il vous plaît.

Leurs bottes étaient en pièces depuis des dizaines d'années ; ils portaient maintenant des sandales rudimentaires faites de faux liège et de faux caoutchouc et ils avaient grand mal à le suivre. Au fond de la vallée, dans les ombres vives, l'air était plus frais mais désagréablement humide. Des couches de végétation pourrissante étaient tombées de la canopée et le sol était spongieux. Il s'en dégageait une puanteur organique que Washen trouvait toujours aussi totalement étrangère. Une aile-dague géante les survola, lancée vers un but vital. Washen regarda le volatile disparaître dans la pénombre, puis ressurgir, ses élytres bleu cobalt scintillant dans un éclat soudain de lumière.

Locke se retourna brusquement, en silence.

Un doigt sur ses lèvres. En cet instant, il ressemblait à son père. Mais Washen retint surtout son expression : il y avait dans ses yeux gris un tel chagrin, une inquiétude si intense qu'elle tenta de le rassurer en l'effleurant d'une caresse.

Diu avait arraché le secret à leur fils. Les enfants se réunissaient dans la jungle depuis plus de vingt ans. À intervalles réguliers, Till les convoquait dans un endroit isolé et contrôlait tout ce qui se disait et tout ce qui était accompli.

—Qu'est-ce que vous dites ? avait demandé Washen. Et qu'est-ce que vous faites ?

Locke n'avait pas voulu s'expliquer. Il avait secoué la tête avec une expression de méfiance et de honte. Puis, avec un désappointement tranquille, il avait avoué :

— En vous l'avouant, je brise ma plus vieille promesse.

— Alors, pourquoi nous le dire ? avait insisté Washen.

— Parce que.

Locke avait une expression mitigée et le regard de ses yeux gris changeait à chaque battement de cils. Enfin, il les regarda avec une trace de compassion et de frayeur et il expliqua :

— Vous avez le droit de savoir. De décider par vous-mêmes.

Il aimait ses parents. Et c'était pour cela qu'il brisait sa promesse. Il n'avait pas eu d'autre issue que de les conduire jusqu'à cet endroit.

Washen ne pouvait envisager d'autre explication.

Quelques pas de plus, et elle se trouva devant le plus grand arbre de vertu qu'elle ait jamais vu. Il avait dû succomber avec l'âge ; la pourriture l'avait gagné, et il s'était écroulé en fendant la canopée. Les enfants adultes et leurs petits frères et sœurs s'étaient rassemblés dans cette mare de lumière bleue intense, par couples ou par groupes. Certains avaient des griffes d'aile-marteau dans les cheveux. Les voix douces et bavardes se fondaient en un bourdonnement indistinct. Till était là, se pavanant de long en large devant l'énorme souche noire. Il avait l'air d'un homme mûr, sans âge, sans caractère particulier. Il était vêtu d'un simple short et portait deux bracelets, l'un d'or, l'autre d'acier. Il avait noué ses cheveux en une longue tresse. Washen lut sur son visage jeune, presque joli, une expression timide qui lui donna un étrange sentiment d'espoir. Il ne s'agissait peut-être que d'un jeu ancien devenu une sorte de rassemblement social. Till allait s'adresser aux enfants, leur raconter ses histoires compliquées qu'aucun esprit intelligent ne pouvait croire, mais auxquelles tout le monde prenait plaisir, d'une façon ou d'une autre.

Locke ne se retourna pas et ne dit pas un mot. Il s'avança et franchit une haie de lambdas avant de pénétrer dans la clairière lumineuse et agitée.

— Salut, Locke ! lancèrent une vingtaine de voix.

Il répondit simplement :

— Salut.

Puis il rejoignit les aînés au premier rang.

Selon leur promesse, ses parents s'agenouillèrent dans l'humus, ignorant les crissements et les sifflements d'un millier d'insectes.

Il ne se passait rien.

Quelques autres enfants se glissèrent dans la lumière, murmurèrent et Till, indifférent, continua à marcher de long en large. C'était peut-être tout ce qui devait se passer. On pouvait facilement l'espérer.

Till s'arrêta. Dans l'instant qui suivit, ses adorateurs firent silence. Il demanda alors, calmement :

— Que voulons-nous ?

— Ce qui est le mieux pour le vaisseau, répondirent les enfants, d'une seule et même voix, avant d'ajouter : Toujours.

— Combien dure toujours ?

— Plus loin que nous ne pouvons compter.

— Et à quelle distance se trouve toujours ?

— À l'infini.

— Pourtant nous ne vivons…

— Qu'un moment ! crièrent les enfants. Et encore !

Ces mots étaient glaçants, absurdes. Mais, aux oreilles de Washen, ils ne l'étaient pas : le prêcheur avait acquis une crédibilité musclée et des centaines de voix lui répondaient en un chœur harmonieux, chaque syllabe étant marquée par une certitude longuement forgée.

— Ce qui est le mieux pour le vaisseau, répéta Till.

Mais ces mots étaient une question. On lisait sur son visage allongé et séduisant une attente, une curiosité absolue.

Et Till demanda alors à l'assistance :

— Vous connaissez la réponse ?

Dans un cri unanime et confus, les enfants s'exclamèrent :

— Non !

— Et je connais la réponse, moi ?

Avec sérénité et respect, ils lui répondirent :

— Non.

— Vrai, vrai et encore vrai, proféra Till. Toutefois, quand je suis éveillé, je cherche ce qu'il y a de mieux. Ce qu'il y a de mieux pour notre Grand Vaisseau, et pour toujours. Et quand je dors, la même question revient dans mes rêves.

— Nous aussi, psalmodièrent les fidèles.

Non, décida Washen. Ce n'était pas une psalmodie, ni un chant. C'était trop désordonné, sincère. Chacun des enfants avait fait le vœu solennel de croire.

Suivit une pause brève et agaçante. Till poursuivit :

— Avons-nous un travail à accomplir aujourd'hui ?

— Nous avons des nouveaux venus ! cria quelqu'un.

Durant un instant fugace, Washen pensa qu'il s'agissait d'elle et de Diu. Elle regarda Diu par-dessus son épaule : il avait son attitude sereine, préoccupée et électrisante. Il lui retourna affectueusement son regard et lui prit la main à l'instant où Till clamait :

— Amenez-les !

Les nouveaux étaient de vrais enfants. Deux jumeaux de sept ans. Ils montèrent prudemment sur le tronc pourri, comme s'ils étaient terrifiés, leurs mains tremblantes cramponnées à l'écorce de velours noir cannelé. Mais Till leur tendit la main et, avec une assurance raide, il souffla :

— Nous sommes vos frères et vos sœurs. (Et quand les jumeaux sourirent enfin, il leur demanda :) Est-ce que vous connaissez le vaisseau ?

Le garçon leva les yeux au ciel.

— Il est très vieux.

— Il n'y a rien de plus vieux, le rassura Till.

— Et il est énorme.

— Rien ne saurait être aussi gros. Oui.

La fillette posa un doigt sur son nombril pour se sentir plus brave. Et quand Till se tourna vers elle, elle leva les yeux et déclara à l'assemblée :

— C'est de là que nous venons. Le vaisseau.

Tous les autres s'esclaffèrent. Till leva la main pour imposer le silence, et le frère jumeau de la petite fille la corrigea. Avec assurance et sérénité :

— Les capitaines sont venus du vaisseau. Pas nous. (Till hocha la tête.) Mais nous allons les aider, continua le garçon, avec un bonheur visible. Nous allons les aider à regagner le vaisseau. Bientôt.

Un long silence suivit, très froid.

Till affichait un sourire patient en tendant la main vers toutes les têtes qui l'entouraient et il demanda :

— Il a raison ?

— Non ! rugirent les enfants.

Les jumeaux tressaillirent en essayant de s'éclipser. Till s'agenouilla entre eux et d'un ton mesuré et calme, il leur dit :

— Les capitaines ne sont que des capitaines. Mais vous et moi, et nous tous ici… nous sommes faits de la substance de ce monde, de sa chair, de son eau, de son air… et des esprits anciens des Constructeurs aussi…

Washen n'avait pas entendu ce genre d'élucubrations depuis un quart de siècle ; elle ne savait pas si elle devait éclater de rire ou exploser de colère.

— Nous sommes les Constructeurs ressuscités, déclara Till.

Il se dressa alors, fièrement, les mains posées sur les épaules voûtées des enfants, avant de proférer le principe de la rébellion :

— Quel que soit notre but, il ne s'agit pas de venir en aide aux capitaines ! C'est l'unique vérité dont je sois certain. (Il plongea son regard dans la jungle obscure et s'écria :) Tout ce que pensent les capitaines, c'est que ce vaisseau est à eux. Mais, mes amis, si vous le voulez… pensez seulement à toutes les merveilles qu'un seul jour peut nous apporter !

Miocène refusa de croire un seul mot.

— D'abord et avant tout, je connais mon fils. Ce que vous m'avez décrit est ridicule. Absurde. Et franchement stupide. En plus, si j'en crois ce que vous racontez, plus de la moitié de nos enfants étaient présents lors de ce rassemblement.

Diu l'interrompit :

— Ce sont des adultes pour la plupart. Et ils ont fondé des foyers… Madame…

Il avait ponctué chacun de ses mots de hochements de tête.

Un silence hostile s'était installé. Washen dit alors :

— J'ai vérifié. Plusieurs dizaines d'enfants se sont échappés de la nursery la nuit dernière…

— Ce que je ne conteste pas, dit Miocène. Et je suis même persuadée qu'ils sont allés quelque part. (Elle ajouta avec une expression hautaine :) Est-ce que vous voulez bien m'écouter tous les deux? Vous pouvez au moins m'accorder un peu d'attention, non?

— Certainement, madame, déclara Diu.

— Je sais ce qui est possible. Et aussi comment mon enfant a été élevé, je connais son caractère et à moins que vous ne puissiez me proposer une explication crédible, une motivation pour cette fable… cette merde… je pense que nous ferions mieux d'admettre qu'il n'en a pas été question…

— Et que faites-vous de ma motivation? protesta Washen. Pour quelle raison aurais-je inventé une telle histoire?

— Par cupidité, dit Miocène avec un accent de ravissement glacial.

— Par rapport à qui?

— Croyez-moi, je sais. (Les yeux sévères de Miocène s'étrécirent, constellés de points d'argent.) Si Till est fou, votre fils ne saurait qu'en tirer partie. Et bénéficier d'un certain prestige, en tout cas. Voire d'un véritable pouvoir, à terme.

Washen jeta un regard à Diu. L'un comme l'autre n'avaient pas mentionné le rôle d'informateur de Locke, et ils comptaient bien le garder secret aussi longtemps que possible pour un écheveau de raisons essentiellement égoïstes.

Ils se trouvaient dans la pièce unique de la maison où la sous-maîtresse vivait. Elle était exiguë, encombrée, et l'air sec y était presque trop chaud pour qu'on le respire. Elle donnait une impression d'abandon, même si Miocène veillait à la propreté de chaque surface. Une impression de négligence, de profonde fatigue et, dans les recoins les plus sombres, d'une peur réelle et froide. Washen pouvait presque la voir. La peur, avec ses yeux rouges presque éteints.

Elle ne put s'empêcher d'insister:

— Interrogez Till au sujet des Constructeurs. Demandez-lui ce qu'il croit.

— Je ne le ferai pas.

— Pourquoi?

Miocène prit un instant avant de répondre, essayant vainement d'arracher les spores épineuses et les graines ailées qui essayaient de prendre racine dans son uniforme trempé de sueur. Puis, avec une logique tranchante, elle dit enfin:

— Si votre histoire est un mensonge, il dira que c'est un mensonge. Et si elle est vraie et qu'il mente, il se contentera de me dire que je ne devrais pas vous croire.

— Et s'il l'admet?

— Alors Till voudra que je le sache.

Elle dévisagea Washen comme si elle était la pire des idiotes. Elle cessa de s'attaquer aux graines et dit d'un ton décidé, furieux et absolument froid:

— S'il se confesse, alors c'est qu'il souhaite que je sache, Washen chérie. Et c'est justement vous qui lui servez de messagère.

Washen inspira à fond. Miocène se tourna vers la porte ouverte et ajouta à l'intention de ses interlocuteurs:

— Et ce n'est pas une révélation que je suis prête à faire à sa convenance.

Il y avait eu des signes précurseurs.

Le faisceau des secousses s'était amplifié. Les mini-tempêtes de spores rappelaient aux capitaines les blizzards des mondes glacés. Les déversements d'une demi-douzaine de sources thermales avaient changé de couleur et les ruisseaux avaient pris une teinte bleuâtre maléfique. Un arbre hazz s'était flétri avant d'enfouir ses rameaux gras et gonflés d'eau loin dans le sol.

Mais les signes étaient discrets et les capitaines trop distraits pour leur accorder suffisamment d'attention.

Trois jours plus tard, alors que le camp était endormi, une main énorme souleva le sol de plusieurs mètres avant de le lâcher, comme sous le poids de la fatigue. Les capitaines et leurs enfants déboulèrent dans les lieux publics. En quelques instants, le ciel s'emplit de ballons dorés et de milliards d'insectes volants. Selon les expériences qu'ils avaient vécues, dans une douzaine d'heures, sans doute moins, le sol allait se carboniser, exploser et mourir. Washen, avec des mouvements d'ivrogne, courut entre deux secousses en criant dans chaque local :

— Locke !

Où était-il ?

Elle ne trouva que des demeures désertes. Une silhouette se présenta sur le seuil de la maison de Till.

— Vous avez vu mon fils ? demanda Miocène.

Washen secoua la tête :

— Et le mien ?

— Non, dit Miocène.

Elle soupira et cria :

— Vous savez où il est ?

Diu était là, au centre du cercle public.

— Aidez-moi, supplia la sous-maîtresse, et vous aiderez votre fils.

Diu accepta en s'inclinant avec un bref hochement de tête.

Une dizaine de capitaines se précipitèrent dans la jungle. Abandonnée, Washen s'obligea à rassembler leurs biens domestiques essentiels avant d'aider les autres parents désemparés. Quatre nouvelles secousses suivirent. Les heures passèrent en un chaos organisé. La croûte avait été fissurée et des crevasses avaient fendu les cercles publics en dégageant des vapeurs inquiétantes à la surface. Les ballons d'or avaient disparu, remplacés par des nuages de poussière de fer et la puanteur noire de la jungle en feu. Les capitaines et les enfants les plus jeunes étaient restés dans le cercle principal et attendaient nerveusement. On avait chargé les traîneaux et les chariots à ballons, mais le sous-maître en titre, Daen le vieux fou, n'avait pas donné l'ordre du départ.

— Un moment, avait-il répété plusieurs fois avant de ranger avec soin sa montre primitive et en s'efforçant de ne pas se laisser hypnotiser par la rotation des minuscules aiguilles métalliques.

Quand Till s'avança, il souriait. Washen éprouva un soulagement idiot, incohérent.

Qui se changea en terreur. La poitrine du jeune homme avait été déchirée par un couteau. La première blessure guérissait déjà, mais une seconde, perpendiculaire, était encore béante. Les tissus à nu et desséchés luttaient pour se reformer. Les côtes étaient visibles. Till courait un danger mortel, mais il semblait supporter la souffrance. Avec un gémissement mélodieux, il vacilla et parvint à se redresser brièvement avant de s'effondrer sur le sol de fer nu à la seconde où sa mère surgissait de la jungle noire.

Miocène n'était pas blessée, mais elle était désespérément, définitivement prise au piège.

Abasourdie, effondrée, Washen regarda la sous-maîtresse s'agenouiller près de son fils, une main dans ses cheveux bruns et drus, l'autre refermée sur le manche du couteau ensanglanté qu'elle retira doucement avant de le glisser dans son étui d'acier.

Que lui avait dit Till dans la jungle? Comment avait-il pu déclencher la fureur meurtrière de sa mère?

Car c'était certainement ce qu'il avait fait.

Comme les événements s'enchaînaient, Washen comprit qu'il ne s'agissait pas d'un accident. C'était un plan élaboré qui remontait à l'instant où Locke lui avait avoué leurs réunions secrètes. Il avait promis de les emmener à l'une de ces réunions, elle et Diu. Mais à qui tenait-il cette promesse? De Till, évidemment. C'était Till qui avait fait entrer Locke dans son jeu, certain que Miocène finirait par apprendre l'existence de ces réunions et que son autorité serait du coup remise immédiatement en question. Et c'était Till qui était entre les bras de sa mère et il savait très exactement ce qui allait se passer.

Miocène ne quittait pas son fils du regard, épiant une trace d'excuse, une défaillance de son courage. Ou bien lui accordait-elle un instant pour affronter son regard à elle, fixe et glacial.

Puis elle l'abandonna, saisit un fragment de fer sale, noir et acéré dans les débris que les secousses avaient laissés et, avec une fureur réfléchie, elle retourna son fils et lui fracassa les vertèbres cervicales avant de s'acharner dans un flot de sang et de chair lacérée, le décapitant presque.

Washen lui saisit un bras et tira. Des capitaines se jetèrent sur Miocène et l'écartèrent de son fils.

— Laissez-moi, protesta-t-elle.

Certains s'écartèrent, mais pas Washen. Miocène lâcha alors le fragment de fer ensanglanté et leva les bras en s'écriant :

— Si vous voulez l'aider, aidez-le! Mais vous ne ferez plus partie des nôtres. Je le décrète. Forte de mon rang, de mon rôle et de mon humeur!

Locke venait de surgir de la jungle.

Il fut le premier à rejoindre Till en quelques foulées. Les enfants sortaient de l'ombre, innombrables, agités, rejoints par ceux-là même qui ne s'étaient pas éclipsés au début. En l'espace d'un clin d'œil, plus des deux tiers de la progéniture des capitaines se regroupèrent autour du corps immobile de Till. Tous les visages étaient tristes et résolus. On installa leur chef sur un brancard. Quelqu'un demanda dans quelle direction les capitaines comptaient se diriger. Daen observa le ciel et repéra un nuage de fumée crasseuse qui dérivait vers l'ouest.

—Au sud! aboya-t-il. Nous allons au sud!

Dépourvus de vivres et de biens, les enfants marchèrent en file vers le nord d'un pas décidé.

Diu se tenait au côté de Washen.

—Nous ne pouvons pas les laisser partir comme ça, souffla-t-il. Il faut que quelqu'un les accompagne. Pour leur parler, pour les écouter. Et pour leur venir en aide, dans la mesure du possible…

Washen se tourna vers son amant, la bouche ouverte.

—Je voudrais aller avec eux…

Mais Diu protesta:

—Non, il ne vaut mieux pas. Tu seras plus utile ici si tu restes avec Miocène. (Il était évident qu'il avait longuement réfléchi au problème.) Tu as l'autorité nécessaire et ton grade. Et puis, Miocène écoute tes conseils.

Oui, se dit Washen, *quand ça l'arrange.*

—Tu sais que je serai toujours là pour te chuchoter à l'oreille, lui promit Diu. Je me débrouillerai.

Elle hocha la tête, convaincue quelque part que toute cette fureur, toute cette douleur allaient passer. Dans quelques années, quelques décennies, ou un peu moins d'un siècle, elle commencerait à oublier cette affreuse journée.

Diu l'embrassa et ils s'étreignirent. Mais Washen regarda par-dessus son épaule et vit la silhouette de Locke au seuil de la jungle. Dans les jeux d'ombres, elle ne pouvait dire s'il lui faisait face ou si elle le voyait de dos. Elle sourit néanmoins et murmura:

—Sois bon.

Avant de reprendre son souffle et de dire à Diu:

—Sois prudent.

Et elle se détourna, refusant de voir l'un et l'autre de ses hommes disparaître dans l'ombre de la fumée.

Miocène restait seule, presque oubliée.

Tandis que les capitaines et les enfants obéissants se dirigeaient vers le sud et les terres les plus proches et les plus sûres, la sous-maîtresse resta vissée au centre de la place et lança d'une voix sèche, ténue et triste:

—Nous nous rapprochons.

—Qu'est-ce que vous voulez dire? demanda Washen.

—Nous nous rapprochons, répéta Miocène.

Puis elle regarda le ciel brillant en levant encore une fois les bras vers nulle part.

Washen lui effleura les épaules pour tenter de l'apaiser.

— Il ne faut pas tarder. Nous devrions déjà être partis, madame.

Mais Miocène était dressée sur la pointe des pieds, clignant des yeux, les doigts désespérément tendus, avec un rire grave, douloureux.

— Nous ne sommes pas assez près, gémit-elle. Non, pas vraiment. Pas encore.

Seize

L'un des problèmes agréables que pose une vie excessivement longue est que faire du contenu de sa tête. Comment gérer, après des milliers d'années, cette masse chaotique de souvenirs superflus et de faits inscrits dans sa mémoire?

Parmi les animaux humains, différentes cultures avaient opté pour un vaste choix de solutions. Certaines avaient choisi de supprimer avec précaution tout ce qui était redondant et gênant – une procédure médicale souvent enrobée d'un cérémonial considérable. D'autres préconisaient des purges absolues, plus radicales par nature, s'appuyant sur la notion qu'une taille sévère peut libérer n'importe quelle âme de sa surcharge. On comptait même quelques sociétés extrémistes qui endommageaient profondément et intentionnellement l'esprit pour qu'il donne naissance, après guérison, à une nouvelle *persona* subtile.

Les capitaines n'adhéraient à aucun de ces préceptes.

Ils préféraient garder, pour leur carrière et le bien-être des passagers du vaisseau, un esprit expérimenté et rempli de détails infinitésimaux. «Ne rien oublier», tel était leur impossible idéal. Gouverner n'importe quel vaisseau exigeait une maîtrise absolue et minutieuse dans chaque circonstance, et nul ne pouvait prévoir quand son esprit infaillible devrait extraire un fait essentiel mais vital de sa niche obscure. C'était au capitaine – quel que soit son rang – de faire son devoir avec la compétence exigée.

Miocène était en train d'oublier son rôle de capitaine.

Non pas de façon grave ou inattendue. Le temps et l'intensité de sa nouvelle vie avaient naturellement rejeté de côté ses anciens souvenirs. Mais, après un siècle passé sur Marrow, elle commençait à ressentir l'érosion de ces talents mineurs auxquels elle tenait tant, et elle en venait à s'inquiéter de son éventuel retour dans ses fonctions, à se demander si elle se sentirait à l'aise dans son fauteuil.

Quels capitaines avaient reçu la médaille de Maître et à quel titre? Au-delà des cinquante derniers, elle n'était pas certaine du compte.

Quelles étaient ces espèces de méduses qui vivaient dans l'ammoniaque de la mer d'Alpha ? Et ces intelligences robots qui habitaient des fournaises spéciales et gelaient à la température ambiante ? Ou encore ces êtres digitaux, surnommés Poltergeists à cause de leur sens de l'humour juvénile... D'où étaient-ils venus à l'origine ?

Des détails minimes, mais absolument essentiels pour des millions d'esprits.

Il existait aussi une colonie humaine dans les Canyons de fumée... Antitechnologie... qui s'appelait... comment déjà ? Et qui avait été fondée par qui ? Et comment acceptait-elle de vivre en dépendance totale de la plus immense machine jamais construite ?

Le cap avait été rectifié cinq fois en quelques centaines d'années – tous changements prévus et mineurs. Même si la trajectoire du vaisseau avait été définie avec une précision minutieuse pour vingt millénaires à venir, Miocène ne retrouvait que le souvenir des plus grandes poussées.

Elle n'était rien de plus qu'une passagère qui se tenait informée.

Bien sûr, bien des choses auraient changé avant son retour. Des visages, des grades, des titres et peut-être même la trajectoire précise du vaisseau... Tout était soumis à des contingences, à des obligations pratiques, et toutes les décisions importantes ou triviales pouvaient être prises sans que Miocène ne les effleure...

Ou alors, aucune décision n'était prise.

Elle avait entendu les spéculations que l'on chuchotait. L'Événement avait purgé le vaisseau de toute forme de vie et il était redevenu une épave. Ce qui expliquait qu'aucune mission n'avait été envoyée à leur secours. La Maîtresse, l'équipage et les myriades de passagers multiformes s'étaient évaporés en un terrible instant, laissant ce prodigieux hôtel volant stérile et pur. Et, s'il existait une espèce assez courageuse ou folle pour monter un jour à bord, il lui faudrait des millénaires pour se frayer un chemin jusqu'à cet atroce territoire désert.

Pour quelle raison cette image attirait-elle Miocène ?

Parce qu'elle la séduisait, surtout dans ses moments les plus sombres.

Après que Till et les autres Indociles l'eurent abandonnée, elle trouvait cette possibilité rassurante : le carnage absolu ; des milliards de morts. Et si sa tragédie personnelle n'était qu'une toute petite chose ? Un détail triste dans l'histoire immense du vaisseau. Et, comme ce n'était qu'un détail, il subsistait l'espoir crédible, envahissant, qu'elle pouvait oublier les choses affreuses que son fils lui avait dites, comment il l'avait obligée à le bannir. Ainsi, elle ne revivrait plus ces moments terribles où son esprit encombré, suractivé, la forçait à se souvenir de son image.

Elle se lança dans la rédaction d'un journal comme une expérience, un exercice dans lequel elle n'avait qu'un faible espoir. Au terme arbitraire de chaque journée, dans la pénombre de sa maison aux stores tirés, elle remplissait d'encre fraîche la longue queue raide d'une plumélytre avant de noter les événements majeurs de la journée d'une écriture aussi fine que possible.

C'était un truc ancien, très démodé.

Dans le but d'augmenter la mémoire et d'enregistrer l'Histoire, les mots écrits avaient été supplantés par les puces et les systèmes numériques. Mais, comme toute chose dans le cours récent de sa vie, cette technologie avait été remise en pratique, au moins pour un temps.

— Je déteste cet endroit.

Ce furent les premiers mots qu'elle écrivit, et sans doute les plus sincères.

Ensuite, pour souligner la haine qui la dévorait, elle avait dressé la liste des capitaines qui avaient été tués par Marrow, les causes de leur mort couvrant le papier grossier couleur d'os de détails blêmes. Elle avait ensuite plié chaque feuille avant de la glisser dans une besace d'amiante qu'elle avait l'intention d'emporter lorsque la maison et la colonie seraient abandonnées.

L'expérience était devenue peu à peu une discipline.

Une discipline qui se fondit dans le sens du devoir ; après avoir accompli ce devoir durant dix ans, sans jamais faillir, Miocène prit conscience qu'elle aimait vraiment écrire. Elle pouvait confier à la page vide tout ce qu'elle souhaitait écrire, sans que jamais la page ne se plaigne ou n'émette un doute. L'effort lent et méticuleux de tracer chaque lettre avait un charme qui lui apportait un plaisir certain. Chaque soir, elle commençait par la liste des naissances et des morts. Les naissances dépassaient de loin les morts. La plupart de ses capitaines avaient eu d'autres enfants, et les aînés de leur progéniture – les rares qui s'étaient montrés affectueux et loyaux – s'étaient lancés bravement à leur tour dans leur rôle de reproducteurs. Marrow était un monde rude mais productif, les humains qui l'habitaient étaient décidés et prolifiques. Les naissances étaient vingt fois supérieures aux morts et l'écart s'accentuait. Rares étaient les capitaines qui ne participaient pas à cet effort avec leurs ovules ou leurs spermatozoïdes. Bien sûr, en cas de défaillance, Miocène aurait ordonné une adhésion absolue. Et même des quotas. Mais, heureusement, ce sacrifice n'était pas nécessaire. De surcroît, cette liberté de manœuvre permettait à Miocène d'être une des capitaines qui avaient le droit de ne pas lancer un autre fils ou une autre fille dans ce raz-de-marée démographique.

Une fois avait suffi. Largement, à vrai dire.

Washen était un autre capitaine effrayé par son expérience. Tel était du moins ce que supposait Miocène. Leurs deux fils étaient partis avec les Indociles. L'une et l'autre savaient les dangers qu'elles pouvaient encourir en donnant naissance à une nouvelle vie. C'était pourquoi les humains recherchaient souvent l'immortalité, s'était dit Miocène. Ils voulaient rester responsables de l'avenir tel qu'il était, avec des âmes mûres, aguerries et fiables.

— Ce n'est pas mon excuse, avait rétorqué Washen, en accompagnant sa colère d'un demi-sourire.

Calmement, fermement, Miocène avait répété ce terme inapproprié :

— Excuse ? (Avant de secouer la tête en buvant une gorgée de thé tiède.) Qu'est-ce que vous voulez dire très exactement par « excuse » ?

La soirée avait été inhabituelle. Quand Washen était apparue, la sous-maîtresse lui avait demandé de rester. Assises sur des tabourets bas devant la maison de Miocène, elles avaient veillé sur les enfants à demi-nus, plus ou moins âgés, qui jouaient dans le cercle public, à l'ombre de la marquise basse, faite de tissu et de baguettes de bois. Mais les insectes l'avaient rongée un peu partout, laissant des trous et des fentes par lesquels s'infiltrait la lumière du ciel. Cette lumière avait faibli depuis cent quatre-vingts ans. Elle restait pourtant intense et terriblement chaude, même si elle était parfois utile. La sous-maîtresse avait installé une parabole d'acier sous un des trous afin de capter l'énergie brute pour la focaliser sur une vieille théière fatiguée. L'eau de pluie était sur le point de bouillir et, pour son invitée, Miocène avait préparé un grand filtre pour lui servir un *mug* généreux. Washen accepta en hochant la tête avant de remarquer :

— J'ai déjà un fils.

Miocène ne formula pas les premiers mots qui lui vinrent à l'esprit. Ni même les suivants. Elle répondit simplement :

— Oui. Je sais.

— Si je trouve un bon père, j'en aurai un ou deux de plus.

Washen avait quelque difficulté à trouver des amants. Diu était un traître. Comment le décrire autrement ? Mais c'était un traître utile qui savait trouver des moyens pour informer les Loyalistes sur les activités des Indociles et leurs tanières.

— Une production massive de progéniture, dit Washen. Je ne crois pas que ce soit vraiment le meilleur moyen…

— Je suis d'accord, acquiesça Miocène.

— Pour ma part… (Washen hésita, sa sensibilité politique raffinée l'obligeant à choisir ses mots avec prudence.)

— Oui, quoi ? l'incita Miocène.

— C'est une question de morale. Avoir des enfants, tellement d'enfants…

— Qu'est-ce que vous voulez dire, chérie ?

Le thé offert avait été bu. Washen, alors, sembla décider que peu lui importait ce que Miocène pensait d'elle.

— C'est un calcul cynique que de fabriquer tous ces gosses. Ils ne sont pas ici à cause de l'amour.

— Nous ne les aimons pas ? demanda Miocène, et son cœur s'accéléra un bref instant.

— Bien sûr que si. Absolument. Mais leurs parents ont juste été motivés par une logique pragmatique. Dans un premier temps, puis pour toujours. Les enfants nous offrent des mains et des esprits que nous pouvons façonner, je l'espère du moins, et ce sont ces mains et ces esprits qui vont construire le prochain pont.

— Si l'on en croit les plans d'Aasleen, ajouta Miocène.

— Naturellement, madame.

— Et ce ne sont pas des raisons importantes ?

— Nous essayons de nous en convaincre.

Marrow avait changé le visage de Washen. Il était encore sain et lisse, mais son régime et l'afflux constant des UV avaient modifié la couleur de sa peau qui était maintenant gris brun. D'un ton de fumée, en vérité. Mais ses yeux étaient profondément différents. Leur regard intelligent était plus perçant. Plus assuré. Et l'esprit qui se trouvait derrière était plus décidé que jamais à exprimer ses pensées les plus intimes.

— Est-ce que nous ne devrions pas tenter de fuir ? demanda Miocène d'un ton pressant.

— Mais qu'adviendra-t-il après ? rétorqua le capitaine. Nous aurons besoin de tant de bras durant les prochaines quatre mille huit cents années à venir. Si nous devons nous doter de la capacité industrielle qu'envisage Aasleen, en présumant que Marrow continue de se développer, bien sûr. En supposant. Alors, nous retournerons chez nous, et nous imaginons que nous serons des héros… mais qu'est-ce qui se passera pour ce petit État-nation où nous avons frayé ?

— Nous n'avons pas à décider de tout dès maintenant.

— Ce qui est notre plus grave problème, je pense.

— Pardon ?

— Madame, dit Washen, à terme, ce ne sera pas à nous d'en décider. L'avenir appartient à nos enfants et à nos petits-enfants.

Miocène décida brusquement qu'il était temps de se coucher. Elle allait pouvoir s'excuser sans perdre la face et, dans son obscurité privée, elle pourrait résumer la journée dans son journal. Quelques lignes suffiraient. Le papier était aussi fin qu'il était techniquement possible, mais au fil des années, il devenait de plus en plus difficile de transporter cette histoire bourgeonnante.

— Notre vaisseau, déclara la sous-maîtresse, a accepté toutes sortes de passagers. Les aliens bizarres exigent plus d'adaptations que les enfants.

Silence.

Elle lissa son uniforme. Le tissu était blanc et frais, entre-tissé de fils d'argent pur qui étaient censés symboliser les uniformes miroitants du passé. Dans le cercle public et partout ailleurs, les enfants ne portaient que des caleçons, des jupes courtes et des gilets légers. Miocène avait depuis longtemps accepté cette semi-nudité, en partie parce qu'elle permettait aux plus anciens des capitaines, dans leur tenue de cérémonie, de se cantonner à l'écart.

Agacée, elle pressa sa compagne :

— Qu'est-ce qui vous inquiète, chérie ?

— Ces enfants, répondit Washen.

— Oui ?

— Il n'y a pas que les nôtres.

— Vous voulez dire les Indociles.

135

Miocène hocha la tête et but son thé avec des gestes emplis de préciosité. Avant de dire à Washen :

— J'ai cru comprendre qu'ils désirent rester ici, là où ils sont heureux. Sur Marrow. Et nous pourrions même les boucler. Bien à l'abri et dans le confort.

Une nouvelle catégorie s'était frayé un chemin dans le pointage précis et scrupuleux des gains et des pertes que tenait la sous-maîtresse. Il y avait les naissances, bien sûr, et les morts. Et désormais, de plus en plus nombreux, les disparus.

On présumait, à juste titre, que ces nouveaux manquants avaient pris furtivement le large en n'emportant que des vivres et les outils légers indispensables pour une longue marche. Si l'on en croyait la rumeur et l'évidence physique, les Indociles se trouvaient à un millier de kilomètres au-delà de l'horizon. Pour tout esprit raisonnable, c'était un voyage intimidant, mais Miocène parvenait presque à croire que ces enfants – les plus susceptibles de s'évader – sauraient se convaincre que leur défi valait la peine, que c'était un acte qui répondait certainement à un vague besoin ou à une absence insignifiante dans le cours très bref de leur existence. Elle parvenait même à entrevoir leurs raisons. L'ennui. La curiosité. Plus quelques idées politiques, molles ou plus musclées. Ou bien ils ne voyaient pas quel était leur avenir ici, dans le camp des Loyalistes. Il y avait des gens lents, paresseux ou difficiles, et peut-être les Indociles étaient-ils moins exigeants. Improbable, mais c'était ce qu'ils avaient dû se dire. Et ils étaient partis, seuls ou en petits groupes, comptant sereinement sur leur jeunesse et leur bonne fortune pour être justement récompensés.

Certains étaient morts en chemin.

Seuls, dans des vallées temporaires et sans nom, ils avaient été engloutis dans les flots de fer, grillés dans des geysers de gaz ardents.

La réaction initiale de Miocène avait été d'envoyer des équipes de recherche et de punir les enfants pour leur trahison. Mais des voix charitables, y compris la sienne, s'étaient opposées à des mesures radicales. C'était avant tout ceux qui restaient en arrière qui comptaient, ceux qui obéissaient et se projetaient sincèrement dans l'avenir.

Chaque soir, en glissant ses notes dans son enveloppe d'amiante, puis dans son coffret d'amiante, Miocène s'adressait à elle-même de petits compliments. Un autre jour avait été vécu, un autre centimètre qui les rapprochait du but ultime. Ensuite, elle s'asseyait sur son lit étroit, seule, absolument seule, et parce qu'elle oubliait de manger durant le cœur agité de la journée, elle s'obligeait à grignoter une tranche de gras très épicée. Elle nourrissait ainsi son corps qui ne connaissait plus vraiment la faim, mais qui avait besoin de calories et de repos. Elle pouvait au moins lui fournir les calories. Puis elle s'allongeait pour une nuit imparfaite, sur le dos bien sûr, et il lui arrivait de dormir, de rêver, ou bien de contempler les ténèbres en s'efforçant de rester immobile durant trois heures pleines, l'esprit dérivant vaguement dans ses rêves, imaginant la journée à venir, la semaine à venir, les cinq mille années à venir.

Les Cinq Cents Années était un moment propice aux grandes manifestations.

Une longue année d'observance de leur vie sur Marrow culminait en une semaine de célébration qui s'achevait par une parade somptueuse autour du Grand Cercle de Hazz. La moitié des Loyalistes du monde y participaient. Ils se peignaient pour défiler, attendaient les bras croisés, ou bien ils faisaient la fête dans la tente centrale, ou observaient la parade depuis les bâtiments de bois et de plastique qui bordaient le quartier public. On comptait cinquante mille participants heureux et exubérants quand Miocène s'avança sur le podium en regardant sa montre tout en levant la main, un doigt pointé vers le ciel, avant d'annoncer :

— Cinq cents années.

Amplifiée par d'énormes haut-parleurs, sa voix parut résonner comme le tonnerre sur la petite cité, sur le monde. Une ovation lui répondit, bruyante, paresseuse mais sincère.

— Cinq siècles ! répéta-t-elle, plus fort encore. Et où en sommes-nous ?

Quelques plaisanteries fusèrent.

— Là où on a toujours été ! lança quelqu'un.

Les rires s'achevèrent en un silence respectueux, impatient.

— Nous grimpons, dit alors Miocène. Constamment, sans fin. En ce moment, nous sommes soulevés vers le ciel au taux harmonieux d'un quart de mètre par année. Nous construisons des machines nouvelles, des citoyens nouveaux et, en dépit des épreuves que le monde nous inflige quotidiennement, nous prospérons. Mais, ce qui est plus important, et combien de fois plus important, c'est que vous vous souveniez que nous grimpons. Ce monde qui est le nôtre est petit. Il est comme une aile-marteau nichée dans son cocon trop grand.

» Nous sommes au centre d'un vaisseau interstellaire. Énorme, complexe. Qui voyage dans un univers que vous n'avez jamais vu. À propos duquel vous ignorez tout ou presque. Un univers d'une ampleur et d'une beauté telles que, lorsque vous le verrez, je vous le promets, vous ne pourrez retenir vos larmes.

Elle ménagea une pause d'un instant.

— Oui, je vous le promets. Un jour, vous pourrez voir cet univers immense. Vous qui êtes loyaux et décidés, vous serez glorieusement récompensés ; pour le reste de votre vie éternelle, vous ne connaîtrez plus le manque ou la peur.

Elle reçut un bref crépitement d'applaudissements en retour, qui mourut très vite.

— Je sais à quel point il peut être difficile de croire en des séjours et des merveilles que vous n'avez pas expérimentés par vous-mêmes. Pour cela, il faut un type de pensée particulière : un esprit vaste, porté au rêve, de la confiance et du courage, et c'est pourquoi je suis tellement satisfaite de chacun d'entre vous. De votre travail. De votre patience. Et de votre amour sans limites.

L'ovation, cette fois, fut plus bruyante. Ils applaudissaient tous et claquaient sur leurs ventres plats.

— Nous autres, les vieux capitaines, nous vous disons merci. Merci !

C'était le signal convenu. Les capitaines survivants étaient assis derrière Miocène selon leur grade. Comme un seul corps, ils se levèrent, leurs uniformes d'argent scintillant dans la lumière et, après s'être inclinés, ils se rassirent, les yeux fixés sur la nuque de la sous-maîtresse.

— Vos vies, ici, se sont enrichies avec le temps, proclama-t-elle. Nous, les anciens capitaines, nous vous avons apporté la connaissance, un minuscule avant-goût de ce qui est possible. Vous constatez l'impact de ce savoir chaque jour, de toutes parts. Nous pouvons désormais prévoir les éruptions des mois à l'avance, nous avons cultivé les jungles locales avec une remarquable efficacité, et qui pourrait nous égaler dans la construction de machines nouvelles et fantastiques ? Mais ce ne sont pas les plus beaux cadeaux que nous ayons offerts à nos enfants. Nos petits-enfants. À nos beaux, nos adorables descendants.

» Nos plus beaux cadeaux sont la charité et l'honneur.

» Charité et honneur, répéta Miocène.

Sa voix puissante résonnait très loin et les Hautes Aiguilles lui renvoyaient des échos. De plus en plus atténués, de plus en plus doux.

Avec un sourire lumineux, elle dit alors :

— Ceci est la charité. Sous mon autorité, à partir de ce jour et pour une année complète, tout sera pleinement pardonné. Ce pardon s'étendra à toute personne habitant les camps des Indociles. Nous souhaitons vous inclure dans notre rêve. Oui, vous, les Indociles ! Si vous m'entendez en cet instant, avancez-vous ! Quittez les forêts sauvages ! Rejoignez-nous, aidez-nous à construire pour ce grand jour qui arrive !

Une nouvelle fois, les montagnes répondirent en écho.

Les Indociles se cachaient certainement sur ces pentes proches et observaient la grande cérémonie. Ou bien étaient-ils plus proches. La rumeur disait que des espions ne cessaient de faire le va-et-vient entre les Aiguilles et les camps loyalistes. Mais, en entendant le tonnerre de sa propre voix, Miocène ne parvenait pas à croire que quelque Indocile que ce soit puisse accepter la charité qu'elle offrait.

Pourtant, un an plus tard seulement, en pianotant sur la machine massive et stupide qui se faisait passer pour une IA, elle put écrire enfin : « Trois âmes nous sont revenues. »

Deux de ces âmes étaient des enfants de Loyalistes, lassés de la rude existence des Indociles. Et la troisième était un des petits-enfants de Till, c'est-à-dire un des arrière-petits-enfants de Miocène.

Bien entendu, la sous-maîtresse les avait accueillis chaleureusement. Mais elle s'était aussi assurée que les trois nouveaux venus étaient surveillés par des amis particuliers, que leurs conversations étaient enregistrées et transcrites et que rien de valeur technologique, même insignifiante, n'était à leur portée immédiate.

Chaque soir, avant d'entamer sa nuit d'insomnie, Miocène confiait à son intelligence magnétique rudimentaire : « Je hais ce monde. »

Puis elle ajoutait avec une sombre satisfaction : « Mais je l'empoignerai par son cœur et, quand je le tiendrai, je le serrerai jusqu'à ce qu'il ne batte plus jamais. »

Dix-sept

Dix ans plus tard, les Hautes Aiguilles étaient sur le point de mourir. Les observations sismiques montraient un océan de métal en fusion qui se formait derrière les montagnes, ce que confirmaient les arbres de vertu de la région. Une série de secousses dures et profondes déclencha une onde de panique dans les jungles et la couche de fer noir. Dans la ville de Hazz les habitants déplantaient déjà leurs bâtiments adorés de leurs fondations, se préparant à les emporter en abandonnant le secteur selon les plans précis qui avaient été dressés.

Les petits-enfants avaient tort d'agir comme ils le faisaient. Ils savaient que c'était stupide et dangereux et ils s'attendaient à payer une amende sévère. Mais la promesse du feu dévorant et de la dévastation totale – un carnage qu'ils n'avaient pas connu durant leur courte existence – était trop forte pour qu'ils n'y cèdent pas.

Une douzaine de jeunes, les meilleures des amis absolus, empruntèrent des combinaisons d'amiante, des bottes et des bonbonnes d'oxygène en titane bleu vif et les emportèrent jusqu'au pied des collines dans des allers-retours nocturnes. Quand leur village natal fut transporté à grand-peine en terrain sûr, ils se rassemblèrent dans le cercle principal et, afin de jurer le secret éternel sur ce qu'ils s'apprêtaient à faire, chacun d'eux se coupa un petit orteil. Les restes sanglants furent enfouis dans une petite tombe anonyme.

Ils n'étaient pas vraiment des petits-enfants. Du moins pour les capitaines. On leur donnait néanmoins ce nom parce que c'était la tradition. Les filles et les garçons qui allaient de la dixième à la vingtième génération loyaliste marchèrent ensemble vers les Hautes Aiguilles, sur deux rangs, disciplinés, et en traversant les nuées de fumée et de vapeurs caustiques, ils échangèrent des plaisanteries traditionnelles à propos des anciens.

— Il faut combien de capitaines pour s'évader de Marrow ? demanda un garçon.

— Aucun, répliqua sa petite amie. C'est nous qui faisons tout le travail !

— Et il est grand comment ce vaisseau ?

— Il grossit tous les jours. Au moins dans la tête des capitaines !

Ils éclatèrent tous de rire. Ravis.

— Qu'est-ce qui est plus heureux que notre chef ? demanda un autre garçon.

— Une aile-dague sur une broche ! crièrent les autres.

— Et pourquoi ?

— Parce que la bestiole ne va pas tarder à mourir pendant que notre chef chérie continue à tourner sur sa broche au-dessus des braises !

Les sombres états d'âme de Miocène étaient célèbres. À vrai dire, pour la majorité des petits-enfants, c'était une source de fierté. Quand ils levaient les yeux vers cette grande femme et qu'ils lisaient dans l'ombre de son regard sans âge, ils comprenaient aisément son envie désespérée de s'enfuir de Marrow et de retourner dans ce lieu très particulier et merveilleux qu'on appelait « le vaisseau ».

Sur Marrow, un leader optimiste et joyeux ne saurait inspirer personne. Nul autre qu'elle ne méritait le soutien et le travail incessant que les Loyalistes offraient librement et sans presque jamais poser de question.

Dans le petit groupe des enfants, du moins, c'était l'opinion de tous.

Plus ils avançaient, plus leurs rires se faisaient éclatants et nerveux. Ils étaient des enfants de la ville, après tout. Ils connaissaient assez bien la jungle, mais les activités tectoniques de cette région avaient été calmes depuis leur naissance. Les jets de flammes et les tourbillons de cendre noire étaient nouveaux pour eux. Secrètement, chacun des garçons et des filles prenait conscience de n'avoir jamais imaginé une chaleur aussi persistante, écrasante. Il leur arrivait parfois de se brûler intentionnellement la main en savourant la guérison rapide de leurs plaies. Quand ils passaient à proximité d'une fumerolle, la moitié d'entre eux se grillaient la bouche, faisaient bouillir leurs poumons dans une toux déchirante avant de se blottir contre un laurilaurier dont ils pelaient l'écorce jusqu'à ce que la sève s'écoule et apaise la douleur.

Ils en vinrent tous à penser en secret qu'ils allaient mourir dans la journée. Mais aucun d'eux ne trouva le simple courage de l'avouer et ils s'encouragèrent à presser le pas, levant la tête vers les nuages noirs avant de mentir en clamant :

— Je vois les montagnes ! (Et d'ajouter :) On n'est plus très loin maintenant.

J'espère…

Une balise leur indiqua où étaient leurs combinaisons ignifugées et leurs réservoirs d'air. Sans cette simple précaution, ils seraient passés à côté de la cachette et seraient allés se perdre dans le paysage déjà bouleversé par les incendies spontanés.

Ils s'habillèrent tous. Aucune combinaison n'était à la bonne taille.

Mais qui s'inquiétait des fissures dans les joints et de la chaleur brutale qui s'infiltrait beaucoup trop vite ? Ils étaient courageux et désespérément unis dans cette entreprise. Quand Marrow essayait de les distraire un peu, une cheminée s'ouvrait soudainement à proximité et projetait un jet dense de métal incandescent qui montait dans l'air sous pression, assez torride pour qu'ils soient obligés de fermer les paupières pendant qu'il se déversait vers le fond de la vallée ravagée.

—Plus près! hurlaient les enfants. Plus près!

Peu leur importaient les câbles de sécurité ou les garde-fous. Ce qu'ils voulaient avant tout, c'était atteindre le rivage pour voir le ressac du fer liquide contre la falaise, pour sentir son choc énorme et irrésistible sous leurs orteils en sueur.

Un monstre vivant.

Et, comme tous les monstres, il possédait une beauté intrigante. Vaste et splendide, le fleuve de fer faisait fondre le sol. Les arbres ancestraux s'évaporaient. Des blocs de métal refroidi projetés dans le courant de mélasse s'enfonçaient dans les profondeurs. Des noyaux et des rocs résistaient un instant avant d'être emportés dans une plainte suraiguë.

Un garçon se glissa derrière une fille figée d'émerveillement – et qui lui plaisait. Des deux mains, il la poussa doucement en avant.

Avant de l'agripper.

Elle hurla en le cognant de ses coudes, puis se retourna. Mais ses gestes étaient maladroits dans sa combinaison mal ajustée. Une de ses bottes glissa et elle commença à basculer vers le fleuve de métal avant de réussir à saisir la ceinture du garçon.

Un bref instant, ils restèrent en suspens dans l'air incandescent.

Avant de retomber lentement, les membres entremêlés, sur le sol plus frais, en riant, blottis l'un contre l'autre, l'instant du danger transformé en simple passion.

Les autres jouaient toujours au bord du fleuve de feu et ils s'éclipsèrent.

Sur le flanc d'une colline brûlée, le garçon et la fille firent l'amour. Ils n'avaient gardé que leurs lourdes bottes. Il était derrière elle, les mains rivées sur ses hanches, puis sur ses petits seins durcis. Ils n'avaient pas osé s'asseoir : le sol était trop brûlant. À certains moments, quand la vapeur montait et effleurait leurs corps, ils aspiraient l'air comprimé ou bien retenaient leur souffle avec un bref malaise qui devenait très vite un bourdonnement électrique tiède quand leur physiologie s'accoutumait au manque d'oxygène.

À la fin, le jeu perdit tout son charme toxique.

Le sentiment d'urgence les avait quittés, remplacé par des regrets. Afin d'atténuer leurs sentiments, ils évoquaient les plus vastes choses imaginables. La fille enfila son pantalon isolant et demanda :

—Tu vas aller vivre où, après ?

Elle voulait dire : quand nous aurons rallié le vaisseau.

—Au bord de cette grande mer où les capitaines ont vécu au début, répliqua le garçon.

C'était une réponse courante. Ils connaissaient tous ces grandes mers et cette illusion d'un ciel infiniment bleu qui les dominaient. Les plus artistes des capitaines avaient peint des tableaux et, sans exception, les petits-enfants entretenaient la merveilleuse idée de toutes ces étendues d'eau si propres, si claires, avec ces immenses créatures mythiques comme les baleines, les thons et les calmars.

En caressant le nœud gordien de son amant, la fille confessa :

— Je vais aller vivre à l'extérieur de ce vaisseau.

— Dans un autre monde ?

— Non. Sur la coque.

— Mais pourquoi ?

Elle n'était pas vraiment sérieuse. Après tout, ce n'étaient que des mots et ils voulaient s'amuser. Mais elle fut elle-même surprise par la conviction de sa voix quand elle expliqua :

— Il y a des gens qui vivent là-bas. Je crois qu'on les appelle les Rémoras.

— Je n'en ai jamais entendu parler, avoua le garçon.

Elle lui expliqua alors leur société. Comment les Rémoras vivaient dans leurs combinaisons sophistiquées, comment ils ne mangeaient et ne buvaient que ce qu'ils produisaient. Ce qui faisait d'eux des mondes autonomes, en fait. Et, quand ils se déplaçaient sur la coque, ils avaient au-dessus d'eux la moitié de l'Univers. Des mondes qui transcendaient toute beauté, proches comme s'ils pouvaient les toucher.

Le garçon pensa que cette fille était étrange. Soudainement, par bien des traits importants, il ne l'aimait plus guère. Et il s'entendit dire, sans une once de compréhension :

— Je vois. (Avant de promettre, avec une sincérité forcée :) J'irai te rendre visite un de ces jours. D'accord ?

Elle savait bien qu'il mentait, et c'était un soulagement.

Ils regardaient au loin dans deux directions, ils luttaient pour savoir comment s'échapper de cet endroit incertain. Après quelques instants, le garçon toussota et dit :

— Je vois quelque chose.

— Quoi ?

— Dans le fleuve de fer. Là.

Horrifiée, elle s'écria :

— L'un des nôtres ?

— Non. Du moins, je ne le pense pas.

Elle commença à se rhabiller en hâte, prête à un sauvetage, oubliant deux jointures. Comment avait-elle été assez bête pour venir là ? Comme ça, sans raison, et faire ça avec ce garçon extrêmement ordinaire ?

— Il est où ? cria-t-elle.

Il pointa le doigt vers l'amont du fleuve, avec une précision de tireur d'élite. Et elle se pencha sur son bras en plissant les yeux, scruta les nuages de fumée et finit par découvrir un bloc rond argenté, absolument bizarre, insensible à la chaleur, qui se dandinait calmement à la dérive sur le fleuve en fusion.

— Ce n'est pas l'un des nôtres, dit-elle.

— Je te l'ai déjà dit !

Il ajouta quelque chose qu'elle n'entendit pas. Elle avait baissé son casque et elle rampait déjà hors de leur cachette dans sa lourde combinaison pour se précipiter vers le bas de la colline, en criant et en gesticulant pour attirer l'attention des autres.

Ils eurent à peine le temps de dérouler deux filins de sécurité, de boucler des nœuds aux extrémités avant de descendre vers l'étranglement du fleuve de fer pour atteindre l'étrange objet argenté.

L'un des filins se perdit dans des scories récentes et fondit. Mais le second tomba droit sur la surface brillante et sa boucle se referma sur une protubérance. Onze des petits-enfants agrippèrent le lien et tirèrent en criant d'une seule voix. Le filin commençait à fondre mais l'objet se rapprochait du rivage en frottant sur le lit à demi fondu. Ils sacrifièrent encore trois lignes avant de récupérer leur prise grâce à un courant favorable qui l'emportait à la dérive vers le nord et creusait un nouveau chenal.

Mais, à la fin, elle fut à eux.

Elle se révéla plus grande qu'un corps. Recroquevillée, massive et tenace. Elle était aussi difficile à déplacer et irradiait encore la chaleur du fer en fusion. Mais plus tard, après quelques kilomètres, sur deux traîneaux improvisés, les enfants découvrirent qu'ils pouvaient tout simplement faire rouler leur prise. Quoi que soit l'objet – et il pouvait être n'importe quoi – le métal refroidi et miroitant ne semblait pas entamé ni même terni.

Ils étaient à mi-chemin quand on les repéra. Une silhouette accourait vers eux sur la piste dans l'ombre d'un arbre de vertu. Puis elle s'arrêta et les regarda s'approcher.

À l'évidence, c'était un capitaine. Une femme ? En tout cas, elle portait un uniforme de capitaine et il y avait sur son visage une expression de désapprobation. Toutefois, quand ils la reconnurent, ils eurent tous le même soupir de soulagement.

— Hello, madame Washen !

Avec n'importe quel autre capitaine, ils auraient eu immédiatement des ennuis. Mais pas avec cette vieille finaude de Washen. Elle était réputée pour comprendre ce qui était évident pour n'importe quel petit-enfant heureux et pour savoir comment punir sans détruire le bonheur.

— Vous vous amusez bien ? demanda-t-elle.

Évidemment qu'ils s'amusaient. Ils n'en avaient pas l'air ?

— Non, pas vraiment, admit la doyenne des capitaines en les observant.

» Vous n'êtes que douze, ajouta-t-elle d'un ton menaçant avant de soupirer en secouant la tête :

» Où est Blessing Gable ? Elle était avec vous ?

— Non, s'exclamèrent-ils, surpris et soulagés à la fois.

Puis un garçon expliqua.

— Elle est bien trop grande pour flotter avec nous.

La fille qui aimait les Rémoras prit conscience de ce qui était arrivé.

— Blessing a été portée manquante, c'est cela ?

Washen acquiesça.

— Elle a peut-être rejoint les Indociles ?

Blessing était une fille sans problème, et si elle était trop âgée pour eux, elle avait l'âge parfait pour ce genre d'absurdité.

— Peut-être qu'elle nous a quittés, admit Washen d'un ton triste et résigné. Et, sans un mot, elle contourna les petits-enfants.

Ils se tournèrent vers leur prise qui brillait sur le sentier, dans l'ombre des arbres, et quelqu'un demanda :

— Et si on regardait ce qu'on a trouvé ?

— Non, dit Washen en plaisantant.

Ses longs doigts effleurèrent la chose encore tiède et elle s'attarda un bref instant sur le reflet déformé de son visage.

— Vous savez ce que c'est ? demanda le garçon qui voulait vivre près de la mer.

Washen palpait les protubérances. Au lieu de répondre, elle demanda :

— Et toi, tu sais ce que c'est ?

— Un fragment du vieux pont. Celui que vous avez traversé pour venir jusqu'ici. (Le garçon avait longuement réfléchi et il était fier de son raisonnement.) Quand il s'est écroulé, le fer l'a avalé et il l'a gardé jusqu'à maintenant, je crois.

Plusieurs autres approuvèrent. N'était-ce pas évident ?

Washen ne semblait pas de cet avis. Elle regarda la fille rémora et demanda d'un ton joyeux :

— D'autres propositions ?

— C'est de l'hyperfibre ? demanda quelqu'un.

— Je ne vois pas ce que cela pourrait être d'autre, reconnut Washen.

— Mais le pont a été détruit par l'Événement, remarqua la fille rémora. Dans nos livres d'histoire, on dit qu'il est devenu brun et fragile, on ne sait pas pourquoi, et que tous ses joints se sont cassés.

Washen cligna des yeux et, du coup, la fille se sentit importante et intelligente.

Elle ajouta d'un ton beaucoup trop vif :

— Mais ce n'est pas seulement de l'hyperfibre. Parce que c'est lourd, n'est-ce pas ?

Washen haussa les épaules.

— Dis-moi comment tu as trouvé ça. Et où.

La fille s'efforça de répondre. Elle voulait être parfaitement honnête, même sans parler de sexe, et elle débita son histoire comme si elle était responsable de tout. Son amant d'un instant protesta :

—C'est moi qui ai vu cette chose stupide en premier. Avant toi.

—Il fallait de bons yeux, en tout cas, avança Washen.

La fille se mordit la langue. Elle se sentait frivole.

—Et ça ressemblait à quoi au juste ? insista Washen.

—À un morceau du ciel, dit le garçon. Plus ou moins, en fait.

—Mais c'était quand même plus brillant, dit un autre garçon.

—Et plus bosselé, ajouta une fille.

La fille rémora, qui gardait encore le goût salé du sang dans sa bouche, expliqua :

—Ça ressemble à une sorte de version miniature du Grand Vaisseau. Ces bosses sont comme les évents des fusées, vous voyez ? Mais elles ne sont pas assez grosses. Pas comme ce qu'on voit dans les peintures.

—Mais il y a une ressemblance, admit Washen.

Elle se redressa, se frotta la main sur son pantalon d'uniforme et, en se tournant vers les Hautes Aiguilles, elle dit d'une voix sereine :

—Honnêtement, je ne sais pas de quoi il s'agit.

Dix-huit

Durant cent huit années, l'artefact, enveloppé dans une couverture d'écorce à laine, resta isolé dans un caveau d'acier. On avait chargé Aasleen et ses ingénieurs de percer ses secrets. Mais un sous-maître au moins devait être présent lors des sessions d'étude et, en cas de déplacement de l'artefact, comme cela s'était produit lors de deux cycles d'éruptions, il devait être accompagné d'une section de gardes triés sur le volet qui veillaient sur la relique.

Pour de multiples raisons, ce siècle fut surnommé « la Floraison ».

Finalement, il y eut suffisamment de petits-enfants, mûrs, cultivés et décidés pour reformer une nation industrialisée. Un réseau de routes lisses fut construit entre les villes et les bourgs. On le reconstruisait après chaque nouvelle éruption. Plus importants encore étaient les émetteurs rudimentaires de signaux optiques perchés sur les pics de montagne ou les poteaux d'acier qui permettaient à tous de communiquer dans une zone d'un millier de kilomètres. Des foreuses primitives au carbure avaient entamé la croûte et atteint le niveau de fer en fusion, préludant à l'installation de centrales géothermiques bancales qui fournissaient ce qu'on pouvait considérer comme une énergie précieuse pour les nouveaux labos, les usines et les demeures de plus en plus luxueuses.

Mais l'existence sur Marrow restait dure, pénible. Même si les capitaines n'osaient pas le déclarer en public. Face à leurs petits-enfants, ils n'étaient jamais à court de louanges pour les nouvelles toilettes bio-gaz, le traitement des viandes extraites de toutes les bestioles et les fragiles engins aériens à ailes fixes qui étaient capables, par beau temps, de grimper jusqu'aux couches froides de l'atmosphère supérieure. Ils ne voulaient pas vraiment tromper quiconque mais désiraient encourager tout le monde. À vrai dire, c'était surtout eux qui avaient besoin d'être encouragés. La vie ici ne ressemblait en rien aux plaisirs sereins du vaisseau, mais pour un jeune qui n'avait guère plus de cinq siècles, il était évident que le monde où il vivait était devenu plus habitable avec le temps, plus sûr. S'il avait deviné les vraies raisons de la déception des capitaines, il n'aurait éprouvé qu'une pitié perplexe et presque effrayante.

La Floraison culmina avec un laser fait de bric et de broc mais plutôt musclé, conçu à partir de souvenirs d'Aasleen et adapté aux ressources locales grâce aux astuces innombrables de son équipe et à de multiples bricolages.

Ils furent des centaines à assister au premier tir à pleine puissance.

La cible était l'artefact. La coque d'hyperfibre était sans doute ancienne mais de qualité supérieure. Percer un trou fin comme un cheveu impliquait un black-out car l'énergie provenant des cinquante centrales géothermiques se déversait directement dans les labos d'Aasleen, à partir d'une salle encombrée créée pour la circonstance. Une série de pulsions de quelques microsecondes fut lancée dans ce qui semblait un grondement monstrueux, donnant une dimension dramatique à cet instant qui secoua les nerfs de l'assistance.

Miocène était présente dans la salle de contrôle, les mains nouées sous la tension.

Aasleen aboya enfin :

—Stop !

Quand le laser fut éteint, on inséra un câble optique dans le trou qu'il avait foré. Aasleen regarda à l'intérieur en silence, ignorant l'assistance jusqu'à ce que Miocène demande :

—Il y a quelque chose ?

—La crypte, déclara Aasleen.

Est-ce qu'elle voulait dire qu'elle souhaitait qu'on replace l'artefact dans son caveau ?

Mais elle ajouta très vite :

—On dirait une sorte de crypte mémorielle. Elle n'est pas de facture humaine mais pas très étrangère non plus.

Miocène acquiesça d'un air impatient :

—Quoi d'autre ?

—Une matrice standard de biocéramiques, avec une espèce d'holopro-jecteur. Et un lest dense au centre.

Aasleen s'était tournée vers l'assistance, mais elle était concentrée sur ses pensées.

—À première vue, je ne détecte aucune cellule énergétique. Mais qu'est-ce qu'elles vaudraient après des milliards d'années ? Même les constructeurs n'auraient pu construire une batterie capable de résister à une aussi longue période de chaleur…

—Mais la crypte fonctionne encore ? grommela Miocène.

—Il est encore trop tôt pour le dire, répondit Aasleen. Il va falloir que je pèle la coque et que j'alimente les systèmes… ce qui signifie… Quelle est la date d'aujourd'hui ?

Une vingtaine de voix lui répondirent. Si l'on remontait l'histoire de la mission jusqu'à l'arrivée dans l'habitat des Sangsues, on était en l'an 619,23.

» En travaillant de nuit, en ménageant chaque fois une coupure… Et, bien sûr, il va falloir que je répare le laser une fois par semaine environ… ça nous fait 621 voire 621,5, non ?

Les sous-maîtres étaient à l'évidence déçus.

Miocène prit la parole en leur nom :

— Il n'y a aucun moyen d'accélérer ce processus ?

— Certainement, répliqua Aasleen. Ramenez-moi en haut et il ne me faudra que trois minutes. Au plus.

« En haut » était le dernier terme en usage pour désigner le vaisseau. Informel, il impliquait un lieu de proximité.

Miocène était écœurée et heureuse de montrer ses sentiments. Elle secoua la tête en se levant. Une cinquantaine d'enfants et de petits-enfants de capitaines l'observaient. Après tout, ils étaient eux aussi impliqués dans ce mystère. Et c'est en se tournant vers eux qu'elle demanda à Aasleen :

— Quelles sont les chances pour que cette crypte se souvienne de quoi que ce soit ?

— Après avoir été immergée dans le fer liquide pendant plusieurs milliards d'années ?

— Oui.

Aasleen se mordit la lèvre un moment avant de répondre :

— Presque nulles, madame.

La déception s'installait dans l'air, dense et amère.

— Mais à supposer que nous tenions compte du fait que les biocéramiques aient été de la qualité que nous avons rencontrée, bien entendu. Ce qui paraît improbable, étant donné que les constructeurs ont paru toujours savoir à quel degré leurs machines avaient besoin d'être performantes.

Un espoir soudain s'infiltra dans la déception générale.

— Qui qu'ils aient été, ajouta Aasleen, les constructeurs étaient de magnifiques ingénieurs.

— Sans aucun doute, ronronna Miocène.

— Pas d'accord, marmonna quelqu'un.

Qui ? Washen ?

Miocène leva brièvement les yeux en plissant les lèvres.

— Pourquoi pas, chérie ?

— Je n'ai encore jamais connu un ingénieur, qu'il soit brillant ou nul, qui n'ait pas laissé au moins une plaque à son nom.

Aasleen partit d'un grand rire, suivie par tout le monde. Et elle reconnut :

— Ça, c'est vrai. On est comme ça !

Les constructeurs avaient sans doute été habiles et doués pour tout prévoir, mais l'artefact – l'antique crypte mémorielle – se révéla vide, si l'on exceptait quelques lambeaux d'images incohérentes. Des ombres grises répandues sur un fond de noirceur.

Telle fut la triste nouvelle que rapporta un des authentiques petits-enfants d'Aasleen, cinq jours avant le début de l'an 621. Pepsin était un homme robuste et vif, à la peau bleu noir, qui souriait souvent et parlait trop vite pour qu'on le comprenne. Il était devenu évident qu'on ne pouvait attendre quoi que ce soit de la crypte. Pepsin avait donc hérité ce rôle de rapporteur de sa grand-mère. Et, en bon descendant de capitaine, il avait pris au sérieux ce projet en impasse pour en faire le sien, veillant méticuleusement à en tirer tout ce qu'il jugeait important.

Un petit groupe de capitaines dépités et de sous-maîtres et maîtresses était venu aux nouvelles. Miocène se trouvait au fond, plongée dans la paperasserie administrative, portant vaguement attention au discours fiévreux de Pepsin.

— Mais l'information nous parvient avec des nuances variées et subtiles.

Ce qui voulait dire quoi ?

Pepsin sourit une fois encore et ajouta :

— La coque d'hyperfibre s'est dégradée avec le temps. Ce qui nous donne des indices sur sa date d'inhumation.

Washen se trouvait au premier rang. Elle avait remarqué que Miocène n'était pas attentive et elle se permit de demander :

— Ce qui signifie ?

— Madame, dit Pepsin, ça signifie très exactement ce que je viens de dire.

La sous-maîtresse réagit au sarcasme et redressa la tête.

— Mais je ne t'ai pas entendu. Cette fois, mon chéri, parle plus lentement et regarde-moi seule.

Pepsin cilla en se léchant les lèvres.

— Les meilleures hyperfibres vieillissent sous l'effet des contraintes. Je suis certain que vous le savez, madame. En examinant les jointures de la crypte au niveau microscopique, nous parvenons à lire une histoire grossière qui concerne non seulement la crypte mémorielle, mais également le monde qu'elle couvrait.

— Marrow, grommela Miocène.

Une nouvelle fois, il cilla, avant d'ajouter habilement mais sans élégance :

— Je suppose, madame. Je le suppose seulement.

De sa voix la plus douce, Miocène lui conseilla :

— Peut-être devrais-tu continuer.

Il acquiesça et obtempéra :

— Comme on pouvait s'en douter, l'hyperfibre a passé ces quelques derniers milliards d'années à flotter dans le fer en fusion. Toutefois, s'il n'y a eu aucune rupture dans cette routine, la dégradation serait pire que ce que nous pouvons observer. De cinquante à quatre-vingt-dix fois pire, selon mon honorable grand-mère. (Il décocha un seul regard à Aasleen.) L'hyperfibre possède une grande capacité d'autoguérison. Mais les liens ne se recréent pas très efficacement sous des milliers de degrés Kelvin. Non, ce qui est préférable, c'est une température glaciaire, inférieure à mille degrés. Le froid spatial est préférable. Autrement, l'hyperfibre cicatrise selon des schémas bien distincts. Et, par rapport à ce que je distingue dans mon microscope et à tout ce que voient les autres... en mesurant ces cicatrices, nous avons la preuve de cinq à quinze cent mille périodes de chaleur intense. On peut présumer que ces périodes sont celles que la crypte a passées dans les profondeurs de Marrow.

— Entre cinq et quinze milliards d'années, le coupa Miocène. C'est ton estimation ?

— Oui, madame. Grossièrement. (Pepsin s'humecta les lèvres avec un bref sourire de satisfaction.) Bien sûr, nous ne pouvons certifier que la crypte a été régulièrement éjectée jusqu'à la surface et qu'il n'y a pas eu certaines périodes durant lesquelles elle a été submergée plusieurs fois durant un cycle. Pour exprimer cela différemment, je dirais que c'est une horloge peu fiable. Néanmoins, ses aiguilles ont bougé et elles indiquent ce que nous avons toujours supposé. Durant toute ma brève existence et ce dernier et court chapitre de vos prestigieuses existences...

— Allez, dis-le, gronda Aasleen à l'adresse de son petit-fils.

— Marrow se dilate et se contracte. Là aussi, nous en avons la preuve.

Il sourit à tout le monde et à personne en particulier avant d'ajouter :

— Pourquoi, je l'ignore. Et je conçois difficilement comment elle peut accomplir ce genre de tour.

Miocène ne put s'empêcher de laisser cette déclaration mystérieuse en suspens. Et elle déclara d'un ton ferme et tranquille :

— Notre modèle standard veut que les champs d'arcs-boutants serrent Marrow avant de relâcher leur emprise. Et c'est alors que ce monde se dilate.

— Jusqu'à quand ? demanda Pepsin. Jusqu'à ce qu'il remplisse toute la chambre ?

— Ça, nous le verrons, admit la sous-maîtresse.

— Mais qu'en est-il des arcs-boutants ? insista Pepsin.

Courageux, stupide ou simplement intrigué, il devait poser cette question.

— Qu'est-ce qui les alimente ?

C'était une question très ancienne et sans réponse. Mais Miocène donna la bonne vieille réponse, la plus facile.

— Des réacteurs de type inconnu. Dans les murs de la chambre, ou sous nos pieds. Peut-être les deux.

— Et pourquoi suivraient-ils ces cycles compliqués, madame ? Je veux dire que si j'avais été l'ingénieur en chef et que j'aie été chargé de maintenir Marrow en position ferme, je n'aurais pas toléré que mes arcs-boutants s'endorment. Et vous, madame ? Vous les auriez laissés en demi-sommeil tous les dix mille ans ?

— Tu ne connais pas les arcs-boutants, répliqua Miocène. Tu l'as admis il y a peu de temps. Personne ne sait comment les ravitailler, les régénérer, encore moins comment ils fonctionnent. Ces mystères ont été bien implantés pour rester des mystères et nous devrions les traiter avec le respect qu'ils méritent.

Pepsin accusa le coup comme si les paroles de Miocène avaient réellement un poids. Mais on lisait dans son regard un éloignement, puis une révélation. Ses yeux s'agrandirent alors, s'assombrirent et il déclara avec un sourire gêné :

— Vous avez déjà discuté de cela avec ma grand-mère, n'est-ce pas ?

— Quelquefois, oui, admit la sous-maîtresse.

— Et c'est toujours Aasleen qui a gagné ?

Miocène s'offrit une pause avant de répondre à Pepsin et à tous :

— Elle gagne toujours. Pour tout dire, j'avouerai que nous n'avons pas de réponse et que ses questions sont intelligentes et multiples. Je reconnais aussi, avec tristesse, qu'elles nous sont absolument inutiles.

— Une perte de temps, donc.

C'est alors que Miocène posa un nouveau feuillet sur la pile avant d'ajouter en inclinant la tête :

— Trouve d'abord le temps de nous ramener là-haut, chéri. C'est ce qui compte avant tout. Et ensuite, je te remettrai moi-même les clés d'un labo de première classe, comme ça, tu pourras poser toutes ces grandes questions qui ont l'air d'occuper tes nuits.

Une petite soirée suivit l'annonce de Pepsin. Les bavardages allaient bon train aux dépens des spéculations : qui couchait avec qui, quelles étaient les filles enceintes et quels étaient les jeunes qui avaient rejoint les Indociles. Washen s'en désintéressa très vite. Elle prétendit qu'elle était fatiguée et se sauva. Dès qu'elle eut franchi les postes de sécurité, elle retourna à la ville nouvelle de Hazz.

La capitale loyaliste encore jeune de dix-huit mille habitants, occupait le fond d'une large vallée de rift bien arrosée. Les maisons étaient de construction grossière mais prêtes à être abandonnées. Quant aux bâtiments administratifs, ils étaient suffisamment importants pour imposer le respect, ancrés sur des fondations d'acier. Dès qu'il se faisait tard, les rues se vidaient. Des cumulus d'orage s'entassaient au loin dans le ciel occidental, réchauffés par un flux de lave, mais les vents semblaient emporter les tempêtes ailleurs et la bourgade redevenait un lieu paisible, semi-abandonné, contourné par les grands événements du monde.

La maison de Washen donnait sur un cercle secondaire. Elle était plus petite que les demeures voisines et, dans les détails, elle ressemblait tout à fait à ses cinq maisons précédentes. Des ventilateurs entretenaient une fraîcheur permanente. Les stores étaient baissés et, dans la pénombre, Washen retrouva avec un plaisir égoïste la clarté de sa petite lampe qui brillait au-dessus de son fauteuil préféré.

Elle était plongée dans un rapport sur les demandes en matériel de verrerie pour le laboratoire. C'était un travail de routine qui accentuait sa fatigue. Il lui parut tout à coup qu'il était ridicule de chercher à trois siècles ou même trois minutes dans le futur, et elle bâilla, ferma les yeux, avant de sombrer dans un sommeil sans rêve.

Avant de se réveiller à nouveau.

Agitée, troublée, elle porta la main à la montre mécanique qui pendait à sa ceinture au bout d'une chaîne de titane. Elle lui avait été offerte par un groupe d'enfants. Ils l'avaient confectionnée avec patience à partir des technologies anciennes. La lampe brillait encore et éclairait le délicat boîtier d'argent renforcé de résine. Elle l'ouvrit et lut les chiffres indiqués par les aiguilles. On était au milieu de la nuit et elle prit conscience qu'elle avait été réveillée par des coups à la fois longs et violents sur le battant de sa porte.

Elle éteignit alors la lampe et alla ouvrir. L'éclat du ciel l'éblouit. Elle cligna des yeux en devinant deux silhouettes devant elle. Puis, quand son regard s'adapta, elle découvrit deux visages aimés.

Au cœur de la nuit, le fils de Washen et son père étaient parvenus à se glisser dans la ville.

Diu avait un sourire crispé.

Il était comme il avait toujours été… si l'on exceptait sa culotte qui révélait ses jambes musclées. Sa peau avait pris la couleur de fumée propre à tous ceux qui habitaient Marrow. Son crâne était rasé, et des années d'errance lui avaient donné des pieds plus larges et plus plats.

Locke fut le premier à prendre la parole.

— Mère, dit-il comme s'il avait longuement répété ce terme, nous avons ramené de la viande. Des tonnes de viande, séchée et aromatisée. Nous sommes prêts à te les offrir si tu nous donnes la crypte.

On disait que les Indociles savaient tout. Et il y avait de bonnes raisons à cela.

Sans hésiter, Washen leur dit :

— La crypte est vide. Et aussi absolument inutile.

C'est alors qu'elle vit les autres Indociles, plusieurs dizaines, avec leurs traîneaux en bois chargés de balles de carcasses noirâtres et rougeâtres.

Diu sourit, les yeux pétillants.

— Nous savons qu'elle est vide.

« Nous ». Dans le passé, quand il avait rarement fait allusion aux Indociles, il avait toujours dit « eux » ou « ils ».

Washen riposta aussitôt.

— Ce n'est pas moi qui peut décider de vous confier la crypte. À vous ou à tout autre, d'ailleurs.

— Bien sûr que non, admit Diu. Mais toi seule peux secouer ceux qui devront en décider.

Ce qu'elle fit. Les quatre sous-maîtres survivants furent arrachés à leurs lits et, sous la haute présidence de Miocène, on inspecta la viande et on débattit à voix basse de la proposition des Indociles. On manquait de protéines authentiques, ces derniers temps. La Floraison avait avant tout apporté de l'énergie et des machines, mais peu d'élevage et de cultures efficaces. Les Indociles étaient au courant.

Washen, installée dans le cercle noir et torride, se demandait à quel moment Diu et leur fils avaient entamé ce voyage. Le camp des Indociles le plus proche devait être au moins à six cents kilomètres et ils n'auraient pas pu emprunter les routes locales sans être repérés et interceptés. Il leur avait fallu tirer leurs traîneaux sur les pentes abruptes et à travers les jungles… Ce qui prouvait leur détermination, leur patience et leur certitude quant au dénouement de leur marché…

Miocène revint auprès de Washen. Avec les autres sous-maîtres et maîtresses, elles rejoignirent leurs hôtes.

— On accepte, dit Miocène à regret.

Locke eut un bref sourire avant de répondre poliment :

— Merci, madame.

À la différence de son père, il ne s'était pas rasé le crâne. Il avait gardé ses cheveux blonds et longs, noués en une simple tresse. Dans un monde sans chevaux ni bœufs, les Indociles devaient utiliser leurs seules ressources physiques pour le travail aussi bien que pour les matériaux de base. La ceinture de Locke était faite de cheveux strictement noués. Sa culotte était en cuir doux couvert de taches de sueur blanches. Il portait à la hanche un couteau et un pistolet à silex dont le manche et la crosse étaient faits d'os artistiquement gravés et – espéra Miocène – récupérés après des accidents violents.

Locke répéta :

— Merci, madame.

La sous-maîtresse garda la bouche ouverte, retenant une question. Puis elle changea d'idée. Elle avait décidé de ne pas mentionner son propre fils, même au passage.

Washen la connaissait bien.

Elle vivait auprès de cette femme depuis des siècles et elle lisait facilement en elle. Elle éprouvait à nouveau un mélange de pitié pour la mère et de mépris pour la leader assoiffée de pouvoir. Ou bien était-ce du mépris pour la mère et de la pitié pour la leader malheureuse ?

Miocène voulut serrer la main de Locke pour signifier que la négociation était terminée. Mais elle se retrouva avec un disque enveloppé dans une aile-marteau verte.

— C'est un cadeau, dit l'Indocile. Regardez.

La sous-maîtresse déplia l'aile avec précaution et vit un disque jaune soufre pur dans sa paume. Comme bien des éléments sur Marrow, le soufre était un minéral rare. Elle écarquilla les yeux, surprise.

— Vous donneriez combien pour une tonne ? demanda Locke.

Avant qu'elle ait pu répondre, il ajouta :

— Nous voulons un laser comme le vôtre. Aussi puissant, et avec les pièces détachées.

— Il n'y en a pas d'autre.

—Mais vous en construisez trois de plus, dit Locke d'un ton empli de certitude. Nous voulons le premier. Ce sera pour l'année prochaine, si nous ne nous trompons pas.

Il était vain de nier et Washen déclara :

—Non, vous ne vous trompez pas.

Miocène ne quittait pas du regard le bloc de soufre. Elle comptabilisait probablement les industries qui allaient bénéficier de la plus infime parcelle.

Un autre sous-maître – Daen, toujours nerveux et inquiet – avança d'un air dégoûté :

—Mais pourquoi avez-vous besoin d'un laser ?

Diu éclata de rire en passant la main sur son crâne luisant de sueur, puis posa la question qui s'imposait :

—Si votre petit groupe installé sur ce minuscule coin de la planète a trouvé une crypte accidentellement… combien pensez-vous qu'il en existe d'autres que nous n'avons pas encore trouvées ?

Dix-neuf

Les capitaines et leurs enfants préférés commencèrent à se mettre en quête de cryptes. Chaque fissure, chaque orifice du secteur furent explorés, d'abord par des volontaires, puis par des caméras automatiques. Sur leur territoire, et parfois bien au-delà, les équipes sélectionnées inspectaient les couches de fer refroidi avec la dernière génération de sismographes, des sondes soniques et aussi des faisceaux neutroniques. Peu à peu, les appareils rendaient la couche transparente, identifiable et prévisible. Guère fructueuse pour les cryptes, mais riche en informations sur les filons de minerais et les prévisions de secousses.

Parfois, une des équipes de recherche était envoyée loin dans le territoire des Indociles. Les volontaires étaient armés mais de façon typiquement secrète. Ils tombaient régulièrement sur un village peuplé d'adultes et d'enfants qui parlaient un dialecte terrien du vaisseau et qui prétendaient n'avoir jamais vu de Loyalistes. Les villages étaient spartiates, construits au petit bonheur mais propres en général. Les habitants y étaient à l'aise, heureux, et montraient une totale absence de curiosité à l'égard des villes bourgeonnantes.

Les Loyalistes vantaient leurs dernières merveilles technologiques et tous les nouveaux conforts de leur vie quotidienne. Les Indociles semblaient les écouter mais ne posaient que rarement des questions et ne se risquaient à aucun compliment.

Les expulsions étaient inévitables mais se faisaient avec courtoisie.

Un chef local, un président ou un prêtre – dont le statut était toujours nébuleux – repoussait de côté un cake de mites ou une coupe de vers d'acier crus. Avant de rappeler avec une certaine majesté :

— Vous êtes nos hôtes bienvenus.

Les Loyalistes acquiesçaient en écartant leur assiette de nourriture robuste et attendaient.

— Nos hôtes ici.

Le cérémonial se répétait régulièrement avec les mêmes paroles :

— Ici, cela signifie le centre de l'Univers. Et le centre de l'Univers, c'est Marrow.

» Ce qui implique la discrétion vis-à-vis des possédants légitimes.

» Les hôtes sont toujours temporaires. Non permanents. Et, quand les Constructeurs le souhaitent, nous n'avons pas d'autre choix que de les exclure du centre de l'Univers.

Tout cela en souriant.

C'est alors que le chef ajoutait d'un ton plus grave :

— Lorsque vous êtes assis avec nous, vous importunez les Constructeurs. Nous pouvons entendre leur colère. Dans nos rêves, derrière notre regard, nous les entendons vraiment. Pour votre sécurité, nous pensons que vous devriez regagner vos quartiers. Dès maintenant.

Ils désignaient ainsi les cités des Loyalistes.

Si les hôtes refusaient de se retirer, il s'ensuivait une série de petits larcins. Leurs capteurs précieux et leurs générateurs de champs s'évaporaient mystérieusement. Si cela n'était pas assez convaincant, leurs munitions, leurs fusils dernier modèle et leurs grenades disparaissaient de leurs cachettes.

Une unique fois, Miocène ordonna à une équipe de ne pas se retirer d'un village. Elle rassembla des volontaires et leur demanda :

— De quoi les Indociles sont-ils capables ? (Elle s'interrogeait en même temps.) Laissez-les voler tout ce qu'ils veulent. Sauf votre vie. Voilà ce que je désire.

L'équipe s'envola jusqu'à un site d'éruption à deux mille kilomètres de la capitale. Après quelques transmissions codées relayées par les drones à haute altitude, on n'entendit plus parler d'elle. Six ans plus tard, Diu arriva à la tête d'un groupe d'Indociles dans une colonie de la frontière. Il ramenait avec lui l'équipe disparue. À demi dévêtu, pieds nus dans la rue pavée d'acier, il proféra :

— Cela n'aurait pas dû arriver. C'était inutile. Dites à cette garce de Miocène que si elle veut jouer, qu'elle ose risquer sa vie tellement importante.

Sur les traîneaux, il y avait une dizaine de corps allongés sur le dos, à peine vivants. On leur avait cousu les paupières pour que la lumière les aveugle. Des crochets leur maintenaient la bouche ouverte et tous avaient la langue et les gencives brûlées. La famine et la soif avaient rétréci leur corps d'un tiers. Mais le plus grave était qu'ils avaient le cou brisé. Trois fois par jour, sans exception, un jeune Indocile robuste leur avait cassé les vertèbres pour empêcher la lente réaction des protocoles de guérison, les laissant inertes, impuissants. Tout comme le fils de Miocène quand elle l'avait traité de la sorte autrefois.

Une fois ou deux par siècle, habituellement, les Loyalistes trouvaient d'anciennes cryptes.

Elles étaient toujours vides et, après un examen minutieux, on les déclarait inutiles, bonnes à vendre aux Indociles en échange de soufre, de silicones et de terres rares. Le marché avait lieu d'ordinaire dans la petite bourgade où Diu avait restitué les prisonniers. Happens River avait été baptisée ainsi à cause d'un désastre survenu des siècles auparavant et elle s'était déplacée plusieurs fois depuis. Un sous-maître était chargé des interminables négociations et c'était Locke qui, comme toujours, représentait les Indociles. Washen et Diu étaient les observateurs mais ils ne jouaient aucun rôle dans les marchandages. En revanche, comme tous les anciens amants, ils prenaient un plaisir un peu douloureux à se retrouver.

On avait donné des ordres stricts à Washen pour qu'elle parle avec Diu, même si elle n'avait pas besoin qu'on l'y incite. À côté de lui, elle paraissait grande, élégante dans son uniforme neuf, avec ses épaulettes anciennes qui brillaient sous le soleil tandis qu'ils suivaient la berge du nouveau fleuve. Diu, par contraste, semblait petit, rétréci par la rude existence des Indociles, ses muscles sans graisse saillant sous sa culotte de fausse laine. Même pas du cuir. Il avait encore la dignité d'un capitaine et il n'aurait su se dépecer lui-même tout vif.

Comme toujours, Diu était un homme agité. Rapide, nerveux. Et, comme avant, un charmeur permanent.

Sans penser à ses ordres mais par simple curiosité, Washen lui demanda :

— Selon ma meilleure estimation, vous êtes deux fois plus nombreux que nous. Ou quatre fois. Ou même huit.

— Ta meilleure estimation ? demanda-t-il d'un ton amusé.

— Disons que c'est ce que je subodore.

Il acquiesça dans un sourire et, après une pause marquée, il avoua enfin :

— Huit fois plus, c'est trop peu. Disons qu'avec seize, nous sommes plus près du chiffre réel.

Ce qui donnait une estimation de plus de vingt-cinq millions d'Indociles. Une population colossale de corps et d'esprits. Elle se demanda ce qu'allaient penser tous ces esprits modernes, conçus pour des existences intéressantes et sans fin. Sans littérature, sans mathématiques, ni sciences ou histoire à étudier, plus un refus absolu et ascétique du plaisir... Quel genre d'idées pouvait attirer ce type d'esprits ?

Elle essayait de définir la question. Mais, quand elle parla, sa bouche formula des mots bien différents :

— Tu te souviens de la crème glacée ?

Il eut un rire interrogateur.

— Cette petite boutique, là-bas. On y trouve tout ce qu'il y a de meilleur.

Dans la chaleur perpétuelle de Marrow, tout ce qui était froid était bon. Et ce qui était sucré était un trésor, même si c'était à base de gommes à mâcher recyclées et de magie biochimique. Le vendeur ignora résolument l'Indocile, aussi Washen offrit les deux desserts, plus la location des cuillers et des coupes en acier. Ils s'installèrent au bord du fleuve devant une petite table d'or embossé installée dans un patio de briques de fer teintées au cyanate qui leur conférait un éclat bleuté. Le fleuve était un mélange d'eau de source et de rejets des industries locales, un bouillon chimique auquel Marrow s'était très vite adaptée. Le relent bactérien n'avait rien d'agréable, mais il avait au moins le mérite d'être puissant et honnête. C'est ce que pensait Washen en regardant Diu goûter prudemment sa crème glacée. Puis il écarquilla les yeux et demanda :

— C'est vraiment le goût du chocolat ?

— Nous n'en sommes pas sûrs. Quand on se repose uniquement sur des souvenirs qui datent de milliers d'années…

Ils pouffèrent paisiblement.

Les gens flânaient sur la promenade. Des amants, main dans la main. Des amis qui bavardaient. Des associés en affaires qui échafaudaient un avenir prospère. Un couple avec son bébé dans une poussette. Comme tous, ils évitaient de regarder l'Indocile qui dégustait sa crème glacée. Seuls les enfants le détaillaient, intrigués. Washen se surprit à penser aux prisonniers que Diu avait ramenés à Happens River. Il n'avait joué aucun rôle dans leurs tortures. Elle ne lui avait pas posé la question, mais il s'était lui-même déclaré innocent. Cela remontait à des décennies. Pourquoi y songer encore ? Elle le regarda en clignant des yeux, essayant de dévier le cours de ses pensées anciennes.

Il les devina sans doute. Et il lui demanda, sans raison évidente :

— Comment vont-elles, à propos ? Toutes ces pauvres âmes que nous vous avons ramenées ?

— Elles sont guéries. Pour la plupart.

Il secoua tristement la tête.

— Bien.

Ils regardèrent ensemble deux enfants – sans doute des frères – qui couraient sur la promenade. Il n'y avait pas de muret ni de balustrade entre eux et le fleuve. Quand le plus grand poussa le plus jeune, il tomba droit dans le fleuve aux eaux toxiques.

Washen se leva instantanément, mais les parents surgirent. La mère poussait des cris de colère, mais le père descendait déjà jusque sur les rochers pour arracher son fils à la boue puante avant de le tendre à son frère en hurlant :

— Les douches coûtent cher ! L'eau propre n'est pas donnée !

Les équations émotionnelles venaient de changer. Un désastre potentiel était devenu soudain un incident insignifiant.

Washen se rassit et dit à son compagnon :

— J'avais l'habitude de me noyer.

— Vraiment ?

— Quelquefois, concéda-t-elle. J'étais petite. J'avais une baleine domestique. Je montais dessus dans la mer Alpha…

— Oui, je me souviens de cette histoire, Washen.

— Je te l'ai racontée ? Tu sais que j'aimais plonger très loin en profondeur, là où vivent les calmars géants. La pression m'écrasait jusqu'à ce que je sombre dans le coma pendant des heures. Une journée entière, parfois.

Il la regardait comme s'il découvrait une étrangère. Une étrangère inquiétante, folle peut-être.

— Mes parents étaient très en colère. Tu peux l'imaginer. (Elle plissa les yeux, en s'interrogeant sur la suite de son histoire.) Mon argument, c'était que je ne pouvais pas mourir, vraiment mourir, rien qu'en étant sous l'eau. Mais ils disaient que l'imprudence ne faisait que renforcer l'imprudence. Et si je tombais du dos de ma baleine ? Et qu'on ne retrouve pas mon corps ?

En entendant cela, Diu eut un rire tranquille. Washen ajouta :

— Un autre souvenir me revient tout à coup. Très étrange.

— Oh, fit Diu. Très étrange, vraiment ?

Elle ignora le ton persifleur qu'il avait pris et regarda au loin vers les nouveaux immeubles qui bordaient le fleuve, sans en distinguer aucun. Elle voyait à leur place la cité où elle était née, la Maîtresse Capitaine entourée des sous-maîtres et maîtresses de l'époque. Elle ne savait pas pour quelle raison on l'avait amenée jusqu'à eux. Elle n'était encore qu'une toute petite fille. Pas plus qu'elle ne savait pourquoi, dans quel but imaginable, la Maîtresse lui avait parlé, lui avait posé une question. Mais Washen ne se rappelait plus laquelle, et encore moins ce qu'elle avait répondu. Et, quand elle s'était levée, une bourrasque était venue de nulle part et avait renversé sa chaise.

— Ça voulait dire quoi ? demanda-t-elle.

— Ça n'est jamais arrivé, répliqua Diu dans la seconde, sans la moindre hésitation.

— Non ?

— Et même si c'est arrivé ainsi, cela ne veut rien dire.

Un bref instant, elle entendit une résonance dans sa voix. Puis elle cligna des yeux et revint à son visage glabre mais marqué, avec ses sourcils noirs et son sourire. Un large sourire sur ses lèvres, mais pas dans ses yeux lumineux d'acier gris.

À l'intérieur de chacune des cryptes antiques, enfoui dans le ballast d'uranium, se trouvait un petit dispositif intelligent, apparemment inutile et largement ignoré. Un jour, une crypte vide qu'on chargeait en données de test alors qu'une machine proche était au travail, reçut par simple coïncidence un son à basse fréquence. Le son engendra un écho, une pulsion puissante et instantanée qui fut perçue à des kilomètres à la ronde. Un signal de repère ? Auquel cas, il ne pouvait fonctionner qu'avec une crypte opérationnelle, et ce genre de créature n'existait pas. Mais, parce qu'ils étaient obstinés, les Loyalistes répercutèrent les pulsions appropriées vers la croûte et attendirent un hypothétique signal de reconnaissance : « Oui, je suis là ! »

L'équipement était primaire et les premières réponses positives passèrent inaperçues. Mais ensuite, on détecta un écho faible et imprécis qui fut analysé. De nombreux observateurs rejetèrent le résultat sur la base des données techniques sans mentionner les raisons émotionnelles.

On mit au point des microphones plus sensibles qui permirent de trouver ce qu'on cherchait. Mais la troisième génération de capteurs ne récupéra pas seulement la réponse définitive qu'on attendait, elle donna une localisation précise. L'écho provenait d'un point situé à un peu moins de neuf kilomètres de profondeur, dans un courant tranquille de fer en fusion.

Un petit projet, qui se voulait discret, venait de naître. Sous la couverture d'un nouveau chantier de percées géothermiques dans le manteau de Marrow, des lasers commencèrent à percer une série de trous profonds. La croûte était épaisse de trois kilomètres. On installa en dessous des tuyaux de céramique et des pompes. Il fallait ramener le fer en fusion jusqu'à la surface, le laisser refroidir et le rejeter. Le manteau était loin d'être rigide et la cible avait une tendance agaçante à partir à la dérive. Les petits-enfants comparaient cette exploration à leurs tentatives d'attraper un morceau de rocaille noire encore chaude dans la boue du lac.

Le forage dura huit ans.

Dès que le succès fut en vue, on envoya un message codé à Miocène. Mais, avant qu'elle n'arrive, quelque chose de solide fut ingéré et les pompes tirèrent et tirèrent follement pour ramener la crypte en surface. Elle ressemblait exactement aux autres – une réplique du Grand Vaisseau – mais elle n'était en rien identique, chacun en avait le sentiment. Même le capitaine qui dirigeait le chantier – un personnage sans imagination mais acharné au travail, du nom de Koll – ressentit un élan d'espoir en observant son équipe et une escouade de robots qui extirpaient le trésor du fer liquide avant de l'immerger dans un profond bassin d'eau glacée.

En clignant des yeux dans la vapeur, il donna l'ordre d'emporter le nouveau trésor à l'intérieur.

Comment savoir si quelqu'un ne les surveillait pas ?

La station de pompage était une cachette qui convenait. C'était un vaste bâtiment sans fenêtres où l'on trouvait la chose la plus rare sur Marrow : l'obscurité. Koll accompagna le marcheur mécanique qui transportait la crypte, ses fausses fusées pointées vers le ciel. C'était une de ses petites-filles qui se tenait dans la tourelle. Quand ils furent à l'intérieur, Koll ordonna qu'on ferme la porte et qu'on la verrouille. Il avait eu l'intention de déclencher l'éclairage. « Réglage doux », avait-il décidé de demander à l'ordinateur central. Néanmoins, après mille six cents années dans une lumière éternelle, il avait appris à apprécier tout ce qui ressemblait à la nuit. Immobile, les yeux grands ouverts, il remarqua la brillance. Douce, colorée. Elle ne provenait pas de la crypte, non. C'était une clarté qui semblait se répandre d'ailleurs.

Des systèmes anciens avaient été activés.

Le ballast d'uranium était une sorte de batterie. Il subsistait un reste d'énergie pour susciter cette projection faible, fantomatique. Et Koll, avec toute sa solidité, son caractère puissant, regarda les images et, durant une longue minute, il oublia de respirer.

— Tu vois ça ? demanda-t-il à sa petite-fille.

— Oui, je le vois, répondit-elle d'une voix éteinte.

Elle était assise sur le marcheur et sa silhouette se dessinait dans les flashs de lumière. Elle était subjuguée, avait l'air stupéfait.

L'instant d'après, elle demanda à Koll :

— Ça veut dire quoi ?

Il était inutile de mentir ; il lui répondit simplement :

— Je l'ignore.

En de telles circonstances, qui pouvait savoir ?

— Bon sang, dit la jeune femme.

Elle eut un rire nerveux et ajouta :

— Tu ne fais aucune supposition ?

— Ce n'est peut-être rien. (Il y avait une note d'espoir sincère dans sa voix. Mais, comme il était honnête et rigoureux, il continua :) Pourtant, ça pourrait être important. Ce qui fait que cette journée est essentielle.

Vingt

Dégagé de sa coque d'hyperfibre, l'appareil paraissait élégant mais pas vraiment impressionnant. Diverses céramiques avaient été tissées en une sphère blanche, un buckeyball, une sorte de ballon surdimensionné[3]. La crypte était posée sur le sol en face de Miocène. Elle l'effleura et affirma d'un ton posé :

—Je suis confiante. Je veux dire, à propos du cours que les choses vont prendre à partir de maintenant. Basiquement et essentiellement confiante.

Washen hocha la tête avant de se pencher à nouveau. Et, les mains sur les contrôles, elle répéta :

—Confiante.

—Oui, assura la sous-maîtresse. Avec de la chance et quelques précautions, cela devrait nous aider à guérir les anciens rifts.

— Avec de la chance, fit Washen en écho, sachant bien qu'une bonne dose de cette substance mercurielle leur serait nécessaire.

Elle pilotait un marcheur lourd. Derrière elle, le dernier modèle d'Happens River basculait sous l'horizon. Ce qui passait encore pour une route deviendrait bientôt une piste usée qui laisserait la place à la jungle, aux montagnes arides. Elles étaient déjà en vue des territoires des Indociles, et il ne leur resterait plus que deux cents kilomètres à parcourir jusqu'au point de rendez-vous. Jamais personne n'avait été admis aussi loin dans cette région sans un laissez-passer officiel ; trois siècles au moins s'étaient écoulés depuis que des visiteurs importuns étaient passés par-là.

Au fil de la journée, Washen resta vigilante aux commandes. Les derniers pilotes IA n'étaient pas particulièrement intelligents ou adaptables, et nul ne s'étonnerait de voir ces machines – l'apport culminant de seize siècles de sorcellerie technologique – trébucher sur un pan de montagne et basculer comme de gros insectes maladroits.

La piste de la jungle s'éleva bientôt vers un plateau récent avant de disparaître. Une pluie chaude s'abattit sur le terrain dénudé et se déversa dans

---

3. En nanologie, une sphère de Buckminster Fuller, d'où son surnom, est un assemblage de carbones symétriques (NdT).

des petits bassins et des cuvettes où poussaient des algues noires en couverture soyeuse. Avant un an, elles formeraient une autre jungle nouvelle et vigoureuse. Mais quelles seraient les espèces dominantes ? Après mille six cents années de recherches, Washen devait admettre qu'elle ignorait comment progresserait la succession. Pas plus sur ce terrain que sur un autre. Les composants chimiques variaient selon les évents et parfois selon un simple flux. Les pluies étaient fréquentes mais moins prévisibles. Les périodes de sécheresse et les inondations ravageuses pouvaient constamment modifier les conditions initiales. Il fallait ajouter à cela la condition purement aléatoire de spores, de graines et d'œufs. Une chance de voir apparaître une flottille de ballons d'or qui pourrait ou non engendrer une forêt touffue d'arbres de vertu. Ou bien alors, les vents capricieux emporteraient les ballons quelque part ailleurs. Vers une jungle solidement implantée qui leur garantirait une mort certaine dans les gueules végétales qui attendaient. Il existait au moins une centaine d'espèces locales qui se régalaient en mâchonnant le tissu d'or qui nourrissait leurs carapaces élaborées, mirifiques, resplendissantes, offertes au monde et à leurs mâles en chasse.

Les conditions initiales étaient critiques. Ce qui était essentiel pour l'écologie de la jungle, de même que pour les écologies humaines.

Et si Miocène s'était révélée une meilleure mère ? Nourricière, bienveillante et attentive ? Si elle avait été plus proche de Till, s'ils avaient réussi à résoudre leurs différends en privé, de façon civilisée, l'histoire de Marrow aurait sans doute été plus tranquille. Et si elle s'était révélée comme une mère plus sévère encore, elle aurait tué son fils. Et les capitaines outragés l'auraient révoquée et auraient nommé une autre sous-maîtresse à sa place. Daen, peut-être. Ou plutôt Twist. Ce qui aurait radicalement changé l'évolution de leur civilisation…

Le fardeau de l'intelligence. On peut toujours imaginer tous ces endroits merveilleux auxquels on n'appartiendra jamais.

Le plateau jeune céda la place à un cône volcanique encore plus jeune, en sommeil. Le fer sale et le nickel s'étaient gelés en une masse grossière de mâchefer. Quand la machine attaqua la pente dénudée, les pluies faiblirent et les nuages fuirent dans le lointain. Washen jeta un regard par-dessus son épaule sur la face gonflée du monde qu'elle laissait derrière elle.

Le ciel était plus obscur que jamais.

Dès que les arcs-boutants faiblissaient, la clarté ambiante diminuait d'autant. Elle restait brillante, mais moins étincelante, pénétrante. Les températures fléchissaient aussi vers le bas selon la même courbe. La gravité se réduisait tandis que le monde se dilatait, provoquant de subtils changements dans l'architecture des montagnes, dans le tissu des plantes et dans les constructions. L'atmosphère devenait plus fraîche et plus calme, mais pas plus dense, vu qu'elle se répartissait sur une surface plus vaste. De même que l'eau. Les laves métalliques se desséchaient, ne produisant que des terres rares et des métaux lourds. La pluie tombait moins souvent et le débit des rivières diminuait. À ce régime, de longues et rudes périodes de sécheresse étaient à redouter.

Près de l'horizon, bien trop petite pour être visible à l'œil nu, il y avait une faille unique dans le ciel. Le camp de base initial demeurait encore au contact de l'hyperfibre argentée, avec ses immeubles modernes et ses passerelles de diamant toujours abandonnés. Dans les trente-quatre siècles qui allaient suivre, il resterait toujours aussi vide, mais il surplomberait un monde radicalement différent. La lumière des arcs-boutants aurait été réduite à rien pour révéler d'adorables étincelles stellaires là où il y aurait des villes et des routes parfaitement éclairées.

À ce moment-là, il serait possible de s'évader. À cette pensée, Washen observa encore une fois la crypte avec une sensation de douleur froide et énervante.

— Nous ne savons même pas si c'est vrai, murmura-t-elle.

Miocène se tourna vers elle et faillit demander :

— Qu'est-ce que vous dites ?

Mais elle ne dit rien et referma les mains sur la sphère lisse et grisâtre de céramique en un geste protecteur, comme si elle éprouvait un étrange attrait pour le redoutable artefact.

Un fleuve de fer non cartographié annonçait toujours un long détour.

Elles avaient une heure de retard en atteignant l'aire convenue. Il était trois heures du matin à l'heure du vaisseau, selon ce qu'indiquait la montre d'argent de Washen.

Le déblai s'amorçait comme une plaine de lave, mais quand son cœur en fusion avait reflué dans le sol, le paysage plat s'était effondré pour former un amphithéâtre naturel. La scène était constituée d'un grand plateau autour duquel des escaliers de fer noir démesurés se dressaient de tous les côtés. L'absence d'ombres, qui auraient joué avec la lumière et l'inclinaison des pentes, rendait tout visuellement plus proche. Selon les instructions, Washen parqua leur engin au centre et elle et Miocène s'avancèrent en pleine vue pendant que le marcheur qui avait déployé deux jambes de soutènement jointes déposait la crypte sur le champ de fer. C'est alors que les premiers Indociles apparurent, de simples traits d'ombres dans la noirceur ambiante. Ils couraient plutôt vite ; il leur fallut néanmoins un temps infini pour dévaler la pente. Ils étaient tous en culotte et portaient un masque ornemental de cuir souple tendu sur une carcasse d'os gravés. Le cuir était leur propre peau, et les os avaient été prélevés sur leurs corps résistants. Chaque masque était décoré de sang et d'urine. Et chacun présentait la même apparence sauvage, presque fluide. Électrique, avec des yeux mais pas de bouche. *Le visage d'un Constructeur,* se rappela Washen. Comment avaient-ils pu accéder à une telle iconographie, elle l'ignorait. Diu prétendait que Till était obsédé par ses visions. Le leader des Indociles était persuadé que les Constructeurs lui rendaient visite et qu'ils étaient en quelque sorte ses seuls vrais amis.

Les premiers Indociles ralentirent leur course en approchant et prirent un pas solennel tout en relevant leur masque sur leur tête.

Il s'était écoulé près de quinze siècles depuis que Washen n'avait pas vu Till. Elle le reconnut néanmoins aussitôt. À cause des dessins et des souvenirs précis d'un capitaine, mais aussi parce qu'il avait le visage de sa mère et la même façon de courir.

Une version réduite et élégante de Miocène.

Le reste de la délégation – les prêtres révérés, les diplomates et les membres du cabinet – suivait à distance respectable. Tous avaient le regard fixé sur leur prise. Washen avait inséré un ombilic dans la crypte, alimenté par le générateur du marcheur. Un doux ronronnement de vie était perceptible, diffusant dans l'air une trace palpable de possibilités.

Seul Till ne regardait pas la prise. Ses yeux étaient rivés sur Miocène. La méfiance se mêlait à d'autres émotions moins nettes. Un instant, il ouvrit la bouche, inspira rapidement et se tourna vers Washen en demandant :

— Je peux examiner cet appareil ?

— Je vous en prie, répondit-elle à l'intention de tous.

Locke était auprès de Till. C'était peut-être la marque de son rang et Washen en éprouva une fierté inattendue.

— Comment vas-tu, mère ? demanda-t-il. Toujours poli, jamais chaleureux.

— Plutôt bien. Et toi ?

Il lui décocha un sourire bizarre sans répondre.

Où était Diu ? Les Indociles affluaient sur la scène et elle allait de visage en visage tandis que tous levaient leur masque. Diu devait être tout près de là, caché par la foule grandissante. Till, lui, était à genoux devant la crypte et en caressait la surface lisse.

Miocène le regardait, mais il n'y avait rien dans ses yeux. Elle était comme aveugle.

Quelques milliers d'Indociles d'honneur s'étaient regroupés autour de la scène. Uniquement des femmes avec leur enfant qui tétait leur sein gonflé. La brise apportait une senteur dense, étrangement plaisante. Des milliers d'autres affluaient de la jungle, venus de toutes les directions. Ils avançaient d'un pas décidé et calme ; leurs pieds et leurs souffles composaient un son vaste, doux, pareil à un ressac lointain qui se rapprochait régulièrement. Beau et irrésistible et, si on allait au cœur des choses, effrayant.

Parmi eux, il y avait les enfants et les petits-enfants de Locke.

En principe, Washen devait compter une centaine de milliers de descendants parmi ces gens. Ce qui n'était pas un mince exploit pour une vieille femme qui ne pouvait revendiquer qu'un unique enfant.

Le bourdonnement de la crypte monta d'un degré, plus aigu, avant de s'arrêter. Locke, le premier, leva un bras en hurlant à la multitude :

— Ça y est !

Et chacun répéta le geste, le signal. La vague de cris monta jusqu'en haut de l'amphithéâtre, et une tache d'or apparut soudain tout au bord, avant de se dilater rapidement, scintillant dans la lumière, poussée par des centaines de corps puissants.

Une envolée de ballons d'or innombrables maintenait le tissu déployé. Une feuille dorée, large de plusieurs hectares, mince et renforcée... Comment ? Quelle que soit l'astuce, la feuille était suffisamment solide et légère pour se déployer sur tout l'amphithéâtre, sur toute la foule rassemblée, créant un toit temporaire, imperméable.

Le ciel retombait, noir.

Sentant l'obscurité absolue qui venait, la crypte s'ouvrit, révélant un ciel nouveau et un monde plus jeune. Marrow était soudain dénudée et lisse, recouverte d'un océan immense de fer irradié et bouillonnant.

L'assistance se retrouva sur cet océan, sans y être préparée, observant un drame ancien qui se déroulait.

Les ennemis des Constructeurs surgirent.

Sans prévenir, les détestables Mornes se glissèrent en se tortillant dans les murs de la chambre par les innombrables tunnels d'accès – des cyborgs insectoïdes énormes, froids et d'une effrayante rapidité. Telles des guêpes falsifiées et furieuses, ils plongèrent sur Marrow en lançant des crachats d'antimatière qui s'écrasèrent dans la surface fondue. Des jets ardents et blancs montèrent de toutes parts. Le fer liquide jaillit en tourbillons avant de retomber dans les flots de lumière crue. Washen observait son fils, en essayant de déchiffrer ses sentiments. Locke était fasciné, il avait les yeux dilatés, la bouche entrouverte, son corps musclé luisait de sueur, presque lumineux. Les autres étaient presque tous comme lui. Miocène elle-même était envoûtée. Mais c'était Till qu'elle regardait, et non le grand spectacle déployé sur l'amphithéâtre, mais elle était encore plus sous le charme que les autres. Alors que son fils, par contraste, figé dans une posture rigide, paraissait curieusement sans émotion devant ces images glorieuses et saintes.

Un dôme d'hyperfibre surgit de l'océan de fer.

Des faisceaux de lasers consumèrent une dizaine de Mornes. Puis, le dôme replongea dans le fer avec la grâce d'une baleine.

Les Mornes revinrent avec des renforts et frappèrent à nouveau. Des missiles d'antimatière percèrent le fer, cherchant de nouvelles cibles. Marrow fut agitée de secousses et se tordit avant de vomir du feu et des plasmas. Les Mornes avaient peut-être gagné et anéanti les derniers Constructeurs. Et le Grand Vaisseau leur appartenait. Toutefois, les Constructeurs avaient préparé leur vengeance. Elle était imminente. Les forces des Mornes accentuaient leur pression et remplissaient le ciel étroit de leurs formes déchaînées. C'est alors que les arcs-boutants s'embrasèrent dans un éclat blanc-bleu. Tout à coup les monstres parurent minuscules et fragiles. Avant qu'ils aient pu fuir, la tempête électrique – l'Événement – balaya le ciel, suffisamment éblouissante pour menacer les yeux de tous et dissoudre toute trace de matière en un plasma qui allait former une couche de brume surchauffée qui persisterait durant des millions d'années, au fur et à mesure que Marrow se contractait avant de se dilater comme un cœur gigantesque qui se refroidissait à son rythme lent et que se formait une croûte sur le fer incandescent.

Un milliard d'années passèrent en un instant.

Le carbone, l'hydrogène et l'oxygène des Mornes devinrent l'atmosphère de Marrow et ses fleuves, et ces mêmes précieux éléments se rassemblèrent lentement pour donner des coccibeurres et des arbres de vertu, puis des enfants aux yeux écarquillés, dans le présent, dans ce déblai naturel, pleurant dans l'obscurité profonde.

À un signal, le dais se déchira, la feuille d'or tomba en longs lambeaux scintillant sous la clarté du ciel.

Washen compta les minutes sur sa montre. Miocène choisit cet instant pour lancer :

— Il y a plus. Bien plus encore. (Elle avait pris un ton pressé. Maternel. Et, en regardant Till, elle expliqua :) D'autres enregistrements montrent comment le vaisseau fut attaqué. Comment les Constructeurs battirent en retraite dans Marrow. Cette boule de fer… c'est ici même qu'ils livrèrent leur dernier combat… qui qu'ils aient été !

Ils furent des centaines de milliers de corps à rire dans un tumulte à la fois énorme et doux.

Till ne paraissait pas envoûté. Tout au plus simplement heureux, souriant comme s'il était amusé de cette justification d'une vision qui n'en avait nul besoin.

Un bref instant, leurs regards se rencontrèrent. Avant de se séparer comme si la mère et son fils obéissaient à un pacte muet. Il y avait de l'indifférence sur un visage, un chagrin déchirant sur l'autre.

Qui se leva vers le ciel.

— Nous ne voyons jamais les Constructeurs eux-mêmes, déclara Miocène. Mais cette chose, ce cadeau que Washen et moi vous avons amené… Elle nous fait mieux comprendre en profondeur ces espèces…

Till gardait les yeux levés au ciel, sans rien dire.

— Écoutez-moi ! cria Miocène, incapable de retenir sa fureur et sa frustration. Vous ne comprenez pas ? L'Événement qui nous a pris au piège ici, dans cet affreux endroit… L'Événement était une arme ancienne. Une mine qui a probablement été déclenchée quand nous avons envoyé ici les premières équipes. Elle a dû tuer et effacer tout ce qui se trouvait au-dessus de nous, laissant le vaisseau vide… Et nous, coincés ici !

Washen imaginait cent milliards d'appartements abandonnés, les mers et les longues avenues annihilées en une vapeur sans vie : une fois encore, le vaisseau était une épave, lancée aveuglément dans le champ des étoiles.

Si telle était la vérité, c'était une atroce tragédie. Pourtant, la réaction de Till était différente, singulière :

— Qui donc est coincé ? clama-t-il d'une voix qui dominait celle de sa mère.

» Je ne suis pas coincé ici, moi. Aucun des croyants ne l'est. C'est ici que nous vivons.

Il y avait de la colère dans le regard de Miocène. Mais Till l'ignora à dessein en s'adressant à l'assistance :

— Nous sommes ici parce que les Constructeurs ont fait appel aux capitaines. Ils les ont attirés ici, dans ce lieu formidable, ils les ont obligés à y demeurer et leur ont conféré l'honneur de nous engendrer !

— C'est dément ! gronda la sous-maîtresse.

Washen observa la foule, essayant de reconnaître Diu. Elle ne cessait de s'arrêter sur tel ou tel visage d'Indocile, croyant reconnaître ses yeux, son énergie. Mais, chaque fois, ce n'était pas lui. Et ils avaient besoin de Diu. En tant qu'intermédiaire ayant une connaissance intime des deux cultures, il serait à même d'aider n'importe qui... et pourquoi n'avait-il pas été convié à cette réunion ?

Une terreur froide lui noua la gorge.

— Je sais où tu as trouvé cette absurdité, dit Miocène en faisant un grand pas vers son fils, les mains levées.

» C'est évident. Tu étais encore un petit garçon quand tu es tombé sur une crypte qui fonctionnait. N'est-ce pas vrai ? Elle t'a montré les Mornes et tu as forgé cette histoire ridicule. Cette rumeur folle sur la renaissance des Constructeurs... En te mettant bien entendu au centre de tout !

Till répondit à sa mère avec un sourire empreint de pitié. Miocène leva les mains plus haut encore et décrivit un cercle, tout en hurlant avec une fureur majestueuse :

— Vous tous, comprenez-moi ! Ceci n'est qu'un mensonge !

Silence.

Till secoua la tête.

— Je n'ai jamais trouvé d'artefact ni de crypte. J'étais seul dans la jungle. Seul, quand l'esprit d'un Constructeur m'est apparu. Il m'a parlé du vaisseau et des Mornes. Il m'a montré tout ce qu'il y a dans cette crypte et plus encore. Et il m'a fait une promesse : quand cette longue journée s'achèvera, comme il se doit, je connaîtrai mon destin et le vôtre également !

Sa voix mourut dans le silence de l'assistance subjuguée. Locke déboucla alors le cordon de la crypte et se tourna vers Washen en déclarant de son ton incisif :

— Nous effectuerons le paiement habituel à Happens River.

Miocène rugit :

— Qu'est-ce que tu veux dire ? Le paiement habituel ? Mais c'est le meilleur artefact que nous ayons jamais trouvé !

Les Indociles la dévisagèrent avec un mépris à peine dissimulé.

— Il fonctionne. Il se souvient. (Miocène battait l'air, en appelant à la mémoire de tous.) Les autres cryptes n'étaient que des curiosités vides !

— Exactement, répliqua Till.

Puis, comme si leur chef n'était pas capable d'expliquer ce qui était évident, Locke s'avança et dit aux deux émissaires :

— Les cryptes sont habituellement des tombes. Elles contiennent les âmes des Constructeurs. Et celles que vous nous avez vendues étaient vides parce que les âmes avaient trouvé d'autres lieux où résider.

Till replaça son masque de sang et de pisse sur son visage et on ne vit plus que ses yeux brillants. Chaque Indocile imita son geste et ce fut comme si une onde immense parcourait l'amphithéâtre. Washen en vint à se demander si cette entrevue élaborée, avec son émotion intense et tout son apparat, n'avait pas été conçue non pour des centaines de milliers d'âmes ferventes mais pour deux vieux capitaines particulièrement entêtés.

Locke s'approcha de sa mère. Sous l'effet d'une prémonition, elle eut brusquement la bouche sèche.

— Où est-il ?

Le regard de son fils changea. Se radoucit, se fit tendre.

— Son âme est ailleurs à présent, selon la règle des Indociles.

Il montra le sol de fer.

— Ailleurs ? demanda Washen.

La voix et l'attitude de son fils exprimaient son chagrin.

— Il y a huit ans de cela, il y a eu une violente éruption et il a été emporté.

Washen ne faisait pas un geste, ne disait rien. Une main chaude l'agrippa par l'épaule et son fils demanda d'une voix pressante :

— Tu vas bien, mère ?

Elle inspira profondément et avoua :

— Non, je ne me sens pas bien. Mon fils est un étranger, mon amant est mort, et je devrais me sentir bien ?

Elle repoussa sa main et se détourna.

Miocène – la froide, l'intouchable Miocène, la sous-maîtresse – tomba à genoux, les mains sur son visage en larmes. Leur mission prometteuse s'achevait là. Elle suppliait son fils avec une angoisse non feinte.

— Chéri, je suis tellement, tellement navrée. J'ai mal agi en te frappant… et je voudrais que tu me pardonnes… Je t'en prie !

Il hocha un instant la tête, en silence. Il s'apprêtait à s'éloigner quand Miocène insista :

— Mais j'aime ce vaisseau, dit-elle à Till et à tous les autres. Vous étiez dans l'erreur et vous l'êtes toujours. Je l'adore ce vaisseau, plus encore que vous ! Je l'aimerai toujours plus que je ne t'aime, petit salaud ingrat !

Vingt et un

Une équipe de capitaines et d'architectes doués avait conçu le Grand Temple et, durant un millier d'années, les meilleurs artisans avaient travaillé à sa construction avec l'aide de tous les Loyalistes qui avaient le temps et la volonté d'y participer. Même à demi construit, le Temple était une structure superbe. Ses six dômes d'or étaient disposés en un cercle parfait. Des arches paraboliques gracieuses, d'acier teinté, les chevauchaient en se superposant de plus en plus haut. La tour centrale était l'édifice le plus élevé de Marrow, en même temps que le plus profond. Ses fondations étaient ancrées à près de mille mètres dans le fer et, à sa base, elle avait une citerne d'eau pure où les neutrinos occasionnels entraient parfois en collision avec un noyau prêt à se soumettre ; le résultat était une explosion qui produisait un adorable cône de lumière prouvant aux prêtres et aux enfants ce que tout Loyaliste acceptait sans question : Marrow n'était qu'une part mineure d'une création plus grande, invisible à l'œil mais pas à l'esprit de celui qui croyait.

Le transfuge des Indociles avait demandé à être conduit jusqu'au temple, une requête parfaitement raisonnable.

Mais la sous-maîtresse avait examiné les rapports sur-le-champ aussi bien que la transcription de tous les interrogatoires officiels ; la seule certitude qu'elle en avait retirée était que cette désertion n'était pas ordinaire et encore moins simple.

L'administratrice du temple était une femme nerveuse, encore plus agitée par les événements. Elle avait revêtu les robes gris pâle de sa fonction et se présenta devant Miocène avec une expression affligée.

Elle s'inclina et dit sèchement :

— Madame. (Avant de clamer :) C'est un honneur.

Même si elle était prête à se plaindre du grand tourment dans lequel ses responsabilités la plongeaient.

Miocène ne lui en donna pas l'occasion. Avec fermeté et sans trop de bienveillance, elle lui dit :

—Jusque-là, vous avez fait un travail splendide.

—Oui, madame.

—Jusque-là, répéta-t-elle pour rappeler à sa subalterne que l'échec était toujours à un faux pas de distance.

Elle demanda d'une voix plus douce :

—Où est notre hôte ?

—Dans la bibliothèque.

Bien sûr.

—Il veut vous voir. Il m'a pratiquement demandé de vous conduire à lui.

Elles étaient sur le seuil d'une des entrées dérobées, devant la lourde porte taillée dans un bloc d'arbre de vertu, ancienne, gigantesque. Miocène refusait qu'on la presse et elle s'arrêta pour caresser le bois aussi sombre que du sang coagulé, percé de trous comme une éponge, là où avaient été les nodules d'acide gras de la batterie. Ses gardes – une paire d'hommes robustes comme des coffres, au regard vif et soupçonneux, se tenaient à proximité – ils ne perdaient pas de vue la rue paisible. Un instant les pensées de Miocène dérivèrent. Elle pensait au vaisseau, et plus particulièrement à son appartement lambrissé situé à moins de cinq cents mètres des quartiers de la Maîtresse. Puis elle cilla, soupira et retrouva cette tristesse familière, ce nœud de peurs secrètes…

Elle se redressa, déplissa son uniforme et marmonna :

—Bien. Conduisez-moi jusqu'à notre nouvel ami.

Les services publics étaient installés dans chacune des six pièces principales. Les citoyens élisaient leurs prêtres, et il en résultait que chaque pièce avait son propre style, sa propre perspective. Certains parlaient sans fin du Grand Vaisseau. De sa beauté, de son âge impossible à mesurer et de son insondable mystère. D'autres préparaient leurs fidèles en vue du jour glorieux où ils rencontreraient leurs premiers aliens. Quelques autres, plus éclectiques, s'appuyaient sur des concepts abstraits et plus lointains : les étoiles, les mondes peuplés, la Voie lactée et tout le vaste Univers qui réduisait en taille tout ce que l'humanité pouvait observer, toucher ou prétendre connaître.

L'un des offices se battait avec ce genre de merveilles cosmiques. Un gentleman à la voix de satin chantait les louanges des soleils de classe G.

—Assez chauds pour porter la vie sur de nombreux mondes en même temps et d'une durée de vie suffisante pour entretenir une évolution créative. Notre monde natal, la Terre, est né sous un soleil doré. Il était comme la graine de l'arbre de vertu. Vraiment. Et notre univers est empli de milliards de graines. La vie existe sous des myriades de formes, partout. La vie est dense, admirable et éternelle.

—Éternelle, psalmodia avec conviction l'assistance réduite.

Des arches de céramique et des attrape-mouches en pot séparaient la pièce du corridor. Quelques visages se détournèrent sur le passage de la sous-maîtresse. Les murmures s'élevèrent, se répandirent. Mais le prêtre qui se tenait en avant, appuyé contre le podium de diamant, les ignora et continua son prêche :

—Mes sœurs et mes frères, nous devons nous tenir prêts. Le jour va vers sa fin, graduellement, inexorablement, et viendra le temps où chacun de nous devra jouer son rôle. Nos cœurs, nos mains et nos esprits seront alors voués à la construction du pont.

— Le pont, répéta quelqu'un.

Mais les autres, déroutés par le concret et le présent, observèrent Miocène et ses gardes qui gagnaient l'arrière de l'autel, suivis de près par l'administratrice furibonde. L'autel avait été construit avec des diamants naturels, montés sur un tube guère plus épais qu'un bras humain. À la base, il y avait une réplique détaillée de la cité et du temple achevé. Le tube montait jusqu'à la voûte du plafond qui avait été peinte pour ressembler à un ciel assombri. C'est là qu'était arrimé fermement le premier tronçon, relié au pont de diamant sans joint décelable. Des flocules de lumière vive jaillissaient sans cesse vers le haut, figurant la migration des multitudes loyales, un hommage glorieux à leurs sacrifices et à leur espérance enthousiaste.

Miocène n'accorda qu'un vague regard aux fidèles. Il était parfaitement admis qu'elle visite le temple et elle ne souhaitait pas qu'ils remarquent quoi que ce soit dans son attitude ou son regard.

— Quand le temps sera venu, clama le prêtre, nous monterons. Nous monterons !

Il se détourna alors dans un grand froissement de robe et leva les bras en un geste exagérément dramatique vers la spirale de diamants. Toutefois, quand il vit la sous-maîtresse et son escorte, sa surprise se changea en un respect immédiat du rituel de déférence.

— Madame ! lança-t-il.

Et l'assistance répéta :

— Madame !

Avant de reprendre place sur les sièges de fer.

Heureusement, Miocène avait atteint l'escalier de la bibliothèque. Elle agita brièvement la main et, après un dernier regard, elle commença son ascension suivie de ses gardes inquiets. Le senior lui dit :

— Non, madame, en la retenant fermement et sans cérémonie par une épaule.

Parfait.

Elle monta un peu plus vite que nécessaire. Le garde la dépassa dans la première spirale. Si la mémoire de Miocène était bonne, elle savait que l'architecte de l'escalier était l'une de ses arrière-petites-filles pas spécialement douée. Elle avait utilisé le modèle de l'ADN sur les conseils de Miocène. Le fait qu'une mince tranche de génétique moderne ait été encodée dans ce complexe délicat ne faisait aucune différence. L'architecte y avait vu un symbole évident. S'élever du langage ancien pour atteindre le langage nouveau… ou tout autre symbole qui s'imposait, n'est-ce pas ?

Pour Miocène, les symboles étaient les béquilles du mutilé. Elle avait acquis cette opinion il y avait bien longtemps et les trois derniers millénaires n'avaient fait que la renforcer.

Tout comme celle du Temple, cette semi-religion était lourdement imprégnée de symboles. Les soleils de classe G y étaient comparés aux graines d'arbre de vertu. Quelle absurdité ! Il y avait tant de couleurs visibles dans l'Univers, du moins au regard humain. Et Miocène avait vu tellement de soleils jaunes. Si elle le souhaitait, elle pouvait mettre en garde les fidèles : dans n'importe quelle circonstance, il ne faut pas confondre une graine et un soleil. Ni en couleur, ni en brillance. L'or est un élément simple, ce que la lumière du soleil n'a jamais été. Jamais au grand jamais.

Mais pourtant…

Ce temple et cette foi durs comme des cailloux n'étaient-ils pas son idée autant que celle de tout le monde ? Elle n'en avait pas ordonné la construction pour des motifs cyniques, faciles. Non, le Temple devait être le fondement du pont futur. Physiquement et plus. Il fallait absolument que les Loyalistes comprennent ce qui allait se passer. S'ils ne pouvaient pas admettre les objectifs visés, ou s'ils se ralliaient à la foi bizarre des Indociles, il était absurde de vouloir s'évader de Marrow. Ce temple ainsi que d'autres plus petits, éparpillés dans la région, étaient voués à devenir des centres d'éducation et de concentration de connaissances. Si les gens avaient besoin de symboles et de métaphores molles pour se construire un consensus, tant mieux. Elle souhaitait seulement que ses petits-enfants cessent de se montrer tellement inventifs et sérieux, tout particulièrement à propos de choses dont ils ne connaissaient presque rien.

L'homme qui marchait en tête ralentit le pas et murmura quelques mots à l'adresse de quelqu'un qui se trouvait au-delà du tournant. Une escouade complète attendait dans la bibliothèque, armée d'armes de gros calibre. Les gardes observaient avec une expression définitivement sceptique un homme jeune habillé de façon ordinaire, coiffé d'une perruque gordienne, qui feuilletait un volumineux manuel technique du vaisseau.

Selon ceux qui l'avaient interrogé, il portait le nom de l'arbre.

« Vertu ».

Miocène le prononça une seule fois, pas très fort. Il parut ne pas l'avoir entendue, les yeux fixés sur le schéma d'un réacteur de fusion dopé à l'antimatière. Au lieu de répéter son nom, Miocène s'installa à l'autre bout de la table et attendit, épiant les yeux gris qui absorbaient les mots essentiels et les lignes élégantes des plans qu'une de ses collègues était allée puiser dans sa mémoire.

Lentement, le transfuge s'aperçut de la présence des nouveaux venus. Il leva les yeux comme s'il émergeait d'un brouillard personnel et dit :

— Oui. Ceci est faux.

— Excusez-moi ? dit Miocène.

— Ça ne marchera pas. J'en suis certain.

Il effleura le coin noir de la page pour passer à une autre. Elle montrait le même réacteur, issu de la même mémoire mais sous un angle différent.

— Le vaisseau conteneur n'est pas suffisamment solide. De moitié.

Comme tant de petits-enfants, c'était un génie difficile.

Miocène leva les yeux et, d'un geste, elle fit signe à ses gardes et aux soldats de la laisser seule avec Vertu. L'administratrice risqua une question :

— Pendant combien de temps aurez-vous besoin de la bibliothèque ? (Elle s'empressa d'ajouter pour justifier son audace :) Des chercheurs des biolabos de Promesse-et-Rêve vont arriver d'un moment à l'autre. Avec un projet prioritaire…

— Faites-les attendre, grommela Miocène.

— Bien, madame.

Vertu déclara à la ronde :

— Je me demande si je peux me fier à un seul mot ici. (Il parlait haut et fort, sans la moindre trace de courtoisie.) Je pensais que j'allais boire à une foutue fontaine de sagesse, ou quelque chose dans ce genre. Mais tout ce que je trouve, ce sont des erreurs. Où que je regarde, il n'y a que des erreurs.

D'un ton humble, la sous-maîtresse répondit :

— Bien. C'est donc une bonne chose que vous soyez arrivé.

Le transfuge se tut, écœuré.

Miocène ajouta à l'intention de ses gardes :

— N'écoutez pas. Attendez. (Avant de s'adresser à l'administratrice :) Descendez. Et dites à tous ces adorateurs que la sous-maîtresse apprécierait un chant long et fort.

— Quel chant ? bredouilla la femme.

— Oh, c'est à eux de choisir.

Le transfuge était un alliage émotionnel : deux parts d'arrogance pour une de peur.

Une combinaison utile.

Assis à une table avec Miocène, il parut se souvenir que le sourire était une expression précieuse. Mais il n'y excellait guère, son sourire n'était qu'un plissement douloureux qui agrandissait brièvement ses yeux gris pâle.

— Je leur ai dit qu'il fallait absolument que je vous voie. Vous et vous seule, aussi vite que possible.

— Madame Miocène.

Il tressauta et demanda sur un ton stupide :

— Pardon ?

Elle se rencogna sur la chaise haute comme si elle était dégoûtée par le spectacle de la créature qu'elle avait en face d'elle.

— Je suis ton unique espoir. Tu ne survivras que si je le permets. Sinon, tu mourras. Et j'estime que j'ai le droit d'entendre mon nom prononcé correctement, lorsque les circonstances l'exigent.

Il avait le regard baissé sur ses mains et répondit d'un ton posé :

— Madame Miocène.

— Merci.

Elle eut un mince sourire avant d'ouvrir lentement, comme avec indifférence, la cassette de chrome de son propre fichier électronique, affectant de lire ce qu'elle connaissait déjà par cœur.

— Selon mes associés, tu as prétendu avoir quelque chose à me dire. Des informations que moi seule dois entendre.

— Oui… Madame Miocène. (Il déglutit avec peine.) C'est en rapport avec notre monde…

— Qui n'est pas le mien, l'interrompit Miocène.

Il acquiesça et attendit. Ses yeux n'auraient pu être plus grands.

Miocène se concentra sur son écran.

— Je lis ici… que tu es le descendant d'une génération de Diu…

— Oui, madame. C'était mon grand-père.

— Et ton père ?

— Till, madame.

Elle leva les yeux, soudain consciente de n'avoir pas noté la ressemblance.

— De nombreux Indociles sont des enfants de Till. Du moins, c'est ce que j'ai cru comprendre.

— Oui, madame.

— Ce qui n'a rien d'honorable, étant donné que vous êtes terriblement nombreux.

— Ma foi, je ne sais pas si j'aimerais… (Il hésita.) Non, madame, je ne crois pas que ce soit un honneur particulier.

Miocène effleura une touche, puis une autre, déroulant les transcriptions et les comptes rendus de chaque interrogatoire. Chaque fois, elle en apprenait plus sur les détails du caractère de cet homme, ou plutôt de son manque de caractère. Aucun d'eux n'était plus fiable que tout ce qui le concernait.

— Ces textes ne sont pas suffisamment précis, selon toi.

Vertu cilla et retint son souffle.

Les âmes sont des alliages fluides. L'arrogance s'effaça en profondeur, remplacée en surface par un sentiment de peur croissant, de plus en plus fort.

— Sont-ils imprécis ou non ?

— Par endroits, je crois. Oui.

— Avez-vous construit un réacteur à fusion comme celui qui figure sur ces schémas ?

— Non, madame.

— Y a-t-il des réacteurs à fusion semblables dans la nation des Indociles ?

— Non.

— Tu en es certain ?

— Non, pas vraiment, reconnut Vertu.

— Et nous ne les avons pas encore construits, avoua-t-elle. Nos centrales géothermiques suffisent à nos besoins très modestes.

Il acquiesça avant de risquer un compliment :

— Madame, cette ville est stupéfiante. On m'a laissé l'entrevoir en venant.

—C'était une erreur de leur part, dit Miocène.

Il accusa le coup, mais elle lui sourit :

—Est-ce qu'il existe des villes aussi grandes chez les Indociles ? Avec un million d'habitants ?

—Non, madame.

—Nous avons réussi à maîtriser quelques astuces merveilleuses. La croûte qui est sous nos pieds est épaisse et solide et nous arrivons à la maintenir en l'état. Les séismes sont diffus ou repoussés. Le fer en fusion est circonscrit dans des zones précises. À l'aide d'évents artificiels, essentiellement.

Il devina ce qu'elle attendait et dit :

—Les Indociles ne disposent pas d'une pareille technologie.

—Vous êtes encore des nomades, à la base. N'est-ce pas ?

Sur le point de répondre, il hésita avant de déclarer d'une voix éteinte :

—Je ne suis plus un Indocile… Madame.

—Mais tu pourrais m'en dire plus à leur sujet, j'imagine.

Il acquiesça à regret.

—Tu sais comment ils vivent. Tu connais leurs technologies. Et peut-être même les buts qu'ils visent.

—Oui. Oui et non, madame.

—Oh vraiment ? Tu ne sais pas ce que veut Till ?

—Pas de façon claire, en tout cas. Mon père… Till, je veux dire, n'a pas vraiment confiance en moi.

Miocène se dit qu'elle avait encore touché la corde sensible.

—C'est probablement pour ça que tu as perdu la foi des Indociles ? Est-ce possible ?

—Je ne suis pas certain de l'avoir jamais eue.

—Tout ce bruit qu'ils font à propos des Constructeurs, des Mornes et des esprits anciens enfermés dans leurs cercueils d'hyperfibre ?

—À vrai dire, j'ignore ce qu'il en est vraiment.

Elle le regarda avec un mélange de suspicion mêlée de fascination.

—Tu pourrais donc croire à tout ça. Je veux dire, si les circonstances venaient à changer.

L'arrogance refit surface. Tranquillement, mais avec colère, il demanda :

—Est-ce que vous ne changeriez pas d'idées si vous découvriez que vous vous êtes trompée ?

—Si je me souviens bien, c'est toi qui as demandé à être conduit jusqu'ici. Et précisément jusqu'à ce temple. Je ne peux qu'en conclure que tu as décidé de voir le Grand Vaisseau par toi-même et qu'à cette noble fin, tu désires participer à notre sainte mission…

—Non, madame.

Miocène feignit la surprise, puis le dégoût. Avec la même colère sereine que le transfuge, elle demanda :

—À quoi crois-tu donc ?

—À rien.

Il semblait méfiant, mais à la façon d'un enfant trop imbu de lui-même, trop impressionné par le fil tranchant de son cerveau exceptionnel.

—Je ne sais pas pourquoi Marrow est là et encore moins qui l'a construite. Ni pourquoi. Et je suis absolument convaincu que personne n'a la réponse à ces questions.

—Les artefacts?

—Il existe une autre explication évidente à leur sujet.

Elle ne désirait pas écouter des spéculations sans fondement. Ce qui importait avant tout – ce qui était urgent et vital – c'était de s'assurer des véritables talents de ce jeune homme taciturne. Elle eut un grognement de mépris avant de demander d'un ton ferme:

—Je n'ai pas d'emploi pour les chercheurs des Indociles. Nous avons déjà accueilli quelques déserteurs, au fil des siècles, et la règle veut que vous ayez tous été mal formés. Sans imagination. Et vous vous appuyez sur les noms de vos pères déments.

—J'ai été bien formé, répliqua Vertu, animé soudain d'une fièvre inattendue. Et je suis extrêmement imaginatif. Et je ne me sers pas du nom de votre fils à mon avantage!

Elle lui décocha un regard lourd de scepticisme.

—Vous ne comprenez pas les risques que j'ai pris pour vous? aboya-t-il. Pour vous et tous les autres?

Avant de se dominer. En grommelant, il rouvrit le livre d'un geste nerveux, comme si l'une de ses pages imparfaites et compliquées pouvait l'aider à défendre sa cause. Il expliqua alors d'un ton furieux mais plus doux:

—J'étais chef des fouilles dans le laboratoire principal de recherche de la Grande Caldera. En secret, j'ai appris comment voler. Seul. Et j'ai dérobé l'un des drones-ptérosaures les plus rapides, J'ai volé jusqu'à quelques centaines de kilomètres de la frontière. J'ai été pris dans un orage et j'ai sauté. J'ai abandonné le ptérosaure qui a dû être abattu. Sans armure ni parachute, je suis tombé à travers la canopée. Quand mes jambes ont été à nouveau valides, j'ai couru jusqu'à ce point de rendez-vous de merde que vous aviez fixé. Je voulais vraiment me retrouver ici, grand-mère. Madame Miocène. Et je me fous du nom que vous souhaitez qu'on vous donne!

—C'est une rude aventure, apprécia Miocène. Ce qui me manque cependant, c'est la motivation.

Il s'installa dans le silence.

—Chef des fouilles, répéta-t-elle. Qu'est-ce que vous cherchiez dans la Grande Caldera?

—De l'énergie.

—Géothermique?

—Pas vraiment. Il y a toujours eu un problème et les deux nations le savent bien. Il y a beaucoup d'énergie dans ce secteur. Assez pour illuminer le ciel, pour compresser un monde et le maintenir en place. Une énergie qui dépasse de loin la fission. Ou même la fusion normale. Les plus grands capitaines ne parviennent pas à expliquer cela.

—Des réacteurs antimatière secrets ? suggéra Miocène.

—Oui, quelque chose de dissimulé, acquiesça Vertu.

Il arracha un poil de sa perruque et le suça un instant avant de le recracher.

—Je dirigeais les fouilles dans les zones plus profondes.

—De Marrow ?

Il hocha brièvement la tête.

—Je cherchais vos réacteurs cachés, je suppose.

—Tu ne savais pas ce que tu devais trouver ?

Il leva ses yeux gris sur elle. Brillant de colère.

—Je le sais. Vous pensez que je suis difficile et vous n'êtes pas seule à le penser, croyez-moi.

Miocène ne répondit pas.

—Mais, entre nous, qui est le plus difficile ? Vous avez vécu sur Marrow depuis trente siècles, en gouvernant une minuscule région de ce que vous croyez être un monde minuscule. Vous prétendez que seuls vous et les autres capitaines comprenez la beauté et la vastitude de ce grand Univers, tandis que votre fils et les autres Indociles ne sont à vos yeux que des idiots parce qu'ils racontent des histoires simples qui expliquent tout à demi et font de nous les rois ressuscités de l'Univers…

» Nous ne sommes pas des rois. Et je ne crois pas qu'une vieille femme arrogante telle que vous comprenne vraiment l'Univers. Il est vaste, glorieux, et presque sans limites, c'est vrai, mais quelle minuscule fraction en avez-vous vue durant votre petite existence ?

Miocène ne quittait pas son regard, sans rien dire.

—Moi, j'observais l'intérieur de Marrow. Les Indociles ont une écoute sismique plus grande, plus sensible que la vôtre. Étant donné que la plus grande partie de ce monde leur appartient, après tout. Et qu'ils croient pouvoir vivre avec les séismes, plutôt que de les désamorcer.

—Je connais votre dispositif d'écoute, dit Miocène.

—À partir de trois mille années de données, j'ai construit une image précise et détaillée de l'intérieur.

Une expression de ravissement apparut dans ses yeux gris, avant de se diffuser dans son visage ascétique.

—L'arrogance, dit-il une fois encore avec dégoût. Si j'en crois ce que vous prétendez, vous avez été aux commandes du Grand Vaisseau pendant une centaine de millénaires avant de prendre conscience de la présence de Marrow. Vous êtes ici depuis trois autres millénaires et il ne vous est pas apparu une seule fois que les mystères persistent ? Qu'il y a *quelque chose* qui se cache également dans les profondeurs de Marrow ?

183

Soudain, Miocène entendit les chants lointains, étouffés par les murs et l'escalier en spirale, les voix âpres et violentes, belles à leur manière.

— Et il s'agit de quoi? demanda-t-elle.

— Je n'en ai pas la moindre idée.

— C'est grand?

— Cinquante kilomètres, approximativement. (Vertu suça encore une tresse de sa perruque et ajouta :) Je veux absolument savoir ce que c'est. Donnez-moi les moyens et une équipe et je pourrai déterminer si les arcs-boutants sont alimentés à partir de là-bas.

Miocène inspira une fois, puis deux. Avant de dire au transfuge, tranquillement, sincèrement :

— Ceci n'est pas une priorité. Même si cette question est intéressante, elle devra attendre.

Il ferma ses yeux gris et riposta d'un ton coléreux :

— C'est exactement ce que Till m'a dit, merde. Mot pour mot.

Lorsqu'il rouvrit les yeux, il découvrit le laser que la sous-maîtresse serrait dans sa main droite.

— Hé, attendez! gémit-il.

Miocène visa d'abord la gorge avant d'abaisser son tir. Puis elle se leva, contourna la table et acheva le massacre, avec précision et délicatesse. Il ne resta qu'un visage et un esprit, une bouche ouverte sur un cri silencieux. La puanteur de chair et de cheveux grillés monta dans l'air, détestable. Rapidement, elle ouvrit une besace et y jeta la tête. Avant de remonter entre les étagères de livres jusqu'au garde qui attendait selon ses ordres, hors de portée de voix.

Il prit la besace sans commentaire.

— Comme d'habitude, dit Miocène.

Le garde acquiesça et disparut par l'issue de secours. L'interrogatoire du transfuge n'avait fait que commencer et, s'il s'avérait fructueux, il serait ressuscité dans une vie nouvelle, infiniment plus productive.

Miocène prit son temps pour remettre le dossier électronique en place et ajouter une fiole de cendres à la pile – très exactement ce qu'il resterait de la tête d'un homme. Elle prit ensuite le livre qui avait tellement troublé son petit-fils et, obéissant à une soudaine impulsion, elle le rouvrit à la page du réacteur. Elle prit alors conscience que Vertu ne s'était pas trompé. Et elle ajouta une note pour les futurs étudiants avant de replacer le volume à la place qui était la sienne.

L'administratrice l'attendait dans l'escalier.

Les mains croisées dans sa robe ample, elle leva les yeux vers la sous-maîtresse et risqua une question :

— Est-ce qu'il…

Elle devina alors la mort, ou bien elle l'entrevit descendant les marches en compagnie de Miocène.

— Quoi? bredouilla-t-elle, soudain très agitée.

— Le transfuge était un espion, répliqua Miocène. Une tentative transparente pour introduire un agent dans notre milieu.

— Mais le tuer… Comme ça, dans le Temple !

— Selon moi, il n'y a pas de lieu mieux approprié. (Miocène l'écarta et ajouta :) Vous pouvez nettoyer. Je vous en serai reconnaissante, de même que je souhaite que vous ne mentionniez pas ce qui s'est passé ici à quiconque.

— Oui, madame, couina faiblement la femme.

Miocène se retrouva à nouveau dans le couloir, avec les murmures des voix discordantes qui chantaient le pont qui serait bientôt construit, avec tout ce qu'il apporterait. Sans raison précise, il lui parut soudain important de s'avancer dans la pièce, face aux rangées d'adorateurs.

C'était à la fois charmant et glaçant de constater avec quelle facilité, sans le moindre effort, les enfants adhéraient aux paroles tout en rêvant à d'autres mondes. Miocène promena son regard sur les visages souriants, illuminés, et ne discerna que la croyance la plus pure. Pourtant, ces gens ne connaissaient rien des mondes qui existaient au-delà du leur. Aucun d'eux n'avait parcouru jusqu'au bout la plus petite coursive, encore moins découvert la beauté, la majesté de la Voie lactée. Ils chantaient pour cette grande quête du retour vers le monde d'en haut, prêts à tous les sacrifices pour dépasser leur simple ciel d'argent. Un ciel pur, si l'on exceptait cette tache sombre loin au-dessus : le camp de base, depuis si longtemps abandonné.

Tout comme le vaisseau ?

Des milliards de gens avaient peut-être péri, mais peu importait à Miocène. Elle détestait l'idée que son peuple, suivant ses instructions raisonnables, avait déclenché un piège élaboré et ancien, qui aurait provoqué la mort de tous les organismes qui vivaient en haut. Mais ce qui avait été une horreur était désormais de l'Histoire, lointaine, obscure. Comment pouvait-elle accepter qu'on lui reproche ce qui avait sans doute été inévitable ?

Le vaisseau était peut-être mort, mais elle était assurément vivante.

Pour le plaisir de milliers de fidèles, celle qui représentait pour eux ce qu'il y avait de plus grand, se joignit à leur chant. D'une voix puissante, décidée, ignorant ses défaillances mélodiques.

La foi leur est si facile, se dit-elle, savourant son mépris.

Et, tout en louant la douce lumière des étoiles de classe G, elle s'interrogea secrètement :

Mais si c'est la même chose pour les grandes âmes ?

Elle réfléchit un instant.

Je crois à quoi, trop facilement et trop bien ?

Vingt-deux

Le fer refroidi était parfois agité sans signes précurseurs. Les vieilles failles ne se déplaçaient jamais rapidement, ni très loin, et ne causaient que rarement des dommages, sans laisser de séquelles durables. Les dispositifs d'amortissement des secousses absorbaient l'énergie de chaque événement et la pompaient dans le réseau principal. En un sens, les séismes étaient un bienfait. Mais les événements non prévus avaient la fâcheuse habitude d'interrompre le sommeil profond d'un certain capitaine. Washen s'éveillait soudainement, ses rêves tournant encore en spirale en quelques instants délicieux avant qu'elle devienne lucide.

Le séisme du matin se prolongeait. Encore allongée, elle sentit les secousses s'atténuer lentement et s'accorder lentement au rythme de son cœur.

Le calendrier indiquait 4611.277.

Les rideaux transparents qui avaient été taillés pour ressembler à des ailes de délimouche pendaient dans la clarté anémique, illuminant discrètement la chambre où elle dormait depuis six siècles. Les murs d'acier lambrissés de bois d'ombra conféraient à la pièce une impression de solidité rassurante. Le plafond était hérissé de crochets, de plantes en pot et de petites maisons de bois grises et poussiéreuses où des délimouches domestiquées venaient se loger et faire l'amour. Cette espèce adorable avait été rare dans les jours lumineux et torrides qui avaient suivi l'Événement, mais elle était devenue plus abondante au fur et à mesure que les arcs-boutants diminuaient – selon un cycle qu'on présumait de plusieurs millénaires. Au département de génétique de Promesse-et-Rêve, deux enfants étaient parvenus à manipuler leurs couleurs et leur taille jusqu'à produire des organismes géants à l'allure de papillons aux ailes complexes et multicolores. Chaque Loyaliste semblait avoir son propre élevage. Et comme la nation comptait vingt millions de foyers, les deux inventeurs en tiraient un profit enviable et régulier.

Washen s'assit dans son lit et les délimouches l'accueillirent. Dans la douce pénombre, elles se posèrent sur ses épaules, dans ses cheveux, en se régalant du sel de sa peau, en lui offrant leurs parfums subtils en échange.

Elle les chassa d'un geste paisible.

Sa vieille horloge était toujours sur la table de chevet. Si elle en croyait les aiguilles à la course lente, elle pouvait dormir encore une heure. Toutefois, son corps ne l'entendait pas ainsi. Pendant que son uniforme miroitant l'habillait, elle se souvint de son réveil et de la secousse. Elle consacra quelques instants à tenter de reconstruire son dernier rêve. Mais il lui échappait déjà, ne laissant rien d'autre qu'une vague inquiétude.

Ce n'était pas la première fois que Washen avait le sentiment qu'elle pouvait construire un univers à partir de ses rêves perdus.

— C'est peut-être vraiment ce à quoi ils sont destinés, chuchota-t-elle à ses mouches favorites. Quand mon univers s'achèvera, je le suivrai.

Avec un rire doux, elle coiffa sa casquette miroitante.

Voilà.

Son petit déjeuner était prêt : bacon poivré sur du cake grillé, le tout largement arrosé de thé brûlant. Quelques siècles auparavant, en réponse aux plaintes des capitaines, Promesse-et-Rêve avait cultivé des aliments familiers dans ses cuves génétiques : des steaks acceptables, de solides pièces de viande. Mais c'était là un projet mineur, peu coûteux et qui avait été achevé très rapidement. Plutôt que de régénérer les schémas génétiques des bovidés et des ours, les deux enfants des labos avaient utilisé l'unique source de chair : les humains. En trafiquant les gènes afin de produire une chair qui n'avait rien d'humain. Pas plus en texture qu'en goût. Ni, on pouvait l'espérer, en esprit.

Mais ce qui restait secret, c'était le type de capitaine qui servait de modèle. Les rumeurs persistantes désignaient Miocène – une possibilité qui pouvait s'expliquer par la popularité du ravitaillement, aussi bien chez les capitaines que chez certains de ses petits-enfants.

Washen disposait d'une heure d'avance et elle prit son temps, mangea lentement et consulta les informations : aucune n'offrait un intérêt particulier. Elle sortit dans la grande cour de sa maison et emprunta le chemin dallé de fer aux nuances chaudes de rouille, où des touffes de cheveux-gris et de triste-parfum poussaient dans les failles.

Elle s'intéressait depuis peu au jardinage. Son amant de longue date, Pamir, avait été un jardinier accompli. Quelles avaient été ses fleurs préférées ? La llano-vibra, bien sûr. S'il vivait encore, où jardinait-il ? Ce vieux bandit ne serait-il pas étonné de voir son ambitieuse maîtresse à genoux, en train de soigner de ses mains nues les herbes noirâtres du fer ?

Les arcs-boutants faiblissaient, le ciel avait pris une apparence crépusculaire et l'écosystème de Marrow continuait à se transformer. Les espèces propres à l'obscurité, qui vivaient dans les cavernes et les jungles profondes n'étaient plus seulement abondantes, mais gigantesques. Comme les cœurs d'elfe que Washen avait au milieu de son jardin. Une espèce qui vous arrivait à hauteur de hanche quand elle poussait à l'ombre était devenue un arbre robuste au tronc d'un mètre de diamètre, au feuillage violet sombre et à l'odeur dense, avec des feuilles géantes et des fleurs qui se fondaient en une structure complexe fertilisée par les délimouches avant de former un fruit opulent, une sphère noire au goût délicieux, puissant et un peu toxique.

C'était pour leur senteur, leur apparence quasi terrestre et pour les mouches environnantes que Washen aimait ces arbres.

Elle les cultivait depuis des décennies, depuis qu'un amant adolescent s'était laissé prendre dans ce verger. Encore et encore.

Plus loin, le verger aboutissait à des marches qui descendaient vers le lac Dormant. Il n'y avait pas de plan d'eau plus ancien sur ce monde. Cette croûte de fer devait exister depuis mille cinq cents ans : l'héritage du génie des capitaines, de leur entêtement. Ou de leur obsession de l'ordre ?

Le lac ancien était paisible, parsemé de plaques de rouille et de plancton rougeâtre. Il était dominé par le mur de la chambre, comme un plafond d'acier, qui semblait assez proche pour qu'on le touche. Mais, bien sûr, ce n'était que pure illusion. L'atmosphère de Marrow se terminait à cinquante kilomètres de ce mur. Les arcs-boutants rayonnants régnaient encore au-dessus du monde boursouflé. Ils restaient dangereusement puissants, si ce n'est considérablement minces. Dans les quelques trois cents années qui suivraient, ils s'aminciraient encore pendant que Marrow se dilaterait. Selon les prévisions et toutes les courbes graphiques, les arcs-boutants seraient à leur minimum tandis que l'atmosphère commencerait à lécher le mur de la chambre.

À terme, les capitaines seraient en mesure de monter jusqu'au camp de base, au tunnel d'accès et, s'il ne s'était pas écroulé, ils pourraient regagner la vastitude du vaisseau. Qui n'était probablement plus qu'une épave, désormais. Assurément. Des millénaires d'interrogation ne leur avaient donné aucune explication logique de leur longue et absolue solitude. Trois siècles de plus ne changeraient certainement pas ce sinistre constat.

Washen souleva le couvercle d'argent de sa montre ancienne qu'elle adorait, décidant que dans la grande marche des siècles elle avait encore quelques moments à gaspiller.

Les antiques arbres de vertu assoiffés de lumière avaient fourni les planches qu'on avait fixées aux poutrelles d'acier inoxydable qui maintenaient le quai de Washen. Elle alla jusqu'à l'extrémité, heureuse du claquement de ses bottes sur le bois. Un minuscule essaim de larves d'aile-marteau se dispersa à son approche avant de revenir, peut-être en quête d'une aumône à grignoter, les nageoires clapotantes. Les gros yeux à facettes discernaient la silhouette d'une humaine sur le fond du ciel d'hyperfibre. Washen referma sa montre et le claquement fit s'enfuir les insectes paniqués. Il ne resta d'eux que des tourbillons d'eau rouge.

Le lac Dormant était ancien et, selon les normes de Marrow, il était appauvri, sénile. Un écosystème fondé sur des changements fréquents et radicaux n'appréciait guère la stabilité et un millier d'années d'eutrophisation.

Washen glissa la montre avec sa chaînette de titane dans une poche et son rêve lui revint. Tout soudain, sans le moindre signe avertisseur, elle se rappela qu'elle avait été ailleurs. En altitude, non ? Sans doute tout en haut du pont, ce qui semblait logique, puisqu'elle y travaillait chaque jour. Mais, elle ne savait pourquoi, cette explication ne lui semblait pas juste non plus.

Et il y avait quelqu'un d'autre dans son rêve.

Qui, elle n'aurait su le dire. Elle avait entendu une voix, claire et forte, lui déclarer avec une infinie tristesse :

— Ce n'est pas ainsi que cela devrait être.

— Qu'est-ce qui ne va pas ? avait-elle demandé.

— Tout. Vraiment tout.

Et elle avait alors contemplé Marrow. Elle lui était apparue plus vaste qu'aujourd'hui, enveloppée de lacs en feu et de rivières de fer en fusion. Mais était-ce vraiment du fer ? Aux yeux de Washen, la brillance était différente… même si elle ne pouvait trouver une réponse dans les indices dispersés et vagues qu'elle avait en mémoire.

— Tout, cela signifie quoi ?

— Tu ne vois donc pas ? répondit la voix.

— Mais qu'est-ce que je devrais voir ?

Elle n'entendit aucune réponse et elle se détourna, essayant de voir son compagnon… Et elle vit… quoi ?

Rien ne lui vint à l'esprit, si ce n'est le sentiment étrange et excitant de tomber d'une hauteur immense.

Sa pétaradante avait besoin d'une petite opération.

Avec le temps et les rudes routes de fer, elle avait perdu une bonne partie de sa suspension et son moteur à turbine unique émettait maintenant une plainte pénible. Mais Washen n'était pas parvenue à faire réparer tout ça. Le véhicule roulait encore et il était évident que tous les ateliers de mécanique de la capitale avaient des priorités, qui oubliaient les moyens de transport particuliers. Selon les instructions de Miocène, tous les appareils assignés directement au service du pont ne pouvaient être utilisés pour des déplacements personnels. Washen aurait pu faire valoir son statut – n'était-elle pas un élément vital de cette entreprise héroïque ? – mais elle avait quelque peine à demander des faveurs.

Depuis six cents ans, à de rares exceptions, elle empruntait cet itinéraire dans la métropole. Sa route privée menait à une autoroute qui la conduisait directement jusqu'aux quartiers plus anciens, à la population dense. Les immeubles de cinquante étages se dressaient au-dessus des inévitables parcs, et le feuillage noir dominait les équipements de jeux et les hordes d'enfants frénétiques et hurlants. Toutefois, les demeures particulières, les pavillons et les bungalows perchés sur les arbres de vertu affaiblis soulignaient la folle diversité de la population qui vivait selon ses goûts. Il n'y avait pas deux architectures semblables, y compris dans les immeubles plus hauts. Et les temples ne pouvaient être confondus : ils n'avaient en commun que leurs dômes et une certaine majesté.

Les sentiments de Washen à l'égard de cette foi étaient complexes et changeants. D'année en année, au fil des moments, elle considérait Miocène comme un leader cynique; cette religion était aussi artificielle que toutes les autres qu'elle avait rencontrées, mais aussi bien moins belle. Mais il fallait compter aussi avec ces moments inattendus, passagers, où les hymnes et l'apparat prenaient soudain un sens parfait.

Un charme éthéré se dégageait parfois de ce fatras bizarre.

Mais le vaisseau, lui, était réel. L'objet de l'adoration des fidèles était une machine extraordinaire, stupéfiante, qu'elle soit déserte ou non. Elle sillonnait un univers merveilleux. Et, même après cet isolement tellement long, le capitaine éprouvait un sentiment de devoir intense envers cette sphère de rocher froid et d'hyperfibre.

La route suivie par la pétaradante s'élargit avant de s'évaporer dans le quartier central.

Trois gratte-ciel de cent étages se dressaient à partir de la solide plate-forme au sol. Les charpentes d'acier étaient percées de fenêtres en acrylique et leurs fondations antifriction étaient à l'abri des secousses. Le centre administratif avait été conçu selon une logique différente. Fait de titane et de céramiques dures, il ressemblait à une gigantesque boule de pissenlit – sans aucune ouverture sur le monde extérieur, avec une base renforcée de cent façons, des murs blindés hérissés d'armes cachées. On n'évoquait jamais l'ennemi, mais ce n'était guère un secret. Un assaut des Indociles était la crainte paranoïde absolue de Miocène, même si elle n'avait pas la moindre preuve à avancer. Pourtant, Washen elle-même partageait cette peur, certains jours. Elle n'était pas vraiment fière de ces murs imprenables, mais ils ne l'irritaient pas pour autant.

Au-delà de la boule de pissenlit, il y avait les six dômes du Grand Temple. Et au centre, très exactement sous le camp de base abandonné, le seul édifice qui importait à la nation loyaliste.

Le pont.

Guère plus large qu'un gratte-ciel, gris pâle sur le fond d'argent du ciel, la structure semblait se perdre à l'infini au premier regard. Selon les standards du vaisseau, sa coque d'hyperfibre était de qualité inférieure. Néanmoins, le moindre gramme de cette matière avait coûté une fortune, produit dans des fabriques immenses qui n'avaient aucune autre fonction. Il était vrai que la plus grande part de l'hyperfibre était rejetée comme inapte, même pour les besoins les plus simples. Mais atteindre ce stade modeste était une réelle performance. Aasleen et ses équipes avaient accompli des miracles. Malgré le manque d'éléments essentiels, on était parvenu à créer des tonnes d'hyperfibre, goutte à goutte, et les équipes supervisées par Washen avaient lentement et prudemment déversé ces millions de gouttes dans des moules. C'est ainsi que le pont s'était élevé jour après jour. D'un bon mètre dans une très bonne journée.

— Je sais que je demande trop, avait reconnu Miocène en de nombreuses occasions. Si on ralentissait, nos petits-enfants connaîtraient des heures moins dures. Mais il ne s'agit que d'efforts, pas de vies. Et je veux que notre peuple voie que toutes les énergies sont dirigées vers quelque chose de fondamental. Quelque chose que chacun pourra toucher, escalader – avec notre consentement – et voir se développer de ses yeux.

Ce qui ne frappait pas au premier regard était en fait d'une hauteur stupéfiante, et même pour une vieille femme qui avait contemplé bien des merveilles, il émanait du pont une magnificence qui chaque fois la faisait frissonner et plisser les yeux. Il dominait tous les gratte-ciel des environs. Même si on les empilait les uns sur les autres, pour se perdre dans la stratosphère. Si les techniciens n'ajoutaient pas un centimètre, l'expansion de Marrow soulèverait la structure jusqu'à ce qu'elle arrive au niveau de l'ancien pont, et alors ils pourraient s'évader.

Mais cela posait un problème.

Washen avait toujours douté des arguments de Miocène. La population avait peut-être besoin de quelque chose de tangible. Mais les colons n'avaient-ils pas toujours été merveilleusement motivés par les charmes abstraits du vaisseau mythique ? Et ce projet devait être achevé aussi tôt que possible, quels que soient son prix et les privations nécessaires. Toutefois, le pont qui montait dans le ciel avait sa base sur une île de fer, et le fer dérivait sur un océan lent et ancien. Des jets de métal en fusion jaillissaient sous eux, et chaque jet entrait en conflit avec les plus proches. La chaleur et le mouvement se livraient à un jeu sans trêve. Il était vrai que les équipes d'apaisement étaient parvenues à contrôler les jets, à les forcer à annuler les effets réciproques des chocs. Les dérives sur dix mètres au nord ou soixante à l'est étaient des problèmes faciles à résoudre. Mais il faudrait encore maîtriser les forces tectoniques durant trois siècles et les difficultés ne feraient qu'empirer. La croûte agissait comme une couverture et la chaleur prise au piège ne pouvait qu'augmenter. Le niveau du métal fondu montait de plus en plus vite et, comme chaque fluide qui doit bouger, le fer persisterait dans sa poussée.

— Il est trop tôt, avait déclaré Washen à la sous-maîtresse. La vieille femme, depuis quelques siècles, était devenue une recluse. Elle avait ses propres appartements raffinés entre les usines et le pont. Elle régnait avec des messages et des chiffres. Les murs tapissés d'hyperfibre de rebut dissimulaient tout signe de vie et il arrivait qu'une année entière s'écoule avant que les deux femmes se retrouvent face à face. Miocène ne se montrait que pour le festin annuel de la sous-maîtresse. C'est là que Washen lui demanda sans détour :

— Et si Marrow dévie complètement le pont de son alignement ?

Mais Miocène était tenace.

— D'abord, ça ne se produira pas. Est-ce que nous n'avons pas la situation bien en main depuis ces derniers milliers d'années ?

Oui, mais avec la chaleur emprisonnée qui montait constamment.

— Ensuite, est-ce que vous êtes responsable de tout ça ? Non, ce n'est pas le cas. En fait, vous n'avez accès à aucune décision essentielle. (Miocène secoua la tête, froide et agitée à la fois.) Je vous ai confié un rôle dans la construction du pont, Washen, parce que vous savez motiver nos petits-enfants mieux que quiconque. Et parce que vous tenez à prendre vos propres décisions sans déranger tous les jours vos supérieurs.

Oui, Miocène ne voulait plus qu'on la dérange.

Des rumeurs circulaient concernant son ermitage. Elles étaient tristes, sans surprise. Si l'on en croyait certaines, Miocène ne vivait pas du tout en solitaire. Elle s'était entourée d'un groupe secret de petits-enfants dont l'unique fonction était de la distraire, sexuellement et d'autres façons. C'était une histoire grotesque mais qui n'avait pas varié depuis des siècles. Que disait-on autrefois ? « Si vous répétez souvent un mensonge en le racontant bien, alors la vérité n'a plus qu'à changer de visage. »

D'un bond violent, Washen s'engouffra dans le garage principal.

Le Grand Temple était ouvert au public en permanence. Du garage en sous-sol jusqu'à la bibliothèque ancienne, elle se retrouva au milieu de la foule des fidèles venus de la ville et de toutes les régions de la nation loyaliste. Une dizaine de pèlerins souriants venus d'Happens River s'étaient présentés avec un énorme buste en nickel de Miocène. L'administratrice avait dû leur dire d'un ton troublé, attristé, qu'elle les remerciait mais que tous les dons devaient être enregistrés au préalable.

— Vous me comprenez ? Mais encore une fois merci. Comment empêcher ce lieu de devenir un débarras ? Avec toute cette dévotion qui s'affiche, est-ce que nous ne devons pas appliquer une procédure ?

Il y avait de nombreuses voies d'accès au pont.

Généralement, elles étaient souterraines, blindées et systématiquement verrouillées. Washen préférait emprunter la petite porte située à l'arrière de la bibliothèque. Les mesures de sécurité étaient importantes, minutieuses mais subtiles. Pour convaincre les visiteurs de l'impossibilité de s'emparer de l'ouvrage, des gardes armés s'affichaient ostensiblement, le regard vigilant. Même les capitaines de haut grade étaient scrutés avec une méfiance glaciale.

Par deux fois, sur vingt mètres, Washen fut scannée et enregistrée.

Elle atteignit un ascenseur secondaire, signa le registre et laissa un autodoc prélever un échantillon de son tissu cellulaire et un peu de son sang.

D'un air confiant, le garde le plus proche la salua :

— Bonjour, madame Washen.

— Salut, Golden.

Depuis vingt ans, sans défaillir, sans se plaindre, l'homme avait été à ce poste, surveillant les allées et venues des milliers d'ouvriers habiles et déterminés. Derrière son visage carré et son nom, il ne semblait posséder aucune identité propre. Quand Washen l'interrogeait sur sa vie, il évinçait la question. C'était un jeu entre eux. Du moins pour Washen. Toutefois, aujourd'hui, elle n'avait pas envie d'y participer. En signant la feuille de plastique, elle se souvint de son rêve et se demanda pourquoi il la hantait à ce point.

— Bonne journée, madame.

— Vous aussi, Golden. Vous aussi.

Washen entra dans la cabine qui l'emporta jusqu'en haut du pont. Un autre garde au visage carré l'accueillit avec un salut bref et lui annonça la nouvelle importante de la journée :

— La pluie arrive, madame.

— Bien.

Les seules fenêtres du pont se trouvaient là. C'était une série de hauts panneaux de diamant qui s'ouvraient sur le vide partiel de la stratosphère. Sous le ciel d'hyperfibre, une faible clarté bleutée filtrait de nulle part. La ville était à cinquante kilomètres en contrebas, avec son cercle de fermes, de volcans endormis et de vieux lacs rouges qui se déployaient jusqu'à l'horizon comme s'ils faisaient pression contre les murs de la chambre.

Vue d'ici, Marrow avait l'aspect d'un lieu éloigné. Une vue que tous les capitaines appréciaient.

Comme annoncé, un front de tempête dérivait vers la ville. Les nuages les plus élevés étaient complexes, propres et blancs, avec des formes somptueuses, constamment tourmentés et restructurés par les vents qui les rendaient plus beaux encore. Mais, plus bas, ils n'étaient guère que de légères bouffées. Au fur et à mesure que les arcs-boutants faiblissaient, les orages se faisaient moins fréquents, moins violents. Sans lumière, sans abondance d'eau pour les nourrir, ils avaient tendance à se dissiper et à disparaître aussi vite qu'ils se formaient.

Avant trois siècles au plus, Marrow serait plongée dans les ténèbres.

Pour combien de temps ?

Une journée de vaisseau, peut-être. Ou même vingt années. L'une et l'autre estimation étaient viables, mais nul ne pouvait en être certain. Chaque espèce indigène avait un réservoir de gènes non exprimés. Et, en laboratoire, les gènes s'éveillaient, permettant ainsi à la végétation et aux insectes aveugles de plonger dans une hibernation durable.

On supposait que les arcs-boutants allaient disparaître. Ou, du moins, diminuer jusqu'à des niveaux négligeables. Les Loyalistes pourraient alors escalader ce merveilleux pont qu'ils avaient bricolé pour rallier le camp de base, et le vaisseau, bien au-delà.

Par courtoisie, en bonne compagnie, nul ne discutait de ce qui pouvait se trouver au-dessus de ce point. Depuis quarante-six siècles, les mêmes théories prévalaient. Et toutes les autres explications qui avaient été avancées depuis, qui avaient été débattues en profondeur, avaient terminé dans une tombe profonde.

Ce qui avait été, était.

C'est ce que dit Washen en entrant dans son petit bureau spartiate et en s'installant devant les contrôles de son IA à l'esprit étroit.

— Ce qui est, est.

Comme chaque matin, elle laissa son regard errer vers la fenêtre de diamant. Le pont était peut-être trop vaste, trop immédiat, mais il restait une merveille d'ingénierie, d'inventivité appliquée. Parfois, dans la partie la plus secrète de son esprit, Washen souhaitait que sa construction se poursuive avec ses petits-enfants.

Ne serait-ce que pour montrer à l'Univers tous ces trésors dont elle était tellement fière.

— Madame Washen ?

Elle cilla, surprise.

Son nouvel assistant était sur le seuil. C'était un personnage à l'air décidé, sans âge précis. Il semblait perplexe – ce qui était rare chez lui – à la fois confus et curieux.

— Notre tour de garde s'achève.

— Encore cinquante minutes, répliqua-t-elle en repoussant son rapport quotidien.

Washen avait conscience de l'heure, mais elle avait l'habitude de consulter sa montre d'argent aux aiguilles lentes.

— Il nous reste quarante-cinq minutes et quelques secondes.

— Non, madame.

Il tira nerveusement sur ses tresses gordiennes avant de défroisser machinalement le tissu bleu de son uniforme.

— On vient de me le dire, madame. Tout le monde doit évacuer immédiatement la passerelle en empruntant tous les puits à l'exception du Principal.

Washen consulta les données.

— Je ne vois aucune trace d'ordre.

— Je sais

— Est-cc un exercice ?

Il y avait des exercices, de temps en temps. Si la croûte s'affaissait, ils ne disposeraient que de quelques instants pour évacuer les lieux.

— S'il s'agit d'un exercice, il nous faut un système plus efficace que de vous laisser traîner dans le coin en tapotant sur l'épaule des gens.

— Non, madame. Il ne s'agit pas de cela.

— De quoi, alors ?

— Miocène, bredouilla-t-il. Elle m'a contacté personnellement sur une ligne à haute sécurité. J'ai obéi à ses instructions, retiré les équipes de construction et placé nos robots en mode sommeil.

Washen ne dit rien. Elle réfléchissait intensément. Avec une irritation visible, son assistant ajouta :

— C'est très mystérieux. Pour tout le monde. Mais la sous-maîtresse adore les secrets, je suppose donc que…

— Pourquoi ne m'en a-t-elle pas parlé ? le coupa Washen.

Il eut un haussement d'épaules désabusé.

— Est-ce qu'elle vient ici ? Par le puits Principal ?

Il acquiesça.

— Qui est avec elle ?

— J'ignore s'il y a quelqu'un d'autre, madame.

Le Principal était le puits le plus large. Chaque cabine pouvait contenir aisément cinquante capitaines.

— J'ai déjà regardé, avoua son assistant. Ce n'est pas une cabine normale.

Washen repéra l'élément en approche sur ses moniteurs et tenta de réveiller une section de caméras. Aucune ne répondit à ses ordres.

— La sous-maîtresse m'a demandé de déconnecter les systèmes de surveillance, madame. Mais j'ai pu entrapercevoir la cabine, par chance. (Il grimaça.) C'est un objet massif si j'en juge par sa consommation en énergie. Je dirais qu'il a une coque exceptionnellement épaisse. Sans doute aussi quelques embellissements que je ne suis pas vraiment parvenu à déterminer.

— Des embellissements ?

Il jeta un coup d'œil sur sa montre, comme s'il était pressé de partir. Toutefois, il était également fier de son courage et expliqua avec un sourire :

— La cabine est revêtue de dispositifs semblables à des tubes. Ça lui donne l'aspect d'une boule de corde.

— De corde ?

Avec un accent d'humilité, il reconnut :

— Je ne comprends pas vraiment ce dispositif.

Ce qui voulait dire en clair : expliquez-moi, madame.

Mais Washen ne lui expliqua rien. Elle dévisagea son assistant – l'un des plus loyaux parmi les enfants des capitaines, qui avait fait largement ses preuves dans toutes les occasions – haussa les épaules, inspira en secret et mentit :

— Moi non plus, je ne comprends pas. (Puis, comme mue par une arrière-pensée, elle ajouta :) Est-ce que l'on aurait mentionné mon nom, par hasard ? Je veux dire, pendant la conversation que vous avez eue avec Miocène.

— Oui, madame. Elle voulait que je vous dise de rester ici et d'attendre.

Washen inspira brièvement sans répondre.

— Je suis censé vous laisser ici, geignit son assistant.

— Ma foi, obéissez aux souhaits de notre sous-maîtresse. Retirez-vous maintenant. Si jamais elle vous trouvait ici, je vous garantis qu'elle vous jetterait elle-même dans le puits.

Vingt-trois

Depuis des siècles, Vertu avait fait la preuve de son génie et de sa passion pour le travail. En toute occasion, par force ou par volonté, il s'était comporté en vrai citoyen de la nation loyaliste. Mais, même en ce moment – surtout en ce moment – Miocène ne pouvait complètement se fier à ce petit homme.

— Ça pourrait ne pas marcher, lui répéta-t-il encore une fois.

— Ça marchera, l'assura-t-elle en regardant la porte mécanique simple encore scellée, imaginant qu'elle la faisait s'ouvrir et qu'elle s'avançait un peu plus vers l'issue. Une autre barrière franchie, même si elle était petite. Elle revint à Vertu.

— Tes simulations réussissent à quatre-vingt-dix pour cent. Nous apprécions toi et moi leurs difficultés.

L'Indocile s'était laissé pousser les cheveux. Avec son chignon et ses gemmes implantés, il avait l'air d'un Loyaliste. Ses vifs yeux gris reflétaient son affection pour la sous-maîtresse. C'était aussi intense et surprenant pour l'un et l'autre.

Calmement, mais avec colère, il dit :

— Il est trop tôt.

Elle ne répondit pas.

— Encore deux ans, et je pourrai améliorer nos chances…

— De un ou deux pour cent, le corrigea Miocène.

En rencontrant son regard affectueux, elle se demanda pourquoi elle ne lui faisait pas confiance. Était-elle à ce point suspicieuse ou bien douée ? D'une façon ou d'une autre, elle se sentirait soulagée si elle trouvait une juste raison de le renvoyer chez lui.

— Miocène.

Il avait prononcé son nom avec espoir et tendresse. Son affection se dissolvait en émotions plus profondes, et quand sa voix s'éteignit, une petite main se leva pour saisir le sein droit de Miocène.

Un geste d'Indocile, après tout ce temps.

— Non, dit-elle.

Elle s'adressait à lui, ou à elle-même.

— Miocène, répéta-t-il.

Elle repoussa sa main en lui tordant deux doigts. Il eut une expression de surprise douloureuse.

— Cette petite secousse a aidé à rectifier l'alignement, lui rappela-t-elle. D'au moins un demi-mètre, selon toi. Mais la prochaine, ou sa réplication, pourrait nous faire perdre cet avantage.

— Oui, je me souviens.

— De plus, chuchota-t-elle, si nous attendons, nous risquons de perdre l'effet de surprise.

— Mais nous avons réussi à garder notre travail secret jusque-là.

Quand il était décidé, Vertu pouvait ressembler à son père. Tout à fait Till. Son visage acéré reflétait de multiples émotions, et personne ne pouvait être certain de celle qui allait éclater la première.

— Et qui cela blesserait-il? Accordez-moi encore une journée pleine. Je vais vérifier chaque composant, recalibrer le système de guidage ; je m'occuperai des sauvegardes…

Miocène l'interrompit.

— Mais c'est le jour J. Maintenant.

Il ne put que soupirer et céder en agitant ses mains vides. Et là, soudain, il ne ressemblait plus du tout à Till.

— Tu ne crois pas au destin? demanda Miocène. Tu es un Indocile, après tout.

Vexé, il grommela :

— Plus maintenant. À supposer que je l'aie jamais été.

— Le destin, répéta-t-elle. Ce matin, je me suis réveillée en sachant que le jour que j'attendais était là. J'en avais la conviction sans savoir pourquoi. (Elle leva le regard sur lui en ajoutant :) Je ne suis pas superstitieuse. Tu sais au moins cela de moi. C'est pourquoi je sais que c'est le moment parfait. J'obéis à mon intuition. Chaque nouvelle journée de préparation menace de dévoiler mes intentions, et pourquoi devrais-je vouloir cela? Mes Loyalistes. Tes Indociles. Laissons nos deux peuples profiter de toute l'ignorance dont ils peuvent se nourrir. On s'était mis d'accord là-dessus, non?

Vertu acquiesça d'un air désespéré.

Il était son amant et une fois encore il chercha la douceur de sa poitrine. Une fois encore, elle intercepta sa main, serra ses doigts tout en affrontant le doux regard de ses yeux gris acier.

Elle l'avait ressuscité à partir des restes calcinés de son esprit – sans jamais le laisser oublier à quel geste de charité son existence était rattachée. Néanmoins, même avec cette intimité et des siècles de vie commune dans son logement privé, avec tout le luxe et les jouets de recherche que Marrow pouvait offrir – sans oublier le corps docile de Miocène –, son jeune amant tenait à la surprendre. C'était pour ça qu'elle ne pouvait lui faire confiance que jusqu'à un certain point. Elle ne le connaissait pas parfaitement et là, à ce stade, elle ne le connaîtrait jamais.

D'une voix tendre, il lui dit alors :

— Chérie, je ne veux pas vous perdre.

Sereine, impérative, Miocène répliqua :

— Si tu ne fais pas ça pour moi, tu me perdras certainement. Je ne te reverrai plus, même pas pour te chier dessus. Tu me comprends, j'espère ?

Il se recroquevilla et essaya de lui dire « Chérie » encore une fois.

Mais la cabine était en approche et la lourde porte n'allait pas tarder à se déverrouiller. Miocène dit alors :

— C'est le moment.

Enfin, après tout ce temps.

Selon les ordres, Washen attendait.

Dès que la porte s'ouvrit vers l'extérieur, elle risqua un regard dans la cabine étroite. Ses yeux de fer se posèrent sur l'étranger, Vertu, tandis qu'elle demandait d'un ton posé et moqueur :

— Madame, avez-vous perdu la tête ? Vous croyez vraiment que cela fonctionnera ?

Mais elle répondit elle-même à ses questions :

— Non, vous n'avez pas perdu tête. Et vous croyez que ça pourrait marcher.

— Washen, répliqua Miocène, je reconnaîtrais votre intelligence en toute circonstances, chérie.

Elle sortit de la cabine. Elle n'avait encore jamais visité la passerelle de contrôle. Elle découvrit qu'elle était exactement comme sur ses holoplans, avec ses consoles d'instruments luisants, sa totale absence d'êtres vivants. La plupart des systèmes avaient été à peine testés. Mais pourquoi s'en soucier alors qu'ils ne serviraient pas avant trois siècles ?

— Vous allez avoir besoin de moi pour vous remplacer ici, supposa Washen. (Elle ajouta en regardant Vertu :) Je ne vous connais pas.

— Elle n'a pas besoin de vous et vous ne me connaissez pas, dit-il en se hérissant.

Miocène fit face à sa capitaine comme elle l'avait imaginé et déclara :

— Non, c'est mon associé qui va superviser le lancement. Il connaît à fond ce matériel.

Washen faillit accuser le coup, mais elle se concentra sur le point le plus important.

— Vous aurez besoin de précision. Parce que ce que vous envisagez, c'est de tirer un gros boulet entre deux canons. Est-ce que j'ai raison ?

— Comme toujours, chérie, acquiesça Miocène.

— Et si vous parvenez à toucher vraiment le vieux pont, vous aurez encore suffisamment de temps et de distance pour freiner le mouvement. Exact?

— Oui. Un blocage brutal, violent. On ne peut pas faire autrement.

— En tenant compte des arcs-boutants fragiles et affaiblis… ce petit vaisseau, aussi moche qu'il soit, devrait vous protéger.

— Oui, bien sûr, répliqua Miocène.

Vertu inspira longuement d'un air sceptique. Washen examina la cabine, effleura le sas, les tuyauteries bizarres et laides.

— Aasleen avait suggéré quelque chose d'approchant, reconnut-elle. Je ne sais plus quand, il y a si longtemps. Mais, après qu'elle l'eut expliqué, vous avez dit non. Vous avez dit que ce serait trop grossier, trop restreint, sans compter les obstacles techniques, et vous nous avez ordonné de porter nos efforts vers un terrain plus riche.

— Oui, c'est ce que j'ai dit.

Washen ne put que sourire.

— Eh bien… bonne chance.

Miocène parvint à sourire.

— Bonne chance à nous deux, voulez-vous dire. À l'intérieur, comme vous pouvez le voir, il y a deux sièges.

Washen était une femme courageuse, mais elle n'était ni téméraire ni stupide. Elle accusa le coup et réfléchit à toute allure en observant la sous-maîtresse. Puis elle demanda :

— Pourquoi moi ?

— Parce que je vous respecte, répliqua Miocène, d'un air honnête et sans hésitation. (Ses yeux sombres s'écarquillèrent.) Et aussi parce que si je vous ordonne de m'accompagner, vous allez le faire. Maintenant.

Washen inspira prudemment par deux fois et dit :

— Je suppose que tout cela est vrai.

— Et aussi, pour être franche, j'ai besoin de vous.

Une déclaration qui parut tous les embarrasser… Pour rompre le silence, Miocène s'adressa à Vertu :

— Démarre les procédures. (Elle fit une pause avant d'ajouter :) Dès que nous serons à bord.

Vertu semblait au bord des larmes.

Elle ne lui en laissa pas l'occasion. Avec un geste sec et d'un pas décidé, Miocène regagna la cabine. Ce n'était pas la première fois qu'elle la comparait au Grand Vaisseau – un corps dense avec une sphère creuse cachée en son centre.

Elle se tourna vers Washen :

— On y va, chérie.

À l'évidence, Washen évaluait ce qui l'attendait, en cet instant et plus tard. Elle passa les mains sur son uniforme, puis, avec raideur et grâce, elle se courba, franchit l'écoutille et examina les sièges jumeaux installés sur des rails de titane. Ils étaient rembourrés, dos à dos, conçus pour l'accélération.

Elle toucha la console de contrôle, puis la paroi, brièvement, avant de dire, d'une voix ténue :

—C'est froid.

—Des supraconducteurs primaires, refroidis, reconnut Miocène.

La sous-maîtresse leva les yeux sur Vertu.

—Je te fais confiance.

L'homme pleurait. Rien de plus.

L'écoutille se referma, le joint se mit en place et les deux femmes s'assirent. Washen déclara alors :

—Vous lui faites confiance et vous me respectez. (Elle boucla ses brides de protection avec un rire.) La confiance et le respect. Dans la même journée, ça fait beaucoup venant de vous.

Miocène refusa de tourner la tête. Elle se concentra sur les ultimes vérifications.

—Avec les autres, vous êtes plus douée que je ne le suis. Vous savez parler aux capitaines aussi bien qu'aux petits-enfants. C'est un don appréciable qui peut être un avantage énorme…

—En quoi ? demanda Washen.

—Je pourrais aller explorer seule le vaisseau. Toutefois, si le pire s'est produit – si tout est mort et vide là-haut… C'est vous, Washen, qui saurez rapporter cette terrible nouvelle à ceux d'en bas.

Vingt-quatre

C'était l'instant culminant de quatre mille années de labeur obstiné : deux capitaines sur le point de s'évader de Marrow. Washen, liée sur son siège antichoc primitif, était pour sa part décidée à accomplir son devoir, même si elle savait qu'il n'y avait rien d'autre à faire que de rester là à attendre et à espérer.

D'une voix cassante, Miocène balaya la check-list. Son mystérieux compagnon pouvait ressembler à Till ou à Diu, mais il parlait trop lentement, avec trop d'incertitude ; il n'aurait pu être l'un ou l'autre.

— Bon, répondit-il dans l'intercom. Nominal.

Suivi d'un silence triste.

Washen ne pouvait voir l'expression de la sous-maîtresse mais elle pensait qu'elle avait le même visage froid et assuré qu'elle avait toujours eu, mais pas vraiment comme en cet instant. Elle s'était toujours émerveillée de voir à quel point Marrow avait transformé cette femme rigide. Une métamorphose qui se lisait dans ses yeux las, obsédés, dans le pli douloureux de ses lèvres. Et quand elle parla, Washen lut dans un seul mot une tristesse infinie.

— Initialisation.

Une pause, puis le petit homme répondit avec une douceur résignée :

— Oui, madame.

Elles tombaient en accélérant sans cesse dans un puits obscur et sans aération. Ce n'était pas un pont et il n'avait pas été conçu ainsi. C'était un énorme canon et tout dépendait de sa précision. Elles descendaient vers le point de départ, vers la culasse électromagnétique, et Miocène chuchota des détails techniques. Vélocité terminale. Exposition aux arcs-boutants. Période de transit.

— Dix-huit secondes point trois.

Ce qui équivalait presque au temps qu'elles allaient passer à l'intérieur des arcs-boutants en descendant. Mais pas avec les mêmes niveaux de protection, ni les systèmes de sécurité, encore moins un seul test sur le terrain au-delà du laboratoire.

Le boulet de canon s'arrêta soudainement et ses parois épaisses se mirent à bourdonner. À crachoter, à crépiter et à se plisser à l'instant où les clamps de protection resserraient leur emprise.

Miocène répéta alors :

— Initialisation.

Mais cette fois, il n'y eut pas de réponse. Vertu allait-il obéir ? À l'instant où cette pensée lui venait, Washen fut clouée dans son siège, les muscles broyés, tous ses vaisseaux écrasés tandis que la gravité montait.

Suivit une sensation de dérive. Un apaisement plaisant, excitant.

Après avoir quitté le puits, il y avait peut-être une demi-seconde de souffle bref en traversant l'atmosphère, une salve de petites roquettes sur la coque pour corriger les vents ténus. Au centre de son esprit, Washen voyait tout : les bancs de nuages orageux de Marrow, les villes, les volcans fatigués qui tombaient vers le bas alors que l'éclat lisse de la chambre descendait sur elles. Elles frappèrent les arcs-boutants et des couleurs aléatoires et des formes insensées pénétrèrent les yeux de Washen tandis qu'un millier de voix incohérentes, terrifiées, hurlaient dans son esprit agonisant.

Folie.

Dix-huit secondes point trois et rien d'autre.

Le temps s'étirait. C'est ce qu'elle se jura en arrivant à se concentrer, à extraire une pensée intelligente de ce chaos. Ce symptôme de compression des secondes était dû aux arcs-boutants. Car si dix-huit secondes s'étaient écoulées, elles avaient tout simplement manqué leur cible en tombant trop court et elles étaient maintenant en orbite rapprochée et fatale autour de Marrow.

— Non, c'est impossible, geignit Washen.

Les voix terrifiées lui transmirent leur peur et la panique déferla dans sa gorge, se transmit dans sa colonne vertébrale. Une nausée sauvage la submergea. Washen se pencha en tirant au maximum sur ses brides rembourrées et, de la main gauche, elle réussit à tirer sa montre d'argent de sa poche, à l'ouvrir, en une série de gestes exercés qui parurent lui demander des heures d'efforts pénibles.

Elle observa l'aiguille la plus rapide.

Un clic net indiquait qu'une seconde venait de passer.

Puis une autre.

Son siège, en même temps que celui de Miocène, se déverrouilla et glissa sur les rails de titane. Ils se rejoignirent à l'autre extrémité de la cabine confinée et se reverrouillèrent brusquement.

Washen leva les yeux.

En ravalant une gorgée brûlante de bile et de vomi, elle fixa l'endroit où elle s'était trouvée et se vit clouée dans un siège identique, le visage déformé par la souffrance, regardant vers le bas, avec des cheveux longs et emmêlés qui ne rappelaient en rien son chignon, la bouche ouverte, comme si cette hallucination était sur le point d'éructer quelques mots douloureux.

Elle ne pouvait quitter des yeux son image, captivée, tendant l'oreille.

Mais elles avaient déjà traversé les arcs-boutants, et un chapelet de roquettes crachées sous Washen freina la plongée de leur véhicule, elle l'espérait, vers les vestiges en ruine du pont original.

Impact.

Elle sentit la cabine racler violemment l'hyperfibre. Il y eut un grincement sur sa droite à l'instant où les supraconducteurs et les tuyauteries furent arrachés. Puis un silence suivi d'un grondement à gauche, quand la cabine rebondit le long du puits.

Les roquettes aboyèrent à nouveau pour amortir au maximum leur vitesse. Le dernier impact fut brutal, écrasant. Il prit fin avant même que son esprit ait transmis à Washen le moindre signal de douleur.

Son siège reprit sa position originale. Une voix lança :

— Ça y est.

La voix de Miocène. La sous-maîtresse se débarrassait de son harnais pour se lever, les mains sur le torse, le souffle court, comme si elle avait des côtes brisées.

Celles de Washen étaient en feu. Elle s'extirpa de son siège, et une onde tiède et délicieuse la parcourut quand ses os se remirent en place. La machinerie des gènes d'urgence synthétiques transformait la chair broyée en os neufs et en sang frais, et elle trouva la force de se redresser. Elle inspira goulûment une fois, puis une autre. L'écoutille s'ouvrait en crissant à chaque millimètre. Si elle se coinçait, elles étaient prises au piège. Mais Washen rejetait cette possibilité. Elle refusait de s'inquiéter.

L'écoutille gémit et se bloqua.

Puis, après un moment de silence, elle se remit en mouvement dans une plainte suraiguë.

L'obscurité tomba sur les deux femmes. Miocène sortit dans le silence. Elle se détourna pour regarder Washen qui la rejoignait. Elles se tinrent tout près l'une de l'autre mais ne se touchèrent pas. Elles se concentraient sur leurs souvenirs : comment sortir de la station d'accueil non éclairée ?

Au même instant, elles pointèrent le doigt dans la même direction :

— Par-là !

Le camp de base avait été privé d'énergie pendant quarante-six siècles. L'Événement avait détérioré la plupart des machines, des réacteurs aux drones. Les clenches magnétiques de toutes les portes avaient cédé. En poussant la dernière, elles s'avancèrent dans la clarté douce et filtrée des arcs-boutants agonisants.

— On va errer pendant une demi-heure, décida Miocène. On se retrouvera à la station d'observation et on repartira de là.

— Oui, madame.

Washen se dirigea d'abord vers les dortoirs avant de se raviser. Elle se glissa vers les bio-labos, ouvrit les rideaux pour avoir un peu de lumière. Une averse de particules rejoignit doucement la couche primaire de poussière. Toutes les installations étaient détruites. Les cages équipées de verrous mécaniques – une mesure de précaution ancienne – ne contenaient plus que des amas de détritus incolores. Elle trouva un trousseau de clés au-dessus d'un bureau abandonné. L'une d'elles fonctionnait et, calmement, elle se hissa dans l'une des cages en enjambant une poupée avant de s'agenouiller pour réussir à atteindre le plus gros tas de poussière.

Privés de nourriture et d'eau, les animaux abandonnés avaient sombré dans le coma, leur chair immortelle avait perdu toute énergie, toute humidité, et ils s'étaient lentement momifiés.

Washen saisit un babouin mandrill – un mâle énorme qui n'avait plus que le poids d'un duvet – et le serra contre elle en examinant ses yeux secs, guettant les battements de son cœur de cuir qui lui diraient : « Je t'ai attendue ».

Elle le reposa avec précaution et sortit.

Miocène, sur la plate-forme d'observation, inspectait l'horizon avec une trace d'espoir. Même à cette altitude, elles distinguaient seulement le domaine des capitaines. Les Indociles étaient à des centaines de kilomètres plus loin. Ce qui pouvait être aussi bien des centaines d'années-lumière, étant donné l'interaction entre les deux sociétés.

— Que cherchez-vous ? demanda Washen.

La sous-maîtresse ne répondit pas.

— Ils vont s'apercevoir de ce que nous avons fait. Ça me surprendrait que Till ne le sache pas déjà.

Miocène hocha la tête d'un air absent en inspirant profondément. Puis elle se retourna et, sans faire allusion aux Indociles, elle répondit :

— Nous avons perdu suffisamment de temps ici. Voyons ce que nous allons trouver là-haut.

De minuscules cap-cars qu'aucune main n'avait effleurés étaient figés, protégés par des kilomètres d'hyperfibre. Les moteurs étaient chargés, mais tous les systèmes étaient en mode diagnostic. Les comlinks refusaient de fonctionner. Le silence leur dit que le vaisseau était mort. Mais Washen se souvint que le comlink était unique et sous garde sévère. Après un siècle d'attente, les systèmes de sécurité avaient dû prendre la précaution d'arracher sa langue à ce lien vers le vaisseau.

Miocène tenta un code qui réveilla un cap-car.

Washen risquait parfois un regard vers la sous-maîtresse, prenant la mesure de son profil sévère et de son silence en se demandant si elle était plus ou moins terrifiée qu'elle. Dans le long tunnel d'accès qui montait vers le haut, il n'y avait aucun signe de dommages ou de fissures. Il aboutissait à un bloc d'hyperfibre qui s'ouvrait en basculant quand on frappait les touches du code, révélant un conduit d'alimentation en carburant – un puits vertical de plus de cinq kilomètres de diamètre.

La porte se referma sur le vide immense et s'effaça.

Le cap-car monta vers le haut en glissant sur la surface du puits et se retourna sur le dos en approchant de l'énorme réservoir. Si les moteurs du Grand Vaisseau étaient allumés en ce moment, elles ne ressentaient pas le moindre frémissement. Mais cela n'arrivait que rarement, se rappela Washen. Le silence ne signifiait rien.

Entre les deux femmes, un pacte s'était conclu. Ni l'une ni l'autre ne faisaient la moindre allusion à leur destination. Elles attendaient depuis si longtemps qu'elles n'osaient risquer la moindre spéculation. Toutes les possibilités avaient été épuisées. Ce qui était, était. Chacune d'elle le disait par son regard, par son silence. La vérité était implicite dans la façon dont leurs mains se nichaient entre leurs cuisses, dans un geste de lutte paisible.

Le tunnel traversa des pompes endormies vastes comme des lunes.

Calmement, Washen demanda :

—Où ?

La sous-maîtresse entrouvrit les lèvres, hésita, et demanda enfin, d'un ton étrange :

—Selon vous, qu'est-ce qui serait le mieux ?

—L'habitat des Sangsues, répondit Washen. Certaines sont peut-être encore en vie. Sinon, nous pourrons encore utiliser leurs lignes de communication.

—On fait ça, dit Miocène.

Elles venaient de pénétrer dans le réservoir et volaient loin au-dessus de la mer sombre d'hydrogène. L'habitat des Sangsues se trouvait exactement là où Washen se le rappelait ? Vide. Propre. Oublié. Un premier scan ne fit apparaître rien de vivant ni de chaud. Washen s'inséra dans un berceau et, ensemble, Miocène et elle grimpèrent dans le moyeu gris. Miocène appuya sur la touche «com» des aliens et rien ne se passa.

—Merde ! (Elle se tourna vers Washen.) Refaites-le pour moi, s'il vous plaît.

Mais il n'y avait rien de plus à faire.

—Ou bien il ne fonctionne plus ou il n'y a plus de systèmes de com, déclara Washen avec un nœud douloureux dans le ventre.

Miocène décocha un regard vengeur à la machinerie éteinte. Après un moment, elles se détournèrent sans échanger un mot et regagnèrent le cap-car.

Un étroit tunnel de service montait vers le haut en oblique et traversait une série de portes démones. L'atmosphère devenait plus dense à chaque craquement. Dans un chuchotement doux, Miocène demanda :

—Ils étaient combien à bord ? Vous vous souvenez ?

—Cent milliards.

La sous-maîtresse ferma les yeux et ne les rouvrit pas.

—Plus les intelligences artificielles. Ce qui fait au moins cent milliards de plus.

—Morts. Ils sont tous morts, dit Miocène.

Washen avait la vue brouillée par ses larmes. Elle s'essuya le visage du revers de la main et marmonna avec une lueur d'espoir :

— Nous ne le savons pas vraiment.

Mais Miocène répéta :

— Morts.

Toutefois, elle se méfiait de son verdict. Puis elle rajusta son uniforme, regarda ses mains et les reflets qui semblaient flotter dans sa poitrine, soupira et dit en levant les yeux :

— Il y a un but supérieur à tout cela. Puisque nous sommes encore en vie, il existe certainement.

Washen garda le silence.

— Un but supérieur, répéta l'autre femme.

Miocène souriait à présent. Son sourire étrange en disait aussi long que ses paroles.

Le tunnel de service s'achevait dans un des districts profonds réservés aux passagers. Soudain, elles glissaient sur le sol d'obsidienne d'un tunnel plus large et aplati – une voie d'accès de moins d'un kilomètre, totalement et atrocement déserte. Sans le moindre signe de trafic. Sans lumière, sans signaux. Et Washen dit pour elle-même, dans son chagrin :

— Peut-être que nous avons réussi à tous les évacuer… l'équipage, les passagers…

— C'est douteux.

Miocène se tourna vers elle, prête à ajouter quelque chose de plus honnête, plus cruel, mais son expression changea brusquement. Ses yeux s'agrandirent, se firent lointains, et Washen se retourna pour voir une machine énorme qui venait de surgir derrière leur cap-car. La collision était imminente, mais la machine s'écarta avec la précision d'une IA et les dépassa. À l'intérieur, sous la coque de diamant illuminée, il y avait un lac d'eau salée, avec, au centre, l'unique passager : une entité semblable à une baleine avec une forêt vivace de symbiotes qui hérissait son dos long. À une vitesse insultante, laissant une image floue, l'entité clignota de trois grands yeux noirs, ne leur laissant qu'un salut amical et désinvolte.

Un Yawkleen.

Washen avait quitté ses fonctions depuis plus de quatre millénaires, mais elle avait retrouvé immédiatement le nom de cette espèce.

D'un ton incrédule, Miocène dit :

— Non.

Mais c'était vrai.

Et soudain, une dizaine de véhicules les doublèrent. Washen entrevit quatre Hurluberlus, ce qui pouvait passer pour un couple d'humains, et une créature insectoïde qui, avec ses mandibules compliquées et ses longs élytres noirs, lui rappela le sculpteur de déchets des jungles de Marrow.

De chez nous, se dit-elle.

À dire vrai, elle aurait presque préféré s'y trouver.

Vingt-cinq

Elles rencontrèrent une station-relais obscure sur le sol du tube. D'un ton implorant, Miocène ordonna à Washen de s'arrêter. Leur cap-car franchit une série de portes démones dans un tourbillon d'atmosphère. Dans l'instant qui suivit, elles ne firent rien. La sous-maîtresse était raide, elle avait les mains tremblantes et un visage de métal. Elle n'ouvrit la bouche que pour quelques soupirs brefs et sifflants entre ses lèvres au pli rageur. On lisait autant de fureur sur son visage, dans son attitude. Washen sentait à peine les battements de son cœur contre ses nouvelles côtes.

Miocène éructa enfin :

— Entrez dans la station.

Washen sortit de leur cap-car et Miocène insista :

— Allez !

Elle criait, les yeux fixés sur ses jambes nouées, ses mains tremblantes, repoussant le geste de Washen qui lui répondit :

— Ce qui est, est, madame.

Alors, la sous-maîtresse soupira encore et se leva sans accepter son aide.

Le salon de la station était étroit et parfaitement propre, avec un mobilier flexible destiné à des voyageurs de toute provenance. Le sol et les murs incurvés étaient décorés de plaques de fausse marne calcaire, jaunes, blanches et grises, constellées de divers fossiles artificiels qui, au premier regard, pouvaient paraître authentiquement terrestres. Ce fut le seul regard que se permit Washen en franchissant la dernière porte démone pour rencontrer l'IA résidente.

— La Maîtresse Capitaine est-elle vivante et en bonne santé ? aboya Miocène.

Avec une joie polie, l'IA répliqua :

— La femme est robuste et en bonne santé. Et elle vous remercie de vous en préoccuper.

Washen se dit qu'il s'agissait peut-être d'une nouvelle Maîtresse et insista :

— Depuis combien de temps est-elle en bonne santé ?

— Depuis cent douze millénaires, répondit l'IA. Qu'elle soit bénie, de même que nous. Comment faire autrement ?

Miocène ne répondit pas. Elle avait le visage empourpré et bouillait d'une fureur dense et insatiable.

L'un des murs fossiles était criblé de cabines de com. Washen entra dans la plus proche et annonça :

— Mode urgence. Fréquence des capitaines. Nous désirons parler directement à la Maîtresse, je vous prie.

Miocène entra à son tour et verrouilla la lourde porte.

La station de la Maîtresse apparut, tapissée de lumières et de sons. Trois capitaines et les habituelles IA les regardaient. Les capitaines étaient trois, ce qui signifiait que c'était la garde de nuit. La date et l'heure flottaient dans l'air. Washen consulta sa montre et prit conscience que les horloges de Marrow s'étaient trompées de moins de onze minutes – un triomphe mineur si l'on considérait que les capitaines naufragés avaient dû réinventer le temps.

Les trois humains ne les quittaient pas des yeux, stupéfaits. Mais les IA demandèrent simplement, d'un ton posé :

— Qu'est-ce qui vous amène, je vous prie ?

— Laissez-moi la voir ! proféra Miocène.

Après un court délai dû à la distance et aussi à la stupidité, l'un des capitaines dit enfin :

— C'est possible. Qui êtes-vous ?

— Vous me connaissez. Et moi aussi je vous connais. Vous vous nommez Fattan. Et là, c'est Cass. Vous, c'est Underwood.

— Miocène ? souffla Cass d'une voix douce, incrédule et étonné.

— Sous-maîtresse Miocène ! Premier Siège après la Maîtresse Capitaine ! (Elle se pencha en hurlant.) Vous vous souvenez de mon nom et de mon rang, n'est-ce pas ? Alors, agissez. Il se passe ici quelque chose de fâcheux et je dois parler à la Maîtresse !

— Mais ça ne peut pas être vous, dit Cass en tremblant.

— Vous êtes morte, ajouta Underwood. (Elle se tourna vers Washen.) Vous êtes mortes toutes des deux. Depuis très longtemps…

— Ce ne sont que des holos, intervint Fattan d'un ton assuré. Des projections. Quelqu'un a voulu nous jouer un tour.

Mais les IA avaient vérifié l'identité des deux femmes par un millier de moyens, à la vitesse de la lumière et, obéissant à un protocole secret depuis longtemps, ce furent elles qui réagirent. L'image tourbillonna avant de se stabiliser à nouveau. La Maîtresse apparut, assise dans son grand lit, vêtue d'une chemise de nuit faite de lumière façonnée et de perles flottantes. Exactement telle que Washen s'en souvenait, la peau dorée et les cheveux d'un blanc de neige. Elle avait néanmoins défait son chignon et ses longs cheveux tombaient sur ses épaules larges, charnues. En tant que Maîtresse du Vaisseau, elle dut s'arracher à un écheveau d'une centaine de nexus avant de revenir à ses surprenantes visiteuses.

Et soudain, ses yeux bruns se dilatèrent. Elle réagit en touchant sa chemise de nuit, probablement intriguée par leurs uniformes imités de la tenue standard à bord du vaisseau, presque ridicules. Elle avait une expression de stupéfaction et d'émerveillement, qui se changea en sourire avant de refléter en un instant une fureur brûlante.

— Où êtes-vous ? Où étiez-vous ? éructa-t-elle.

— Là où vous nous avez envoyées, répliqua Miocène en se refusant à ajouter « madame ».

Les mains nouées, elle ajouta :

— Sur ce monde de merde… Marrow !

— Où ça ?

— Marrow, répéta la sous-maîtresse, exaspérée. Mais à quelle sorte de jeu ridicule jouez-vous avec nous ?

— Miocène, je ne vous ai envoyée nulle part !

Washen commençait à comprendre, obscurément. Miocène secoua la tête.

— Pourquoi avoir gardé notre mission secrète aussi longtemps ? (Elle reprit son souffle et répondit elle-même à sa question.) Vous aviez l'intention de nous emprisonner. C'est cela. Nous étions les meilleurs de vos capitaines et vous avez voulu nous écarter !

Washen saisit le bras de la sous-maîtresse.

— Attendez. Non ! souffla-t-elle.

— Les meilleurs de mes capitaines ? Vous ? (La femme géante eut un rire coassant, violent.) Mes meilleurs capitaines ne disparaissent pas sans prévenir. Ils ne se cachent pas durant des milliers d'années pour faire je ne sais quoi en secret ! Des milliers d'années sans un murmure. Et il a fallu toute mon expérience et mon génie, et l'ultime énergie dont je disposais pour expliquer votre disparition tout en évitant que la panique ne gagne ce vaisseau !

Miocène regarda Washen, perplexe, bouleversée. Et elle marmonna :

— Mais si la Maîtresse n'a pas fait ça…

— Quelqu'un d'autre l'a fait, répliqua Washen.

— Sécurité ! gronda la géante. Deux fantômes me parlent ! Trouvez-les ! Attrapez-les ! Qu'on me les amène !

Washen interrompit la communication pour gagner du temps.

Les deux fantômes qu'elles étaient maintenant restèrent immobiles dans la pénombre de la cabine, abasourdis, essayant de trouver un sens à cette folie.

— Qui aurait pu nous abuser ? demanda Washen.

Dans un second souffle, elle comprit comment cela avait pu se passer : quelqu'un ayant des ressources, des accès et une inventivité immense avait pu donner des ordres au nom de la Maîtresse et rassembler les capitaines dans l'habitat des Sangsues. Avant de les tromper avec une réplique de la Maîtresse pour les expédier dans le cœur du vaisseau.

— J'aurais pu faire ça, avoua Miocène en suivant les mêmes lignes de pensée, aussi séduisantes que paranoïdes.

» Mettre la main sur toute la machinerie en vous trompant. Si je l'avais voulu. Et en supposant que j'aie été au courant de l'existence de Marrow, que j'aie suffisamment de temps et des motifs cohérents.

— Mais non, non, et non, souffla Washen. Ce n'était pas vous.

— Qui alors ? demanda Miocène.

L'une et l'autre étaient incapables de répondre à cette simple question.

Washen demanda à la cabine la liste des sous-maîtresses et sous-maîtres, ainsi que celle des capitaines de haut rang. Elle cherchait des suspects ou peut-être un nom familier dont elle pouvait espérer un fragile soutien.

D'une voix grave, amère, Miocène dit :

— Mon poste a été pourvu.

Mais le nom qui s'imposa à Washen – qui la laissa tremblante sur ses jambes, le souffle court – fut celui de *Pamir*.

— Qui ? grommela Miocène.

Dans la même seconde, elle se souvint de ce nom. De son crime. D'une voix faible et exaspérée, elle ajouta :

— Ce n'est pas notre vaisseau. C'est impossible.

Washen ordonna à la cabine de contacter Pamir. Elle le prévint sur une ligne audio. Suivit une pause. Miocène dit :

— Essayez-en une autre.

Mais le visage de Pamir émergea de l'obscurité. Il affichait un sourire accueillant et intrigué. Il était dans ses anciens quartiers, entouré d'une prairie de llano-vibras mélodieuses.

— Silence, leur dit-il.

Et maintenant Miocène et Washen étaient dans la même prairie que lui. L'homme qui se tenait devant elles était torse nu, toujours aussi grand et musclé jusqu'aux épaules. Il parlait d'un ton haletant, comme s'il venait de courir.

— Vous êtes mortes. Une tragique erreur, à ce qu'on dit.

— Et toi ? demanda Washen.

Il haussa les épaules, embarrassé.

— Le talent manquait, et une amnistie générale a été prononcée…

— Je ne veux pas entendre ton histoire. Écoute. Il faut que nous nous expliquions, nous devons te dire ce qui s'est passé !

Mais la prairie s'était figée, la végétation était ténue et pâle, et Washen pouvait discerner son pied au travers de la llano-vibra qui s'effaçait. De même que le beau visage de Pamir et l'ensemble de la scène.

— Que se passe-t-il, cabine ? demanda Miocène.

La cabine s'était assombrie et elle n'avait rien à dire.

Washen observa la sous-maîtresse avec une sensation glacée au creux de son ventre dur, affamé. La porte de la cabine était verrouillée, morte. Toutefois, le mécanisme de sécurité fonctionna et elles parvinrent à sortir. Ensemble, elles surgirent dans le hall de la station.

Elles découvrirent une silhouette familière qui, calmement, efficacement, était occupée à dissoudre l'IA de service avec un laser militaire.

Une machine, se dit Washen. Elle était vêtue d'une robe blanche et de rien d'autre. Mais, si on y avait ajouté un uniforme miroitant, avec les épaulettes qui s'imposaient, et la voix, le vocabulaire et la gestuelle adéquats, cette créature mécanique n'aurait su se distinguer de la Maîtresse Capitaine.

L'esprit de l'IA n'était plus qu'une flaque sur le sol, morte mais encore bouillonnante. Elle répandait une vapeur acide qui fit tousser Washen.

Et Miocène dans la seconde qui suivit.

Une troisième personne s'éclaircit alors la gorge avec un rire tranquille et amusé. Les deux femmes se retournèrent ensemble et découvrirent un homme mort qui les regardait. Il portait un déguisement simple, des vêtements de touriste. Washen ne l'avait pas revu depuis des siècles. Mais, en retrouvant ses muscles frémissants, le sourire de ses yeux gris qui lui perçait le cœur… elle ne put douter de son nom.

— Diu…

Son ancien amant, le père de son enfant, brandit un paralyseur de petit calibre.

Trop tard et bien trop lentement, elle se mit à courir.

Et elle se retrouva ailleurs, le cou brisé ; le visage de Diu était penché sur elle, avec ses yeux rieurs, sa bouche souriante. Et chacun des mots qu'il lançait était absolument incompréhensible.

Vingt-six

Washen ferma les yeux et elle entendit à nouveau.
Une autre voix :
—Comment avez-vous trouvé Marrow ?
La voix de Miocène.
—Vous vous souvenez du briefing de votre mission, répondit Diu. L'impact révélateur s'est produit dans la première phase de la croisière galactique. C'est alors que nous avons collecté des données sismiques bizarres. Il existait toutefois d'autres explications, plus simples, et votre chère Maîtresse a écarté l'idée d'un noyau creux. J'ai utilisé ces informations qui m'attendaient pour trouver Marrow. Ainsi que vous vous en souvenez, j'avais embarqué en tant que passager richissime. Avec le temps et les moyens nécessaires, je pouvais me permettre de me mettre en chasse de l'improbable, de la folie.
—Et combien de temps cela a-t-il pris ?
—Pour trouver Marrow ? Ça s'est fait peu après le début du voyage, en fait.
—C'est vous qui avez ouvert le tunnel d'accès ?
—Pas personnellement. J'ai fait construire des drones, ils ont creusé selon mes instructions, ils se sont reproduits et ce sont finalement leurs descendants qui ont atteint la chambre. C'est alors que je les ai suivis en bas.
Il eut un rire paisible avant de réfléchir.
—Je l'ai baptisé Marrow. C'était mon monde à moi, que je pouvais étudier. Je l'ai observé d'en haut pendant vingt millénaires. Quand j'ai compris ses cycles, j'ai armé un vaisseau pour franchir les arcs-boutants aux endroits où ils étaient minces et affaiblis. J'ai été le premier à atteindre le fond et à marcher sur le fer. Bien avant vous, madame Miocène.
Washen rouvrit les yeux et dut lutter pour ajuster sa vision.
—Madame, psalmodia Diu, j'ai vécu sur cette planète merveilleuse plus de deux fois aussi longtemps que vous. À la différence de vous, j'avais à ma

disposition tous les talents des IA, tout ce qu'un homme riche peut se permettre pour mener à bien ses aventures.

Ce qui avait été jusque-là un ciel gris devint un simple plafond bas, nu, perdu dans le lointain. Lentement, Washen réalisa qu'elle était de retour dans l'habitat des Sangsues – dans sa vastitude à deux dimensions… Où donc ? Elle vit d'abord son corps filiforme, puis le visage de Diu et son corps silhouettés sur le fond de lumière grise. Il serrait encore dans son poing puissant son arme kinétique.

—Contrairement à toi, lui dit-il, je n'ai pas eu à réinventer la civilisation.

Miocène avait les traits tirés, mais son regard restait vigilant, et elle demanda à Washen :

—Comment ça va ?

—Très mal.

La voix de Washen était néanmoins claire et sèche. Sa colonne vertébrale brisée était en voie de guérison. Elle se sentait assez bien pour remarquer ses mains et ses pieds qui l'attendaient, et assez solide pour se redresser en soufflant.

Elle inspira une bouffée d'air vicié et demanda :

— Depuis combien de temps sommes-nous ici ?

—Quelques moments, répondit Diu.

—C'est toi qui m'as portée ?

—C'est mon assistante qui s'est chargée de cette corvée.

La fausse Maîtresse était non loin de là. Ses cheveux blancs frottaient contre le plafond bas tandis qu'elle agitait, surveillant les alentours avec une expression morte dans son visage aux yeux vitreux, le laser en bois de teck et émeraude rivé à l'un de ses robustes avant-bras.

Aux yeux de Washen, les plans jumeaux d'un gris parfait se perdaient dans l'infini – une éternité rassurante pour une Sangsue.

Elle détourna prudemment la tête. Et vit le mur de l'habitat ainsi qu'une haute fenêtre derrière elle, de même que des coussins anciens dispersés sur le sol gris. Elle connaissait la réponse mais elle demanda néanmoins à Diu :

—Pourquoi ici ?

—Il faut que je m'explique. Ici, nous sommes en privé et cet endroit est chargé de symboles.

Un souvenir ancien émergea dans l'esprit de Washen. Elle se tenait devant une fenêtre de l'habitat des Sangsues et regardait les reflets des capitaines pendant que Miocène s'exprimait avec fierté et ambition à propos de sa puanteur toxique.

D'une voix basse et coléreuse Miocène demanda :

—Qui sait que vous êtes encore en vie ?

—Personne, sinon vous.

Washen ne le quittait pas du regard en se demandant comment elle avait pu l'aimer.

—Les Indociles vous ont vu mourir, dit la sous-maîtresse.

—Ils ont vu mon corps se consumer dans le fer en fusion. À ce qu'il semblait du moins. (Il secoua la tête d'un air vantard.) Quand je suis arrivé pour la première fois sur Marrow, c'était avec des stocks énormes de matériaux bruts et de machineries. J'ai tout entreposé dans les cryptes d'hyperfibre qui flottaient dans le fer. Quand j'en avais besoin, je les récupérais en surface. Quand je voulais disparaître, je me réfugiais dans les cryptes.

Miocène semblait hypnotisée par lui. Mais, quand Washen l'observa fugacement et qu'elle vit ses yeux marron fixés sur l'infini, intenses, impénétrables, un espoir se glissa subtilement entre elles.

—L'ambition, risqua-t-elle.

—Pardon? fit Diu.

—Il ne s'agit que de cela, dit-elle. Est-ce que je me trompe?

Il la dévisagea avec un mépris non voilé, puis secoua la tête en remarquant:

—Les capitaines ne comprennent rien à l'ambition. J'entends par là l'ambition véritable. Le grade et les honneurs ne sont rien comparés à ce qui est possible.

—Qu'est-ce qui est possible? aboya Miocène.

—Le vaisseau, dit Washen, avec une certitude calme.

Diu ne réagit pas.

Les jambes vacillantes, Washen tenta de se lever en haletant. Miocène tendit la main pour l'aider et les deux femmes s'enlacèrent comme des danseuses luttant pour retrouver leur équilibre.

—Diu veut s'emparer du vaisseau, murmura Washen. Il a rassemblé les capitaines les plus doués et a fait en sorte que nous soyons pris au piège sur Marrow au moment de l'Événement. Il savait que nous allions être des naufragés. Il s'est dit que nous devrions édifier une civilisation pour pouvoir nous enfuir. C'est lui qui a orchestré tout ce qui est arrivé…

—Les Indociles! lança Miocène. C'est vous qui les avez créés, Diu?

—Naturellement, répondit-il avec un grand sourire suffisant.

—Une nation de fanatiques prêts à la guerre sainte. (Washen se tourna vers Miocène et ajouta:) Avec votre fils comme leader attitré.

La sous-maîtresse se raidit et relâcha le bras de Washen.

—C'est vous qui les avez gavés de ces visions ridicules. Depuis le tout début, n'est-ce pas?

—À vrai dire, répliqua Diu, sans se départir de son sourire, si vous réfléchissez en toute honnêteté, est-ce que vous n'êtes pas plus coupable de l'avoir chassé?

Un silence froid s'installa. Washen trouva la force de faire un pas en avant et, des deux mains, elle massa son cou tout neuf. Puis elle dit:

—Les Constructeurs.

Diu cilla et demanda:

—Qui?

—Est-ce qu'ils étaient réels? Et ont-ils lutté contre les Mornes?

Diu se ménagea un bref instant de suspense avant d'admettre :

— Mais comment je pourrais le savoir, bordel ?

— Les artefacts…, commença Miocène.

— Ils datent de six mille ans. Ils ont été conçus et construits par l'un de nos passagers aliens. Son esprit créatif l'avait amené à penser qu'il fabriquait un puzzle destiné à l'industrie de distraction du vaisseau…

— Tout ça n'est que mensonge, dit Washen.

Diu jeta un regard à la fausse Maîtresse avant de revenir aux deux femmes avec un sourire assombri.

— Cet holo sophistiqué que vous avez vu ? Les Constructeurs se battant contre les Mornes ? Au début, c'était un rêve. J'étais seul sur Marrow et j'ai vu cette bataille dans mon sommeil. Il y avait une chance pour que ce soit une vraie vision, mais, honnêtement, ce n'était qu'un beau rêve plein de fureur.

» Le Mal contre le Bien. Pourquoi pas ? C'est ce que je me suis dit. Une foi simple qui pouvait se répandre dans le cœur des gamins à venir !

— Mais pourquoi faire semblant de mourir ? demanda Washen.

— La mort vous apporte la liberté, dit Diu avec un sourire d'enfant. En devenant une âme sans corps, on peut voir plus loin. En étant mort, je peux me déguiser et aller où je le veux. Dormir n'importe où. Et je peux faire des bébés avec un millier de femmes, même avec certaines du camp des Loyalistes.

Silence.

Suivi d'un soupir léger, comme un signe avant-coureur de brise.

— Nous avons parlé à la Maîtresse, dit Miocène.

Et Washen ajouta :

— Elle sait tout. Nous lui avons dit que…

— Rien ! riposta Diu. C'est très exactement ce que vous lui avez dit. Rien. Je le sais.

— Tu en es certain ? demanda Washen.

— Absolument.

— Mais elle sait aussi maintenant que nous nous sommes arrêtées dans cette station et elle va se lancer à notre recherche, menaça Miocène, avec toute l'énergie dont elle disposait.

— Ça fait plus de quatre mille ans qu'elle chasse le même gibier, dit Diu en souriant et presque en dansant.

» Miocène chérie, vous avez réussi à me surprendre. Je savais que vous étiez en train de construire ce boulet de canon, mais je ne croyais pas que vous l'essayeriez aussi tôt. Si j'avais su que le jour était arrivé, j'aurais mis au point un petit accident pour que vous restiez sur Marrow. (Il haussa les épaules.) Je ne tenais pas à me lancer à vos trousses. Pourtant, c'est ce que j'ai fait. Et de façon bien supérieure à votre boulet de canon, je dois dire.

— La Maîtresse ne nous a pas encore retrouvées, dit Washen. Mais, cette fois, elle dispose d'un point de départ. À terme, quelqu'un aboutira ici et qui peut savoir ce qu'on découvrira ?

— Un argument saillant, évident. Merci. (Il jouait avec son arme qu'il passait d'une main à l'autre et expliqua :) À cause de vous, je vais être forcé de fermer le tunnel à partir du bas. Et définitivement, peut-être. Une série de décharges d'antimatière oblitérera toute trace de son existence. Et même en supposant que la Maîtresse soupçonne la vérité, ce qui est douteux, il faudra des siècles pour atteindre de nouveau Marrow.

— Et tu seras coincé en bas, acheva Washen.

Une fois encore, il haussa les épaules.

— Quelle est la morale de cette vieille histoire ? Mieux vaut être prince en son royaume que servir dans un autre…

Brusquement, un couinement étouffé leur parvint. La fausse Maîtresse s'était immobilisée, les yeux rivés sur le centre de l'habitat. Elle avait détecté quelque chose et couina à nouveau. Plus fort. Si un écho lui répondit, Washen ne l'entendit pas.

Agacé, Diu demanda :

— C'est quoi ? (Il s'avança vers le robot.) Qu'est-ce qui ne va pas ?

— Mouvement.

— Vers l'accès d'entrée ?

— Oui, dans cette direction.

— Et maintenant ?

— Rien.

— Surveille bien. (Diu se tourna vers ses prisonnières et, avec une expression bizarre, il demanda à Miocène :) Vous m'avez encore joué un tour. Est-ce que je me trompe ? Une autre surprise, n'est-ce pas, chérie ?

— Je n'ai pas construit une seule capsule d'évasion. Mais deux. En état de marche.

Il inspira longuement avant de dire d'un ton méprisant :

— Deux autres capitaines vous ont suivies jusqu'ici. Et alors ?

Il se tourna vers la fausse Maîtresse.

— Tire sur…, commença-t-il.

— Non ! (Miocène s'avança en levant les mains.) Je ne me suis pas fait accompagner par des capitaines. Et, croyez-moi, vous ne tirerez pas sur eux.

La fausse Maîtresse visait une cible trop lointaine pour l'œil humain. Diu grommela :

— Attends !

Il revint aux deux femmes, avec une expression de surprise et de colère mitigée. Puis il leva son paralyseur et demanda :

— Qui alors ?

— Mon fils, répondit Miocène.

La fausse Maîtresse était toujours immobile comme une statue, attendant un ordre.

— Till, souffla Miocène. J'espérais bien qu'il se montrerait curieux. Je lui ai fait parvenir un message par ses espions. Vertu avait reçu l'ordre de lancer

Till vers le pont. Je lui ai donné les instructions nécessaires pour activer un deuxième cap-car. Je voulais qu'il ait une chance de voir le Grand Vaisseau par lui-même.

— Bien, dit Diu d'un ton méfiant.

Son regard se perdit dans l'infini et, après avoir longuement réfléchi, il dit à la machine :

— Tue-les. Peu m'importe qui ils sont. Tue-les !

Le laser émit un craquement soudain. Miocène s'élança dans un cri, les mains tendues vers Diu. Impassible, il lui tira en pleine poitrine. La charge explosive troua les os et le cœur palpitant avant d'éclater avec un son gargouillant.

Et Miocène s'effondra dans une mare de sang.

Réagissant à ses protocoles, le robot se retourna, prêt à défendre son maître. Dans ce bref instant, Washen sut qu'elle était condamnée. Instinctivement, elle plongea en avant, les yeux fixés sur le canon du laser qui pivotait, prêt à transformer sa chair et son eau en un nuage de gaz amorphe. Toutefois, le rayon la manqua. Elle sentit la chaleur lui frôler le crâne et, surprise, elle vit la fausse Maîtresse viser au hasard, la face illuminée par les décharges d'énergie brûlante qu'elle absorbait en rafales.

Lentement, avec une grâce atroce, la face du robot se changea en bave de métal fondu.

Le canon du laser s'abaissa sur le côté, tira encore une fois, creusant un trou dans le mur, derrière Washen, puis s'immobilisa. Le corps de la machine n'était plus qu'un sirop épais qui s'écoulait sur le sol comme une flaque de fer sur Marrow.

Diu, en hurlant, fit feu par deux fois.

Washen le fit basculer en arrière, ils se battirent, elle lança son bras vers sa gorge et, durant un instant délicieux, elle pensa qu'elle était en train de gagner. Mais son corps n'était pas vraiment guéri. Un millier de faiblesses la trahirent et Diu la repoussa avec violence, la fit ployer doucement, puissamment ; quand elle s'écroula, il braqua son arme sur sa poitrine.

— Till t'a entendu ! cracha-t-elle. Avec ces acoustiques des Sangsues...

— Et alors ?

— Il sait tout !

Diu tira et elle fut projetée contre la fenêtre.

— Et qu'est-ce que ça change ? Rien du tout ! gronda Diu. (Il tira encore plusieurs fois. Et Washen l'entendit proférer de très loin :) J'ai un million de fils !

La dernière salve déchira l'un des trous béants de son corps et entailla une fenêtre avant de détoner en un éclat mat, à la limite de l'audible.

La bouche pleine de sang, Washen réussit à dire calmement :

— Merde.

Diu leva son arme. La braqua sur sa tête.

Washen tomba et l'observa avec un intérêt réduit, une impatience vibrante, en se disant que cela ne pouvait être ainsi.

Que tout était faux.

Quelqu'un arrivait en courant. Les jambes et les bras étaient familiers et le visage se dessinait dans la grisaille. Celui qui arrivait brandissait une foreuse laser.

Elle ne s'attendait pas à lui. Ce n'était pas Till, mais son fils.

— Père ! cria Locke.

Diu sursauta et se retourna. Locke tira, projetant un flux d'énergie dans le corps tressautant de son père qui s'évapora selon l'ancienne métaphore et disparut.

Puis il s'avança vers Washen, le visage ravagé par la pitié et une peur absolue. Il laissa tomber son arme et balbutia :

— Mère.

Mais elle ne pouvait plus l'entendre. Quelque chose de plus fort, de plus proche l'interrompit. Puis vint une sensation de mouvement, soudaine et irrésistible. Washen se sentit aspirée dans un trou minuscule ; son corps blessé, tournoyant, glacé, tombait et tout était noir, tandis qu'une voix très faible au fond d'elle gémissait :

— Pas comme ça.

» Pas maintenant.

» Non.

Vingt-sept

Le vent hurlait et, non loin de là, s'élevait la plainte plus déchirante encore d'un homme solitaire.

Miocène s'efforça d'ouvrir les yeux et découvrit qu'elle se tenait miraculeusement debout, la poitrine déchirée, son uniforme éclaboussé de sang séché, d'éclats d'os et du muscle noir et mort de son cœur lacéré. Diu et la fausse Maîtresse avaient disparu. Mais le nouveau venu accourait droit vers elle, à demi dévêtu, pieds nus, le crâne rasé. Il avait oublié toute fierté et criait d'une voix misérable :

—Non, mère !

Était-ce bien là son fils ?

Miocène ne parvenait pas à se remémorer son visage. Elle tenta pourtant de l'agripper, de le saisir par une jambe, et perdit l'équilibre. Elle bascula sur le côté et l'homme sauta par-dessus son corps impuissant en continuant à crier :

—Non ! d'une voix pitoyable, aussi perdu qu'elle l'était.

Durant un moment, une année peut-être, la vieille femme qu'était Miocène ferma les yeux.

Le vent diminua jusqu'à n'être plus qu'un murmure sifflant. L'habitat des Sangsues réparait les dégâts qu'il avait subis et elle prit conscience que sa pauvre carcasse était prise au piège ici. L'homme était près du mur, secoué de sanglots.

—J'aurais dû… faire plus vite… tirer bien avant !

Il se plaignait à quelqu'un et, avec un dégoût immense, il avoua :

—Mais c'est mon père et ma main a été paralysée !

—Mais, Locke, répondit une voix, tu ne comprends donc pas ? Il était probablement mon père, à moi aussi.

Miocène reconnut cette voix. Stupéfait, Locke demanda :

—Vraiment ? Comment le sais-tu ?

La sous-maîtresse reprit son souffle et, une fois encore, lutta pour ouvrir les yeux. Son fils s'agenouillait près d'elle. Leurs regards se rencontrèrent et elle vit un sourire entendu se dessiner sur son joli visage.

—Ai-je raison, mère ? Est-ce que Diu était mon père ?

C'était l'un de ses secrets les plus chers. Il y avait eu toutes sortes de fioles de semence, et elle avait choisi un donneur doué mais d'un statut minimal. Un père qui ne serait pas en mesure de contester qu'elle était l'unique parente de l'enfant…

Elle acquiesça.

Le sifflement avait cessé. La langue lourde de sang, elle demanda :

—Depuis… combien de temps, le sais-tu ?

Till eut un rire prolongé avant de répondre :

—Je l'ai toujours su.

Locke réapparut, la démarche hésitante, aussi choqué que Miocène.

—Nous sommes frères et tu l'as toujours su, marmonna-t-il, en réfléchissant à toutes les conséquences avant de demander d'une voix calme marquée par la peur. Et que savez-vous d'autre, madame ?

Miocène cracha du sang.

—Ça a toujours été Diu. Toujours.

Elle rencontra le regard profond et froid de son fils. Locke se rapprocha en murmurant :

—Mais ça aussi tu le savais. (Il regardait Till.) Je t'ai vu. Quand Diu a tout avoué, je l'ai lu sur ton visage. Tu étais déjà au courant de toutes ses trahisons !

Till, fièrement, fit un clin d'œil à sa mère avant de se tourner vers son demi-frère pour lui dire d'un ton lisse et assuré :

—Notre père était un agent. Un intermédiaire. Un outil efficace pour les Constructeurs. Mais la tâche de Diu était achevée et tu as fait exactement ce qu'il fallait faire. Rien n'a changé. Tu m'entends, Locke ? Tu devais tuer cet homme, sinon il aurait assassiné quelqu'un en qui les Constructeurs avaient mis tous leurs glorieux espoirs…

Locke contemplait le mur gris, le visage ruisselant de larmes.

—Mère, dit Till à voix basse et avec assurance.

—Je me suis trompée, répondit la femme fracassée. Et j'ai été stupide.

—Oui.

—Je suis tellement désolée. Tu ne peux pas savoir à quel point.

Il resta silencieux. Et c'est alors qu'elle gémit :

—Pardonne-moi. Tu le veux bien ?

Il eut un sourire lumineux et bref avant de se lever en se tournant vers Locke.

—Il faut que nous cachions notre présence. Du mieux possible, et même encore mieux que cela. Ensuite, nous nous servirons de la machine bricolée de Diu pour regagner Marrow et nous fermerons le tunnel ainsi que l'avait prévu notre père.

—Et ma mère ? s'inquiéta Locke.

—Laisse-la dormir. C'est tout ce que nous pouvons faire pour l'instant.

Locke essuya ses larmes, mais il se comportait comme un homme sûr de son devoir.

Les Indociles peuvent engendrer des chefs exceptionnels, pensa Miocène. Puis elle toussa et, d'une voix plus forte, elle proposa :

— Vous pourriez monter plus haut… et visiter vous-même le vaisseau. Pour une fois.

Till la regarda, apitoyé et amusé.

— Qu'as-tu trouvé là-haut, mère ?

Un nouvel élan de rage transperça la colère de Miocène. L'émotion l'aida à se redresser, elle porta une main tremblante à son cœur éclaté et le serra en disant :

— La Maîtresse est une idiote incapable de remplir son devoir… ça, c'est certain, absolument certain…

Till acquiesça d'un air entendu.

— Qu'es-tu prête à donner pour avoir mon pardon ?

— N'importe quoi. Dis-moi ce que tu veux !

Mais il se contenta de secouer la tête et, d'une voix triste et dure, il jeta à Locke :

— Ton laser.

Dès qu'il serra l'arme dans ses deux mains, il dit à sa mère :

— Tu te trompes, tu ne le vois donc pas ? Je n'ai jamais souhaité que *tu* me suives.

— Non ? gémit-elle.

— Ce n'est pas mon destin. Ni le tien.

C'est alors qu'elle comprit – soudainement. Et ses yeux devinrent immenses.

Till leva le laser et, dans un flash bleu, il détruisit le corps brisé de Miocène à l'exception de son esprit ancien, d'un reste de crâne et de quelques rares cheveux qui pourraient servir utilement de poignée.

Troisième partie

LE SIÈGE DE LA MAÎTRESSE

C'était ainsi : un milliard de voix rassemblées pour le plus indescriptible des chœurs, chaque chanteur hurlant passionnément sa mélodie, chacun dans son registre, son langage personnel. Et, dans cette majesté désordonnée, une seule entité était capable d'entendre le couinement plaintif de la plus douce, de la plus timide des voix.

Avec ses oreilles parfaites, elle écoutait les profils des vents sur la vaste mer Alpha. La mer Bleue. La mer de Lawson. La mer de la Bénédiction du Sang. Et des cinq cent quatre-vingt-onze étendues d'eau principales. Elle entendait aussi l'intensité des forces des boucliers du vaisseau. L'état de ses dispositifs de lasers. Le statut de réparation de sa face avant : normal, bon, excellent. (Jamais lamentable et souvent excellent.) Plus les récoltes d'hydrogène de l'environnement extrasolaire, mesurées en tonnes métriques par microseconde. Elle connaissait les profils d'oxygène de chaque chambre, chaque coursive et alcôve habitée. (Deux dixièmes au-dessus du taux de tolérance dans le marécage, ce qui menaçait les passagers aérobies.) Les niveaux de dioxyde de carbone qu'il fallait maintenir avec la même précision attentive. Les gaz biologiques inertes, moins critiques. Et les niveaux de luminosité ambiante. Ainsi que les voix qui parlaient de températures. D'humidité. De niveaux de toxines. De taux de photosynthèse mesurés en direct et par implication. De taux de décomposition et d'agents de décomposition. Biologiques. Chimiques. Inconnus et autres. Schémas de population mis à jour avec précision toutes les sept secondes. Immigrants. Émigrants. Naissances. Divisions asexuées et appels occasionnels de la mort, plaintifs. Les listes des passagers étaient sans cesse rassemblées. Par espèces. Par mondes d'origine. Par noms audibles ou structures de toucher, par senteurs corporelles ou odeurs de pets individuels. Et aussi par tarifs. Monnaie du vaisseau, troc, échange de connaissances. Le profit était aussi critique que les moissons d'hydrogène et les comptes d'oxygène et il était calculé selon vingt-trois échelles aussi différentes que compliquées, dont aucune n'était parfaitement exacte. Mais, mis ensemble, les chiffres formaient une estimation compréhensive qui n'était pas vraiment un gâchis absolu. C'était cette estimation grossière qui était émise vers la Terre lointaine, toutes les six heures, avec un schéma clair du dernier quart de la journée du vaisseau. Pour l'essentiel, cela était destiné à ceux qui seraient à l'écoute dans trente mille années. Le message disait qu'ils étaient encore là et que leur croisière se poursuivait selon le plan prévu, plutôt bien, merci.

Ce que déclara elle-même la Maîtresse.

Ce qui avait été une épave était devenu un vaisseau vibrant, riche et fondamentalement heureux – du moins pour autant que les multiples nexus de la Maîtresse pouvaient mesurer une qualité aussi éthérée et intime que le bonheur.

Mais ce qui préoccupait la femme et tous les nexus, c'était ce mystère irritant, impossible, qui entourait Miocène et les capitaines disparus.

Quand ses premiers capitaines s'étaient évanouis, la Maîtresse avait réagi avec une panique préméditée, superbe. Elle avait envoyé des escadrons de sécurité à leur recherche, pour la plupart en uniforme, qui avaient ratissé l'immense vaisseau, en quête de quelques centaines d'hommes et de femmes. Au début, les soldats employèrent des moyens subtils puis, après une semaine sans résultat, on passa vraiment à l'action avec des rafles aléatoires. Un autre mois passa sans résultat notable et les escadrons finirent par rassembler suffisamment d'éléments troubles et d'individus suspects pour se livrer à des séries d'interrogatoires chirurgicaux.

Néanmoins, les capitaines – les meilleurs d'entre eux – demeuraient introuvables.

Leurs collègues prirent la mesure des événements ; les nouvelles se répandirent en chuchotements jusqu'aux membres de moindre rang de tout l'équipage, avant de se diffuser parmi les passagers eux-mêmes. Des explications étaient impératives. Pour cette raison, la Maîtresse inventa l'histoire d'une mission secrète à destination d'un monde lointain, laissant dans le flou sa situation et le but précis de l'expédition. Laissant la population donner libre cours à son imagination et à sa paranoïa pour combler les vides. L'important était qu'elle répète son histoire suffisamment souvent afin que les autres finissent par la croire. Un siècle après la disparition des capitaines, sans nouvelles d'eux, sans qu'on en ait repéré aucun, elle afficha une attitude lugubre de circonstance et fit une déclaration publique.

— Le vaisseau des capitaines a été porté disparu.

C'était le banquet annuel : des milliers de capitaines de grade inférieur sursautèrent en entendant la nouvelle et affichèrent la même affliction que la Maîtresse quand ils comprirent ce que ces quelques mots signifiaient pour eux.

— Le vaisseau a été porté disparu et nous présumons qu'il a été détruit, reprit la Maîtresse. J'aurais voulu vous expliquer quelle était la mission de ces hommes et femmes, mais je ne le peux pas. Il suffit de vous dire que nos amis et collègues sont des héros, que nous leur sommes redevables à jamais, de même que le Grand Vaisseau.

De nouvelles mesures de sécurité avaient été prises. Déterminées par la Maîtresse et appliquées par sa garde d'élite, ces barrières paranoïaques étaient destinées à surveiller les capitaines restants. Les anciens itinéraires de fuite, qui avaient été nécessaires jadis, furent interdits et détruits. Les derniers nexus qui avaient été insérés dans son corps énorme ne faisaient que rapporter la position et les activités des capitaines, leurs succès ou leurs échecs et, sans être trop indiscrets, parfois, certaines pensées.

Le manque de capitaines, déjà, avait un effet réel et pernicieux. Il ne manquait que cinq pour cent de la liste de service, et pourtant le taux d'efficacité avait chuté d'un quart et l'innovation s'était effondrée de près de soixante pour cent. La Maîtresse se surprit en train d'étudier les talents de chaque membre de l'équipage et aussi des passagers humains. Lequel de ces immortels pouvait faire un capitaine valable? Auxquels pouvait-elle se fier pour leur confier une petite partie du vaisseau? Ne serait-ce que pour qu'ils passent l'uniforme et se montrent dans les avenues publiques et redonnent confiance à ceux qui le méritaient le plus?

Le talent – l'instinct authentique capable de vous conduire autour de la galaxie – était rare.

Même avec du temps, de l'entraînement et quelques manipulations génétiques, il n'y avait que peu d'âmes à posséder l'ambition et le sens du devoir qui sont nécessaires à tout capitaine. La Maîtresse automatisa de plus en plus de nexus, et ses jours et ses nuits furent saturés. Il était évident que quelques âmes décidées et talentueuses seraient une bénédiction. Mais comment les trouver? Son vaisseau était tellement loin des colonies terriennes et ses besoins étaient terriblement urgents…

—Que diriez-vous d'une amnistie générale? demanda son nouveau Premier Siège.

Il s'appelait Earwig et il était surexcité par la disparition de Miocène. Ce qui était très exactement ce que la Maîtresse attendait. Mais il manquait à Earwig les meilleures qualités de Miocène, y compris le bon sens qu'avait celle-ci d'admettre en public ses ambitions. Sans mentionner son incapacité notoire à pardonner et oublier.

—Une amnistie? s'exclama la Maîtresse, sceptique.

—Selon le dernier décompte, madame, quatre-vingts-neuf capitaines ont quitté les rangs. Certains sont emprisonnés pour des délits mineurs, d'autres se sont fondus dans la population, en changeant d'apparence et d'identité, et vivent désormais sans responsabilité.

—Nous avons besoin de gens pareils? demanda la Maîtresse.

—S'ils sont prêts à recommencer au bas de l'échelle. Et si leurs délits sont sans réelle gravité, au point que, dans votre munificence, vous soyez prête à leur accorder votre pardon. Alors, je dirai oui, nous en avons l'utilité. Oui.

Elle appela elle-même la liste. En une fraction de seconde, toutes les IA ingérèrent quatre-vingt-neuf vies et autant d'états de service. Son esprit conscient parcourut les noms, se souvenant de la plupart, surprise par les talents qui s'affichaient. D'un doigt lisse et raide, elle désigna le plus haut rang en grondant :

— Qu'est-ce qui a pu arriver à celle qui vous a précédé, selon vous ?

— Madame ?

— À Miocène. J'aimerais que vous y réfléchissiez à fond. (Elle leva sa large main et répéta ce qui était évident :) Plusieurs centaines de collègues se sont évanouis le même jour, et nous n'en avons retrouvé aucune trace, pas même un doigt coupé. Où pensez-vous qu'ils soient allés, tous ?

— Très loin, dit Earwig.

Il sentit alors l'humeur de la Maîtresse, comme tout bon Premier Siège, et ajouta :

— Il y a eu une influence alien. (Plusieurs espèces avaient été citées, toutes locales autant que suspectes.) Il se peut qu'ils aient soudoyé nos capitaines ou alors ils les ont kidnappés. Et ils ont réussi à les expulser du vaisseau.

— Pourquoi ces capitaines en particulier ?

Son ego lui fit dire :

— J'ignore pourquoi, madame.

Il semblait vouloir clamer que ce n'était pas une question de talent, même si l'un comme l'autre savait que c'était le cas.

— Vous devriez vous fier à vos nouvelles mesures de sécurité, dit Earwig, qui souhaitait en revenir à sa proposition d'amnistie.

» Ainsi, nous pourrons surveiller les faits et gestes des capitaines qui auront reçu votre pardon. S'ils nous trompent, nous serons à même d'agir de façon appropriée. Vous devez agir, madame. Il n'existe aucun risque que de tels événements se répètent.

— Dois-je me soucier d'une telle répétition ?

— Moi peut-être, répliqua-t-il.

Puis il se rappela qu'il devait sourire en se penchant sur la liste des capitaines disparus, sur le nom que la Maîtresse marquait de son ongle. Et il dit d'un ton paisible :

— Pamir.

Elle l'observa et demanda :

— Vous croyez vraiment qu'une amnistie générale serait la solution ? Qu'un homme tel que Pamir abandonnerait sa liberté pour retrouver son uniforme ?

— Abandonner sa liberté ? lâcha Earwig, qui ne comprenait pas ces mots. (Il fit un effort visible pour plaire à la Maîtresse.) Je me souviens de Pamir. Un capitaine très doué. Parfois un peu rude, je dois dire. Toutefois, quoi qu'on dise de lui, madame… Pamir était digne de porter notre uniforme.

L'amnistie fut largement annoncée dans les juridictions les plus discrètes et pour une durée d'un siècle très exactement.

Dans les deux minutes qui suivirent, la moitié des capitaines emprisonnés ou illégalement absents en acceptèrent les termes et demandèrent le pardon pour leurs multiples délits. Discrètement mais ouvertement, chacun d'eux fut réintégré dans son service, avec un rang modeste et des responsabilités obscures. Après cinq années de service satisfaisant, ils auraient droit à des promotions mineures de poste et de solde.

Pamir ne s'était pas montré.

La Maîtresse fut désappointée mais nullement surprise. Elle avait toujours compris les réactions de cet homme, apparemment. En un certain sens, elle parvenait même à deviner son comportement. Ce ne serait pas dans son style de se joindre à cette première vague de suppliants. Une défiance louable faisait partie de son caractère, c'était vrai. Mais le plus important, c'est qu'il était un être d'un orgueil terrible, presque handicapant. Dans les dernières années de l'amnistie, alors que d'autres âmes ralliaient la cause de la Maîtresse, l'absence de Pamir devint plus sensible. La Maîtresse elle-même décida que, s'il était encore en vie et à bord du vaisseau, il méritait un cadeau plus généreux que le pardon pour qu'il lui revienne.

Vingt minutes avant le terme de l'amnistie, un homme corpulent en robe de contemplateur, chaussé de sandales, correspondant plus ou moins à la description de Pamir, se présenta au poste de sécurité du sabord Bêta, s'assit avec un calme désinvolte et déclara à la ronde :

— Je finis par m'ennuyer, là-bas. Je veux retrouver mon boulot, ou quelque chose d'approchant.

Les scans prouvèrent qu'il était bien le capitaine porté manquant.

— Il faut que vous demandiez le pardon de la Maîtresse, lui dit-on.

Encadré d'officiers de police décidés, vêtus de noir et de violet, le général résident expliqua :

— C'est une des conditions de base de l'amnistie. À vrai dire, elle est fondamentale. Elle peut vous voir et vous entendre. Alors, présentez votre supplique. Maintenant.

Pamir en était incapable.

À plusieurs milliers de kilomètres de là, la Maîtresse le vit secouer la tête avant de déclarer :

— Je n'ai pas d'excuses à présenter pour quoi que ce soit. Et vous feriez bien de ne pas trop vous fatiguer à poser cette question.

Choqué, le général insista :

— Vous n'avez pas d'autre choix, Pamir.

— Et quel était mon crime ?

— Vous avez fait entrer une entité dangereuse à bord. Et vous avez été impliqué dans la destruction de nos plus efficaces centrales de traitement des déchets.

Pamir haussa les épaules.

— Pourtant, je ne me sens pas particulièrement coupable. Ni même attristé.

La Maîtresse l'épiait. En souriant, derrière sa grande main déployée sur sa bouche.

— J'ai fait ce qui était juste. (Son regard se porta au-delà de ses accusateurs. Il se demandait où se cachait l'œil de la sécurité. Il ajouta alors, à la seule intention de la Maîtresse :) Je ne peux pas demander un pardon total, réel, si je ne me sens pas coupable.

— C'est assez vrai, chuchota-t-elle pour elle-même.

Les autres officiers étaient bien moins d'accord. L'un après l'autre, ils secouèrent la tête d'un air dégoûté, et celui qui était le plus courroucé – un personnage aux longs bras, enrichi de gènes d'anthropoïdes, au tempérament mauvais – lança une menace ridicule :

— Alors, nous allons vous arrêter. Vous serez jugé et condamné. Et vous passerez le reste de ce voyage très long dans une minuscule cellule très sombre.

Pamir le regarda sans aucune expression particulière. Puis il se redressa :

— L'amnistie court encore pendant huit minutes. Je peux donc me retirer. Je suppose néanmoins que vous pourriez oublier ce délai et me retenir de force. Si c'est tout ce que votre cœur et votre ventre exigent, ça va.

Une bonne moitié des officiers ne songeaient qu'à le clouer sur place. Comme pour les narguer, Pamir fit une longue enjambée vers la porte, avant de simuler une hésitation. Il réprima un rire en se tournant à demi. Il fit face une fois de plus à l'œil de la sécurité, puis à la Maîtresse :

— Vous vous souvenez de tous ces capitaines disparus ? Ceux qui, à en croire votre ridicule histoire, nous ont quittés pour accomplir cette ridicule mission ?

Nul ne dit un mot, nul ne bougea ni ne respira.

— Une semaine après qu'elle eut disparu… j'ai vu l'une de vos capitaines. Les milliards de voix du vaisseau se turent.

Soudain, la Maîtresse n'entendait plus que Pamir et ne voyait que lui. Et elle cria depuis ses quartiers, sous le sabord Alpha :

— Qui avez-vous vu ?

Toutes les têtes se redressèrent quand sa voix parvint à son public à la vitesse de la lumière. Mais elle n'en fut pas moins tonnante.

— Quittez tous la salle ! Que tout le monde sorte, à l'exception du capitaine Pamir !

Un bref instant, Pamir afficha un sourire. Les autres se hérissèrent et s'éclipsèrent, froissés. La Maîtresse et Pamir demeurèrent seuls et la Maîtresse coupa tous ses ports de données sauf un. Elle apparut alors sous sa forme lumineuse et, d'une voix pressante, elle demanda :

— Lequel de mes capitaines avez-vous vu ?

Calmement, presque amusé, Pamir répondit :

— Washen.

Lui et Washen avaient été des amis intimes, si elle s'en souvenait bien. Durant un long moment, elle ne fut plus la Maîtresse. Les milliards de voix étaient oubliées, le Grand Vaisseau était abandonné à la dérive dans l'espace et le résultat, à vrai dire, était plaisant. Apaisant, agréable.

— Où avez-vous rencontré Washen ?

Pamir s'expliqua en détail, suffisamment pour qu'elle le croie. Il ajouta avec un large sourire :

— Je veux retrouver mon rang. Vous n'avez pas à me faire confiance, ni à me payer. Mais si j'étais un capitaine de millième rang, je m'ennuierais et je serais inutile.

Elle fut presque surprise et demanda en s'efforçant de sourire :

— Pourquoi auriez-vous droit à une telle considération ?

— Parce que vous avez besoin de talents et d'expérience, répliqua-t-il avec une assurance froide. Et aussi parce que vous ignorez ce que Washen faisait, où elle se trouvait. Enfin, puisque j'en sais beaucoup sur l'art de disparaître, je peux vous aider un peu à la retrouver. Un jour, peut-être.

Exceptionnellement, la Maîtresse Capitaine ne sut que dire. Pamir secoua la tête et déclara en s'inclinant :

— Madame, sauf votre respect, ce vaisseau est immense et, franchement, vous ne le connaissez pas moitié aussi bien que vous le pensez. Et lui ne vous connaît même pas au quart de ce qu'il devrait, selon vous…

Vingt-huit

P amir était né sur une petite colonie misérable. Son père n'avait alors que trente ans, ce qui faisait de lui presque un enfant en ces siècles d'immortalité, alors que sa mère, prêtresse et prophète autoproclamée, était plus âgée que lui de mille ans. Sa mère était d'une beauté changeante et d'une richesse inestimable. Parée de tous ces dons, elle aurait pu s'emparer des hommes qui l'entouraient et aussi d'une part des femmes. Mais elle avait été une femme singulière, et elle avait absolument tenu à séduire et à épouser un garçon innocent. Et, à leur façon particulière, ces deux êtres dissemblables formèrent un couple stable et heureux.

La mère de Pamir se passionnait pour la foi des aliens et leurs divinités. Elle pensait que leur univers avait été construit à partir de trois grands principes : la Mort, la Femme et l'Homme. Quand il était encore petit garçon, on avait appris à Pamir qu'il incarnait l'Homme et que la Femme était sa partenaire, son alliée naturelle. C'est pour cela que l'on ne voyait plus que rarement la Mort. Travaillant de concert, les deux dieux avaient temporairement supprimé le troisième, le laissant affaibli et inefficace. Néanmoins, la stabilité, dans une triade, est une illusion. La Mort préparait son retour, lui avait assuré sa mère. Un jour, d'une façon profondément habile, la Mort séduirait l'Homme et la Femme, et l'équilibre changerait une fois encore. Ce qui était naturel et juste. Elle lui disait que chaque dieu était aussi beau que les autres et que chacun méritait le temps de son règne… sinon l'Univers s'effondrerait sous le poids du grand déséquilibre.

Durant des mois, des années, Pamir était resté éveillé au cœur de la nuit, en se demandant si la Mort n'allait pas se présenter devant son lit dès qu'il serait endormi, chuchotant dans ses rêves, et s'il trouverait la force de résister à ses charmes horribles.

Finalement, désespéré, il confia ses craintes à son père. Celui-ci rit en l'écoutant, prit son fils dans ses bras et le mit en garde :

— Tu ne dois pas croire à tout ce que dit ta mère. Elle a l'esprit malade. C'est notre lot à tous, bien sûr. Mais son cas est pire.

—Je ne te crois pas, grogna l'enfant. (Il tenta de quitter les bras de son père sans y arriver. Et il demanda alors :) Comment quelqu'un peut-il ne pas être en bonne santé ? Pourquoi, parce qu'elle a un cerveau modem ?

Père était un homme robuste, laid, avec des ascendants caucasiens et aztèques relevés par un ragoût d'agents génétiques quantiques minimes, de bas niveau.

—La vérité, c'est que maman est tellement vieille qu'elle a vécu le temps d'une vie normale avant sa première mise à jour. Avant même qu'on sache comment rendre les os et la chair à demi immortels. Elle vivait sur Terre. Elle avait déjà cent ans et elle était très usée avant que les autodocs commencent à travailler sur elle. Elle a été l'une des premières, ce qui explique qu'ils ne disposaient pas encore des technologies appropriées. Quand son vieux cerveau fut remplacé par des biocéramiques ou des éléments de ce genre, une part de sa vieillesse subsista. Elle perdit des souvenirs et toute une bande de minuscules erreurs se glissa à l'intérieur, en même temps que quelques autres, plus grosses. Mais je ne t'ai rien dit et si tu le répètes à qui que ce soit, je dirai au monde entier que tu as trop d'imagination et qu'on ne doit pas se fier à ce que tu racontes.

Physiquement, Pamir était bien le fils de son père. Toutefois, sur le plan des émotions et du tempérament, il ressemblait beaucoup à sa mère. Il prit sur lui pour demander :

—Je suis aussi fou qu'elle ?

—Non. (Son père secoua la tête.) Tu as son caractère et un peu de son intelligence acérée. Plus d'autres choses auxquelles personne n'a su donner de nom. Mais ces voix qu'elle entend lui appartiennent à elle seule. Et ces idées stupides ne sont dues qu'à sa maladie.

—On ne peut pas l'aider ?

—Sans doute pas. En supposant qu'elle veuille qu'on l'aide…

—Mais un jour peut-être ?

—La triste et simple vérité, c'est que ces astuces qui nous gardent notre jeunesse nous empêchent aussi de changer. Presque sans exception. Un esprit malade, tout comme n'importe quel esprit sain, possède des schémas essentiels inscrits dans l'ultracortex. Et, quand ils s'y trouvent, rien ne peut les en chasser.

Pamir acquiesça. Sans réaction violente, et avec un chagrin remarquablement discret, il en vint à accepter la condition de sa mère comme l'un des autres fardeaux de l'existence. Ce qui l'inquiétait le plus – et qui le tenait éveillé la nuit – c'était cette idée persistante et toxique qu'un être humain pouvait vivre aussi longtemps et voir autant de choses, mais qu'avec toute son expérience, il ne parvenait pas à changer sa nature la plus simple.

Si c'est vrai, se dit le jeune Pamir, *alors nous sommes tous condamnés.*
À jamais.

Le monde de Pamir était fait de déserts et de hautes montagnes arides, avec une atmosphère pauvre en oxygène et des mers réduites, semées de sels de lithium toxiques. Vingt millions d'années auparavant, la vie y avait été abondante, avant que survienne un astéroïde qui anéantit toute forme de vie plus grosse qu'un microbe. Avec le temps, de nouvelles espèces multicellulaires auraient pu évoluer, tout comme elles l'avaient fait sur l'antique Terre pulvérisée. Mais les humains n'avaient pas accordé cette chance à ce monde. En quelques décennies, les colons s'étaient largement répandus. Les immigrants, puis leurs enfants, avaient bâti des cités instantanées là où il n'y avait eu que du roc et du sel. Chaque mer avait été lavée de ses toxines avant d'être ensemencée avec des échantillons ordinaires, légèrement modifiés, de formes de vie terrestres. De volumineux nuages bleus d'aérogel avaient absorbé l'eau potable et des bergers du ciel les avaient escortés vers le continent avant de les sécher, apportant ainsi de la pluie pour les nouvelles cultures et les jeunes forêts vertes.

En atteignant la trentaine, Pamir avait décidé que sa maison était un endroit terne, rendu encore plus terne par le jour. Il lui arrivait parfois d'aller rêver sur une crête, sous le ciel rose qui s'assombrissait à l'approche de la nuit, révélant le vaste essaim des étoiles. Alors, il levait la main en essayant de réduire à rien toutes ces étincelles glacées.

C'est là-bas que je voudrais être, se disait-il.

Dès que la fuite fut possible, il alla voir sa mère et lui déclara fermement qu'il allait émigrer et ne la reverrait jamais.

La demeure de sa mère était d'une beauté étrange, elle était le reflet de celle qui y habitait. Elle se situait dans un pic volcanique isolé, depuis longtemps éteint. Creusée dans le sous-sol, il en émanait une impression de majesté et de folie, rendue plus chaotique encore parce qu'elle était perpétuellement en construction. Des robots et des singes modifiés s'agitaient bruyamment dans l'air poussiéreux. Chaque pièce avait été taillée dans la roche tendre au gré des plans volatils de madame Mère, et les couloirs étaient des tubes volcaniques vides alignés selon une logique magmatique.

La mère de Pamir se méfiait de la lumière. Les fenêtres et les atriums étaient rares. La décoration, par contre, était essentiellement faite d'épais tapis de compost et de fumier parfumés, synthétisés à prix d'or et ensemencés de spores de champignons modifiés. Dans cette atmosphère renfermée et humide, ils devenaient énormes et leurs chapeaux diffusaient une clarté faible, rougeâtre. Les espèces plus petites, des vesses-de-loup parfois velues, ponctuaient la pénombre de touches bleues et dorées. Afin de contenir la forêt, des coléoptères géants erraient en troupeaux. Et pour les maîtriser, des lézards à l'apparence de dragons sinuaient dans la pénombre suintante.

Il fallut à Pamir trois longues journées avant de retrouver sa mère.

Elle ne se cachait pas. Pas plus de lui que de quiconque. Mais sa dernière visite remontait presque à cinq ans et les travaux se poursuivaient selon les directives de sa mère et tous les couloirs qui conduisaient à elle avaient été obstrués. Il n'existait plus qu'un seul accès, une étroite crevasse qui ne figurait sur aucune carte.

—Tu me sembles préoccupé, lui dit-elle d'emblée.

Il l'entendit avant même de la voir. Il se fraya un chemin dans la forêt luminescente, contourna le pied massif d'un champignon vieux d'un siècle et se retrouva devant un dragon à deux têtes. Des jumeaux siamois, les compagnons préférés de sa mère.

Mère était assise dans un très haut fauteuil de bois, avec dans la main une laisse d'or. L'une des têtes du dragon siffla, alors que l'autre – celle dont Pamir s'était toujours méfié – goûtait l'air d'un coup de langue couleur de flamme.

Et goûtait Pamir aussi.

Sa mère était vieille, folle, mais elle parvenait toujours à se montrer plus belle que démente. Pamir s'était toujours dit qu'elle pouvait ainsi séduire les jeunes hommes qui devenaient ses époux. Elle était plus petite et plus pâle que ses champignons, et son opulente chevelure noire rendait sa pâleur plus évidente encore. Un sourire hostile apparut sur son beau visage aux traits vifs.

—Tu ne me rends pas assez souvent visite pour être un vrai fils. Donc, tu dois être une apparition.

Prudent, Pamir ne répondit pas. Le dragon s'avança, arrachant la laisse des mains de sa maîtresse, et ses deux gueules béantes émirent un sifflement menaçant.

—Ils ne se souviennent pas de toi, dit mère.

—Écoutez-moi.

Elle lut dans sa voix rauque, battit des cils d'un air désolé et lui dit :

—Oh, non. Merci, je n'ai plus besoin de tristes nouvelles aujourd'hui.

—Je vais m'en aller.

—Mais tu viens seulement d'arriver !

—Par le prochain vaisseau interstellaire, mère.

—Là, tu es cruel.

—Attendez seulement que je parte. Cela devrait vous faire vraiment mal.

Son siège était en train de pourrir en grinçant sous elle, pendant qu'elle tendait ses bras maigres comme des tiges sans vraiment se lever, inspirant à longues goulées.

Elle demanda enfin :

—Où vas-tu aller ?

—Peu importe.

—Le prochain vaisseau n'est qu'un vieux wagon-bombe. L'*Elastesia*. (Pour quelqu'un qui vivait en reclus, mère semblait au courant de tout ce qui se passait dans leur monde.) Attends encore dix ans. Un long-courrier de la Ceinture va arriver, tout neuf et tout beau.

—Non, mère.

Sa mère gémit encore une fois avant de dire à ses voix privées :

—Du calme.

Alors, elle ferma les yeux et se mit à psalmodier une version rythmée d'une prière des Sursiffleurs.

Les Sursiffleurs étaient une peuplade voisine. Ces petites créatures avaient plutôt l'esprit faible et superstitieux. Il se trouvait quelques humains assez naïfs pour croire que les Sursiffleurs étaient capables de lire dans l'avenir et le passé lointain. Si l'on apprenait leurs rites avec un esprit pur, on pouvait reproduire leur magie. Combien de fois Pamir s'était-il querellé avec sa folle de mère à ce sujet ? Elle ne comprenait rien à la logique des aliens. Ce que ces petites bêtes croyaient avant tout, c'est que le passé était aussi glauque que l'avenir ; leurs chants partaient dans les deux directions, et jamais particulièrement bien.

Mais la mère de Pamir, indifférente, marmonnait toujours les incantations essentielles. Elle fit deux pas sur le sol noir, souleva sa longue robe et pissa entre ses pieds avant de lire dans les flaques.

Enfin, avec un sourire exagérément dramatique et étrange, elle annonça :

— C'est une bonne chose. Il faut que tu partes. Tout de suite.

Pamir fut surpris, mais il masqua ses émotions. Il ouvrit ses grands bras pour embrasser sa mère en la serrant longuement contre lui. Jamais plus il ne reviendrait ici, jamais plus il ne reverrait cette femme qui comptait plus que tout pour lui. C'était un instant important, infiniment triste, et il avait le sentiment qu'une part de lui allait pleurer durant des heures.

— Ce vaisseau qui arrive, c'est ton destin, dit sa mère.

Elle prononça ces mots avec une absolue conviction, une sincérité totale, et il ne put que la croire.

— Tu dois accomplir ton destin ! (Le sourire qui illuminait son pâle visage devint plus fou encore.) Promets-moi que tu vas partir sans attendre.

C'était un piège. Elle avait monté un coup maladroit et stupide pour s'emparer de ses émotions. Il s'entendit néanmoins répondre d'un ton bourru :

— Oui, je vous le promets.

Sa mère affecta le plaisir avec, dans ses yeux, une expression d'adoration absolue, absurde.

— Merci, dit-elle en s'agenouillant devant lui, dans son urine.

Les deux têtes de dragon se rapprochèrent de Pamir en sifflant. Et il réagit comme il l'avait toujours souhaité en levant le poing vers la tête du dragon dont il se méfiait. Il la repoussa d'un geste brusque et sentit la douleur refluer dans un de ses doigts cassés.

Une fois encore, plus doucement, mère chanta dans cette langue étrangère.

— Pourquoi faut-il que vous ne soyez jamais normale ? lança Pamir avant de s'éloigner, suivant ses propres traces dans le tapis de fumier noir.

Il n'existait aucune créature appelée « Immortalité ».

Mais la vie moderne, pénétrée par les merveilles techniques et la prospérité médicale, avait une force et une ténacité authentiques qui permettaient à ses citoyens de traverser les désastres avec indifférence.

Durant les deux mille années qui suivirent, en trois occasions, Pamir s'avança aussi près que possible de la mort, en retenant juste assez de son âme à

241

travers ces épreuves pour qu'on puisse recultiver son corps, réveiller ses souvenirs et garder la pureté de sa nature belliqueuse.

Au moment où le wagon-bombe descendait sur orbite, il reçut un cadeau de sa mère. Une petite somme accompagnée d'un mot : « J'ai chanté, j'ai vu. C'est exactement ce dont tu auras besoin. De l'argent. »

Ce n'était pas vraiment une fortune et c'est pour cela que Pamir choisit d'être apprenti ingénieur. Il n'avait aucun salaire, mais le voyage était gratuit. De plus, si l'un des ingénieurs qualifiés démissionnait ou mourait, un apprenti avait le droit de lui succéder dans la mesure où il avait acquis ses connaissances à la bibliothèque du vaisseau et avait été formé à fond par ses supérieurs.

L'ingénieur de plus bas rang à bord était un Hurluberlu : les humains avaient toujours donné ce nom à une espèce humanoïde bien connue pour sa mauvaise humeur.

Pamir décida qu'il voulait son poste.

Conscient des dangers, il se rendit jusque dans la vaste cabine de l'alien, s'assit sans demander la permission et expliqua son projet.

— D'abord, je suis meilleur ingénieur que toi. C'est d'accord ?

Silence. Ce qui signifiait « d'accord ».

— Ensuite, l'équipage m'aime bien. Ils me préfèrent à toi dans tous les domaines. Est-ce que je trompe ?

Autre silence d'agrément.

— Et, pour terminer, je te payerai si tu démissionnes. (Il avança une somme dûment calculée et ajouta :) Ça suffira. Lors de notre prochaine escale, tu trouveras un autre équipage qui se moquera du fait que tu es un foutu emmerdeur.

Le trou buccal de l'Hurluberlu émit un son discret et un peu humide. Mais le trou par lequel il respirait et pensait cracha un glapissement aigre qui résumait sa réplique brutale.

— Va te faire foutre, espèce de singe, dit le traducteur.

— Pauvre crétin, répliqua Pamir.

L'alien se dressa alors, dominant largement son robuste interlocuteur humain.

— Bon, ça va, reconnut Pamir. Donne-toi encore une année pour réfléchir et je te ferai la même proposition. Avec un peu moins d'argent.

Insulter un Hurluberlu impliquait la vengeance, sans exception. Mais la portée de l'attaque et sa soudaineté prirent le jeune Pamir par surprise.

— Une détaleuse a été portée manquante, lui annonça la maîtresse ingénieur douze heures plus tard, avec un clin d'œil malveillant. Ça me semble une corvée faite pour toi. La dernière fois que nous en avons entendu parler, elle se trouvait tout en bas, près de la plaque de poussée, quelque part vers le nombril.

Sur les vaisseaux de classe supérieure, les détaleuses chassaient pour leur propre espèce. Toutefois, ces machines pouvaient être très coûteuses et, à bord d'un wagon-bombe, leur nombre était très réduit. Pamir se prépara à assumer cette corvée en se glissant avec peine dans une combinaison trop petite pour lui, avant de revêtir une deuxième tenue d'hyperfibre et de se munir d'une besace d'outils et accessoires. Il devait se laisser tomber de trois kilomètres jusqu'à la tige principale et marcher ensuite sur cinq cents mètres. La plaque de poussée était une grande assiette construite à l'origine avec des alliages métallo-céramiques, renforcée avec des blindages de diamant, puis des protections d'hyperfibre qui étaient devenues médiocres au fur et à mesure que les fractures et les crevasses s'étaient multipliées au cours des siècles.

Les coursives antichocs rudimentaires permettaient toujours d'accéder au secteur visé. Il sentit la plaque vibrer sous les détonations constantes des minuscules charges nucléaires. Dans un tel environnement, tout homme faible et vulnérable devenait claustrophobe, et l'esprit fatigué de Pamir inventait des visages et des voix pour compenser la besogne fastidieuse. Avant tout, il affrontait une épreuve, un test de comportement qu'il acceptait sans se plaindre avec la conscience que, tôt ou tard, il aurait le pouvoir d'expédier un apprenti dans cette même coursive abominable.

Le nombril ne se situait par précisément au centre de la plaque. Il avait un bon kilomètre de diamètre, était parfaitement rond, sans fonction précise. Une détonation prématurée avait grillé une part importante de son blindage, et, comme le nombril se situait dans la partie la plus épaisse de la plaque, sa réparation pourrait attendre la prochaine révision.

Pamir fut accueilli par une lumière blanc-bleu crépitante.

Il s'arrêta et appela la maîtresse ingénieur. Qui, à son tour, contacta la maîtresse capitaine en demandant une coupure momentanée des moteurs avec des effets mineurs. L'équipage et les passagers furent ainsi prévenus que le champ gravifique déjà précaire allait être annulé. Les programmes de sauvegarde avaient été lancés. Les nucléaires furent alors coupés, la clarté blanc-bleu déclina et, en un instant, la plaque de poussée devint parfaitement silencieuse.

Pamir fit l'échange entre sa tête et ses pieds avant de se diriger vers l'endroit où la coursive de toiture avait éclaté. Ses bottes étaient cramponnées au sol calciné.

La détaleuse se trouvait au centre du cratère, un endroit bizarre. Pourquoi une machine avait-elle erré jusque-là ?

Elle était morte. Et, plus grave, sans doute inutile, auquel cas il ferait mieux de la laisser sur place. Il se sentit néanmoins obligé d'aller jusqu'au bout. Il retira donc ses bottes et se servit de son pack d'injection pour filer vers le fond du petit cratère tout en saisissant d'une main maladroite les outils qui lui seraient nécessaires pour faire sauter la tête de la machine et regarder à l'intérieur s'il y avait quelque chose de récupérable.

Il jeta un coup d'œil en haut. Pour quelle raison, il n'en fut jamais certain.

Plus tard, quand il essaya péniblement de reconstituer les événements, il se demanda s'il n'avait pas voulu voir quelle était leur destination. Le wagon-bombe plongeait vers un soleil de classe K escorté de deux planètes jeunes qui avaient été terraformées par des colons humains. Il avait dû pencher la tête

243

parce qu'il voulait avoir un angle de vue précis. Il n'était encore qu'un jeune homme qui admirait son premier soleil nouveau et aussi une existence qui serait certainement longue et riche en lieux aussi divers qu'exotiques… C'est pour cela qu'il discerna cet éclair, ce flash nucléaire qui montait vers lui… pour cela qu'il eut juste le temps de s'expulser en direction de la coursive, en lâchant ses outils et en ordonnant à son pack de consumer chaque gramme de carburant dans une fraction de seconde…

Il fut expulsé par là même où il était entré.

Bien trop tôt, il se dit qu'il s'en tirerait sans mal et qu'il reverrait avec plaisir la figure de l'Hurluberlu. Mais il manqua son but de quelques centimètres, le bras et l'épaule gauches coincés dans la combinaison noircie, le corps ricochant contre le mur opposé, perdant un degré précieux d'accélération… Le nucléaire explosa dans une bouffée de lumière qui monta vers lui, et le cueillit bien trop vite en oblitérant tout ce qui se trouvait à proximité…

Ne survécurent qu'un casque blindé et un cerveau vaguement humain, cuit à point. Toutefois, le chirurgien du bord et les autodictées – juste conséquence des relevés de sécurité plutôt problématiques du vaisseau – étaient suffisamment précis et, en trois mois, l'âme de Pamir fut transférée dans un esprit tout neuf et une enveloppe corporelle fraîche qu'il put reconnaître comme sienne.

Dès que le vaisseau aborda un berceau de parking au large de ce premier nouveau monde, la maîtresse ingénieur se glissa dans la chambre de thérapie et se pencha sur Pamir qui achevait un cycle d'isométrie de deux heures. Paisiblement, avec un exquis mélange de mépris et de curiosité, elle lui déclara :

— Les Hurluberlus n'apprécient pas d'être soudoyés. Pas du tout.

Il hocha la tête, évacuant la sueur visqueuse de son visage et de sa poitrine.

— Tu ne lui as pas donné le choix. La pauvre chose devait obéir à sa nature et se venger.

— Je sais tout cela, répondit Pamir. Mais je ne m'attendais pas à ce qu'il me balance un nucléaire dans le cul.

— Et à quoi t'attendais-tu ?

— À un simple combat.

— Et tu pensais que tu allais gagner ?

— Non, que j'allais perdre. (Pamir eut un rire sombre.) Mais je me suis dit aussi que j'allais survivre. Et que cette créature allait me donner son boulot.

— C'est à moi de décider, lui dit la Maîtresse.

Il ne cilla pas. La Maîtresse eut un long soupir en détournant le regard.

— Ton adversaire a disparu, avec la moitié de mon équipe. Ces terraformeurs veulent de bons ingénieurs, prennent parfois des mauvais aussi, et ils donnent des primes importantes pour rendre habitables leurs petits blocs de rocher.

Pamir demanda après un instant :

— Est-ce que j'ai mérité mon poste ?

La vieille femme ne put qu'acquiescer.

— Mais tu aurais pu ne rien faire, rien. Et tu aurais eu ce que tu voulais, de toute façon.

— Deux choses différentes.

— Qu'est-ce que tu veux dire?

— On paye ou bien c'est de la charité, dit Pamir. Et peu m'importe la durée de ma vie. Je paye pour tout ce que je tiens. Sinon, mes mains ne le garderont pas.

Propulsé par le talent, la discipline et son désintérêt pour un meilleur travail, Pamir parvint au poste de maître ingénieur.

Dans les six cents années qui suivirent, le vaisseau eut droit à deux réhabilitations. La seconde le débarrassa de sa vieille propulsion à bombe remplacée par une unité à fusion complète avec tous ses carrousels de tuyères et son cloutage antimatière. Il emportait dix mille colons vers un monde tellurique. À l'avant se profilaient les franges épaisses du Nuage d'Oort d'un autre soleil. Une région périlleuse pour les vaisseaux interstellaires. Les obstacles étaient trop dispersés pour être cartographiés, trop nombreux pour qu'on les ignore. Mais les risques étaient plutôt minimes et, parce qu'elle avait passé du temps dans le secteur et qu'elle avait appris à les connaître, la maîtresse capitaine décida de passer par les franges.

Après les travaux de réhabilitation, la vieille plaque de poussée fut dépouillée de sa masse excédentaire et renforcée par d'autres couches d'hyperfibre. Le nouveau dispositif improvisé fut alors rattaché au nez. La plaque devait absorber les impacts de poussière. Les canons de bastingage oblitéraient les cailloux, les boules de neige, alors que le vieux moteur de la bombe lançait des charges nucléaires sur les obstacles importants pour les pulvériser à distance prudente.

La maintenance des systèmes essentiels et les réparations éclair réclamaient un ingénieur. Sur un grand nombre de vaisseaux, le maître ingénieur délègue cette tâche. Dans sa jeunesse, Pamir aurait pu avoir assez de cran pour forcer quelqu'un d'autre à le faire. Toutefois, il avait passé une grande partie de sa vie sur ce vieux tacot de l'espace et il le connaissait mieux que personne. C'est pour ça qu'il avait revêtu une tenue blindée avant de se lancer dans les coursives de la plaque qui lui étaient tellement familières; il travailla sans relâche pendant vingt-cinq jours pour réparer une demi-douzaine de dysfonctionnements. Il était aussi rapide qu'efficace.

Néanmoins, il ne vit pas la comète qui approchait.

Le seul signe avertisseur fut le déclenchement soudain de l'artillerie de bastingage et des nucléaires. Les nucléaires se turent dès que la cible fut trop proche. C'est alors que Pamir, avec une clarté mathématique, comprit que l'impact était imminent. Sans raison précise, il se roula en boule, les mains crispées sur les genoux en inspirant à fond…

Ensuite : le noir.

Plus vide que l'espace, et infiniment plus froid.

Tous ceux qui le survolaient étaient des étrangers et aucun d'eux ne voulait lui parler des passagers, de l'équipage, de l'état du vaisseau.

Finalement, ce fut un ministre du culte éterniste qui lui apprit les nouvelles avec un sourire qui soulignait le ton presque joyeux de sa voix :

— Vous êtes un homme très chanceux. Non seulement vous avez survécu, mon cher, mais des Ceinturiers bienveillants ont retrouvé vos restes dans cette vieille plaque de poussée.

Une fois encore, le corps de Pamir fut décanté à partir de rien ou presque. Encore inachevé et atrocement faible, il se reposait dans un lit d'hôpital, sous zéro-G, protégé par une trame douce tapissée de capteurs qui indiquaient en permanence l'évolution de sa reconstitution.

En dépit de sa faiblesse, il tenta d'agripper le prêtre. Croyant à un besoin urgent de confession, l'homme tenta de saisir sa main entre les siennes. Mais non : la main glissa, se referma sur une épaule et s'accrocha au lourd tissu noir de la robe. D'une voix trop neuve pour paraître humaine, Pamir grommela :

— Et le reste… tous les autres ?

D'un ton décidé et serein, le ministre du culte éterniste déclara :

— Toutes ces vies longues et heureuses ont eu droit au repos qu'elles méritaient. Il devait précisément en être ainsi.

La main de Pamir lui serra le cou. Le ministre tenta de se dégager, sans succès.

— Ils sont tous morts en un instant, sans souffrances, coassa-t-il. Sans peur, sans crainte. Ne voudriez-vous pas, quand votre heure sera venue, qu'il en soit de même ?

La main de Pamir se crispa un peu plus avant qu'il réponde de sa voix toute neuve, tandis que ses yeux aussi neufs se perdaient dans le lointain :

— Non. Je veux souffrir. Je veux connaître la peur. Quand je rencontrerai la mort – bientôt, je l'espère, je lui dirai : « Je veux le pire. La fin la plus merdique. Souffrir jusqu'au bout, jusqu'à une fin misérable… »

Des siècles s'étaient écoulés pendant que le corps de Pamir dérivait entre les étoiles. Il se retrouva dans une région de l'espace humain où des établissements colonisés étaient dispersés jusqu'à la lisière de la Voie lactée. Un seul événement lourd de conséquences avait eu lieu durant son absence. Énorme. Pamir apprit qu'un vaisseau interstellaire alien avait été repéré entre les galaxies. Nul ne savait d'où il venait ni pourquoi il se trouvait là. Mais toutes les espèces de tous les mondes importants avaient rassemblé leurs ressources pour l'atteindre et réclamer leur part.

Par chance, les humains avaient été les premiers à le découvrir. C'était à eux de jouer. La guilde des Ceinturiers, riche en expérience et dont l'influence était vaste, avait armé une flotte de vaisseaux rapides. Dans le but de coiffer au poteau tous les autres groupes, elle comptait lancer ses premiers vaisseaux avant même qu'ils soient achevés – de petits astéroïdes choisis pour leur mélange idéal de métaux, de boue carbonique et de glace, percés de tunnels minimes, avec des habitats profondément implantés et sûrs, des moteurs et des réservoirs importants attachés à l'extérieur conservé à l'état brut.

Chaque ingénieur de la région avait été pris sous contrat par les Ceinturiers : pour ses connaissances, son expérience et, fréquemment, pour monopoliser les talents et nuire à ses concurrents. Le séjour de Pamir en espace profond le désignait d'office pour faire partie de l'équipe de pointe.

La rumeur voulait qu'un sous-ensemble de l'équipe fasse partie de la grande mission. Au départ, Pamir se dit qu'on allait l'inviter à rejoindre les Ceinturiers et qu'il refuserait. Le vaisseau alien était intéressant, mais cette région de l'espace était un désert sauvage. À l'opposé, un homme riche avec son propre bâtiment d'exploration pouvait visiter seul une dizaine de mondes étrangers qui n'avaient jamais été explorés par les humains. Des deux options, il croyait que cette dernière représenterait l'aventure la plus grandiose. En prenant cette décision, Pamir pensait que son avenir était déterminé.

Un certain matin, très tôt, il se retrouva à la dérive dans un tunnel poussiéreux et sinistre, évitant de se mêler à une discussion vive entre des architectes et des bolidologistes. L'objet de cette discussion était un tunnel mineur et Pamir s'ennuyait ferme. Sa prière pour qu'apparaisse une source de distraction, n'importe laquelle, fut soudainement exaucée. Des centaines de capitaines surgirent. Tous étaient venus de lieux lointains de la Voie lactée ; tous portaient cet uniforme miroitant et tout nouveau qui avait été conçu spécialement pour la grande mission à venir.

Deux femmes de la Ceinture conduisaient le groupe – elles étaient élancées et l'on disait que la plus grande était une déléguée de la Maîtresse Capitaine.

Sa compagne au visage en lame de couteau lui dit :

—Celui-là, madame, c'est le gentleman qui a survécu au désastre de l'*Elastesia*.

Après tous ces siècles, elles se souvenaient encore.

Pamir hocha la tête sans répondre. Et la discussion à propos de l'angle du tunnel s'acheva brusquement, de façon embarrassée. La future Maîtresse sourit et décida que cette circonstance exigeait une touche de maladresse.

—J'aimerais qu'il soit avec nous ! lança-t-elle. Il va nous porter chance !

Mais le capitaine au visage en lame de couteau n'était pas d'accord.

—Madame, c'était sa chance à lui. Il ne l'a pas partagée avec ce vaisseau.

Pamir la détesta aussitôt. Il réussit à déchiffrer sa plaque dans la poussière noire et lut : « Miocène ». Que savait-il d'elle ? La rumeur disait qu'elle était encore jeune. Et plus ambitieuse que nulle autre.

La future Maîtresse fit un clin d'œil à son ingénieur de bas rang.

—Ça t'intéresserait, mon chéri ? Tu aimerais laisser la galaxie loin derrière toi ?

Il réfléchit et songea : *Non, merci.*

Mais il y avait les circonstances : la poussière qui dérivait, les deux capitaines et le discours à propos de sa chance… Tous ces facteurs et d'autres encore se combinèrent en lui et l'obligèrent à dire :

— Oui, je veux y aller. Absolument.

— Bien, répliqua la géante. Nous saurons nous servir de toute la chance que tu apporteras à bord. Même si tu essaies de la garder pour toi.

La plaisanterie était mauvaise. Pamir ne parvint pas à rire comme les capitaines, les architectes et les experts en minéralogie qui s'esclaffaient autour de lui.

La seule qui demeurait indifférente était Miocène.

— Ceux qui vont partir sont ceux qui le méritent, personne d'autre, rappela-t-elle. Étant donné que la construction de notre vaisseau s'achèvera en chemin, sans aide extérieure, nous ne disposerons pas de l'espace ni de la patience pour héberger ceux qui ne seront pas les meilleurs.

C'est en cet instant que Pamir prit conscience d'avoir fait le bon choix : il voulait absolument faire partie de cette grande mission. Dans l'année qui suivit, il travailla sans se plaindre, sans jamais en appeler à ses supérieures et en dirigeant ses équipes avec une compétence tranquille. Toutefois, la date limite approchait et le malaise s'installait. L'inquiétude se changea en frayeur noire. Pamir savait très exactement ce qu'il en était. Il était un bon ingénieur, rien de plus. Les hommes et les femmes qui l'entouraient se préoccupaient plus des machines que des gens. Ils échangeaient des plaisanteries à propos des moteurs à fusion et répandaient des rumeurs sur les concepts des uns et des autres. Leurs meilleures amies étaient des machines. Il y avait certains ingénieurs qui vivaient ouvertement et dans le bonheur avec des robots qu'ils avaient eux-mêmes conçus, la mécanique dissimulée sous des poches de caoutchouc doux, avec d'adorables visages de poupée.

Quand la dernière liste d'embarquement fut publiée, la peur se changea en résignation.

Pamir se lança dans le rituel de recherche de son nom et, en dépit de tout, il éprouva un sentiment de surprise perturbant en ne le trouvant pas sur la liste.

L'effet de surprise se transforma en colère larvée, empirée par deux jours et deux nuits d'alcool et de drogues dures. Dans la brume altérée où il dérivait, la vengeance lui semblait une possibilité agréable. En se fondant sur une logique d'Hurluberlu, Pamir fabriqua une arme à partir d'une foreuse laser, en en modifiant les fréquences et en en supprimant les sécurités. Dès que le laser fut démantelé et caché, il franchit le cordon de surveillance et pénétra dans le vaisseau en évolution. Il pensa à Miocène et se dit à lui-même : *Je vais lui montrer que j'ai de la chance.*

Les capitaines étaient déjà installés à bord. Pamir avait sans doute l'intention de les agresser, ou pire encore. Toutefois, dès que les possibilités de vengeance devinrent réelles, sa colère se transforma en une pure aversion. Ce qu'il n'avait jamais éprouvé auparavant.

Il s'efforça de croire que ce n'était dû qu'aux drogues qui circulaient dans son organisme. Il ne pouvait envisager autre chose. Mais, avant tout, ces éléments chimiques nivelaient simplement ses émotions, déformant toute raison pour l'obliger à suivre constamment la ligne de partage des eaux de sa souffrance.

D'autres ingénieurs plus chanceux s'activaient dans les principaux habitats. Pamir rampait dans un long puits aveugle.

Au bout de ce voyage, ce vaisseau, il le savait, serait le plus magnifique jamais conçu par des esprits humains, jamais construit par la main de l'homme. Par les siennes, il le savait maintenant. Cloué dans ce trou obscur, étouffant, il découvrit que ce wagon lui importait peu. Ce qui comptait, c'était le vaisseau. Cette épave antique qui venait de nulle part, qui tombait droit sur eux, droit sur lui!

C'était peut-être à cause des drogues, ou du désespoir. Ou peut-être exactement était-ce ce qui lui semblait sur l'instant. Les mouvements de sa vie – il avait quitté son foyer, voyagé à bord de l'*Elastesia,* avant de n'être plus qu'un cadavre, sans oublier la chance remarquable qui avait fait qu'on le retrouve – tous ces événements improbables lui apparaissaient tout à coup comme le Destin et le Grand Projet. Les étapes importantes de sa vie, et même les plus mineures, avaient abouti à ce qu'il se retrouve ici, peinant dans cet endroit improbable, ivre, drogué, possédé par la seule idée de sa destinée personnelle.

Il devait trouver un moyen de rester à bord.

Mais un passager clandestin ne pouvait rester longtemps caché. Pas durant un siècle, encore moins pendant des millénaires.

L'unique solution était évidente. Inévitable.

Il y avait peu d'autres hommes qui auraient été capables d'accomplir ce que Pamir fit ensuite. Pour un humain, avec une promesse de vie de milliers ou de millions d'années, la seule idée de mettre ce trésor en danger de mort était impensable.

Mais Pamir était déjà mort auparavant. Deux fois.

Non seulement il arma le laser, mais ses mains étaient dures comme la pierre. À cet instant, à chaque souffle, il se sentit plus heureux. Il se positionna soigneusement dans le tunnel étroit, prit le temps de mesurer comment le goudron carbonique allait fondre pour se déverser sur son corps calciné et le masquer dans une chape noire.

À la fin, durant un bref instant, il eut peur.

Il n'était pas du genre à chanter. Mais, en attendant que le laser soit chargé et tire, il entendit sa voix rude entamer une ancienne mélodie des Sursiffleurs que sa mère chantait pour lui et pour le dragon à deux têtes, autrefois.

—Tout l'Univers, chantait-elle, et je suis la seule.

» Toute la Création, et il n'y a que celle-là pour moi.

» Tout de Tout, et ce que je suis maintenant ne reviendra plus.

» À chaque pas, je change.

» À chaque pas, je meurs.

» À jamais et pour toujours, ici, ici, ici, je demeure!

Vingt-neuf

Pamir n'avait jamais connu pareille agitation dans la station de la Maîtresse.

Les portes démones fonctionnaient à pleine puissance, leurs gonds blindés scellés et verrouillés. Les brigades de sécurité s'étaient déployées avec leurs armes et leurs visages menaçants. La paranoïa flottait comme un poison lourd dans l'air humide et brillant. Pamir fut interrogé par deux capitaines et une sous-maîtresse. Il ne pouvait dire combien de fois son uniforme et son corps avaient été explorés discrètement. Ils le harcelèrent de questions sur Washen et Miocène. Qu'est-ce qu'il avait vu ? Qu'est-ce qu'il avait entendu ? Et, avant tout, qu'est-ce qu'il avait raconté aux officiers disparus ? Il répondit à tout, sans s'arrêter aux détails. Il avoua d'une manière détournée qu'une bonne vingtaine de secondes s'étaient écoulées avant qu'il contacte la Maîtresse pour l'informer que deux fantômes lui étaient apparus et qu'il apprenne qu'ils avaient parlé à la Maîtresse auparavant.

— Il se peut qu'ils soient morts, mais en tout cas, ils respectent l'ordre hiérarchique, remarqua-t-il.

On lui demanda quels avaient été son itinéraire jusqu'à la passerelle, son mode de transport et s'il avait noté quoi que ce soit de particulier.

Chaque voyage à travers le vaisseau, aussi bref fût-il, ne manquait pas de bizarreries. Pamir décrivit deux ruffians à cou bleu en train de copuler au vu et au su de tout le monde, un banc de Calmars à dos-de-pioche dont la bulle roulante avait été coincée dans la porte d'un magasin, et il ajouta qu'au moment où son cap-car prioritaire approchait de la passerelle, il avait repéré un jeune humain mâle qui n'était vêtu que d'une pancarte avec ces simples mots écrits à la main :

« La Fin est Là ! »

Chacun de ses interrogateurs avait enregistré toutes ces singularités. Plus tard, ces événements seraient rangés par ordre d'importance présumée et, si nécessaire, on enquêterait à leur sujet.

Un gaspillage de pensées et de temps tout à fait magnifique, excitant.

On ouvrit la dernière écoutille et Pamir s'avança enfin dans la station. Une IA au visage caoutchouteux lui décocha un regard irrité avant de proférer d'un ton de soulagement nerveux :

— Enfin ! Suivez-moi en courant !

Pamir s'élança.

Le centre administratif du vaisseau était long de trois kilomètres, large d'un kilomètre et demi. De grandes arches d'olivine montaient en trame vers le plafond ; de toutes parts, les capitaines et leurs assistants, humains ou non, bavardaient dans le dialecte compressé de la station. Il était question des capitaines disparus. Pamir entendit les rumeurs qui circulaient sur telle ou telle rafle à l'intérieur du vaisseau. Les équipes de sécurité avaient terminé leur travail et de nouveaux coups de balai allaient se déclencher. Quand les humains étaient à bout de souffle, les IA continuaient à jacasser et à filtrer des océans de données fraîches pour tenter de trouver n'importe quoi pouvant présenter un schéma utile.

Des fantômes passent deux appels holos et ça suffit à déclencher tout un cirque. La face de caoutchouc de l'IA se gonfla dans les derniers cent mètres et elle prévint Pamir :

— Aujourd'hui, elle compte sur la sincérité. Rien que la sincérité.

D'ordinaire, la Maîtresse n'appréciait pas trop la vérité. Néanmoins, Pamir inspira profondément avant de répliquer :

— Ne vous inquiétez pas.

— Mais c'est mon travail, protesta l'IA, blessée. Je dois m'inquiéter.

Ils s'arrêtèrent devant les quartiers de la Maîtresse. Pamir ôta sa casquette, défroissa son uniforme et essuya la sueur et la salive de son visage. Il eut un soupir de soulagement. La porte d'hyperfibre s'ouvrit, lui révélant quelques dizaines de généraux de la sécurité – des hommes et des femmes, sanglés dans des uniformes noirs cuirassés, qui portaient sur le nouveau venu un regard où se mêlaient la méfiance et un dégoût calculé.

Pour eux, Pamir serait toujours le traître, le capitaine félon qui avait obligé leur Maîtresse à lui accorder son pardon et à le restituer dans son ancien grade qu'il avait déshonoré.

La Maîtresse siégeait au-dessus de ses généraux, le regard de ses grands yeux bruns apparemment perdu dans la direction de Pamir. Puis elle ferma les paupières et leva les bras :

— Pour l'heure, il n'y a rien. Rien ni personne. Continuez néanmoins à chercher et envoyez-moi aussitôt vos rapports. Est-ce que je me fais bien comprendre ?

— Oui, madame ! clamèrent une trentaine de voix. Dans l'instant qui suivit, ils ne furent plus que deux, un millier d'IA dissimulées et toute une multitude de machines aux instincts simplifiés.

Les quartiers de la Maîtresse étaient plus modestes que la majorité des appartements de la station. Même ceux de Pamir semblaient spacieux par comparaison. Elle n'avait exigé qu'un demi-hectare divisé en une multitude de petites pièces, chacune décorée avec des tapis, des tentures du style le plus strict, et des plantes exotiques terrestres. Le mobilier neutre était simplement prévu pour le confort de ses visiteurs.

Toutefois, la présence de la Maîtresse était sensible dans chacune de ces pièces ainsi qu'elle l'avait voulu. Pamir la ressentait pleinement et elle lui accorda un sourire à la limite de la séduction.

Qui le prit au dépourvu.

Puis une voix câline lui dit :

—Pamir.

Il réussit à dissimuler sa surprise, s'inclina selon la coutume et répondit, tout en contemplant ses longs pieds nus, dorés et charnus, campés sur le sol de marbre neigeux dans lequel d'autres pieds innombrables avaient laissé des sillons doux au cours de siècles de croisière :

—Madame. En quoi puis-je vous aider, madame ?

—J'ai pris connaissance de votre rapport sur les événements que vous avez vécus. Un excellent travail, parfait. Comme d'habitude ! Je suis certaine que vous n'avez rien laissé de côté.

—Rien. (Il regarda son uniforme, puis le reflet de son visage surpris.) Vous les avez trouvées, madame ?

—Non.

Est-ce qu'elle lui aurait dit oui dans le cas contraire ?

—Non, répéta-t-elle. Et je commence à me dire qu'il n'y a personne à retrouver. En tout cas, aucun de mes capitaines portés disparus.

Il accusa le coup.

—Alors, si ce n'est pas Washen qui nous a parlé…

—Je suppose que c'était une mauvaise plaisanterie.

Elle souriait à cette simple idée, pas à Pamir. C'était une possibilité rassurante et, de façon singulière, presque rationnelle.

—Holoprojections. Personnalités synthétiques. Nous avons retracé la source de l'appel jusqu'à une station relais qui a été détruite un moment plus tard. À l'évidence pour donner à cette fiction un peu plus de crédibilité.

Pamir hésita avant de déclarer :

—Vous faites erreur, madame.

Elle le toisa en silence.

— J'ai vu Washen. Je l'ai bien reconnue, mais elle avait totalement changé. La peau fumée et cet uniforme grotesque…

—Merci. Je me souviens de leur apparence.

—Alors, poursuivit-il, pour quelle raison quelqu'un, humain, alien ou qui que ce soit…

—Aurait usurpé l'apparence de Washen ou de Miocène ?

La Maîtresse jouait à un de ses jeux préférés. Ce qu'elle croyait passait après ce qu'elle attendait de Pamir et ses souhaits ne se révéleraient qu'à sa convenance. Ou peut-être même jamais.

—Un ennemi pourrait bien avoir monté ce tour. (La Maîtresse hocha la tête avec une assurance nouvelle.) Quelqu'un qui serait décidé à nous faire passer, moi et ce grand bureau, pour des idiots absolus.

Pamir resta muet.

—Qu'ils soient authentiques ou non, ces fantômes nous ont contactés tous les deux, et uniquement nous. Je comprends pourquoi ils m'ont choisie. Et vous, aussi, bien sûr. Vous avez toujours prétendu que vous aviez rencontré Washen *après* sa disparition, non ?

—Oui, confirma Pamir, laconique.

—Marrow. Ce monde de merde…, cita la Maîtresse.

Pamir attendait.

—Est-ce que ce mot a un sens pour vous ?

—Là où naît le sang. C'est tout.

La Maîtresse désigna les IA.

—Elles ont dressé la liste de tous les mondes connus qui portent ce nom ou un autre similaire. Plus particulièrement dans les langues des aliens. Aucun de nos suspects ne se trouve à proximité de nous. Pas en ce moment, et ce fut rarement le cas dans le passé.

—Un détail bizarre, releva Pamir. Je veux dire, s'il fait partie de votre plaisanterie.

La Maîtresse décida de se contenir : maintenant, c'était à elle d'attendre. Pamir savait ce qu'elle voulait.

—Je ne sais rien, madame. Quand j'ai vu Washen et Miocène, ça a été pour moi un choc total et absolu…

—Je comprends, dit-elle sans conviction. (Puis elle ajouta, le regard dur :) Et que devinez-vous ? À partir de votre totale ignorance, je veux dire.

Le cœur battant, la gorge serrée par une main invisible, il répondit :

—Ces fantômes avaient l'air vrai. Et je continue à croire qu'ils sont encore dans le vaisseau. Washen. Et la sous-maîtresse Miocène. Ainsi que tous les autres capitaines disparus.

—Chacun est libre de son opinion.

Il se hérissa en secret.

—Deux fois, ajouta la Maîtresse. Une fois, deux fois.

—Je vous demande pardon, madame ?

—J'ai pris des risques avec vous, Pamir. Vous vous en souvenez ? (Il y avait de la malveillance dans son large sourire.) J'ai presque oublié la première fois. Mais pas vous, n'est-ce pas ? Au départ, quand les ingénieurs ont retrouvé votre carcasse délabrée… Ils voulaient vous laisser dans cet état jusqu'à ce qu'on vous transfère dans une prison appropriée.

—Oui, madame.

—Mais je vous ai sauvé, dit-elle avec un mélange de plaisir absolu et d'amertume. J'ai décidé qu'une âme qui souhaitait être des nôtres avec une telle force devait avoir de la valeur, sans compter ses talents. C'est pour ça que j'ai ordonné qu'on vous fasse renaître. Et, lorsque vos collègues ingénieurs ont refusé de vous accepter, n'est-ce pas moi qui ai eu la sagesse de vous inviter à faire partie des capitaines ?

Pas précisément. Rejoindre les capitaines avait été son idée et il en avait pris l'initiative. Toutefois, il n'avait pas intérêt à s'accrocher avec elle sur ce point et il se contenta de hocher la tête, tout en regardant ses grands pieds nus.

—J'ai essayé de vous servir de mon mieux, vous et le vaisseau.

—Avec une ou deux fautes.

—Une seule, répliqua-t-il, refusant de tomber dans ce piège trop simple.

—Honnêtement, vous ne savez rien à propos de ces appels fantaisistes, n'est-ce pas ?

—Je ne sais même pas s'il s'agissait d'une plaisanterie, madame.

—Ce qui nous amène à quoi, Pamir ? Je veux vous l'entendre dire.

D'une voix posée, il répondit :

—Si vous le souhaitez. Si je peux. Je pourrais pourchasser Washen, ainsi que tous ces capitaines qui ont disparu. Avec un mandat officiel ou je ne sais quoi.

La Maîtresse leva les yeux.

—Vous seriez prêt à le faire ?

—Avec joie, dit-il sincèrement.

—Je suppose que vous êtes qualifié. (C'est avec délice qu'elle remua le couteau dans la plaie.) Vous êtes parvenu à échapper à mes équipes de sécurité depuis très, très longtemps. Et, apparemment, sans grande difficulté.

Il ne pouvait que rester rivé à son regard en retenant son souffle.

—Mais, ainsi que vous l'avez dit, j'apprécierais d'être rassurée sur d'autres points. Par exemple sur votre loyauté, ne serait-ce que cela. Si vous trouvez Washen, je pourrai peut-être cesser de surveiller chacun de vos mouvements. Nous nous comprenons bien ?

Il était facile d'oublier pourquoi il avait rallié à nouveau les rangs des capitaines. Avec un sourire froid, il dit simplement :

—Madame.

Il s'inclina brièvement.

—Si je retrouve ces capitaines perdus encore vivants, vous serez bien trop préoccupée du sort à leur réserver pour vous soucier de moi… Madame !

Trente

Pamir était assis sur une souche odorante de bois de rose, dans la chambre de jardin gagnée par la pénombre. Le jardin se situait au cœur d'un appartement dans l'un des quartiers humains les plus chics et les plus anciens. Un couple singulier, formé durant le premier millénaire du voyage, se partageait les salles spacieuses et les grands corridors. Chaque fois que Pamir leur rendait visite, il les trouvait en train de se chuchoter des mots tendres, les mains jointes, ce qui éveillait en lui une trace aigre d'envie.

Quee Lee était une femme extraordinairement ancienne et riche. Elle était née sur Terre et avait hérité sa fortune d'un grand-père chinois qui s'était enrichi dans le commerce et le trafic des drogues légales. Parfois, il lui arrivait de parler de son monde natal avec horreur et amour. Elle avait presque l'âge qu'aurait eu la mère de Pamir, mais il ne lui parlait jamais de cette vieille folle. Quee Lee était assez âgée pour se souvenir d'une ère où le vol spatial était quelque chose d'étonnant et où les gens se disaient heureux ou maudits de ne vivre qu'un siècle. Ensuite, les premiers messages des aliens étaient arrivés du ciel et la Terre n'avait plus été isolée dans l'Univers.

Quee Lee était alors une jeune femme et tout avait changé pour elle. On avait dénombré vingt civilisations technologiques avec toutes leurs connaissances, une explosion intellectuelle venue de multiples sociétés, qui avaient apporté le voyage interstellaire, la clé génétique de l'immortalité, des sondes capables de quitter la Voie lactée et puis, à terme, ce vaisseau colossal, antique et indéniablement splendide sur lequel ils pouvaient embarquer pour une croisière magnifique.

Le jeune mari de Quee Lee, Perri, était né à bord du vaisseau. Il avait été un Rémora, l'un des êtres étranges qui vivaient sur la coque, avant de se décider à quitter cette société bizarre, lui préférant l'étrangeté plus envoûtante encore de l'intérieur. Lorsque Pamir avait été promu capitaine, Perri et lui s'étaient retrouvés ennemis. Toutefois, quand Pamir avait abandonné son poste en changeant d'identité et d'aspect, Perri, peu à peu, était devenu un allié, un ami occasionnel.

Seules quelques IA spécialisées connaissaient le vaisseau aussi bien que lui.

Son profil masculin, plus joli que beau, était penché sur une série d'hologrammes. Perri écartait régulièrement la chauve-lucite qui le gênait avant de revenir aux contrôles de la carte, aux perspectives, et au secteur à examiner, ou bien encore à l'échelle de vision.

—Un autre verre ? demanda Quee Lee.

—Non, merci.

C'était une belle femme dont le visage hors d'âge était l'expression même de son regard doux et ancien. Elle affectionnait les sarongs mongols ainsi que les bijoux excessivement aliens. Tout en serrant la main de son époux, elle consulta la carte et, avec un soupir léger, elle avoua :

—J'oublie toujours…

—Combien mesure le vaisseau ? dit Perri, poursuivant sa pensée.

Elle se tourna vers leur invité.

—Il est… formidablement vaste.

Perri désigna une caverne probable avant de passer au secteur voisin. Il n'avait aucune préférence pour tel ou tel endroit. Il posa néanmoins la question évidente :

—Qui allez-vous pourchasser ? (Avec un sourire charmeur, il donna la réponse :) Ce sont ces capitaines disparus, je parie. Oui, je le parie.

La familiarité avait toujours été un instrument efficace.

Pamir n'avait pas besoin de répondre. Il se contenta d'incliner légèrement la tête. Perri eut un sourire discret tout en désignant un nouveau point sur la carte.

—Il y a là une petite rivière qui coule dans un canyon pratiquement sans fond. Je dirais honnêtement que ça doit faire un million de kilomètres carrés, là en bas. Tout à la verticale. Du basalte et des forêts d'épiphytes. Je sais qu'il existe deux colonies. Des non humains. Entre eux, il y a de la place pour plusieurs centaines de milliers d'habitants. S'ils se sont montrés prudents et avec un peu de chance, personne n'aura soupçonné qu'ils sont là.

Quee Lee dévisagea son mari avec un regard tendre.

—On a exploré ce canyon le mois dernier, dit Pamir. Avec des robots de sécurité qui ont fait le travail à fond.

—Mais les capitaines connaissent pas mal de trucs. Merde, vous les avez employés vous-même. C'est assez facile de se débrouiller pour que des machines ne voient que de la rocaille et des lichens.

—Vous pensez que je devrais aller y jeter un coup d'œil ?

—Peut-être.

Ce qui signifiait : « Je ne vois pas pourquoi ils seraient là en bas ».

Pamir ne dit rien.

La carte changea à nouveau. Perri avait maintenant sous les yeux une cité profondément enfouie, sélectionnée sans doute pour une raison bien précise. Des couleurs et des formes complexes montraient la présence de races étrangères. D'un geste expert, il dépassa les catacombes et les artères principales, suivant un capillaire obscur jusqu'à une station-relais qui se révélait comme une intense lumière dorée, prête à fonctionner et à accueillir tous les visiteurs.

Perri la désigna en pouffant de rire.

—Qu'est-ce qu'il y a de drôle? demanda Pamir.

—Ça. Tout ce que j'en sais, ce sont des rumeurs. Comme quoi quelqu'un aurait détruit ce coin perdu. Un acte irrationnel, absurde. N'est-ce pas le verdict officiel? Pourtant, dans les minutes suivantes, la Maîtresse a ordonné une enquête serrée dans une centaine de districts environnant cette seule station.

Pamir, une fois encore, resta silencieux, le regard dur.

Perri venait de modifier l'échelle de la carte et ils avaient soudain sous les yeux un millième du vaisseau – une région immense, accidentée et souvent inhabitée avec des centaines de passages qui se perdaient en un puzzle trop irrégulier pour paraître cartographié, encore moins attrayant, et bien trop vaste pour permettre d'apprécier les distances et trouver une solution.

Ce n'était pas la première fois que Pamir se sentait totalement impuissant.

—Les grandes investigations ont été poussées jusque-là, dit Perri. Et les gens en parlent encore. Quelques-unes des ethnies qui vivent là en bas ont des réactions partagées vis-à-vis d'une quelconque autorité. Certaines se montrent hostiles, d'autres favorables. Ces enquêtes sur le terrain leur donnent le sentiment d'être importantes et elles les chantent encore aujourd'hui.

—Je veux bien l'imaginer.

Six douzaines des marqueurs de Perri apparaissaient comme autant de points violets. Il les désigna:

—C'est un gaspillage absolu.

—Pardon?

—Ce que je veux dire, c'est que vous avez été très brillant. Cependant, vous et vos hommes, vous attaquez ce problème de façon trop évidente.

Pamir se renfrogna.

Quee Lee, connaissant bien le caractère de son capitaine, se pencha vers lui en souriant et demanda:

—Vous êtes certain de ne pas vouloir un autre rafraîchissement?

Pamir secoua la tête et répéta:

—Trop évidente…

—Ça concerne vos capitaines portés manquants. Et ce n'est pas une simple intuition de ma part. L'une des IA de votre Maîtresse a laissé filtrer cette information à son psychiatre, qui l'a susurrée à l'oreille d'un amant, qui l'aura répétée en public… Du moins à ce que j'ai cru comprendre…

Pamir attendait la suite.

» Depuis, vous avez été très occupé. Ça, je le sais aussi. Vous avez interrogé tous vos vieux contacts… depuis combien de temps?

—Six semaines.

—Alors, que donne ma liste en comparaison? Par rapport aux autres, je veux dire.

— Elle est complète, raisonnable. Je vais trouver ce que je cherche dans un de ces endroits.

— Ma foi, je ne le crois pas.

Quee Lee écarta sa main de celle de son mari et, d'un index court, elle pointa le point violet le plus isolé, tout en bas de la projection.

— C'est quoi, cet endroit ?

— Un habitat alien, répondit Perri.

— Pour les Sangsues, ajouta Pamir. Abandonné depuis bien longtemps.

— La Maîtresse l'a inspecté ?

Pamir acquiesça.

— Oui, elle a envoyé des délégations, et aussi des agents de sécurité.

— Ce que je pense, c'est que vous devez accepter un fait difficile à admettre. Vous m'écoutez ?

— Toujours.

— Vous ne savez absolument rien de ce vaisseau !

Tout à coup, c'était Perri qui s'enflammait. Cet homme perpétuellement séduisant, qui résolvait tout conflit social avec une souplesse lisse, se pencha à tel point que son haleine alcoolisée se mêla aux senteurs du jardin.

— Rien, répéta-t-il. Comme tous les autres !

— J'en sais suffisamment, rétorqua Pamir avec conviction.

Perri secoua la tête en écartant les mains.

— Bien sûr que non, merde ! Vous ne savez pas qui a construit ce vaisseau, ni où, ni quand !

Tout soudain, Pamir voulait bien accepter un verre, mais il décida de rester calme et muet, ne se fiant qu'à son attitude et à son regard furibond pour se faire comprendre avec la violence nécessaire.

— Et, plus grave encore, vous ignorez pourquoi cette machine a été construite. Non ? Vous n'avez aucune preuve convaincante et vous n'êtes pas en mesure d'échafauder une théorie valable. Rien que de vagues intuitions qui n'ont guère varié depuis une centaine de millénaires. Tout cela ne serait qu'un vaisseau intergalactique appartenant à quelqu'un. Vous l'espérez. Lancé trop tard, ou bien trop tôt. Mais qui a la moindre certitude pour assurer qu'il en est bien ainsi ?

— Personne, dit Pamir.

Perri se laissa aller en arrière, souriant, et croisa les mains derrière sa nuque comme s'il venait de remporter un combat important.

— Marrow, répliqua sereinement Pamir.

— Excusez-moi ?

C'était la première fois qu'il prononçait ce mot depuis qu'il avait revu la Maîtresse, et il ne l'avait fait que pour détourner la conversation.

— Vous connaissez un endroit de ce nom ?

— Marrow ?

— Oui, c'est ce que j'ai dit. Vous le connaissez ?

Perri ferma les yeux et, d'un ton convaincu, il admit enfin :

— Rien ne me vient à l'esprit. Pourquoi ? Où avez-vous entendu ce nom ?

— Vous devez bien avoir une vague idée.

Perri éclata de rire.

— C'est là que sont les capitaines ?

— Si seulement je le savais…

C'est alors que Quee Lee répéta d'une façon différente, en un dialecte oublié :

— Marrow.

Elle leva le doigt et dit :

— Il y a bien longtemps, avant que l'ingénierie transforme les humains pour qu'ils deviennent immortels… quand nous étions simples et fragiles, « marrow » était le mot qui désignait la moelle qui se trouve dans nos os. Pas comme de nos jours. Elle ne faisait pas partie de nos muscles, de notre foie non plus.

Les deux hommes s'étaient tournés vers elle.

— Vous êtes trop jeunes pour vous rappeler, ajouta-t-elle comme pour s'excuser, avant de désigner la marque violette la plus éloignée.

» Marrow signifie aussi le centre des choses. Leur cœur. Le plus profond.

Elle leva les yeux, souriant dans la lueur de la carte. Et Pamir la trouva plus séduisante que jamais.

— Il faut aller regarder tout au fond, acheva-t-elle.

Les deux hommes, calmement, poliment, se permirent de rire.

Trente et un

Pamir dressa une liste de sites privilégiés et partit enquêter dans chacun d'eux, toujours anonyme, en y mettant le temps et le soin obsessionnel qui était l'apanage naturel d'un immortel travaillant seul sur le terrain. Dans les années qui suivirent, il découvrit un océan de rumeurs assurées, de mensonges fugaces et de demi-visions incertaines confinant au rêve. Dans la mesure où il pouvait la déterminer, son unique certitude était que tous les êtres intelligents avaient vu au moins une fois les capitaines disparus et, à en juger par les témoignages, ils étaient partout.

Pamir lui-même fut gagné peu à peu par l'hystérie. Ses collègues disparus se montraient inopinément. De même que les femmes qu'il avait aimées – Washen, le plus souvent. Il apercevait tout à coup une grande silhouette qui déambulait sur une avenue animée. Il pouvait reconnaître son pas, la couleur de ses cheveux bruns et gris à plus de cinq cents mètres. Il s'élançait alors en courant. Mais, quand il atteignait Washen, elle était une autre jolie femme, choquée mais aussi un peu flattée de voir cet homme étrange qui l'avait agrippée par le bras. En une autre occasion, il repéra Washen assise, les jambes croisées, au milieu d'une pièce vide, nue, d'une beauté élégante. Et puis, le temps qu'il s'en approche, elle devint une statue de vingt mètres de haut, et alors même qu'il avait réussi à se convaincre que c'était là son premier indice véritable, la statue ne fut plus qu'un amas de gravats dans la lumière blafarde. Un an plus tard, Washen était agenouillée parmi des épiphytes mauves, sur une saillie, au-dessus de la barre rocheuse où Pamir avait installé son camp. En levant les yeux vers elle, il rencontra son sourire… Elle l'épiait. Il grillait un saumon fraîchement pêché et le vent lui apporta son cri :

— C'est assez pour deux ?

Mais Pamir se méfiait des tours que lui jouait son esprit et il s'interdit de paraître excité. Un autre souffle de vent, et le visage de Washen se changea en un tourbillon de feuilles mortes. Il secoua la tête, sourit à sa stupidité et retourna son poisson sur les braises crépitantes.

L'équipage et les passagers étaient au courant de sa poursuite et, pour toutes sortes de raisons, on tenta de le tromper.

Certains voulaient qu'on les paie pour leurs mensonges. D'autres attendaient qu'on les protège, qu'on les félicite, qu'on les aime, qu'on leur accorde une part de gloire. Alors qu'un petit nombre souhaitait sincèrement séduire, d'autres n'avaient pas conscience de mentir, de mélanger des traces de souvenirs avec des pensées complaisantes, bâtissant des épopées capables de résister à tous les tests physiologiques :

Les capitaines disparus vivaient quelque part dans les fonds avec des luddites radicaux[4].

Leur communauté était dissimulée dans une chambre non cartographiée, sous la mer des Fils de la vierge.

Ils avaient été enlevés par les Kajjans-Quasans – une espèce minuscule partiellement organique, partiellement siliconique, qui les traitait à la fois comme des esclaves et du bétail.

Un flux de gel dans le district de Magna les avait ensevelis.

Il existait aussi l'explication plausible, courante, de la vengeance cruelle d'aliens. Les plus méchants étaient de loin les Phénix, même si les candidats étaient tous valables. Ils étaient tous, quels qu'ils soient, revenus clandestinement à bord du vaisseau et, afin de venger les crimes passés de la Maîtresse, ils avaient décidé d'assassiner les meilleurs de ses capitaines.

Un humain avait proclamé sérieusement qu'un alien inconnu avait arraché les fonctions mentales supérieures des capitaines et abandonné ensuite les survivants cérébralement atteints dans une usine de traitement des déchets. Même si cela semblait improbable, le témoin déclarait qu'il avait vu une femme qui ressemblait exactement à Washen.

— Je lui ai parlé, jurait-il. Pauvre dame. Elle est maintenant complètement idiote. Pauvre dame !

C'est avec un espoir inquiet que Pamir se glissa dans la salle immense. La machinerie de recyclage d'origine était maintenant recouverte d'une jungle de champignons modifiés. Une vision qui lui rappela la demeure de sa mère, jadis. Les champignons culminaient très haut, nourris des déjections d'un millier d'espèces vivantes. Il trouva ce qu'il attendait exactement là où il l'avait prévu : un village de cabanes et de foyers fumants – une colonie humaine qui ne figurait sur aucune carte. Il s'approcha lentement de la cabane la plus proche, retint son souffle et se montra en souriant à la femme qui se tenait sur le seuil.

Il la reconnut. Elle avait été l'un des ingénieurs qui avaient participé à la construction du vaisseau des Ceinturiers avant de rejoindre les rangs des capitaines.

— Aasleen ? demanda-t-il en s'arrêtant à distance prudente.

Son visage n'avait pas changé. Mais oui. Elle avait la même peau noire et

---

4. Le luddisme a concerné, en Angleterre, les ouvriers révoltés, qui, entre 1811 et 1816, sabotaient les machines, symboles de l'industrialisation (NdT).

soyeuse, les mêmes traits harmonieux, le même sourire éclatant qui révélait ses dents d'ivoire. Plus il la regardait, plus il était convaincu.

— Hello, dit-elle doucement, si doucement qu'il eut de la peine à entendre.

— C'est moi, Pamir. Tu te souviens de moi, Aasleen ?

— Je ne t'oublierai jamais, répondit-elle, et son sourire s'accentua.

Mais sa voix était trop douce, trop lente. Elle ne correspondait pas aux souvenirs de Pamir, comme si une créature l'avait mutilée de façon subtile. Pourtant, mot après mot, elle se rapprochait de plus en plus de la voix qu'il avait connue, qu'il avait pensé entendre. Il se surprit en train de jouir de cette illusion en s'avançant, tandis que les traits d'Aasleen changeaient jusqu'à ressembler vraiment au visage de celle qu'il avait aimée.

— À quoi penses-tu, Aasleen ?

Elle ouvrit les lèvres sans émettre aucun son.

— Tu sais comment tu es arrivée ici ? (Il fit un pas de plus, en souriant.) Tu le sais, dis ?

— Je le sais, mentit-elle. Oui.

— Raconte-moi.

— Par accident. C'est comme ça que ça devait se passer.

Il leva la main vers son visage et, quand elle tenta d'esquiver, il lui dit :

— Non. Laisse-moi faire.

Il passa sa large main au travers de la projection de lumière et de poussière ionisée. La cabane en champignons était aussi irréelle que les feux. Il n'était pas dans une communauté mais dans un spectacle. Quelqu'un avait jeté son IA empathique, probablement emportée avec la merde du matin, et elle était parvenue à survivre aux procédures de stérilisation avant d'atterrir dans la boue. Celle qu'il avait sous lui.

Il abandonna le spectacle là où il l'avait trouvé, absent de toute carte.

Il quitta sa zone d'investigation et contourna la moitié du vaisseau jusqu'à un lieu qui avait une importance essentielle pour Washen et Aasleen. Il grimpa jusqu'au réservoir d'antimatière où les Phénix avaient vécu autrefois. Comme il s'y était attendu, il était vide. Désert, impeccablement propre. Aucun fantôme de Washen ne l'y attendait. Il se retrouvait sur le sol hors d'âge et lisse d'hyperfibre, avec le sentiment d'être minuscule dans la vastitude du réservoir, tout en étant conscient que ce cylindre était bien peu de chose comparé au vaisseau, qui était lui-même petit par rapport à l'Univers, et que ces vastes concepts et autres splendeurs d'argent n'étaient rien face aux étendues infinies que toute chose traversait.

Après dix-huit ans et trois semaines d'enquête approfondie sur les capitaines, on n'avait rien trouvé.

Rien.

Par simple habitude, Pamir revint à la liste des sites à visiter, chacun ayant été abandonné au fil des ans et son regard s'arrêta sur le dernier : « Sangsues ».

C'était l'ultime endroit où chercher. Des années de travail et d'espoir avaient été gaspillées. Sans qu'on apprenne rien, si ce n'est que rien ne pouvait être appris pendant son long trajet vers l'habitat des aliens. Pamir avait décidé que Washen, Aasleen ou Miocène ne l'attendaient pas au détour du chemin. Il croyait soudainement aux théories préférées de la Maîtresse. Une espèce étrangère avait détourné les meilleurs de ses capitaines ou, plus probablement, les avait kidnappés. De toute manière, ils étaient absents du bord, perdus. Quant aux réapparitions mystérieuses de Washen, c'était sans doute un tour particulier qu'on leur jouait et la Maîtresse était assez avisée pour ne pas se laisser abuser par cet humour douteux.

Oui, décida Pamir, l'habitat des Sangsues était l'étape finale qui s'imposait.

Quand il sortit du moyeu et se retrouva dans la grisaille du réservoir planaire, il faillit renoncer. Jamais Washen n'aurait pu séjourner là durant un an, encore moins durant des millénaires. L'esprit déjà érodé, sa volonté et son cœur s'affaiblissant à chaque souffle, Pamir acquit la certitude que jamais un capitaine, quel qu'il soit, n'aurait pu survivre dans ce domaine à deux dimensions.

Il fit deux pas avec le seul désir de fuir en courant.

Il s'arrêta, inspira à fond et s'assura que le seuil d'accès au moyeu était verrouillé en position ouverte. Puis il s'agenouilla et ouvrit un sac de détaleuses minuscules, de nez-de-chien et d'yeux-pèlerins.

Qui se dispersèrent aussitôt dans les deux dimensions de l'habitat.

Pamir accéda à certains dossiers sécurisés et demanda des informations sur les Sangsues. Tout ce qu'il reçut était imprécis, impénétrable. Les exophobes avaient vécu dans cet habitat désolé, qu'ils avaient choisi, durant six cents années, avant de débarquer. Leur vaisseau les avait emportés vers un nuage de poussière moléculaire depuis bien longtemps.

Les Sangsues étaient parties avant même que les capitaines aient disparu.

— Adieu, souffla-t-il avant de lever la tête dans l'écho de sa voix, amplifié par le sol et le plafond, qui lui revenait en cercle avec une tonalité étrangère.

— Adieu ! criait la salle.

Dès que je pourrai, pensa-t-il. *Dès que je serai prêt.*

Les sondes découvrirent des anomalies.

Ce qu'elles faisaient toujours. Leurs alertes n'étaient jamais inattendues.

Pamir fit un relevé, vérifia les schémas et se mit en marche pour un balayage, examinant chaque anomalie tour à tour. Aucune n'était visible à l'œil nu. La plupart étaient des écailles de peau humaine desséchée. Toutefois, ce qui était particulier pour Pamir, et même remarquable, c'est qu'il y avait à peine une dizaine d'échantillons. Si des humains s'étaient risqués dans cet endroit, est-ce qu'ils n'y auraient pas laissé beaucoup plus de tissu ? Un tissu dermique très vieux, à en juger par son état de dégradation. Leurs marqueurs génétiques étaient indéchiffrables. Et aucun ne portait la moindre bactérie, la moindre trace de ces espèces immortelles qui avaient accompagné les humains dans l'espace.

Des agents de nettoyage ou des micromachines avaient lavé cet habitat jusqu'au seuil de la stérilité. Ce qui n'était pas trop improbable. Des aliens avaient vécu ici et leurs successeurs humains avaient pu se montrer hygiéniquement exigeants.

Possible.

Il restait une dernière touche violette sur la carte de Pamir, nichée contre le mur. Un copeau de chair brûlée. Enfoncé dans le sol de plastique, il avait dû passer inaperçu aux intrus. Une détaleuse l'avait néanmoins retrouvé sans difficulté et Pamir, à l'aide d'une foreuse à laser, avait récupéré le trésor noirci de la taille d'un doigt avant de l'insérer dans son labo portable.

Lentement, le sol gris combla le trou encore frais.

Un kilo de chair vive avait été carbonisé pour ne laisser que ce brandon. Presque rien. Il portait des marqueurs génétiques, mais pas assez pour permettre d'identifier l'un des capitaines disparus. La chair caramélisée, néanmoins, impliquait de la violence, un homicide, ce qui conduisait à une autre raison pour que les visiteurs aient tenté d'effacer leurs traces.

Pamir attendit que le sol soit à nouveau lisse, puis il examina le plastique et décela un réseau de fines cicatrices presque invisibles. Cette part infime de l'habitat avait été endommagée. Et sans doute récemment. Il y avait les mêmes traces dans le plafond et le mur. On avait détruit une machine, quelle qu'elle soit, *ici*, précisément. Il identifia un relent subtil de métaux dans les hydrocarbonés intelligents. Le site avait été criblé d'explosions et de tirs de lasers. Pamir pouvait déterminer les endroits précis où des mains décidées avaient voulu effacer tout ce qui pouvait être un indice. Et le sol s'était sans cesse reformé sous cette force irrépressible qui s'acharnait à effacer son crime.

Pamir était en sueur. Il pensait à nouveau aux fantômes.

Que faire maintenant?

Assis sur un coussin ancien, il se retourna et vit la détaleuse plaquée contre le mur reconstitué.

— On a déjà regardé là, lui dit-il.

Mais la bestiole refusa de bouger. Pamir se leva et faillit se cogner la tête contre le plafond.

— C'est quoi? demanda-t-il en s'avançant.

Chez de nombreuses espèces, peut-être même chez les humains anciens, le langage avait évolué jusqu'à devenir un outil pour communiquer avec les morts. Le monde des vivants pouvait lire sur votre visage et votre corps, mais seuls les fantômes avaient besoin de ces simples mots.

Qui avait émis cette théorie?

Il essayait de s'en souvenir et il ne pensait plus qu'à ça tout en s'agenouillant près de la détaleuse pour se connecter à ses données. Il y avait un objet métallique dans le mur – plus proche du vide froid que de lui. Il était rond et lisse et, pour autant que Pamir pouvait en juger, il ne pouvait être plus simple.

Ce n'est rien, se dit-il.

Mais il perça un trou étroit avec son laser pour que la détaleuse parvienne à s'y insérer.

L'artefact était en alliage d'argent et le laser l'avait rendu trop brûlant pour être manipulé. Pamir le posa sur la bestiole avant de se sustenter brièvement de cœlacanthe sucré et de whisky séché. Ensuite, avec ses yeux et ses doigts, il examina la charnière et le verrou rudimentaire de l'artefact. L'objet avait été endommagé. Aux rayons X, Pamir discerna un réseau primitif de mécanismes et d'espaces vides. Il arracha l'un des membres tactiles de la détaleuse et s'en servit pour déclencher le verrou de l'artefact. Il souleva avec précaution le couvercle, la charnière craqua et le couvercle tomba entre ses jambes. Il découvrit une montre, archaïque, très simple et merveilleusement étrange.

Dont la pile grossière était épuisée.

Les aiguilles noires, élégantes, étaient figées. Un cadran indiquait une date qu'il parvint à déchiffrer : 4611.330. Son cœur s'arrêta durant un laps de temps très long.

Un message de propagande luddite ?

Ou bien un jouet d'enfant ?

En tout cas, ses parties métalliques délicates avaient été conçues avec soin. Il devinait le jeu des doigts habiles dans le boîtier d'argent. Il prit la montre au creux de sa main et tenta d'imaginer son possesseur disparu. Il se dirigea vers le mur et, accidentellement, son pied heurta le couvercle cassé sur le sol lisse.

Le couvercle alla se loger derrière un des coussins durs.

Et Pamir déclara à l'intention des fantômes :

— Il est à moi.

Il s'agenouilla, passa la main sous le coussin et ramena la lourde pièce d'argent et autres métaux résistants. Un instant, il examina le couvercle poli, gris comme le sol. Instinctivement, il le retourna et il vit les éraflures. Il fit alors pivoter le couvercle comme les aiguilles d'une montre et les marques se révélèrent être autant de lettres gravées dans l'argent par des moyens que les humains n'avaient plus utilisés depuis des millénaires.

Il déchiffra les mots. Puis les répéta à haute voix pour les fantômes.

— Une part du ciel. Pour Washen. De la part de ses petits-enfants dévoués.

Longtemps, il lui sembla que la pièce résonnait au rythme de son cœur.

Trente-deux

La Maîtresse chuchota un ordre secret, et une armada de robots bardés de capteurs fut dépêchée vers l'habitat des Sangsues, à la recherche de Washen et des capitaines qui y avaient disparu selon toutes les hypothèses raisonnables.

Ils ne trouvèrent rien et Pamir prit conscience que rien, dans cette quête, ne serait jamais facile ou évident.

Il pressa la Maîtresse d'intervenir et elle accepta que divers spécialistes signent des accords de sécurité avant de se joindre à la mission de Pamir. L'habitat des Sangsues fut étudié avec tous les moyens possibles ; des échantillons furent envoyés à tous les laboratoires qui les examinèrent en nanoscopie. La paroi du gigantesque réservoir sous vide fut sondée avec l'espoir de détecter des défauts ou des issues secrètes. On diffusa des ondes soniques dans l'immense océan d'hydrogène, de la surface aux profondeurs boueuses, et des cibles de dimension humaine ou plus grande furent récupérées en surface – une corvée pénible et longue que le froid intense ne facilitait pas, de même que la nécessité absolue de confidentialité. Les ingénieurs de la mission eux-mêmes n'avaient pas une idée précise de ce qu'ils cherchaient et leurs talents en étaient diminués d'autant.

Au bout de trois années passées à remonter en surface des vaisseaux engloutis et des robots gelés, ils se révoltèrent. Ils affrontèrent Pamir en lui expliquant ce qu'il savait déjà trop bien : des centaines de milliers de kilomètres cubes d'hydrogène restaient encore à explorer. Plus grave encore, du fuel avait été consommé durant les dernières années. Une partie avait été brûlée. D'autres kilomètres cubes avaient été partagés entre cinquante réservoirs auxiliaires. Pire encore, des courants puissants et violemment chaotiques avaient agité cet océan, aussi brièvement que ce soit.

— Nous ne savons pas ce que nous cherchons ici. Donnez-nous une forme, une taille exacte, une composition et nous pourrons construire des modèles fiables. Jusqu'à ce que vous nous communiquiez quelque chose d'utile, nous ne pourrons pas avancer. Vous comprenez ?

Pamir hocha la tête, la main crispée sur la montre primitive. Il ouvrit une fois encore le couvercle réparé puis jeta un regard furtif sur les minuscules aiguilles noires et lentes.

En principe, il était le directeur de cette mission. Toutefois, la Maîtresse exigeait des briefings répétés et prenait toutes les décisions, y compris celles de routine. L'une et l'autre avaient prévu cette situation et Pamir savait quoi répondre à son équipe :

— Comme vous l'aurez probablement deviné, nous cherchons les Sangsues. Qu'elles soient mortes ou non, nous pensons que ces aliens sont à proximité et nous avons de vrais impératifs de sécurité pour que le peu d'informations n'aillent pas plus loin *qu'ici.*

Il détestait mentir et il le faisait avec un talent qui le dérangeait.

— Il s'agit d'une espèce d'exophobes paranoïdes. Il y en a plusieurs centaines qui veulent se cacher. Elles sont sans doute toutes proches. Voilà le seul indice que je peux révéler. Maintenant, que pouvez-vous me donner comme idées nouvelles ?

Les ingénieurs conçurent une cité enfouie dans les profondeurs du réservoir, là où l'hydrogène était aussi pur et rigide qu'un solide impénétrable. Mais ce type de technologie exigeait de l'énergie à fusion, ce qui impliquait un flux de neutrinos détectable. On construisit un important dispositif de détecteurs sophistiqués que l'on envoya flotter à la surface de l'océan. Même s'il se doutait que cette procédure était vraiment très peu fiable, Pamir était agité par un espoir informulé quand il activa le système de détection sous la haute direction de la Maîtresse. Il se pencha sur le flux de données. La machine leur disait avec une insistance inquiète :

— Je distingue quelque chose. *Là, en profondeur.*

Mais le vaisseau était couvert de réacteurs à fusion, dont chacun produisait son propre flux radiant de neutrinos, et chaque flux était dévié et dilué en franchissant les mégaliens de l'hyperfibre. La séparation entre les flux importants et ceux qui étaient superflus était un travail difficile, lent. Il s'ensuivit six mois de besogne méticuleuse et pénible. Plus de quatre-vingt-dix pour cent des flux de neutrinos furent rejetés, ne laissant qu'un filet infime qui pouvait être ou non significatif.

Puis, avec une soudaineté exquise, ils oublièrent les détecteurs.

Deux des ingénieurs de Pamir s'était aventuré à l'écart des autres, parce qu'ils avaient besoin d'intimité. Comme des milliers de robots l'avaient fait peu avant, ils suivirent une obscure canalisation de carburant loin dans les profondeurs du vaisseau, et ils atteignirent un point où, sans raison apparente, le mur d'hyperfibre semblait plus récent. Plus jeune et incongru.

Les robots avaient dû juger que ces données étaient sans intérêt et les avaient rejetées. Il était évident que la canalisation avait été réparée, mais ce genre d'intervention était commun aux jours anciens du voyage et n'était pas enregistré. En l'absence de raccords ou de signes d'intervention, les robots ne s'étaient arrêtés devant le mur que durant quelques microsecondes avant de plonger plus avant.

Toutefois, les amants furent intrigués.

Ils s'arrêtèrent et, durant une heure, effectuèrent des sondages sensibles avant de regagner leur véhicule exigu pour un nouvel exercice sexuel maladroit. Dans l'instant qui suivit, il y en eut un pour dire :

—Attend. Je sais ce que c'est.

—Quoi donc ?

—C'est une ouverture. Très belle, très grande.

—Et ça, c'est mon grand pénis, tu vois ? lui répondit l'autre.

—Non, écoute-moi ! C'est une écoutille secrète. (Elle rit.) C'est pour ça que l'hyperfibre est bizarre.

—D'accord. Mais on devrait discerner la jonction, non ?

—Pas si elle est trop petite. Et seulement si les raccords ne sont pas parfaits.

—Mais comment les Sangsues ont-elles pu fabriquer ce genre d'astuce ?

Oui, ce serait difficile à établir. Ils se lancèrent néanmoins dans d'autres tests et réussirent à détecter une faille nanoscopique qui entrait en intersection avec douze milliards d'autres, ce qui créait une écoutille assez large pour laisser passer un petit véhicule. Riches de leurs données nouvelles, ils retrouvèrent Pamir sur la barge d'aérogel qui dérivait au centre de la mer d'hydrogène, dans l'obscurité et le gel perpétuel. Il écouta ce qu'ils avaient à dire et leur déclara tranquillement :

—Merci. Au nom de la Maîtresse et de moi-même.

L'ingénieur principal se crut obligé de demander :

—Mais en ce qui concerne les Sangsues ?

—Oui, à quel propos ?

—Nous n'avions pas conscience qu'elles avaient pu concevoir ce genre d'issue, et encore moins nous abuser aussi longtemps.

—Elles y sont parvenues pourtant.

Pamir se tourna vers la surface lisse de l'océan d'hydrogène en songeant à Washen. Son souvenir ne l'avait jamais vraiment quitté. Durant sa longue existence, il n'avait jamais eu de meilleure amie. Au fond de lui, il savait qu'elle l'attendait. Elle avait besoin de lui, ou elle était morte. De toute manière, il était urgent qu'il la retrouve. Avec cette seule pensée en tête, il congédia les deux ingénieurs et contacta la Maîtresse. Trois minutes plus tard, la mission était annulée avec des félicitations et des primes généreuses, sans oublier une mise en garde sur le secret absolu de cette mission bizarre et glacée.

Ce que les capitaines pouvaient construire, ils pouvaient le comprendre. Et, à partir de là, ils pouvaient aussi détruire ce qu'ils avaient construit.

Trente sous-maîtres et des agents assermentés, pour la plupart dotés d'une expérience d'engineering, furent briefés en profondeur avant d'être rassemblés devant un complexe de pompage abandonné au-dessus de l'issue secrète. Des détaleuses spéciales et des sondes à poussière intelligentes examinèrent la zone avant de se lancer dans l'exploration systématique de toutes les canalisations similaires. Mais il n'y avait que cette seule issue et tous les tests confirmèrent qu'elle était réelle, qu'elle n'avait pas été utilisée depuis plusieurs années au moins. Dans la limite de la technologie, il n'y avait apparemment aucun capteur de garde ni autre piège à redouter.

La Maîtresse décida de lancer une opération de recherche prudente.

Mais, après six mois au cours desquels quelques capitaines restèrent en vain cachés dans le complexe de pompage, elle perdit patience et sa frustration se changea en audace.

— Faites sauter cette écoutille ! gronda-t-elle.

Pamir était dans la salle de conférence, derrière une rangée de sous-maîtres. Il déclara calmement, avec un soupir :

— Madame, il se peut que nous rétrécissions trop notre champ de recherche.

Tous les visages se tournèrent vers lui. Sauf celui de la Maîtresse, dont les yeux noirs restaient fixés sur les cartes holographiques, les listes de matériel. Et son doigt qui désignait un détail minuscule, devenu soudainement vital.

— Donnez-moi plus de détails, dit-elle sans même détourner le regard, avant d'ajouter : Faites vite, capitaine Pamir.

— Quelque chose ou quelqu'un a pu tomber de l'habitat des Sangsues. Nous devrions poursuivre l'inspection du réservoir. J'ai maintenu le dispositif de neutrinos. Ils ont détecté une source possible. Elle serait située sous nous, quelque part et, si les données préliminaires sont exactes…

L'un des sous-maîtres toussota avant de rappeler :

— Le réservoir a déjà été exploré. Presque à fond, madame. Et Pamir ne nous parle que d'une petite pisse de neutrinos sans valeur.

Conscient des risques qu'il encourait, Pamir l'interrompit :

— Nous devrions maintenir l'écoutille sous surveillance et attendre. Si vos capitaines sont derrière cette porte, nous pourrons leur montrer ce que nous savons. Mais, en tant que joueuse, vous ne pouvez pas laisser passer votre tour trop tôt.

La Maîtresse laissa ses mots se dissiper dans le silence tendu avant de répondre brièvement :

— Merci.

Repoussant sèchement l'argument de Pamir, elle s'adressa à ses capitaines les plus fiables :

— Veillez sur le vaisseau et sur vous. Mais, dès que ce sera physiquement possible, je veux que vous forciez cette écoutille. S'il vous plaît.

Vingt-quatre heures après, de fines charges d'antimatière furent placées sur les gonds et activées. L'écoutille se déplaça d'un degré nanoscopique avant de se remettre solidement en place.

On déploya alors l'équivalent sophistiqué d'un pied-de-biche. On donna une première poussée, puis une seconde, et le bouchon scintillant d'hyperfibre pure glissa lentement, puis accéléra, dévalant la canalisation sur vingt kilomètres avant de rejoindre une valve fermée où il percuta un lit d'aérogel qui le recueillit comme une main énorme, le réservant à des examens ultérieurs.

Des détaleuses précédèrent les capitaines de haut rang dans le trou béant. Ceux-ci étaient tous en armure et bardés d'armes diverses. Les machines ne s'attendaient à rien de précis, mais les humains étaient parés à toutes les éventualités.

Derrière la porte secrète, rien ne les guettait.

Du minerai de fer était mêlé à des éclats d'hyperfibre. Ce qui n'était pas précisément rien. Mais, dès que les membres arachnéens des machines et les mains humaines gantées touchèrent le stratum, ce fut la stupeur. Les capitaines se posèrent la question : l'écoutille était-elle un leurre ? Une ruse maladroite pour détourner leurs regards et leurs esprits vers la mauvaise direction ?

Mais non, les analyses montrèrent qu'ils étaient à la partie supérieure d'un tunnel vertical. Et celui-ci devait être raccordé vers le bas à l'un des tunnels d'accès effondrés – énigmatique, ancien et totalement inutile.

Onze jours après la mystérieuse réapparition de Washen, une charge d'antimatière avait détruit le tunnel. Les enregistrements sismiques révélèrent une légère secousse passée inaperçue. Les dégâts semblaient avoir été organisés avec un soin obsessionnel. La roche environnante, pulvérisée, représentait un risque certain. La reconstruction des premiers kilomètres du tunnel exigerait du temps et de vastes ressources.

— Faites-le, ordonna la Maîtresse.

Il était inutile d'affecter trente capitaines à cela. Trois suffiraient, avec une brigade de drones mineurs. Pamir demanda la permission de regagner le réservoir de fuel pour poursuivre son enquête.

— Refusé ! répliqua aussitôt la Maîtresse. Vous allez rester avec l'équipe de minage. Toutefois, si vous trouvez un ou deux instants de temps libre, je ne pourrai pas vous empêcher de faire ce que vous voulez.

— Seul ?

Elle afficha un sourire lumineux en répondant à son capitaine le plus récalcitrant :

— Je suis désolée. Je m'excuse. Je pensais que c'était très exactement ainsi que vous aimiez faire toute chose.

Trente-trois

Les neutrinos et les fantômes lents persistaient, mais seulement dans l'esprit et au coin de l'œil. Le devoir essentiel de Pamir était de creuser un simple trou en suivant la veine fracassée. Des années passèrent ; cette tâche apparemment simple évolua pour devenir le chantier d'excavation le plus profond et le plus pénible de l'histoire humaine.

Il ne subsistait rien du tunnel d'accès d'origine. Des explosions précises avaient détruit les murs d'hyperfibre. Plus grave encore, elles avaient fait affluer une fantastique quantité de chaleur dans l'environnement de roche et de fer. À l'approche du fond du vaisseau, les équipes rencontrèrent une colonne de magma en fusion. Reconstruire le tunnel était à peine envisageable. Le plus simple était d'aspirer le magma comme une crème brûlante avec une paille large et résistante avant de retapisser les parois avec des couches de plus en plus denses d'hyperfibre pour créer un puits vertical de plus d'un kilomètre de large.

Après trente années, trois capitaines arrivèrent au niveau du fond du réservoir.

Cinquante ans plus tard, ils se foraient un chemin dans une étendue de fer.

Pamir était constamment présent ; les autres capitaines prenaient des visages et des noms différents tous les huit ou dix ans. Être affecté au « grand trou » n'avait rien d'honorifique. Après un siècle et de multiples effondrements catastrophiques, la Maîtresse, ainsi que la majorité de son équipe, perdit tout espoir. L'écoutille camouflée n'avait été qu'une habile diversion. Certes, le tunnel avait été détruit par quelqu'un, mais il avait suffi de lancer quelques bombinettes d'antimatière par un orifice minuscule. Dans le cercle restreint des capitaines et des IA qui suivaient de près le forage, nul ne pensait qu'il y avait quoi que ce soit de valeur à trouver *en bas*.

Pamir lui-même n'y croyait plus.

Dans ses rêves, quand il pelletait péniblement, il ne trouvait que des blocs de fer noir et dur.

Pourtant, le trou était le chantier qui dépendait de lui, une obsession énorme et absorbante. Quand il ne dirigeait pas la chorégraphie des travaux, il surveillait le renforcement en hyperfibre des usines lointaines. Et quand il n'inspectait pas un nouveau maçonnage, il surveillait le renforcement des dernières parois, guettant les défauts, les raccords inadéquats aux endroits où les pressions brutales du grand vaisseau menaçaient de ravager tout le travail qui avait été investi.

Les rares moments où il émergeait du trou pour rejoindre le réservoir étaient comme des vacances. Son île d'aérogel flottait toujours sur la mer tranquille d'hydrogène. Seul, il entretenait les détecteurs de neutrinos et parcourait les deux dernières années de données, en quête des traces de ce signal discret, essayant de décider s'il provenait vraiment d'en bas.

Il y avait des années pendant lesquelles il semblait disparaître complètement.

La Maîtresse et ses loyales IA, qui avaient accès aux mêmes données, étaient parvenues à la même solution inflexible.

— La source du signal disparaît parce qu'elle n'a jamais existé. Toutes les anomalies ont cette mauvaise habitude.

Pamir demanda l'autorisation de construire de nouveaux détecteurs pour accroître sa sensibilité, ce qui lui fut refusé. Quand il ajouta qu'un second dispositif flottant dans un réservoir connexe lui permettrait d'identifier le lieu de création de chaque particule fantôme, on le lui accorda sur la base d'un raisonnement technique solide.

— Mais cette solution a d'autres répercussions, le prévint la Maîtresse. C'est une question de ressources et d'inconfort général.

— De l'inconfort ? demanda-t-il.

L'hologramme de la Maîtresse grimaça.

— Oui, par rapport à moi. Vos jouets qui flottent sur l'hydrogène sont autant de dangers. Nous ne pouvons pomper d'importantes quantités de fuel sans risquer de les déranger. Pire encore : s'ils venaient à boucher une canalisation ?

Une demi-douzaine de solutions faciles s'imposèrent à l'esprit de Pamir. Mais, avant qu'il ait pu en proposer une, la Maîtresse ajouta :

— C'est pour cette raison que je veux que vous démontiez votre dispositif. Et au plus vite, je vous prie. Nous allons tirer une bordée dans un peu plus de dix-huit mois – il va nous falloir une poussée pour les contournements planétaires – et je vais avoir besoin de mon hydrogène. Sans aérogel, ni détecteurs et toutes ces choses.

— Dix-huit mois, répéta Pamir.

— Non, fit-elle avec une trace d'exaspération. Plus tôt que ça. Si nécessaire, mettez-vous en congé et sortez de votre trou. C'est bien compris ?

Il acquiesça, irrité, et décida de ce qu'il devait faire.

Avec l'aide des drones de minage, il démantela la moitié de son dispositif, remballa les capteurs et, de sa propre autorité, les expédia jusqu'au sabord Alpha. Il suivit les caisses et, dans un local exigu situé sous la coque externe, il retrouva un ex-Rémora qui lui devait quelques services.

Orléans arborait un nouveau visage, laid et rayonnant. Les vers blancs qui grouillaient derrière la visière de sa tenue spatiale s'achevaient par de grands yeux d'ambre. Quelque chose qui pouvait tenir lieu de bouche sourit à Pamir. Ou bien grimaça. Ou se déforma sans raison.

Une voix traînante demanda :

— Où ?

Pamir donna les coordonnées et sourit à son tour avec désinvolture :

— Il n'y a que nous deux à le savoir.

Orléans se tourna vers l'emballage de diamant d'une caisse et examina le contenu avec ses sens de mutant. Nul plus qu'un Rémora, marié à sa lourde tenue, n'appréciait autant une bonne machine.

— Tu cherches des neutrinos. (Il ajouta :) Je ne crois pas aux neutrinos.

— Non ? Mais pourquoi ?

— Ils me traversent, mais ils ne me touchent pas. (Le visage informe acquiesça.) Je ne crois pas à des choses aussi mystérieuses.

Ils rirent, chacun pour ses raisons propres.

— OK, dit Pamir. Tu peux faire ça pour moi ?

— Et qu'en dit la Maîtresse qui est tout en bas ?

— Elle n'a pas besoin de le savoir.

Orléans n'avait pas perdu son sourire.

— Bien. J'adore cacher des secrets à cette vieille pute.

La moitié du dispositif initial fut déployée sur la coque, des milliers de kilomètres plus haut, et à quelque quatre-vingt-dix degrés de l'autre moitié, entre deux évents géants de tuyère.

Les calibrages et la synchronisation prirent du temps. Même lorsque les données étaient acceptables, elles se révélaient réfractaires. L'Univers était balayé par les neutrinos et l'hyperfibre de la coque et des entretoises distordaient ce fatras en un brouillard pernicieux. Éliminer chaque source de particules exigeait du temps et du génie. Les IA étaient chargées de ce travail fastidieux. Quand elles eurent terminé, Pamir se retrouva en train d'observer un flux vague, peut-être fictif. Qui ne venait pas d'un point précis. Une source diffuse alignée par rapport au noyau du vaisseau, un chatoiement doux et blanc qui montait d'une région plus profonde encore que le trou.

Pamir trouva des excuses pour laisser les détecteurs en place en se disant qu'il pourrait récupérer de plus en plus de données dans les mois et les années qui suivraient. Mais le flux de neutrinos faiblissait inexorablement, comme si les particules avaient la volonté malicieuse de le rendre ridicule.

La Maîtresse perdit toute patience.

— Je vois qu'une moitié de votre jouet a disparu. Vers où, on ne me l'a pas dit. Ce qui importe, c'est qu'il subsiste des risques potentiels à cause de ce qui dérive dans le réservoir. Encore. Envers et contre mon jugement.

— Oui, madame.

— Il ne nous reste plus que trente jours avant cette bordée, Pamir. (La projection de la Maîtresse se pencha sur lui, furibonde.) Je veux être libre d'utiliser mon hydrogène sans être coincée par vos petits jouets.

— Bien, madame. Je m'en occupe immédiatement.

Elle décrivit un cercle gracieux.

— Pamir.

— Oui, madame.

Elle le dévisageait.

— Je crois qu'il est temps d'arrêter de creuser. Ou du moins d'abandonner ce chantier aux drones de minage. Ils connaissent les astuces aussi bien que vous, n'est-ce pas ?

— Presque, madame.

— Rendez-moi visite. (Son visage doré avait une expression presque amicale.) Dans quatre jours, ce sera mon festin annuel. Soyez-y avec vos collègues et nous pourrons discuter de votre prochaine affectation. Vous comprenez ?

— Comme toujours, madame.

Le sourire se fit un rien menaçant. Avant de disparaître, elle le mit en garde :

— Les Rémoras ont des choses plus utiles à faire que de veiller sur vos jouets, chéri !

Dans les trois jours qui suivirent, les détecteurs furent remorqués jusqu'à la barge et neutralisés. Les drones les stockèrent en attendant de les expédier ailleurs. Le sonar et les dragues attendaient leur tour. Pamir ne savait pas où tout cela irait. Probablement dans un entrepôt, mais il ne se préoccupait guère de leur destinée.

Quoi qu'il advienne désormais, il en avait définitivement terminé avec cet endroit.

Parce que c'était un ordre et que cela pourrait apaiser les choses, il avait décidé de se rendre au festin de la Maîtresse. Il regagna ses quartiers et passa sous la douche sonique pour peler quelques couches de vieille peau avant de sortir dans son jardin. Son épiderme neuf commençait déjà à mûrir dans l'éclat du faux soleil. Durant son absence, sa llano-vibra était devenue sauvage. Ses milliers de bouches chantaient faux. C'est un concert de sons déplaisants qu'il subit tout en endossant son uniforme le plus ornementé. Il attacha la mystérieuse montre d'argent à sa ceinture. Il avala une bouchée de spores bactériennes qui lui garantiraient qu'il pouvait manger et boire n'importe quoi et que ses rots et ses pets seraient parfumés. Puis il embarqua dans son cap-car personnel. En route, il prit conscience qu'il n'était pas simplement fatigué, mais épuisé : plus d'un siècle de travail ingrat et difficile pesait soudain sur lui.

Il s'écroula et dormit. Il aurait pu dormir jusqu'au Grand Hall, mais une IA l'arracha à un rêve sexuel délicieux. Les images s'estompèrent et son érection aussi. Il ouvrit une fréquence sécurisée pour entrer en communication avec l'IA. Une voix sèche, sans passion, lui déclara :

— Monsieur, il vient d'y avoir une augmentation considérable de l'activité des neutrinos.

— Dans quel secteur ?

— En bas. Mais avec un seul dispositif, je ne peux pas préciser la source.

— Droit en bas ? l'interrompit Pamir.

— Dans une région couvrant huit degrés de dispersion, oui.

— De quelle importance ?

— Je constate des niveaux d'activité approximativement deux cent dix-huit mille fois plus importants que le maximum précédemment enregistré…

— Montrez-moi ça, grommela Pamir.

L'univers des neutrinos l'enveloppa. Les soleils étaient des points de lumière brûlant dans une brume grise infinie. Le foyer le plus proche était une géante rouge qui orbitait au large d'un trou noir massif. Son cœur embrasé et le faible disque d'accrétion du trou noir avaient le même éclat. Mais les feux les plus éclatants étaient ceux du vaisseau avec ses dizaines de milliers de réacteurs à fusion qui généraient l'essentiel de son énergie, qui apparaissait comme une robe délicate et belle composée de minuscules perles incandescentes.

Et, sous l'orbe, Pamir découvrait une région noire.

Dans l'univers des neutrinos, la pierre et le fer étaient des théories, des fantômes ; on ne voyait que rarement la matière ordinaire, on ne la sentait pas, on ne croyait plus en elle.

Mais, sous la région noire, enveloppant comme un linceul le noyau du vaisseau, il y avait un deuxième orbe. Ce que Pamir n'avait pas remarqué au premier regard devint évident, certain. Huit degrés du ciel étaient couverts par un objet qui avait la brillance des neutrinos. Il affina son regard et s'entendit demander :

— Est-ce que ça pourrait être la combustion d'un moteur ? Une poussée anticipée ?

Ce qui pouvait au moins expliquer les neutrinos.

Avec un dédain évident, l'IA répliqua :

— Monsieur, aucun moteur ne fonctionne et, même si tel était le cas, aucune chambre de réaction n'est correctement alignée.

— Est-ce que ça devient plus brillant ?

— Depuis que nous avons entamé cette conversation… cela a augmenté de neuf cent onze pour cent, sans aucun signe de palier.

— Merde ! souffla Pamir avant de demander : Des explications ?

— Je n'en ai aucune, monsieur.

Il avait affaire à une IA tech, pas à une théoricienne. Il ne quittait pas du regard la mystérieuse projection, remarquant qu'à la différence des perles lumineuses du vaisseau, l'objet avait un éclat diffus, presque laiteux, sans source apparente. À sa façon, il était séduisant.

C'est alors qu'il détecta une tache encore plus brillante.

Si l'on ôtait quantre-vingt-dix degrés, ça la situait à… Merde, elle était directement sous son trou profond… Cinq cents kilomètres plus bas… Ce qui pouvait signifier quoi ?

Pamir renvoya l'IA et contacta son équipe. L'IA contremaîtresse lui répondit.

— Où sont les capitaines ?

— L'un est avec les dixièmes rangs, l'autre avec les quinzièmes, monsieur.

Au festin de la Maîtresse, se dit-il.

— Qu'est-ce que vous voyez ? Comment progresse le programme ?

— Je surveille tout et il est nominal, monsieur.

— Aucun signe d'activité anormale ?

— Aucun.

— Il n'empêche, dit Pamir. Placez-vous en état d'alerte ainsi que toute l'équipe. Compris ?

— Je ne comprends pas, mais j'exécute cet ordre, monsieur. Est-ce tout ?

— Pour l'instant, oui.

Il quitta la fréquence et tenta de contacter la Maîtresse, mais son état-major faisait de son mieux pour la protéger durant cette journée agitée. Il affronta une IA au visage caoutchouteux, au regard sévère.

— Les festivités traditionnelles ont commencé, lança-t-elle avec dédain. Seules les urgences les plus pressantes vous autorisent…

— Je comprends…

— … à déranger la Grande Maîtresse.

— Transmettez un message à ses nexus de sécurité. Vous pouvez faire ça ?

— Comme toujours.

Pamir transmit les dernières données à la station de la Maîtresse avec une brève note préliminaire de mise en garde :

— Je n'ai pas la moindre idée de ce qui se passe, madame. Mais il y a vraiment quelque chose. Et, jusqu'à ce que quelqu'un comprenne, nous ferions bien d'être prudents !

L'IA absorba les données et proposa :

— Si vous avez cette certitude, peut-être pourriez-vous délivrer votre message personnellement…

Il coupa la fréquence, assigna une nouvelle destination à son cap-car et, dès qu'elle fut enregistrée, il la subrogea et masqua ses plans. Puis il se rassit, pris d'un doute momentané. Il ne devait pas gaspiller son temps au festin : il ne parviendrait pas à se faire écouter ni à s'imposer à l'esprit de la Maîtresse pendant des heures. Mais, au lieu de gagner le trou afin d'estimer par lui-même la situation, ce qui était son premier devoir, il retourna au réservoir et à son radeau d'aérogel en se disant que s'il parvenait à réactiver une dizaine de détecteurs et à les recadrer dans la demi-journée suivante…

Que se passerait-il ?

Encore d'autres données, meilleures. Et peut-être une explication évidente qui lui prendrait la tête et le secouerait un bon coup !

En route, il contacta par deux fois l'IA contremaîtresse du trou. Chaque fois, sa voix maintenant familière lui répondit :

— Rien qui sorte de l'ordinaire, monsieur. Et nous creusons au rythme habituel. Furieusement.

Pour regagner la barge d'aérogel, il devait traverser l'habitat des Sangsues. On avait greffé un ascenseur dans la structure alien, qui allait du moyeu inférieur jusqu'à la surface froide de l'océan. Dès que son cap-car s'arrêta dans le tunnel, une pensée lui vint et il rappela l'IA contremaîtresse qui lui répondit une fois encore :

— Non. Nous creusons.

Il contacta alors l'IA tech pour une mise à jour de l'activité des neutrinos.

— Les chiffres ont triplé. Ils ont atteint un palier stable, monsieur.

Il descendit du cap-car et s'arrêta aussitôt en respirant lentement.

Il percevait une odeur…

— Autre chose, monsieur ? demanda l'IA tech.

Pamir se mit en marche tout en gardant ses implants de nexus activés.

— Ce que nous voyons ressemble à une sphère de neutrinos, mais ça ne peut pas exister, d'accord ? Ce que nous voyons pourrait provenir d'un point précis *à l'intérieur* d'un conteneur réfractaire. Pareil à une ampoule ancienne autour d'un filament incandescent. Mais, au lieu de percevoir de la lumière, nous voyons des neutrinos. Et à la place du verre, les neutrinos émergent d'une enveloppe d'hyperfibre…

— Monsieur ? couina l'IA.

— Calculez ça pour moi. Imaginez l'hyperfibre la plus solide qui existe et dites-moi quelle devrait être son épaisseur pour qu'elle ait l'apparence de ce que nous voyons.

La réponse fut rapide, marquée par un léger doute.

— Cent quatre-vingt-dix-sept kilomètres, et inutile, monsieur.

Pamir se mit à courir, effleurant d'une main le mur de diamant du tunnel.

— Supposez qu'elle soit réelle ! aboya-t-il. Est-ce que cette masse d'hyperfibre serait assez résistante pour contrer la masse du vaisseau ?

Silence.

— Elle le serait, n'est-ce pas ?

Il se précipita sur sa gauche, dévala un escalier abrupt dans la grisaille qui s'installait maintenant dans l'habitat des Sangsues. Avec un rire jubilatoire et nerveux, il lança à la machine lointaine :

— Vous êtes embêtée, hein ? Ce vieux vaisseau géant a encore des secrets. Non ?

Mais l'IA gardait le silence. En cette fraction de temps où la curiosité aurait dû se changer en inquiétude, Pamir atteignit le bas de l'escalier et, quand son regard se porta sur les derniers mètres du tunnel gris, il vit un étranger.

Un mâle humain.

L'étranger avait la peau grisâtre, il était totalement chauve et semblait bel et bien porter un uniforme de capitaine. Il serrait dans sa main gauche une arme ou un outil et, de la main droite, il palpait la porte scellée de l'habitat des Sangsues. Il avait dû percevoir le bruit des bottes de Pamir mais n'avait pas réagi. Il ne se retourna que lorsque Pamir fut à proximité, en brandissant avec une nonchalance experte une sorte de laser de combat qu'il serrait dans sa main gauche.

Pamir s'arrêta net en retenant son souffle.

Certes, il portait un uniforme de capitaine, mais avec des décorations bizarres, de hautes bottes de cuir et un ceinturon auquel étaient attachés des outils divers, certains familiers, d'autres énigmatiques. Son opulente chevelure dorée était coiffée en tresse, il était de petite taille mais trapu. Il gardait un doigt sur la détente apparemment mécanique de son arme et dit à Pamir, d'une voix douce, avec un accent inattendu :

— Ne bougez pas.

— Je ne vais nulle part.

— Bien.

Pamir n'avait aucun moyen de s'échapper et peu de chance de s'en tirer s'il affrontait l'étranger, avec seulement son uniforme de parade à la protection minimale. Il chuchota :

— Fréquence d'urgence !

L'étranger secoua la tête.

— Ça ne vous servira à rien.

Oui, personne n'avait entendu l'appel. Que se passait-il ?

Pamir inspira deux fois, profondément, avant de dire :

— Capitaine, vous me semblez perdu. Et franchement, à vrai dire, vous me paraissez dans un état bizarre.

L'autre haussa les épaules avant de désigner la porte :

— Ouvrez-la pour moi.

— Pourquoi ?

— Je veux voir la « maison » des aliens. (Et il ajouta d'un air inquiet :) Parce qu'elle est toujours là, n'est-ce pas ?

Pamir inclina la tête avec un sourire.

— Oui, il le faut, insista le capitaine étranger. N'essayez pas de me troubler !

— Je peux l'ouvrir pour vous.

Dans les yeux gris de l'autre, Pamir lut la suspicion, le calcul, puis une décision. Le laser se leva vers sa poitrine.

— Je n'ai pas besoin de vous. Je peux très bien casser moi-même cette serrure.

— Alors, allez-y.

— Pas un geste. Sinon je vous mutile. Ou je vous tue.

Pamir, instinctivement, recula d'un pas. Il lut de la surprise et de l'émerveillement dans les yeux gris de l'étranger quand il lui demanda calmement :

— C'est quoi, *ça* ?

Pamir venait d'ouvrir la montre d'argent.

— Qu'est-ce que vous faites avec ça ? Ma mère vous l'a donnée ?

— Washen est votre mère ?

L'étranger acquiesça :

— Où est-elle ?

— Comment ? Vous ne le savez pas ?

L'autre ne put s'empêcher de jeter un regard vers la porte, et c'est à cet instant précis que Pamir lança la montre vers son crâne rasé, dans un geste violent et désespéré, tout en chargeant.

Trente-quatre

Le Grand Hall était un complexe hémisphérique de plus d'un kilomètre de hauteur en son apex et exactement deux fois plus large. La voûte du plafond était renforcée par des poutrelles d'hyperfibre qui jouxtaient l'olivine verte et répandaient un lustre éclatant sur les lampes flottantes, en amplifiant l'écho des moindres sons. Le sol d'origine était de pierre, mais les humains l'avaient pulvérisé avant de mélanger du compost à la poussière de roche, créant ainsi un humus riche où poussaient des arbres ornementaux venus d'un millier de mondes ainsi qu'une herbe douce et vert-bleu connue depuis toujours sous le nom de kentucky, sans raison connue. Durant la plus grande partie de l'année, la salle était un jardin public. Dans le vaisseau débordant de spectacles, c'était un lieu tranquille où les nerfs pouvaient trouver un apaisement. Quelques âmes désespérées avaient tenté de s'y suicider. Mais le festin des capitaines était imminent et les robots disposaient les tables et les sièges avec soin, déployaient des nappes de lin brodées prévues pour cette unique occasion. Dix mille places furent attribuées selon des conventions immémoriales. Les assiettes blanches étaient encadrées de couverts d'or ; les serviettes artistement décorées étaient parfumées. Les gobelets de cristal se remplissaient automatiquement, à des sources cachées, de tous les alcools et drogues liquides disponibles ; l'eau glacée provenait du célèbre puits artésien situé à proximité de la mer Alpha, en souvenir du premier festin impromptu des capitaines qui avait eu lieu cent millénaires auparavant.

Chaque capitaine, à commencer par la Maîtresse Capitaine, avait sa place attitrée, marquée d'un carton spécial, en larges caractères. C'était le placement qui importait avant tout. Il dépendait du grade, mais aussi des qualifications annuelles de l'officier. Les capitaines investis de nouveaux titres étaient placés à proximité de la table de la Maîtresse. Ceux qui étaient frappés d'humiliation étaient tenus à l'écart et, dans les cas les plus graves, ils étaient installés derrière les attrape-mouches. Quant au repas, il était surprenant, et, afin de rendre hommage aux passagers aliens du vaisseau, il était souvent constitué de plats exotiques, dont les aminoacides et la stéréochimie avaient été respectés, au grand risque de quelques ventres et, certaines années, de la santé de tous.

Le plat principal du jour était un poisson cru pêché dans les profondeurs obscures de la mer des Hurluberlus. Ses yeux morts et immenses fixaient les capitaines affamés. Ses gueules multiples étaient soudées alors que ses branchies s'ouvraient et se fermaient spasmodiquement, en quête d'oxygène. L'estomac de ce poisson était farci d'une salade composée de feuilles violines, de fruits aigres et d'huile qui, par sa texture et son odeur, évoquait le pétrole brut. Caché quelque part dans la chair, il y avait un ver doré, guère plus grand qu'un doigt et que les Hurluberlus considéraient comme un mets délicat à déguster segment par segment.

Chaque capitaine avait droit à un couvert et une part de poisson. Même ceux qui manquaient à l'appel. Les cyniques aimaient se plaindre de cet honneur apparent qui ne faisait qu'atténuer leur absence à l'événement en donnant l'occasion à leurs pairs les plus snobs de critiquer à leur guise ceux qui n'étaient pas là pour se défendre.

Des siècles auparavant, lorsque les capitaines avaient brusquement disparu, on avait conservé leurs sièges et les plaques à leur nom écrites par la Maîtresse. De même, leurs repas étaient cuisinés dans la coquerie des capitaines, servis par des membres de l'équipage en uniforme de cérémonie et abandonnés aux mouches.

Depuis des années, la Maîtresse se levait pour ouvrir la soirée en portant un toast à ces âmes envolées, en leur souhaitant bonne chance dans leurs tâches mystérieuses, dans le cadre d'une mission restée secrète.

Suivait le dîner, après qu'elle avait annoncé d'une voix de stentor marquée de chagrin que le vaisseau des capitaines avait heurté un fragment de comète et qu'on ne les reverrait plus. Le toast qu'elle portait l'était avec du vin au goût de vinaigre et le dîner qui suivait était un festin funèbre où l'on servait des spécialités venues des civilisations aliens de l'espace profond. Les capitaines se cassèrent les dents dans la dégustation rituelle d'un fruit enrobé de glace de méthane. C'était la dernière année où tous commémoraient la disparition de leurs collègues. Miocène, Hazz et Washen. Et la mort de tant d'autres.

Plus de quarante-huit siècles avaient passé depuis la Disparition. Il y avait eu cent vingt et un festins depuis que deux fantômes s'étaient manifestés et avaient parlé d'un monde inexistant appelé « Marrow ».

Rien n'en était résulté. Sous l'effet d'une plaisanterie stupide et cruelle, la Maîtresse avait sombré dans la panique ; elle avait passé le dernier siècle à tenter de convaincre tout un chacun que les apparitions n'avaient pas été réelles. Une illusion douloureuse. Néanmoins, quel choix avait-elle ? Les devoirs d'une maîtresse capitaine étaient avant tout attachés à son siège et à son vaisseau. Quelle espèce de maîtresse serait-elle si une image holo et quelques vagues indices la détournaient des traditions multimillénaires ?

Non, elle refusait de songer aux Disparus. Ni ce soir, ni jamais. Mais il lui semblait qu'elle en était incapable ; plus elle tentait de purger son esprit, de se montrer inflexible et forte, plus les fantômes lui imposaient leur présence.

La longue table qu'elle présidait était installée sur un surplomb herbu, et elle profita d'une vue encore plus magnifique quand elle se leva majestueusement. Le vin rouge qui emplissait son gobelet était d'origine hurluberlue. Était-ce pour cela qu'elle pensait aux morts ? Ou bien simplement parce que le siège vide et moqueur qu'elle avait en face d'elle était réservé à Pamir ? Toujours absent, comme l'année d'avant, et celle qui l'avait précédée. Quel était le problème avec ce capitaine ? Il avait tellement de talents. Un peu suspect, mais avec des instincts vifs mariés à une ténacité admirable, transcendante... Et puis, en dépit de son mauvais caractère, il avait le don d'inspirer ses subordonnés tout comme n'importe quel voyageur.

Toutefois, il se refusait à participer aux cérémonies de la capitainerie. Cette faiblesse de caractère qu'il avait toujours montrée, même durant ses meilleures périodes, avait gâché toute chance de se hisser dans la hiérarchie.

— Où se trouve Pamir ? demanda-t-elle à l'un de ses nexus de sécurité.

— Inaccessible.

— A-t-il envoyé des messages ?

La réponse fut longue à venir et bizarre.

— Où pensez-vous qu'il puisse se trouver ?

Agacée, elle coupa le contact.

Il lui arrivait parfois de penser qu'elle vivait depuis trop longtemps, trop étroitement, et que son travail avait effacé le génie qui lui avait valu son poste de haut rang. Si l'égalité régnait dans cette salle, elle était certaine qu'elle n'arborerait pas le titre de maîtresse capitaine. Même au sommet de son orgueil, elle se disait que tant d'autres pouvaient occuper son siège aussi bien qu'elle, voire même se montrer plus efficaces. Même quand elle se contrôlait totalement, comme en cet instant, une part d'elle-même, sage, sans âge et extrêmement lasse, souhaitait que l'un de ceux qui étaient devant elle, avec un regard d'adoration, lui dise :

— Allez donc vous asseoir ailleurs. Relaxez-vous. C'est moi qui prends la barre, au moins pendant quelque temps.

Mais tout le reste de son être bouillonnait de rage à cette seule idée.

Dure comme l'acier, pleine d'assurance, elle contemplait ces hectares de visages souriants et d'uniformes miroitants autour du poisson cru, et à présent mort. À l'occasion du festin, les oiseaux et les insectes par trop sonores avaient été mis en cage et emportés au loin. Tout était paisible. Un silence peu commun régnait dans l'assistance tandis que la Maîtresse levait son gobelet et faisait tourner le vin, épais, tout en respirant l'arôme. Elle le leva jusqu'à son front et lança d'une voix de stentor :

— Bienvenue ! Bienvenue à tous ceux qui sont venus ici aujourd'hui. Et merci !

Un murmure d'autosatisfaction lui répondit. Puis le silence retomba.

La Maîtresse ouvrit la bouche pour prononcer son toast tant attendu. Les capitaines qui avaient pris en charge les nouveaux passagers seraient distingués cette année, félicités pour leurs performances, mais elle allait exiger des améliorations dans les décennies à venir. Le vaisseau pénétrait dans une région où les nouvelles races abondaient, ce qui impliquait autant de défis. La meilleure façon de préparer son équipe est de commencer par la congratuler avant de durcir le ton.

Mais elle hésita, et le premier mot se bloqua dans sa gorge. Un sens obscur en liaison avec ses nexus de sécurité venait de se fixer sur une anomalie mineure, encore lointaine.

Un mouvement inattendu et lent.

Des silhouettes surgirent derrière les attrape-mouches. Puis des dizaines d'autres. Une onde d'agitation courut dans l'assistance à l'instant où tous les capitaines se tournaient vers ces visiteurs. Qui étaient eux aussi des capitaines, non ?

Pamir et ses barbares étaient de retour, tous ensemble. C'est ce que se dit la Maîtresse, bien qu'elle ne parvienne pas à distinguer Pamir. Elle remarqua que les nouveaux venus, quelle que soit la couleur de leur peau, avaient une teinte de fumée.

Elle tenta de mieux voir en s'interfaçant avec les yeux de la sécurité, mais ce ne fut que pour découvrir qu'ils étaient tous passés en mode diagnostic. Elle lutta désespérément pour trouver un système de surveillance encore fonctionnel, mais tous lui échappaient comme de la graisse chaude.

Elle interrogea ses nexus :

—Que se passe-t-il ?

Mille réponses la bombardèrent dans un grondement informe. Elle fit le point sur ceux qui arrivaient, sur les visages les plus proches. Le vaisseau avait disparu en même temps que toute chose. Elle avait devant elle une grande femme au visage plissé, au crâne lisse, qu'elle avait pensé ne jamais revoir…

—Miocène ? souffla-t-elle. C'est vous ?

Si ce n'était pas Miocène, elle en avait le sourire, et c'est avec une expression amusée, insolente, qu'elle s'avançait. Elle avait à ses côtés des gens à la démarche assurée qui ressemblaient aux capitaines disparus. Leurs traits étaient vaguement familiers à la Maîtresse. Un homme, en particulier, retint son attention : Il avait un corps d'adolescent, le visage de Miocène, il était chauve comme elle et semblait se régaler de tout ce qu'il voyait. Son regard allait de droite à gauche et il hochait régulièrement la tête à l'adresse de ses compagnons qui s'arrêtaient devant les tables. Certains prenaient les reliefs de poisson et les examinaient avec étonnement comme s'ils n'avaient jamais vu de pareilles créatures.

Miocène s'avança sur l'herbe du surplomb et l'homme aux yeux brillants ne la quitta pas. Doucement, la Maîtresse demanda :

—Miocène… C'est vous ?

Le sourire de la femme était à présent glacé, furieux. Son uniforme miroitant était trop raide, sa ceinture de cuir était mal ajustée. Elle s'arrêta devant la grande table et dévisagea chacun des sous-maîtres sans rien dire.

Tous, à l'instar de la Maîtresse, interpellaient les systèmes de sécurité absents, exigeant une action, des informations. La panique les gagna.

La Maîtresse demanda :

— Comment allez-vous, chérie ?

Elle eut sa réponse en entendant la voix de Miocène, dure et froide, qui s'adressa à son premier adjoint.

— Earwig, chéri, vous êtes assis à ma place.

— Si j'avais su que vous alliez revenir, balbutia la Maîtresse avec un ricanement hésitant.

— Morne, dit le jeune homme aux yeux brillants.

Cent voix lui répondirent :

— Morne !

Et de toutes parts, dans le Grand Hall, des milliers de voix crièrent dans un tumulte glaçant :

— Morne !

Le siège de cérémonie de la Maîtresse quitta le sol tandis qu'elle demandait :

— Qu'est-ce que vous dites ? Que signifie « morne » ?

— Vous, rétorqua l'homme avec un sourire pétrifié.

C'est alors que Miocène, de la main gauche, saisit un couteau à désosser en or posé devant la Maîtresse. D'une voix calme, haineuse, elle proféra :

— J'ai attendu. Qu'on me retrouve, qu'on me sauve. Durant des siècles et des siècles…

— Je n'ai pas réussi à vous retrouver.

— Ce qui prouve ce que j'ai toujours soupçonné.

Miocène, alors, interpella la Maîtresse par son nom, ordinaire et pathétique, qu'elle n'avait plus entendu depuis des millénaires.

— Liza, vous ne méritez pas ce siège. Vous êtes d'accord ?

La Maîtresse voulut répliquer. Mais le couteau était planté dans sa gorge, et Miocène grondait sous l'effort. Elle resserra sa prise des deux mains sur la poignée d'or puis frappa une seconde fois, en souriant à la vue du sang qui jaillissait, tandis qu'elle tailladait l'échine en deux.

Trente-cinq

Dans un souffle ardent, le laser fit feu.

Une bouffée de lumière cohérente emporta la moitié du poing de Pamir. Mais celui-ci résista et brandit ce qui lui restait. Il ne sentit rien jusqu'à ce que la chair calcinée et ses os frappent l'étranger au visage. Alors, une douleur stupéfiante jaillit dans son bras et il laissa échapper un cri aigu de souffrance.

L'autre grogna avec une vague expression de surprise sur son visage grisâtre.

Même si Pamir n'avait plus qu'une seule main, il avait un avantage de trente kilos. Il attaqua à coups de pied, puis avec son épaule droite, et repoussa son adversaire contre la porte de l'ascenseur en essayant de bloquer la main qui tenait le laser… Un deuxième souffle de feu carbonisa sa casquette en même temps qu'une partie de son oreille. Il hurla plus fort et sa main libre s'enfonça dans le corps convulsé de son adversaire, brisa des côtes, arracha des lambeaux de chair tendre tout en cognant le crâne chauve contre la porte d'hyperfibre.

Le laser tomba sur le sol. Pamir résista aux coups que l'autre portait à son ventre, à son thorax. Il agrippa le cou de son adversaire, le serra, le tordit et le secoua jusqu'à ce qu'il soit certain que la moindre bouffée d'oxygène ne pouvait plus pénétrer dans sa gorge broyée. Puis il enfonça un genou dans l'aine de son adversaire et quand il lut une expression de douleur absolue sur son visage, il cria : « Stop ! » et projeta l'homme dans le couloir.

Le laser était à côté de la montre de Washen. Pamir tendit sa main mutilée, se rendit compte de son erreur et saisit l'arme avec l'autre.

Trop tard. La botte de l'autre le frappa en plein visage, lui fracassant les pommettes et le nez. Il fut projeté contre la porte, et tira. Le jet de lumière d'un noir bleuté calcina le pied valide de son adversaire, qui s'effondra et gémit deux fois.

Pamir se redressa, les jambes tremblantes, en prenant appui sur la porte. Il lut une expression de résignation, puis de méfiance, sur le visage gris de son agresseur qui lui demanda :

— Tuez-moi.

— Qui êtes-vous ?

Pas de réponse.

— Vous êtes un luddite, non ? Washen vivait parmi vous.

Une expression vide lui donna sa réponse.

— Et vous vous appelez ?

Le regard gris était fixé sur les épaulettes de Pamir.

— Vous êtes un officier de premier rang, coassa l'homme.

— Oui. Je m'appelle Pamir.

— Votre nom ne me dit rien. Vous devez faire partie des nouveaux capitaines.

— Vous connaissez le tableau de service, n'est-ce pas ? Vous avez de la mémoire. Washen aussi a toujours eu une mémoire infaillible.

L'autre tressaillit et demanda en maîtrisant sa voix :

— Vous connaissez ma mère ?

— Presque mieux que n'importe qui. Vous lui ressemblez. Vous avez surtout son visage. Mais elle était bien plus dure, je dois dire.

— Ma mère… est très forte…

— Elle *est* très forte ?

Silence.

Il répéta sa question avant de saisir la montre de Washen entre deux doigts encore valides. La souffrance persistait, mais il parvenait à la contenir. Il montra la mécanique d'argent et souffla :

— Elle est morte. C'est tout ce que j'ai appris. Nous avons cherché partout sans retrouver son corps.

L'autre leva les yeux vers le plafond, méprisant.

— Ça s'est passé dans l'habitat des Sangsues, n'est-ce pas ? Vous l'avez vue mourir ?

— Tuez-moi, répéta l'autre, mais avec moins de conviction.

Son pied brûlé s'autorégénérait. Un bon luddite n'aurait pu posséder un pareil talent. Pamir, en l'absence de toute autre réponse, dit alors :

— Je sais d'où vous venez. De quelque part à l'intérieur du vaisseau. Mais comment êtes-vous arrivé ici ? Est-ce qu'il existe un tunnel ?

Muet, l'autre gardait les yeux ouverts.

— Mais non, enchaîna le capitaine. J'étais en train de creuser un gros trou bien joli. J'avais presque atteint le fond et c'est alors que vous vous êtes montré. Je ne me trompe pas ?

Il n'espérait pas de réponse. Il contacta la machine excavatrice sur une fréquence privée. D'un ton confiant, l'IA lui répondit :

— Tout est nominal, monsieur. Selon la normale.

Pamir passa sur une autre fréquence et entendit une fois encore :

— Tout est nominal, monsieur.

Il décrocha pour un troisième canal. Un routeur et un codage qu'il n'avait encore jamais utilisés, et reçut la même réponse inflexible, parfaite, et marmonna :

— Merde !

Son prisonnier était déjà en train de plier son pied qui guérissait. Pamir le brûla d'un nouveau tir de laser. Ensuite, il récupéra la montre, prit l'autre par le bras et lui promit :

— Je vous tuerai à la fin. Mais avant, il nous faut vérifier quelque chose.

Il le traîna jusqu'à son cap-car. Lancé dans sa course d'exploration, il tenta de contacter la Maîtresse et ce fut une voix d'IA qui lui répondit.

— Soyez bref.

Il avait en face de lui un visage de caoutchouc et une image du pont totalement encodée.

— J'ai une situation d'urgence, ici. Un intrus armé.

— Un intrus ?

Il acquiesça.

— Conduisez-le au centre de détention le plus proche. Selon les instructions…

— Quelles instructions ?

Il lut une expression d'inquiétude sur le visage asexué de l'IA.

— Une alarme de degré cinq a été déclenchée, capitaine. Vous ne l'avez pas entendue ?

— Non.

L'expression de la machine devint déchirante.

— Que se passe-t-il donc ?

— Notre dispositif d'alarme a été investi. Totalement.

— Qu'en est-il des capitaines qui étaient au festin ?

— Tous les contacts avec le Grand Hall ont été interrompus, avoua la machine, gênée, avant d'ajouter brusquement, sur un ton absolument différent :

— Vous devriez gagner la station de la Maîtresse, monsieur. Si vous venez immédiatement, je vous expliquerai tout ce que je sais.

Pamir interrompit la liaison. Il resta un long moment immobile, sans se préoccuper de son prisonnier, réfléchissant à ce qu'il savait et à ce qu'il devait faire dans l'immédiat.

Plus d'un siècle auparavant, après la découverte de l'écoutille camouflée, les capitaines avaient installé un affût à l'intérieur de la station de pompage locale. Et, comme tout affût, il possédait une dizaine de moyens de pénétration secrets. Les capitaines, comme toujours, veillaient à ce que l'installation soit en parfait état de marche, tous les capteurs étant déconnectés mais parés à réagir dès que les codes certifiés leur seraient transmis par le personnel assermenté.

Pamir franchit l'affût sans incident. Mais il n'eut pas besoin des capteurs pour comprendre ce qu'il voyait de ses propres yeux.

La canalisation de carburant était remplie de centaines de véhicules bizarres, énormes et dépourvus de vitres, construits dans un métal gris et luisant, de l'acier, peut-être. Tous ressemblaient à des insectes prédateurs, ils étaient étranges et impressionnants. Pamir évalua leur volume et le nombre de passagers qu'ils pouvaient contenir. Il se tourna sans un mot vers son prisonnier. Il attendit que l'autre lui retourne son regard avant de demander :

— Qu'est-ce que vous vouliez ?

— Je m'appelle Locke.

— D'accord, Locke. Qu'est-ce que vous cherchiez ?

— Nous sommes les Constructeurs ressuscités. Et vous êtes l'une des âmes égarées au service des Mornes. Nous allons nous emparer du vaisseau…

— Parfait, grommela Pamir. Il est à vous. (Il hocha la tête.) Mais telle n'était pas ma question, monsieur Locke. Et si vous êtes à moitié aussi intelligent que votre mère, vous le savez parfaitement !

Ils repartirent pour un autre tour.

Dans une canalisation secondaire, Pamir s'arrêta, neutralisa chirurgicalement son prisonnier afin que Locke n'ait plus l'usage de ses bras, avant de vaporiser sur eux une couche de protection d'urgence et d'ouvrir l'écoutille principale.

L'atmosphère de la cabine explosa dans le vide ambiant.

Pamir rampa au dehors, s'empara d'une trousse à outils, puis composa un parcours aléatoire et une destination inexistante pour le cap-car. Il traîna Locke à l'extérieur avant de sceller de nouveau le véhicule. Ensemble, ils le regardèrent disparaître dans l'obscurité.

Il y avait une valve à proximité. Construite par des mains inconnues, inutilisée depuis des milliards d'années, elle était restée ouverte, comme si elle était destinée à leur usage.

Pamir appuya sur une touche et la valve se referma lentement.

La ligne tertiaire était longue d'un kilomètre et aboutissait à un minuscule réservoir auxiliaire qui n'avait jamais servi. Au-delà, il y avait l'océan d'hydrogène, vaste comme un monde.

Pamir chargea Locke sur son dos et se mit à parler sous la couche de tissu qu'il avait vaporisée.

— Elle n'est pas morte, dit-il. Il y a eu une rixe et j'ai supposé qu'elle y avait été mêlée, tuée, ou que quelqu'un avait récupéré son corps. Mais Washen a été abandonnée et vous ne l'avez pas retrouvée, c'est ça ? Si vous êtes retourné dans ce refuge alien, c'est pour une raison précise. C'était votre première chance depuis plus d'un siècle et vous êtes revenu là à cause d'elle, de votre mère. Washen. Une de mes plus vieilles amies.

Locke haletait douloureusement. Pamir reprit :

— Nous avons cherché. Si certains étaient tombés de cet habitat, nous aurions dû les retrouver. Tout corps recraché sous l'effet de la décompression n'aurait disposé que d'un vecteur horizontal très court. C'est pour cela que nous avons directement cherché sous la demeure des aliens.

Il s'efforçait de courir en se demandant de combien de temps ils disposaient et ce qu'il devrait faire si personne ne leur venait en aide.

—Vous m'écoutez, Locke ? Je m'y connais en souffrance et en résistance. Si nous parvenons à retrouver votre mère, elle est encore en vie. Vous étiez là, Locke. Il y a des courants dans l'océan d'hydrogène, lents et complexes. Et, comme je l'ai dit, nous cherchions un cadavre entier. Parce que c'est plus facile. Toutefois, s'il ne subsistait qu'une partie d'elle, son crâne par exemple, la décompression l'aurait envoyée sur un vecteur horizontal terrifiant. Sa pauvre tête aurait été gelée en quelques instants avant de plonger tout droit dans l'abysse glacial. Dans ce cas, nous pouvons la retrouver tous les deux. L'équipement de recherche est encore là. Il suffit de connaître la cible...

—Elle a été découpée, démembrée, dit enfin Locke d'une voix douce. Sa tête est restée attachée à un bras. Nous avons pu récupérer le reste.

Après un instant de silence, Pamir dit :

—Très bien. Merci. Ça va beaucoup nous aider. Qui lui a fait ça, Locke ? Qui a pu traiter votre mère de cette façon ?

—Mon père... Diu... voulait la tuer... (Il eut un sanglot profond.) Premier rang Pamir, vous connaissez un moyen d'effacer un souvenir comme celui-ci ?

Trente-six

La rumeur se répandit de façon soudaine, fantastique et spectaculaire. Même si elle n'était qu'à demi vraie, ses conséquences seraient violentes. La première réaction des passagers et de l'équipage fut de rire en entendant cet écho stupide, absurde. Ils avaient tous envie d'injurier ceux qui leur rapportaient la nouvelle, de les frapper, de leur pisser dessus, de leur prouver qu'une pareille chose était à l'évidence impossible.

— La Maîtresse Capitaine est morte! clamaient des milliards de voix effrayées.

Mais cela ne pouvait être. Elle était trop forte, trop maligne pour mourir comme ça!

— Tous ses capitaines ont été assassinés! Pendant le festin annuel! Par des étrangers armés venus d'un secteur secret du vaisseau!

Quelle était la part de vérité?

— Et désormais, ces étrangers ont pris le contrôle du Grand Vaisseau!

Ce qui était tout aussi absurde. Bien sûr. Le vaisseau était trop énorme et puissant pour qu'une quelconque force le conquière. Certainement pas à si court terme, ni aussi discrètement. Où étaient donc les troupes armées de la Maîtresse? Ses vieux capitaines endurcis? Plus précisément, où étaient les IA et autres machines élaborées dont l'unique fonction était de servir la géante humaine? Comment imaginer qu'une armée aussi dévouée, aussi loyale, puisse céder devant une invasion? Même en mille ans? Et encore moins en un seul jour?

Durant une journée, cette question fut au centre de tous les débats publics, de toutes les conversations privées. Les rumeurs les plus folles couraient, accompagnées d'un doute obstiné. Mais les rumeurs avaient leur vie propre, elles se renforçaient, elles prenaient de la profondeur en acquérant une sorte de logique robuste.

Au cours du deuxième, du troisième jour, et particulièrement au cours du quatrième, de simples hommes d'équipage et quelques ingénieurs proposèrent de nouveaux indices. Ils n'affrontaient pas vraiment une invasion, mais ce qui pouvait être une mutinerie dont les meneurs étaient d'ex-capitaines. On disait que les Disparus avaient ressurgi d'entre les morts. Du moins, certains des capitaines portés manquants s'étaient rematérialisés, conduits par la sous-maîtresse au visage en lame de couteau. Miocène. Sur les avenues et dans les parcs, sur le littoral et dans les salons de rêve, les passagers racontaient cette nouvelle histoire en argumentant sur ses conséquences. Qui était Miocène ? On se souvenait qu'elle avait été Premier Siège de la Maîtresse récemment déposée. Elle était calme, efficace et apparemment pacifique. C'était tout ce qu'on savait d'elle. Sa biographie fut vendue à dix milliards d'exemplaires au moins. Le plus souvent, on ne lisait que le titre des chapitres, ce qui suffisait pour comprendre que Miocène était une femme ambitieuse et qu'elle avait des pouvoirs évidents. Si quelqu'un pouvait renverser la Maîtresse Capitaine, c'était bien elle. Le verdict était évident. Qui d'autre dans la Création disposait d'une connaissance aussi intime de tous les dispositifs de sécurité, des systèmes de communication et des ressources en énergie du vaisseau ?

Toutefois, Miocène n'était pas revenue seule. Elle disposait d'une armée de soldats décidés et loyaux qui se déploya en quelques heures, piégeant les troupes du vaisseau dans leurs casernes ou les prenant, par surprise, à découvert. Il se trouva des témoins pour décrire les combats et les victimes tombées de part et d'autre. Toutefois, même les récits les plus longs ne mentionnaient que des unités de combat réduites et des dommages minimaux. L'armement du vaisseau était inopérant, saboté par les codes de sécurité que la Maîtresse elle-même avait mis en place – des codes destinés à protéger la population et les capitaines au cas où ces armes seraient tombées dans des mains hostiles. Quelques unités loyales à la Maîtresse réussirent à s'éclipser pour se fondre parmi les civils. Elles étaient toutefois dispersées, sans chefs, et ne disposaient d'aucun outil pour contrer l'ennemi.

Personne ne semblait savoir ce qu'il en était de la vieille Maîtresse et de ses capitaines. Un écho rassurant voulait que les anciens leaders soient encore en vie, de façon plus ou moins diluée. Ils n'étaient sans doute plus conscients mais étaient susceptibles de renaître, si Miocène, dans sa grande sagesse, décidait qu'ils étaient désormais inoffensifs…

Au sujet de la nouvelle Maîtresse et de sa garde, on en connaissait encore moins. D'où venaient-ils ?

Un millier de rumeurs reposaient sur la même histoire de base : les Disparus avaient dû quitter le vaisseau, probablement contre leur gré. Ensuite, sur un mystérieux monde à haute technologie, Miocène avait rassemblé des outils, formé une armée et une flotte de navires interstellaires. Où se trouvait cette flotte, personne ne le savait. Chacun était d'accord : les sabords principaux étaient calmes. Le Grand Vaisseau avait traversé une région faiblement peuplée à proximité d'un trou noir peu dangereux. Il était difficile d'imaginer que des navires aient pu intervenir sans être vus. Néanmoins, cette explication n'était-elle pas plus valide que cet écho stupide qui évoquait des chambres secrètes et des mondes cachés au cœur même du vaisseau ?

Et pourtant… Des voyageurs rapportaient avoir vu d'énormes véhicules pareils à des insectes montant d'un district souterrain précis. Dès le premier jour et durant ceux qui suivirent, les machines d'acier défilèrent en parade, de plus en plus rapides, affluant vers la station de la Maîtresse et vers tous les moyeux essentiels.

—Elles doivent bien venir de quelque part.

Tel fut le verdict consensuel délivré par toutes les bouches ou orifices, dans les structures de parfums, les doux éclairs de lumière d'étonnement.

«Quelque part» impliquait un lieu situé dans les profondeurs. Loin dans les réservoirs, selon certains. D'autres préféraient des sites plus fantasmagoriques, au nombre desquels une chambre, la plus secrète de toutes, enfouie dans le cœur de fer du Grand Vaisseau.

Au quatrième jour de la mutinerie, ce lieu mystérieux acquit un nom : «Marrow». Et soudain, tous se mirent à chuchoter ce mot ancien et bizarre dans la langue terrienne du vaisseau et dans une multitude d'autres langages. Le mot était apparu si soudainement que ceux qui avaient un penchant pour la conspiration décidèrent que cette information, authentique ou non, provenait directement et dans un but précis du responsable, quel qu'il soit.

Il y avait un monde caché à l'intérieur du Grand Vaisseau, clamaient certains, un royaume caché, merveilleux et certainement puissant.

Des détails tentants sur Marrow se révélèrent au grand jour.

Les esprits ouverts et indisciplinés adhérèrent à cette révélation. Il y en eut quelques-uns pour la célébrer. Alors que d'autres, profondément conservateurs par nature ou par choix, ignorèrent tout ce qui se disait de même que toutes les implications extravagantes.

Selon la règle, les humains se trouvaient quelque part au milieu.

Des événements mineurs se produisaient, quelque peu préoccupants. Des districts basculaient dans l'obscurité parce que les réacteurs essentiels tombaient en panne et que l'énergie était réservée aux systèmes essentiels. Les communications furent brouillées pendant les quatre jours suivants. Ce fut une période de chaos mineur. Mais, globalement, il y eut peu de changements. L'équipage et les plus anciens passagers suivaient les rites de leur existence à bord, les habitudes acquises depuis des millénaires qu'on ne pouvait aisément abandonner. Même quand les réseaux publics de communication étaient totalement défaillants, il existait d'autres tracés privés où les électrons et la lumière structurée pouvaient acheminer les bons vœux, de l'argent valable et les derniers bavardages qui circulaient. Puis, quand les perturbations cessaient, les réseaux retrouvaient leurs capacités et les dernières rumeurs de combat étaient généralement périmées, oubliées. On en était au neuvième jour de la mutinerie, et le moral du public, mesuré par vingt-trois moyens subtils, était en hausse dans tous les districts, dans chaque grande ville, dans chaque bourgade, que ce soit parmi les humains ou dans les habitats aliens, jusqu'aux cavernes.

C'était le moment idéal pour que la Maîtresse se montre.

Grâce à des commandes anciennes, elle reprit le contrôle des réseaux de communication à nouveau fonctionnels. Soudain son holo-image apparut partout. Elle était en uniforme scintillant, à l'image de son sourire qu'elle avait perfectionné au fil des siècles ; elle avait le visage plus mince que jamais, ses cheveux gris sombre étaient coupés très court, sa peau ternie par l'âge, comme rouillée ou marquée par la fumée. Ses yeux noisette, plus froids que l'espace, étaient fixés sur les passagers et les membres de l'équipage ; son expression était à peine rassurante. Ses lèvres s'écartèrent plusieurs fois en silence avant qu'elle déclare d'une voix sonore :

— Je suis Miocène. En tant que sous-maîtresse de Premier Siège, j'ai démis la Maîtresse Capitaine de son poste, de ses devoirs et du fauteuil qu'elle occupait depuis longtemps.

» Ne vous inquiétez pas : elle est encore vivante. De même que la plupart de ses capitaines. Dans les années qui viennent, vous découvrirez la profondeur de son incompétence. En application de la charte du vaisseau, les procès seront publics, les sanctions justes et lentes, et le Grand Vaisseau continuera selon le cap prévu.

» Je m'occuperai de vous, si vous le voulez bien.

» Votre vie n'a pas besoin de changer. Pas aujourd'hui ni dans l'avenir. À moins, bien sûr, que vous désiriez changer ce qui vous a toujours appartenu.

» En tant que Maîtresse Capitaine, je vous en fais la promesse.

Un instant, inopinément, son regard se fit chaleureux, sincère et quelque peu choquant, et elle ajouta :

— J'aime ce vaisseau merveilleux. Je l'ai toujours chéri. Je ne veux rien d'autre que le protéger, défendre son excellent équipage et tous ses passagers, en cet instant et jusqu'au terme de cette croisière historique.

» Mon fils occupera le Premier Siège.

» D'autres nominations suivront.

» Votre Maîtresse Capitaine vous souhaite une bonne journée et des millénaires magnifiques, mes chers amis…

Trente-sept

Un buste d'or de la Maîtresse Capitaine était installé au bout de la table de bois de nacre. Il émanait du visage une expression de puissance sereine et de parfaite arrogance. Juste à côté du buste, posée selon un angle douteux, il y avait la tête tranchée de la Maîtresse. Ses longs cheveux blancs étaient en désordre ; la peau était douce mais gravement desséchée, pâle, sans la moindre trace de son ancienne pigmentation dorée. Réagissant à quelque stimulation anaérobique, ou à une rage fantastique, la tête ouvrait les yeux et la bouche avec une lenteur obstinée. Sans poumons, la Maîtresse ne pouvait guère que chuchoter. Mais ce qu'elle disait était évident.

— Pourquoi ? Miocène, pourquoi ? Expliquez-moi. Je veux savoir. Je vous en prie.

Mais elle ne prononça pas vraiment le dernier mot qui s'acheva dans un gargouillis ; ses yeux se refermèrent en même temps que ses lèvres et elle replongea dans le coma.

Avec une fierté glaciale, Miocène tapota les cheveux blancs.

Elle balaya la table de conférence du regard puis, après un moment de réflexion, leva un doigt et appela un nom. Un membre de son équipe réagit en donnant un résumé sec et hautement officiel de ce qui avait été prévu, de ce qu'on faisait et de tout ce qui serait accompli dans le proche avenir aussi merveilleux que critique.

— Blessing Gable, prononça ensuite la Maîtresse.

Une femme robuste se leva et parla des derniers rebelles de l'équipage. Elle était née dans le milieu loyaliste avant de rallier les Indociles dès son enfance.

— Ils maintiennent encore un point d'appui dans le sabord Alpha et deux ou trois bandes armées opèrent à proximité du sabord Denali. Toutefois, le premier groupe est pris au piège et les autres sont désorganisés ou à bout de ressources. (Elle fit une pause pour consulter un des nexus de sécurité et poursuivit :) Nous venons d'arrêter ceux qui ont saboté les réacteurs. Des ingénieurs mécontents ainsi que vous le supposiez, madame. On me dit que les réparations avancent rapidement. Ce que les Constructeurs ont créé se refuse à être détruit facilement.

Il y eut des murmures d'approbation et plusieurs officiers répétèrent : « les Constructeurs », avec la ferveur habituelle.

Blessing avait le grade de général. Elle se tut et lissa le doux tissu violet de son uniforme. Comme la plupart des petits-enfants, elle ne prenait guère plaisir à porter des tenues de cérémonie. Pour cela, il fallait de la discipline et acquérir de nouvelles habitudes. Mais, ainsi que Miocène le rappelait régulièrement, les passagers attendaient une certaine tenue vestimentaire de l'équipage. Les soldats et les capitaines devaient les rassurer. Un facteur important, voire même critique, durant cette période et les siècles qui suivraient.

Le fils de Miocène demanda :

— Combien de leurs capitaines sont en fuite ?

— Trente et un au plus, répondit Blessing.

À la gauche de sa mère, Till affichait un air confiant et concentré. À la différence de la plupart des Indociles, il paraissait à l'aise dans son uniforme. Et même flamboyant. Chaque fois que Miocène le regardait, avec ses épaulettes scintillant sur ses épaules étroites, elle éprouvait un amour immense et un orgueil presque flétrissant. Son fils était un Premier Siège idéal.

Till demanda, déjà certain de la réponse :

— Parmi ces trente et un, quels sont les plus redoutables ?

Blessing récita la liste des noms les plus importants et dit enfin d'un ton définitif :

— Pamir… Il est l'officier de plus haut rang encore porté manquant. Mais son statut de premier rang peut nous induire en erreur. Si l'on en croit les données de la Maîtresse, l'homme est loin d'être bien considéré. Ni par elle ni par les autres capitaines. Ses attachements sont suspects. La Maîtresse elle-même avait rarement fait appel à lui.

— Je m'en souviens, dit Daen, le Second Siège, ce qu'il avait déjà été avant Marrow. (Il eut un ricanement bref avant d'ajouter :) Je ne m'en inquiète pas. Pamir se cache probablement dans une de ses vieilles tanières, en priant pour une autre amnistie.

Daen avait retrouvé son poste avec réticence, même s'il reconnaissait que la vieille Maîtresse s'était montrée incapable. Laisser un homme tel que Diu acquérir un tel pouvoir puis ne pas retrouver ses capitaines après cinq millénaires… Oui, elle avait sans doute mérité d'être destituée. Toutefois, il disait que, sans la loyauté qu'il devait à Miocène, il ne se serait pas mêlé de ce bourbier. Il s'en était expliqué à maintes reprises. Miocène ne lui avait confié aucun rôle important, aucune mission essentielle. Daen et les autres capitaines servaient une cause vitale : ils prouvaient que Miocène agissait de façon légale et morale, avec le soutien de toutes les âmes affirmées qui pensaient comme elle.

Miocène était d'accord avec le portrait de Pamir que venait de donner Daen, mais, comme d'habitude, il avait ignoré certains points cruciaux.

—Sans tenir compte de ce que nous pensons de l'homme, dit-elle, il faut reconnaître que Pamir a bien des talents. Plus important encore, c'est un officier de premier rang. S'il doit y avoir une contre-attaque organisée, selon la loi et la tradition, c'est lui qui en aura le commandement. Même s'il est une marionnette, on peut le considérer comme le Maître légitime du vaisseau.

Sa mise en garde n'eut qu'un impact limité. Daen parut vexé, mis il admit :

—Alors, j'espère qu'il ne va pas lancer une contre-attaque et déclencher une rébellion ouverte.

Les officiers les plus âgés opinèrent, mais Till leur rappela :

—Nous n'avons pas le temps de nous préoccuper d'un seul homme. Ni des rébellions qui n'existent que dans nos peurs.

Miocène approuva avant de changer de sujet et de se tourner vers un autre sous-maître en souriant :

—Twist, dans combien de temps disposeras-tu des nouveaux nexus à implanter ? Sur toi et les autres. Et surtout sur moi.

Twist s'efforça de sourire sans y parvenir.

—Dans quinze jours. Juste à temps pour la grande poussée.

Il fallait se dépouiller d'un système ancien, byzantin, rempli de chausse-trapes et de décisions inabouties avant de reconstruire un meilleur système à partir d'ingrédients à l'état brut… Non, ces retards n'avaient rien de surprenant ni de décevant.

—Pepsin, dit Miocène.

Le petit-fils d'Aasleen acquiesça et assura :

—Madame, vous avez déjà le contrôle absolu des moteurs principaux.

Miocène sourit à l'assistance. Pepsin ajouta :

—Il y a eu quelques sabotages, mais les installations des Constructeurs résistent à tout.

—Tu as suffisamment de main-d'œuvre pour les réparations ?

—Bien sûr !

Il mentait. Elle le devina en hochant la tête et, d'un ton désinvolte, elle remarqua :

—Si jamais tu en as besoin, contacte Till ou moi. Nous t'enverrons toutes les ressources disponibles.

—Merci, madame. Grand merci.

La grand-mère de Pepsin aurait été d'un grand secours dans les circonstances présentes. Mais Miocène ne pouvait s'offrir le luxe de ce genre d'indulgence. Aasleen avait fait son choix : elle vivait une existence confortable mais terne à Hazz, depuis que les Indociles avaient investi les cités loyalistes et s'étaient emparés des rênes de l'industrie. Leur invasion – la première démonstration de ce qui se passait aujourd'hui à bord du vaisseau – avait été soudaine, avec un minium de perturbations et de bains de sang. Quand Miocène avait ressuscité, la société des Loyalistes se fondait déjà dans la culture plus forte et plus efficace des Indociles. Et quand elle avait retrouvé la santé ainsi que ses pouvoirs, son fils avait pu la mettre en face d'un empire riche en possibilités.

Il lui avait murmuré à l'oreille :

— C'est à vous, mère. Rien que pour vous. Et je vous promets que ce n'est qu'un début.

C'est avec une satisfaction absolue que Miocène regarda encore une fois son fils. Durant sa résurrection, il lui avait enseigné tout ce qui était possible. Il avait répondu à toutes ses questions. Tous ses doutes s'étaient évanouis dans l'amour qu'elle éprouvait pour lui. Dans son affection absolue, Till lui avait confié la barre du vaisseau.

— La Maîtresse ne mérite plus son fauteuil. Elle ne mène plus le vaisseau comme il le faudrait, comme vous le voudriez. N'est-ce pas vrai, mère ? Pouvez-vous dire le contraire ?

Cela avait été un grand moment. Parfait. Le zénith de la vie longue et ambitieuse de Miocène. Son devoir était évident. Il semblait que toutes ses épreuves et ses souffrances ne faisaient que préparer son âme pour ce qui, à défaut d'un autre terme, était sa destinée.

— Nous sommes tous les deux des Constructeurs ressuscités, avait ronronné Till.

— Oui, c'est ce que nous sommes, avait-elle confirmé, rayonnante, à son unique enfant.

Pour elle, les Constructeurs étaient une abstraction, une idée avec laquelle elle pouvait coexister. Non, elle ne croyait pas que leurs âmes dataient de millions d'années. Néanmoins, il était clair qu'ils étaient naturellement ceux qui pouvaient s'emparer du contrôle de cette colossale et merveilleuse machine. Elle promena son regard sur ceux qui étaient en face d'elle, endurcis : les Indociles, les Loyalistes. Elle imagina les millions d'enfants qui étaient nés avant et après la fusion des deux nations. Il y avait aussi tous ces capitaines qui avaient fait leurs preuves durant cette marche d'un siècle qui avait abouti à ce moment.

Till demanda :

— Puis-je intervenir maintenant, madame ?

Miocène acquiesça avant de se rencogner dans le fauteuil trop vaste de la Maîtresse et d'observer avec bonheur son fils.

Durant plusieurs minutes, il parla de devoirs, de l'importance des jours et des semaines à venir. Il répéta ce que sa mère avait déjà déclaré avec emphase, qu'il était crucial que la poussée du vaisseau ait lieu dans les délais prévus, afin de corriger son cap. Il fallait prouver aux passagers et à la galaxie tout entière que le vaisseau était gouverné par des mains compétentes.

C'était ce que Miocène avait dit, mais pas tout à fait.

Comme toujours, elle remarqua que tous semblaient boire les paroles de Till. Une nouvelle fois, elle apprécia son talent à s'entourer de partisans et à les motiver. Même ses aînés, comme Daen et Twist, hochaient la tête, leur loyauté s'étant rapprochée – de façon abstraite – des Indociles.

C'est alors que son regard se porta sur un nouveau capitaine qui venait d'entrer et s'inclinait devant ses supérieurs avant de s'installer sur l'un des sièges libres.

—Bienvenue, Vertu.

L'ex-traître du camp des Indociles s'inclina une fois encore, avec plus de révérence :

—Mes excuses. J'ai eu un problème…

—Avec la colonne ? demanda Till.

—Avec le trou de mine, plus précisément, monsieur, madame. L'hyperfibre ancienne nous a opposé une résistance tenace. (Vertu cligna ses yeux gris, comme s'il était très embarrassé.) Dans la semaine qui vient, madame, je peux vous l'assurer, vous serez en mesure de diriger le vaisseau de n'importe quel endroit, y compris Marrow… Quand la colonne sera achevée, l'intégration des commandes ne prendra guère de temps. Deux ou trois jours au plus.

Till jeta un regard à sa mère avant de répondre :

—Merci, Vertu, pour nous deux.

Miocène avait à peine écouté leur bref échange. Son regard inquiet était fixé sur le dernier siège inoccupé. Quand le silence se rétablit, elle se pencha et demanda :

—Et Locke ? Vous avez entendu quelque chose à son sujet ?

Personne ne répondit. L'expression de Till se fit plus tendue.

—Non. Nous n'en avons aucune nouvelle.

Locke avait disparu au début de la mutinerie. Tous le savaient mais n'abordaient jamais ce sujet. Les généraux et capitaines affectaient d'être occupés à discuter de détails alors que Miocène chuchotait à son fils :

—Tu penses encore qu'il est parti en quête de l'âme de sa mère ?

—Bien sûr !

Mais quelle était cette note qu'elle décelait dans sa voix ?

—Je connais bien l'homme, poursuivit-il. Il aimait beaucoup Washen, même s'il leur est arrivé de ne plus se voir durant des siècles…

Miocène pouvait prendre la mesure d'un tel amour.

—Le pauvre succombait sous le poids de la culpabilité. À cause de tout ce qui s'était passé, de ce qu'il a dû faire… C'était très difficile pour lui.

Locke avait tué son propre père en tentant de sauver sa mère. Washen était morte quand même. Les deux Indociles avaient vu son corps déchiré par les explosifs. Les lambeaux de sa chair et ce qui restait de son esprit mourant étaient dispersés, perdus dans un océan de fuel liquide. Les dossiers que détenait la Maîtresse étaient remplis de rapports sur de longues et inutiles recherches. Un Indocile solitaire n'avait aucune chance de la retrouver. Miocène en était certaine, mais elle s'obligea à demander :

—Vous avez envoyé quelqu'un fouiller l'habitat des Sangsues, ainsi que je l'avais suggéré ?

—Naturellement, répliqua Till.

—Et qu'est-ce qu'on a trouvé?

—Il était scellé, mais sans aucune trace de combat. Il est néanmoins possible que Locke se soit trouvé face à un garde armé. L'hypothèse est assez mince, mais raisonnable. Il y aurait eu un affrontement et il aurait été tué par sa propre arme.

Miocène réfléchit brièvement.

—Pourquoi ne pas me l'avoir dit?

Till soupira et répondit tristement :

—Cela ne m'a pas paru une nouvelle essentielle.

—Mais si Locke a été capturé…

—Mère! Locke ne constitue pas un danger. Vous le savez.

Elle se redressa et dévisagea son fils avec une froideur absolue.

—Il ne sait rien, insista Till. Sa place à cette table est honorifique. Rien de plus. Pendant longtemps, je ne lui ai accordé aucune autorité. Parce que, je le jure, je le connais trop bien.

Vraiment? pensa Miocène en secret.

Puis sa froideur reflua en elle et elle frissonna de multiples façons invisibles. Ce n'est qu'après un moment qu'elle demanda :

—Tu pourrais explorer le réservoir?

—Nous l'avons déjà fait.

Il y avait quelque chose d'indéchiffrable, plat, et même mort dans son regard.

—Ce réservoir est immense, lui rappela Miocène.

—C'est pour cette raison que nous n'avons terminé qu'aujourd'hui. (Il sourit.) J'ai envoyé dix essaims pour cette recherche…

Dix essaims détournés de quelles missions?

» Ils n'ont trouvé que des barges d'aérogel. Des instruments scientifiques empaquetés pour être expédiés. Rien de vivant ou de quelque importance.

—Tu en es certain?

Till tomba dans le piège en toute sérénité.

—Oui, madame. J'en suis certain.

—Mais tu as laissé échapper des choses importantes dans le passé! cria Miocène. N'est-ce pas, mon cher Premier Siège?

Il se raidit tandis que l'assistance se faisait silencieuse. D'un ton coléreux, s'efforçant au calme, il répliqua :

—Locke est inutile.

Dix essaims représentaient un nombre important de soldats, surtout si l'on cherchait quelqu'un d'inutile. Mais Till se contenta de secouer la tête en regardant tous ceux qui étaient rassemblés autour de la table de bois de nacre.

—Même s'il le voulait, il ne pourrait nous causer le moindre tort.

Trente-huit

- Ne vous inquiétez pas. Ce n'est que ma main.

La pression était douce, apaisante.

— Ne bougez pas, chérie. Ne bougez pas.

Qui donc bougeait près d'elle ?

La voix prononça un nom familier – et se plaignit, sans que la main ne s'éloigne :

— Elle résiste. Contre moi, ou quelque chose d'autre.

C'est de moi dont on parle.

Une autre voix, plus grave et lointaine, dit :

— Washen.

— Restez immobile, Washen. Je vous en prie.

Une main plus large la caressa, sur la bouche et les narines ; la voix grave résonna, plus proche, intime, familière :

— Nous n'avons que peu de temps. Nous accélérons votre reconstitution.

Reconstitution ?

— Dormez.

La main s'éloigna. La voix de femme dit :

— Je pense qu'elle dort.

Mais Washen s'efforçait de garder les paupières closes, savourant la douleur blanche, persistante de la renaissance de son corps.

Ses yeux tout neufs s'ouvrirent et clignèrent.

La lumière verte, brillante, était éclipsée par un visage d'homme ; Washen s'entendit demander :

— Pamir ? C'est toi ?

— Non, mère.

Elle tressaillit :

— Nous sommes revenus sur Marrow ?

Locke ne répondit pas et elle s'écria :

— Pamir !

— Votre ami n'est pas là en ce moment, intervint la femme d'une voix apaisante. Il ne s'est absenté que pour un moment. Comment vous sentez-vous, chérie ?

Elle bougea la tête et son cou éclata en flammes.

— Doucement, chérie. Doucement.

Washen inspira à fond et découvrit une adorable femme humaine vêtue d'un sarong émeraude. Des cheveux noirs, des lèvres pleines. Souriante, timide. À l'évidence, ce n'était pas une Indocile, ni une Loyaliste normale. Ce que confirmait son habillement, de même que ses mouvements souples et lents qui révélaient ses origines anciennes. Cette femme était une passagère. Certainement très riche et probablement peu habituée à héberger une femme morte chez elle.

— Je me nomme Quee Lee.

Washen hocha lentement la tête. Elle dansait avec la souffrance. Son regard se promena sur la jungle terrestre. Le feuillage vert humide était ponctué de nuages violets de fleurs tropicales. Des oiseaux bigarrés et des chauves-souris sillonnaient l'air doux. Sur une souche d'arbre pourrissante, une troupe de singes modifiés était installée en désordre, ignorant à l'évidence les humains, concentrée sur une sorte de jeu où intervenaient des cailloux, des bâtons ainsi que des crânes de hibou fragiles et blancs.

— Ils vont bientôt revenir, dit l'hôtesse. Bientôt.

— Ils ?

— Mon époux et votre ami.

Washen était allongée dans un lit autodoc ouvert. Son nouveau corps était enduit d'une couche noirâtre de silicones, d'oxygène dissous et d'un milliard de micromachines. C'était ainsi qu'on ressuscitait un soldat – trop vite, trop maladroitement, sa chair et ses os fabriqués en masse alors que les fonctions immunologiques étaient maintenues au minimum. Quee Lee et Locke étaient assis de part et d'autre de son lit. Son fils portait un habit coloré de passager, il avait la peau bronzée et ses adorables cheveux étaient assez drus pour former une touffe dorée, alors que ses mains et ses pieds nus étaient liés par un cordon de sécurité. Washen demanda doucement :

— Je suis restée partie longtemps ?

Locke ne répondit pas. Mais Quee Lee se pencha sur elle.

— Cent vingt-deux ans, moins quelques jours.

Washen se souvint alors des explosions et de la sensation qu'elle avait eue d'être arrachée à l'habitat des Sangsues, de tomber en tournoyant tandis que sa chair gelait et que son esprit sombrait dans un coma profond.

La nausée se dissipa et elle demanda :

— C'est toi qui m'as retrouvée, Locke ?

Il ouvrit les lèvres sans répondre.

— C'est Pamir qui vous a sauvée, dit alors Quee Lee. Avec l'aide de votre fils.

Washen regarda encore une fois le cordon noué autour de ses poignets et de ses chevilles et parvint à rire.

—Je suis heureuse que vous soyez devenus amis.

L'embarras de Locke se changea en une colère glacée. Il se raidit et fit un effort pour expliquer :

—C'était un accident. J'étais allé à l'habitat des aliens, pour tenter de trouver si les capitaines, ou qui que ce soit, y avaient séjourné. Et j'ai été attaqué par cet homme affreux.

Pamir. Sans aucun doute.

Son fils secoua la tête avec une expression de dégoût, et ses orteils nus se crispèrent convulsivement dans la terre noire. Qu'est-ce qu'un Indocile pouvait faire de ce sol fertile ? De ces arbres d'un vert incroyable ? Et des singes ? Du pépiement de l'oiseau multicolore qui ruisselait sur eux depuis les plus hautes branches ?

Avec une tristesse profonde, Locke dut admettre :

—Je me suis montré faible.

—Pourquoi ? demanda Washen.

—J'aurais dû tuer ton ami.

—Ça n'est pas chose facile. Crois-moi.

Une fois encore, Locke s'enferma dans le silence. Washen inspira à fond et se redressa dans son lit. La gelée de silicone adhérait à son corps nu et lisse de bébé. Quand la douleur s'estompa, elle se tourna vers Quee Lee et demanda en soupirant.

—Cent vingt-deux ans ? Les circonstances doivent être différentes après un tel sommeil, je suppose.

Quee Lee accusa le coup mais réussit à sourire timidement.

—Que s'est-il passé dans le vaisseau ?

—Rien, dit son hôtesse. À en croire la nouvelle Maîtresse Capitaine, le vaisseau avait besoin d'un nouveau commandement. L'incompétence sévissait. Maintenant, selon elle, tout est comme avant, si ce n'est ce qui s'est amélioré, et ce serait idiot de notre part d'avoir la moindre inquiétude.

Washen décocha un regard sévère à son fils, qui ne cilla pas et ne regarda personne en particulier.

—Miocène, proféra Washen d'une voix douce, chargée de colère. (Elle se tourna vers Quee Lee.) Ça lui ressemble tout à fait.

L'IA annonça d'un ton autoritaire :

—Perri approche. Il est avec l'autre. Ils sont seuls, apparemment. Puis-je les faire entrer, Quee Lee ?

—Absolument.

Trois jours s'étaient écoulés. Washen avait quitté son lit depuis six heures. Elle était vêtue d'un simple sarong blanc et portait des sandales. Elle avait pris son premier vrai repas depuis plus d'un siècle et sa fatigue infinie s'était changée en énergie frénétique. Elle attendait à côté de Quee Lee. L'écran de sécurité était en place, la porte s'ouvrit et, sur l'avenue bordée d'arbres, il n'y avait personne. Un calme anormal régnait là où chaque journée était animée. Soudain, deux hommes apparurent. Le plus petit était beau et souriait. Il émanait de lui un charme naturel. Le plus grand était aussi plus musclé, avec un visage neutre. Washen commit la faute la plus évidente lorsque la porte se fut verrouillée des dizaines de fois. Elle regarda le plus grand des deux et dit :

— Salut, Pamir.

Le visage neutre changea pour ressembler exactement à celui de son compagnon. Tout aussi beau et séduisant. Mais ce n'était absolument pas Pamir.

— Désolé. Essaie encore.

Pamir était le plus petit. Il arracha son masque et déclara d'une voix grave :

— J'ai trouvé un autodoc pour perdre trente kilos. Qu'est-ce que tu en dis ?

— Tu es splendide, en tout cas.

Il avait un visage rude, comme taillé dans un bloc de chêne ; ses traits durs étaient un peu asymétriques et ses cheveux plus emmêlés que jamais. À le voir, on pouvait penser qu'il ne se rappelait pas quand il avait dormi pour la dernière fois. Toutefois, ses yeux bruns avaient toujours ce même éclat vif lorsqu'il sourit à Washen. Mais, quand il regarda ailleurs, son expression se fit distante, distraite. Il lança sans s'adresser à personne :

— Je suis affamé.

Il revint à Washen et récupéra son sourire du fond de son épuisement pour lui dire de son ton familier, mordant et cynique :

— Ne me remercie pas. Pas encore. Si nos petits-enfants nous trouvent, tu regretteras qu'on t'ait tirée du fond de cette mer d'hydrogène.

Ce qui était sans doute probable.

Tout en se débarrassant du reste de son déguisement, Pamir ajouta :

— Où est mon prisonnier ?

— Dans le jardin, répondit Quee Lee.

— Est-ce qu'il a grogné quoi que ce soit d'important ?

— Non, rien, soufflèrent les deux femmes.

Pamir passa la main dans ses cheveux crasseux avant de confier à Washen :

— Je voulais me trouver avec toi quand tu ouvrirais les yeux, mais j'ai dû m'occuper d'une ou deux choses. Désolé.

— Tu n'as pas à t'excuser.

— Alors j'arrête.

— Comment ça se passe au dehors ? demanda Quee Lee à son mari.

L'homme séduisant roula les yeux.

— Pour résumer ? C'est à la fois déplaisant, bizarre et absolument calme.

— Vous êtes allées où ?

Les deux hommes échangèrent un regard et Perri dit, comme un avertissement :

— Chérie.

Pamir, lui, hocha la tête.

—On va manger d'abord. Je veux récupérer mes trente kilos. (Il acheva de peler la fausse peau de ses mains.) Ensuite, on ira quelque part tous les deux, Washen. J'ai un million de questions qui me viennent à l'esprit et j'ai à peine le temps d'en poser dix.

Pamir s'était lavé et changé. Il se trouvait avec Washen dans une suite d'amis. Le sol de diamant était incrusté de lumière solaire et de générateurs holos. En regardant entre leurs pieds, ils pouvaient voir la chambre de jardin de Quee Lee et, en particulier, l'homme blond installé dans la plus grande clairière, qui demeurait impassible dans ses courroies de rétention tout en épiant chaque mouvement des oiseaux, des insectes et des singes à moitié domestiqués.

—Raconte-moi tout, dit Pamir.

Ce fut comme si, dans un long souffle, elle expliquait près de cinq mille années. La fausse mission. Marrow. L'Événement. Les enfants qui étaient nés. Les Indociles. La renaissance de la civilisation. Washen et Miocène s'enfuyant de Marrow. Et puis Diu les rattrapant, les emmenant dans l'habitat des Sangsues, leur expliquant qu'il était à l'origine de tout ce qui s'était produit…

Alors qu'elle allait achever son récit, elle fit une pause et dit:

—Je sais ce que tu as fait durant ces derniers jours.

—Vraiment?

—Tu as essayé de savoir si j'étais authentique. Si tu pouvais me faire confiance.

Il avala une dernière bouchée de steak saignant, la regarda en face et dit:

—Justement. Est-ce que je peux te faire confiance?

—Qu'est-ce que tu as découvert?

—Personne ne fait allusion à toi. Personne ne semble se soucier de ton sort. Mais Miocène et les petits-enfants le cherchent activement *lui*. (Il désigna le sol.) Ils ont bien failli le trouver, et moi aussi, dans le réservoir. Ne te laisse pas abuser par ses silences maussades. Locke m'en a suffisamment dit pour que nous puissions cibler notre site de recherche…

—Combien de capitaines sont encore à la dérive?

—J'en ai compté vingt-huit. Ou vingt-sept. Peut-être un peu moins…

—Merde, dit-elle tranquillement.

—Tu ne figures pas sur la liste mais tu as été dégradée il y a longtemps. Et si ça te rend dingue, écoute ça: en ce moment, tu es assise à côté du Maître Capitaine de plein droit. Est-ce que ce n'est pas effrayant?

Washen fit de son mieux pour digérer ces informations. Puis elle se pencha et posa la paume de sa main sur le sol, comme si elle tentait de saisir la tête de son fils.

—D'accord, chuchota-t-elle. Dis-moi tout ce que tu sais. Et vite.

Il lui raconta comment il était parti à sa recherche, ainsi que de Miocène. L'assistance de Perri, la frustration qui s'était aggravée et, vers la fin, quand il

311

avait été sur le point d'abandonner, comment il était tombé sur cette montre archaïque enrobée d'argent…

— Tu l'as encore ? s'écria Washen en redressant la tête.

Mais oui, elle la voyait, suspendue à une nouvelle chaînette argentée. Pamir lui dit deux fois :

— Prends-la.

Il n'eut pas à le répéter. Elle ouvrit le couvercle et déchiffra l'insigne tandis que Pamir lui racontait la suite : la source de neutrinos, l'écoutille cachée, le tunnel effondré. Pour s'arrêter à l'instant où lui et Locke se faisaient face au-dessus de l'habitat des Sangsues.

Washen referma le couvercle d'argent. Sur un ton d'excuse, Pamir lui dit :

— Si j'avais étendu le rayon de recherche et suivi les cibles les plus infimes…

— Mais je ne suis pas déçue, dit-elle avec un sourire lumineux.

— J'ai été distrait. D'abord les neutrinos, puis nous sommes tombés sur l'écoutille secrète de Diu et je n'ai pas fini de creuser.

Washen se concentrait, les mains refermées sur sa montre.

— Diu, enchaîna Pamir d'un ton méprisant, en secouant la tête. Je n'arrive même pas à me souvenir de ce petit salaud !

Mais Washen, étonnée, pensa : *Je l'ai aimé.*

Elle dit d'un ton intrigué :

— Neutrinos. (Puis elle demanda :) Qu'est-ce que tu as vu, très exactement ? Est-ce que le flux était très important ?

Pamir lui décrivit tout en détail. Elle ne réagit pas et il changea de sujet.

— Dès que tu auras repris des forces, nous partirons. Je n'ai aucun lien officiel avec Perri ou Quee Lee. Néanmoins, il se peut qu'il existe quelque part un vieux dossier de la sécurité et Miocène finira par le trouver. Il faut nous dégotter une autre cachette. C'est ce à quoi j'ai consacré ces derniers jours…

— Et ensuite ?

— Il faudra attendre le bon moment. Sois patiente et prépare-toi. Si nous devons reprendre ce vaisseau et le garder… alors il nous faudra rassembler toutes nos ressources… notre force et notre sagesse… afin de rendre les choses un peu moins impossibles…

Washen ne dit rien. Elle ne savait pas vraiment quoi penser. Son esprit lui semblait encore plus vide et inutile que jamais. Son attention dériva de ses mains serrées pour observer longuement, tristement, son fils dans le superbe décor de la jungle. Puis elle écarta les doigts et regarda le couvercle d'argent et les aiguilles qui tournaient lentement.

— Nous avons des alliés, révéla Pamir. C'est aussi de cela que je me suis occupé. J'ai contacté des amis probables…

Elle referma la montre et chuchota doucement :

— Nous n'avions pas de réacteurs à fusion.

— Pardon ?

—Quand j'ai quitté Marrow, la plus grande partie de notre énergie provenait de sources géothermiques.

—Tu as été absente durant un siècle. Dans ce laps de temps, pas mal de choses ont pu changer.

Peut-être.

—Si j'en juge par l'évidence, je dirais que les Indociles ont dû forer un large trou à partir de Marrow. Étant donné qu'ils remontaient en direction de l'ancien tunnel, ils ont débouché dedans, ce qui leur a facilité le travail. Ils ont franchi des centaines de kilomètres par jour, par heure. C'est pour ça que nous n'avons eu aucun signe avertisseur. Je suppose que c'est aussi pour cette raison qu'ils ont dû construire tous ces réacteurs à fusion.

—Peut-être, dit Washen tout en secouant la tête.

Elle lâcha la montre qui tomba avec un cliquetis discret. En se penchant pour la récupérer, elle se surprit en train de regarder son fils, là en bas, qui observait ce monde vert et étrange. Elle ne décela aucune expression dans ses yeux gris, pas une trace d'émerveillement, encore moins d'inquiétude.

—Washen, qu'y a-t-il ? demanda Pamir.

Elle ouvrit la bouche mais ne prononça pas un mot.

—Dis-moi, la pressa Pamir.

—Je crois que tu te trompes.

—Probablement. Mais en quoi ?

Dans l'ultime seconde, elle ne fut pas certaine de ce qu'elle allait dire.

—À propos de la source d'énergie. Tu fais erreur. Mais ce n'est pas le plus important.

—Qu'est-ce qui est le plus important ?

—Regarde-le, dit-elle.

Pamir observa longuement le prisonnier avant de demander, avec un dégoût mesuré :

—Qu'est-ce que je devrais voir ?

—Locke est un Indocile. Il croit encore à leur cause.

Il grommela :

—C'est un fanatique, voilà ce qu'il est. Il ne connaît rien d'autre.

—Lui et Till se trouvaient ensemble dans l'habitat des Sangsues, rétorqua Washen. Tu connais cet endroit. Tu chuchotes et on t'entend partout.

Pamir attendait en silence.

—Depuis que tu m'as réveillée, ça me harcèle.

Elle récupéra la montre et ménagea une poche dans son sarong pour la porter en toute sécurité. Puis elle adressa un regard brillant à Pamir :

—Till et Locke ont dû écouter Diu. Ils n'avaient pas le choix. Sa confession était complète, il n'avait pas de marge de manœuvre. Tout ce que croient les Indociles a été inventé par Diu. C'est une révélation qui suffit à défaire la foi la plus vivace.

Pamir réagit avec plus d'entêtement que de raison.

—Ton fils est un fanatique. Et Till est ambitieux et pernicieux.

Washen l'avait à peine écouté. Les yeux étrécis, elle pensa à haute voix :

—Ces deux Indociles ont tout entendu, sans que cela importe pour eux. Il se peut même qu'ils n'aient pas été surpris que Diu soit encore en vie. Ce n'est pas aussi étonnant que cela. Les Indociles ont toujours été au courant de tout ce qui se passait sur Marrow. Ce monde n'avait pas de secrets pour eux. Après la mort de Diu, ils ont ramené Miocène parce qu'ils avaient besoin d'elle. S'ils sont vraiment les Constructeurs ressuscités, s'ils doivent reconquérir le vaisseau… alors il leur faut un capitaine de haut rang comme Miocène… quelqu'un qui sait comment détruire les systèmes de sécurité et la vieille Maîtresse…

Pamir inspira profondément avant de dire :

—Till utilise cyniquement la religion rêvée de Diu et Miocène suit…

—Non, dit Washen. Et même… (À nouveau, elle désigna Locke.) Lui, il croit. Je connais mon fils et ses capacités, je l'espère. Il reste avant tout un Indocile radical.

—Alors, que penses-tu vraiment ? s'exclama Pamir, excédé.

Elle ferma les yeux, se rappelant ce qu'elle pouvait des trois jours qu'on lui avait ôtés.

—Diu nous a dit, quand il est arrivé le premier sur Marrow, qu'il avait fait un rêve. Les Constructeurs et les Mornes haïssables avaient surgi de ce rêve…

—Ce qui signifie ?

—Rien, peut-être, avoua-t-elle avant de se lever en secouant la tête. S'il existe une réponse, elle se trouve quelque part sur Marrow. Elle nous attend. Et je crois que tu te trompes absolument à propos de notre programme.

—Vraiment ?

—Si nous attendons, les Indociles ne feront que devenir plus forts.

Pamir se pencha sur leur prisonnier avec une intensité nouvelle comme s'il le voyait pour la première fois.

—Si nous attendons trop longtemps, ce vaisseau sera déchiré par une guerre totale. C'est pour cela que je pense que nous devons tout entreprendre dès maintenant. Dès que ce sera possible.

—C'est ce qu'on doit faire, dit-il en écho. Mais quoi, par exemple ?

Washen eut un rire tranquille et marqué de tristesse.

—C'est toi le Maître Capitaine. Mon seul devoir est de servir le Grand Vaisseau, et toi.

Trente-neuf

Miocène avait demandé à son fils et aux autres officiers de haut rang de l'accompagner pour une petite randonnée.

—Il existe un endroit très élevé, absolument sûr, et parfait pour assister à la poussée.

Cela promettait d'être un moment richement symbolique et, plus important encore, une pure vindicte. Néanmoins, Till affichait encore une expression de doute. Il se tourna vers Miocène avec une brève inclinaison de tête.

—Mère, ce voyage est-il nécessaire ? Je veux dire, si l'on tient compte des risques. Et du peu de bénéfice que nous en tirerons.

—Le bénéfice... Est-ce que tu tiens compte de la tradition ?

Il se garda de répondre.

—Non, enchaîna Miocène avec un rire léger et une trace de mépris. Pourtant, il s'agit d'une noble tradition. La Maîtresse Capitaine et son état-major loyal doivent être présents sur le pont afin de voir leur vaisseau reprendre le vent.

—Noble, oui, dit Till. Et très ancienne.

—Nous l'avons fait bien des fois depuis que nous sommes à bord.

Que pouvait-il ajouter ? Avant même qu'il avance une réponse, Miocène ajouta :

—Je sais à quoi tu penses. Que nous pourrions être trop exposés. Trop vulnérables. Soumis à quelque désastre céleste...

—Pas dans l'hémisphère arrière, madame. J'en suis certain.

—Alors, tu t'inquiètes à propos d'un ennemi plus proche, plus émotionnel.

Maîtresse ou mère, son devoir était d'inspirer la confiance. Et aussi, elle l'espérait, d'instruire.

—Nul n'est au courant de cette opération. Personne n'aura eu le temps de monter une embuscade. En plus, crois-moi, je suis assez forte pour nous défendre à partir de n'importe quel point du vaisseau, et même depuis sa coque énorme.

Les dernières journées frénétiques avaient abouti à une transformation. La nouvelle Maîtresse était désormais installée sur le lit de l'ancienne. Elle n'était pas aussi ample que celle qui l'avait précédée, mais la nouvelle orientation était évidente. Des réseaux de nexus en interconnexion étaient actifs sous sa peau vieille d'un siècle. Ils échangeaient des messages à la vitesse de la lumière dans des langages denses, ils s'adressaient aux systèmes primordiaux du vaisseau en un enchevêtrement de fréquences et de bouffées codées de lumière laser. Un instinct nouveau disait à Miocène que les chambres de réaction étaient alimentées et prêtes. Elle pouvait pratiquement goûter l'hydrogène glacé qui était pompé dans les réservoirs profonds. La poussée géante, prévue depuis des millénaires, se passerait sans obstacle ni retard. Comment quiconque pourrait-il douter qu'elle commandait à présent ? Le symbole était évident. Les passagers inquiets seraient rassurés par la poussée. L'équipage apaisé devrait admettre que la vieille femme qu'elle était savait ce qu'elle faisait. Et cela n'échapperait pas non plus à la Voie lactée tout entière, aux milliards de passagers potentiels qui auraient de nouvelles raisons d'oublier l'ancienne Maîtresse et son incompétence.

Très bientôt, et d'innombrables façons, Miocène allait améliorer son vaisseau. Le taux d'efficacité ferait un bond. La confiance se répandrait. Le prestige du Grand Vaisseau serait grandi d'autant. Sous sa houlette, les connaissances de millions d'espèces dissemblables afflueraient pour enrichir l'humanité autant que les legs personnels de la Maîtresse. Tout au long de ce dernier siècle, quand elle avait eu envie de goûter au plaisir, elle avait imaginé le jour glorieux où le vaisseau aurait accompli son tour de la galaxie pour regagner la Terre après un demi-million d'années. Alors, et surtout grâce à son travail, l'humanité dominerait cette petite portion de l'Univers. Et, avec son fils loyal à ses côtés, elle accepterait les honneurs et les bénédictions rayonnantes de la population, qui ne pourrait voir en elle qu'une déesse salvatrice.

— L'Univers, souffla-t-elle.

Till se pencha vers elle et demanda :

— Qu'as-tu dit, mère ?

— Il faut que tu voies par toi-même. Les étoiles. La Voie lactée. Tout, dans sa gloire resplendissante.

L'expression de Till s'emplit de doute.

— J'ai déjà vu tout ça. En lumière holographique, et parfaitement nette.

— Rien de ce qui est très net n'est parfait, répliqua-t-elle. (Et elle lui rappela :) Il y a ici une Maîtresse. L'autre n'est que Premier Siège.

— Je le sais, madame.

Elle tendit la main, effleura son front, son nez mince, puis, d'un seul doigt, caressa son menton.

— Il y a peut-être trop de risques, concéda-t-elle. Ton argument est valable. Donc, nous assisterons seuls, toi et moi, à la poussée. Tu acceptes ce compromis ?

Il n'avait pas le choix et dit simplement :

— Oui, madame. Oui, mère.

Comme toujours, il s'exprimait avec un enthousiasme convaincant et un sourire radieux.

La coque du vaisseau était plus mince sur la face arrière. Elle était constituée de quelques dizaines de kilomètres d'hyperfibre quasiment vierge avec des tunnels d'accès, des canalisations caverneuses et des pompes suffisamment énormes pour brasser des océans. L'esthétique y jouait un rôle aussi important que les issues de sécurité. Miocène et Till traversaient l'une des principales chambres de réaction. Rien ne vivait ici, et presque personne n'y venait. Face aux rampes de miroirs parfaits, il n'y avait aucun endroit où se cacher. Seule Miocène pouvait déclencher ces moteurs et ils pouvaient circuler sans problème. Leur petit cap-car rapide s'élevait dans la buse de la fusée comme à l'intérieur d'un cratère ; le ciel, au-dessus d'eux, était illuminé par un milliard de feux stellaires, chacun d'eux réduisant les forces de la prodigieuse machine.

— Les étoiles, souffla Miocène, incapable de réprimer un sourire.

Till, les mains croisées dans le dos, paraissait très jeune, fermement campé, ses pieds chaussés de bottes légèrement écartés. Tout le scintillement de l'Univers se reflétait sur son uniforme et dans ses grands yeux bruns.

Un instant, lui aussi sembla sourire. Puis il ferma les yeux, les rouvrit et se tourna vers elle.

— Oui, elles sont magnifiques.

Miocène fut assaillie par la déception. Comment avait-elle pu croire qu'un regard vers la Voie lactée pouvait susciter une révélation ? Que Till allait lever les bras et s'agenouiller sous l'effet du ravissement ?

Elle était déçue mais, plus grave, elle se sentait furieuse. Il dut deviner sa réaction car il demanda :

— Mère, est-ce que vous vous rappelez l'instant où vous avez vu votre premier proton nu dans un nanoscope ?

— Non, avoua-t-elle.

— L'un des organes essentiels de l'Univers. Aussi vital que les étoiles et, à sa façon, plus spectaculaire encore. Mais, pour vous, il était réel avant que vous ne l'ayez vu. vous y étiez prête, intellectuellement et émotionnellement.

Elle acquiesça.

— Dès l'instant où j'ai été ressuscitée, jour après jour, les gens ont parlé des étoiles. Ils ont décrit leur beauté. Expliqué leur physique. Ils m'ont convaincue que le seul spectacle d'un soleil allait m'émerveiller...

Qu'est-ce qui pouvait vraiment impressionner Till ?

— Franchement, mère, après un pareil rassemblement de forces, je pense que le ciel est plutôt ténu. Qu'il a presque perdu toute sa substance. Ce qui est doublement décevant puisque nous sommes à proximité d'un des bras principaux de la galaxie. Non ?

Si Miocène mettait à feu le moteur qui était sous eux, Till serait impressionné. Durant le bref instant de l'embrasement.

Il eut un rictus moqueur à l'instant où le cap-car tournait brutalement en direction de la buse parabolique. L'hyperfibre ancienne avait été noircie par le plasma corrosif pour ne laisser qu'une muraille informe qui semblait proche vue d'une certaine distance, puis lointaine dès qu'ils ralentirent pour franchir soudain une écoutille camouflée. Elle avait été ajoutée là par les ingénieurs et donnait sur un petit tunnel qui traversait la buse pour déboucher sur un blister de diamant suspendu à des milliers de kilomètres au-dessus de la coque.

Seul un imbécile pouvait ne pas être impressionné par la vue.

Le cap-car blindé flottait à l'intérieur du blister. Le Grand Vaisseau possédait quatorze buses gigantesques : l'une au centre, entourée de quatre autres, puis de neuf en anneau. Miocène et Till se trouvaient dans l'une des quatre buses centrales, au cœur de la formation de tuyères qui n'attendaient que la mise à feu. Les métaux en fusion et les épanchements de fluides hydrauliques avaient peu à peu incliné les buses selon un angle de quinze degrés. La poussée de correction durerait dix heures et onze secondes et modifierait suffisamment la trajectoire du vaisseau pour qu'il passe dans deux semaines au large d'une géante rouge avant de frôler son compagnon – un trou noir massif mais essentiellement calme.

En l'espace d'une journée, la trajectoire du vaisseau serait infléchie deux fois. Au lieu de dériver loin de cette région dense de soleils et de mondes habités, il continuerait le long du bras galactique pour aborder des régions nouvelles et lucratives.

— Hmmm ! fit Till.

Il ne regardait pas les étoiles, ni les buses des tuyères colossales, mais vers le bas. Et il dit avec une trace de mépris :

— On peut dire qu'elles sont nombreuses.

Les lumières étaient parsemées sur tout le paysage d'hyperfibre. Mais elles ne ressemblaient pas aux étoiles, elles n'avaient pas leur désordre. Elles obéissaient à des principes définis, elles étaient interconnectées en lignes, en cercles et en masses denses qui généraient une accumulation de lumière. Oui, elles étaient nombreuses. Sans doute plus que cinq mille ans auparavant, plus que la dernière fois où Miocène avait visité ce lieu. Elle secoua la tête et grommela :

— Les Rémoras. Ils bâtissent leurs villes sur la face arrière. Sans arrêt.

Till lui lança un clin d'œil charmeur.

— Vous ne les aimez pas vraiment, n'est-ce pas, madame ?

— Ils sont excessivement bizarres et particulièrement entêtés, mais ils ne reculent pas devant l'effort. Nous aurions du mal à les remplacer.

Till ne répondit pas.

— Vingt secondes, annonça Miocène.

Till leva les yeux vers les propulseurs immenses et dit :

— Oui.

Son fils était momentanément distrait ; Miocène s'éclipsa.

La salle ne changeait jamais.

Des dizaines d'IA sophistiquées étaient alignées contre les parois. Elles arboraient toutes le corps symbolique et la toge blanche des anciennes scribes flétries. Elles étaient toutes un peu différentes selon leurs capacités et leur sensibilité esthétique. Dans ce domaine, les différences étaient bienvenues. La raison de leur existence résidait dans une question unique – une question fondée sur une concentration intense autant que sur le goût de la nouveauté. Chaque mois, chaque semaine ou chaque jour, l'une des scribes proposait une solution nouvelle, ou bien une variation sur une ancienne solution, et avec une nouvelle jeunesse illimitée, les machines se mettaient à discuter, à débattre et même parfois à échanger des cris. Inévitablement, elles trouvaient une faille critique dans les mathématiques élaborées, les hypothèses logiques, et la proposition avait droit à un enterrement rapide ; son cadavre se retrouvait sur une étagère électronique avec d'autres millions d'assomptions échouées – preuve définitive de leur zèle, sinon de leur génie.

Au centre de la salle, il y avait une carte du vaisseau, extrêmement précise. Elle ne représentait pas le vaisseau tel qu'il était aujourd'hui, mais tel qu'il était à l'arrivée des premiers capitaines : chaque salle, chaque chambre vaste, chaque long tunnel, tous les océans et les crevasses les plus ténues étaient représentés dans leur gloire perdue.

Cependant, un trait important mais peut-être critique était absent. La nouvelle Maîtresse se pencha sur cette zone d'ignorance.

Les scribes la regardèrent avec un froid mépris. Par nature, leurs esprits étaient conservateurs. Elles n'admettaient pas les mutineries, même lorsqu'elles étaient légalement justifiées. L'une d'elles déclara avec un humour très mécanique :

— Qui êtes-vous ? Je ne vous reconnais pas.

Les autres eurent un ricanement de dégoût. Un instant, Miocène demeura silencieuse. Puis elle sembla soupirer et laissa tomber à regret :

— Je peux améliorer cette carte. Je connais des choses que la vieille Maîtresse n'aurait su imaginer.

Le doute se changea en intérêt, puis en curiosité. C'est à cet instant que l'une des scribes secoua son visage caoutchouteux pour la mettre en garde.

— Celle qui vous a précédée doit d'abord être jugée. Légalement et en public ainsi que les lois du vaisseau le prescrivent. Sinon, nous ne pourrions travailler avec vous.

— N'ai-je pas promis de procès ? Ai-je proposé des jugements ? Examinez ma vie, selon n'importe quel profil que vous souhaitez. N'ai-je pas toujours défendu les lois du vaisseau ?

Les scribes obtempérèrent et, ainsi que Miocène l'avait espéré, elles sombrèrent dans l'ennui. Sa vie n'avait rien d'un puzzle, elle ne présentait aucun intérêt pour les scribes. Une à une, elles revinrent à leur carte élaborée autant que mystérieuse.

— Si je vous révèle cette information, dit Miocène, vous ne pourrez la partager avec personne. Est-ce bien compris ?

— Nous comprenons tout, dit la scribe en chef.

— Et si vous trouvez une solution possible, ne la révélez à personne d'autre que moi. (Elle soutint le regard de leurs yeux de verre.) Vous pouvez assimiler ces termes ?

Unanimes, elles répondirent :

— Oui !

Miocène inséra alors les nouveaux paramètres dans la carte, elle dessina la coque d'hyperfibre qui entourait le noyau, puis elle y installa Marrow et, enfin, révéla ce qui se trouvait à l'intérieur de Marrow. Puis elle commanda le mouvement de dilatation et de contraction de Marrow, libérant un flux de données qui expliquaient comment l'énergie circulait dans le corps de fer, comment les arcs-boutants la maintenaient solidement en place ainsi que tout détail potentiellement intéressant qu'elle avait absorbé durant ces horribles derniers siècles.

En une fraction de seconde, une expression d'émerveillement apparut sur les faces anciennes des scribes. Miocène ressentit un frémissement quand les moteurs du vaisseau commencèrent à répandre leur plasma dans l'Univers absolument froid.

Son fils se tourna vers elle, vers sa personne physique, avec un gentil sourire.

— Oui, c'est admirable, reconnut-il.

Le fleuve de plasma était une colonne large qui coulait presque à la vitesse de la lumière, une faible portion de son énergie visible à l'œil, mais suffisamment brillante pour altérer la clarté des étoiles.

— Allons-nous repartir, madame ? demanda calmement Till, comme un enfant qui s'ennuie.

L'autre partie de Miocène, l'image holo, était tout autant désappointée. Elle était entourée des scribes qui chuchotaient à la vitesse de la lumière, capables d'accomplir des miracles en un instant. L'une d'elles, d'un air grave, lui présenta une première solution ridiculement simple.

— Quoi ? s'exclama Miocène. C'est ça votre réponse ?

La première scribe répondit :

— C'est une solution artistique. Pas une version mathématiquement précise, madame.

— C'est évident. Toutefois, n'en dites rien, comme pour le reste, et continuez à travailler sur cela pour moi, voulez-vous ?

— Non, répliqua la scribe.

— Nous ne le faisons que pour nous, renchérirent ses collègues.

De leurs voix sèches, elles se remirent à chuchoter ; à propos de leur puzzle préféré et maintenant transformé, à propos de leur univers redevenu fascinant, dans leur salle étouffante où tout était énorme.

Quarante

Pour les regards vigilants des systèmes de surveillance, ils n'étaient qu'une équipe de réparation : plusieurs dizaines de Rémoras heureux d'être enfermés dans leurs lourdes tenues spatiales, assis épaule contre épaule dans l'un de leurs vieux écumeurs à toute épreuve, chacun avec un visage différent, échangeant de bonnes vieilles histoires salées de Rémoras tandis qu'ils se dirigeaient vers la face avant du vaisseau.

— Il faut combien de capitaines pour baiser ? demanda quelqu'un.

— Trois ! clamèrent les autres. Deux qui le font pendant que le troisième proclame les récompenses et les citations !

— Où est-ce que la Maîtresse envoie sa merde ?

Tous désignèrent la plus proche des buses de propulsion avant de partir d'un rire complice à demi amusé.

Orléans se pencha et demanda à son tour :

— Quelle est la différence entre la nouvelle Maîtresse et l'ancienne ?

Un silence abrupt s'installa. Chacun avait compris la question, mais pas la plaisanterie. Ce qui n'avait rien d'étonnant puisque le vieil Orléans venait juste de l'inventer.

Un grand sourire se dessina sur sa bouche toute nouvelle et ses dents pareilles à des défenses cognèrent contre sa visière.

— Vous n'avez pas la moindre idée ? Non ? (Il éclata de rire avant de leur lancer :) Notre nouvelle Maîtresse est revenue d'entre les morts. Alors que l'autre n'a jamais été vivante.

Des rires polis et quelque peu nerveux lui répondirent avant que le silence ne revienne. Orléans fit pivoter son casque pour faire face à l'équipage. Sur la fréquence publique, il dit :

— Ce n'était pas très drôle. Vous avez raison.

Mais sur une autre fréquence privée et brouillée, il déclara :

— Ne pensez pas trop à tout ça. Ce sera bientôt notre tour d'être morts. Du calme.

La nervosité se transforma en une détermination utile. Non, se disaient-ils, ils ne mourraient pas. Leur attitude était révélée par leur posture raide et leurs poings crispés. Ils étaient jeunes pour la plupart et ils croyaient encore pouvoir tromper la mort en cultivant une attitude positive en même temps que leur habileté induite et la bonne fortune qu'ils méritaient. *Non, pas moi*, pensaient-ils. *Je ne vais pas mourir aujourd'hui.* Ensuite, l'un après l'autre, ils se tournèrent vers la vaste buse de la fusée et sa colonne de lumière éblouissante qui nanifiait toute chose et tranchait l'Univers en deux – les pets de la nouvelle Maîtresse.

Seul Orléans ignorait le spectacle. Ses yeux d'ambre étaient rivés sur les immeubles à l'allure de blisters qui bordaient la route. Il était d'une humeur rare, sentimentale, il se souvenait que, dans sa jeunesse, il avait été convaincu qu'il serait mort à l'heure qu'il était. Sans doute vaporisé par l'impact d'une comète. L'idée qu'il pouvait vivre plus longtemps que n'importe qui de sa génération… ce n'était encore qu'une possibilité envisageable. Une aussi longue existence ne prouvait que la lâcheté d'un Rémora ou, du moins, un sens de la prudence paralysant. Pourtant, Orléans n'était pas plus un lâche qu'un guerrier et il détestait la chance, la bonne comme la mauvaise.

Au fil des siècles, puis des millénaires, il avait vu ses amis mourir subitement, sans même la moindre chance. Il avait survécu à ses enfants, à ses petits-enfants, puis à leurs descendants qui ne portaient qu'une infime fraction de la semence unique qui les avait engendrés. Mais ce n'était pas la chance qui l'avait amené aussi loin. La bonne chance ou son mauvais compagnon. Sans le moindre doute, c'était l'Univers qui était responsable, avec sa superbe indifférence sans faille.

Orléans était trop petit pour qu'on le remarque.

Trop insignifiant pour qu'on lui lance une comète en chemin.

C'était une foi nourrie de logique et d'une beauté ascétique ; elle lui était apparue jusque-là comme durable, infaillible. Et, soudainement, une seconde possibilité s'était glissée dans son champ de vision. Il se pouvait, mais ce n'était qu'une possibilité, que quelque grand destin l'ait pris sous le linceul de son aile depuis très longtemps, pour qu'il vive ce jour, ce moment, pour qu'il accomplisse ce voyage furtif sur la coque démesurée, dénudée et enchantée du Grand Vaisseau.

La cité n'avait même pas de nom quand Orléans y était né. Elle était maintenant devenue trop vaste et on avait l'impression qu'il fallait une éternité pour s'en évader. Ils n'en finissaient pas de défiler entre les blisters des immeubles. Des édifices en hyperfibre, pour la plupart. Des habitats minimalistes avec simplement un toit et des murs, un volume de vide élevé, un degré ample de vie privée, où les couples et autres configurations pouvaient échanger leurs semences, faisant des bébés qui naissaient dans des matrices d'hyperfibre qui se dilataient selon les besoins, l'enfant et la machine développant ensemble les mains, les jambes, la tête, et considérés comme « nés » durant une cérémonie d'un jour qui culminait à l'instant où le système de recyclage et le réacteur étaient bouclés sur le dos large du nouveau Rémora.

Entre les immeubles, on trouvait quelques rares boutiques qui proposaient le peu d'articles susceptibles de séduire des citoyens qui n'avaient aucun besoin de nourriture ou de boisson et qui étaient opposés à toute forme de possession. Il existait d'autres structures édifiées à partir de diamant pur et qui, à la différence des autres, étaient isolées. Pressurisées et peuplées d'une grande variété d'espèces, terriennes ou autres. Chacun des organismes était nominalement immortel et, sous la pluie de radiations dures et le simple effet du temps, ils avaient tous muté de façon chaotique en un déploiement désordonné de formes et de couleurs inattendues, de comportements imprévisibles et parfois amusants.

Des parcs à Rémoras, essentiellement.

Le plus vaste se trouvait à la frange de la ville et, au moment où ils survolaient cette étendue floue de formes et de couleurs, Orléans se dit qu'il devait descendre pour jeter un regard à ses habitants. Qui pouvait savoir? Il trouverait peut-être l'inspiration pour sa prochaine transformation auto-induite.

L'écumeur plongea vers l'espace ouvert, accélérant au seuil de ses limites.

Le temps s'écoulait, visqueux et tenace. Sans cesse, Orléans montrait son visage à son équipage et, sur la fréquence brouillée, il les obligeait à revoir leur programme et à décrire chacune de leurs interventions critiques. Puis, pour la première fois, il observa leur cible et se permit d'inspirer brièvement et de retenir une atmosphère personnelle dans ses poumons à peine humains – construits durant toute une vie de mutations précises qui leur avait conféré, ainsi qu'à leur sang noir et lent, une efficacité à la limite de la perfection.

L'idéal du Rémora.

Comme tous les écumeurs construits dans le passé, celui qui les emportait se glissait à proximité de la buse géante en direction de la face avant du vaisseau. Un pan d'hyperfibre arraché pendait de la coque. Même à la vitesse considérable de l'écumeur, le pilote IA aurait dû avoir le temps de le repérer et de réagir. Mais c'était une intelligence artificielle d'un âge avancé et réputée pour ses défaillances. Elle annonça qu'elle se sentait mal et qu'un humain devait prendre sa place.

C'est dans cette période critique que la plaque se replia sur elle-même avant de se détendre. Happée par le champ de force de l'écumeur, elle tournoya avant d'être attirée par la carrosserie de diamant, lacéra la machinerie et percuta les réacteurs soudain désaxés.

En moins de trois kilomètres, l'écumeur tomba vers la coque et stoppa.

Dans l'instant qui suivit, un appel automatique fut émis et un écumeur vide se libéra du flot de la circulation en direction de l'engin accidenté. Pour rajouter encore au drame, le contrôleur rémora se moqua des malheurs de l'équipage et de sa gêne avant de lancer une vieille plaisanterie:

—Pourquoi le ciel est-il plein d'étoiles?

Quelques dizaines de voix enregistrées répondirent en un chœur soigneusement orchestré:

—Pour amuser les Rémoras! Pendant qu'on attend ces putains de pièces détachées!

Quarante et un

Même à distance, même s'ils portaient l'uniforme noir fatigué des troupes de sécurité et que leur peau perdait graduellement sa teinte gris fumée sous l'effet des lumières du vaisseau et de leur alimentation nouvelle, Washen savait qui ils étaient.

Des Indociles.

La poussée des deux moteurs s'éteignait et cinq Indociles s'avançaient doucement sur l'avenue étroite. Si elle était aussi reconnaissable qu'eux, elle était condamnée. La prochaine paire d'yeux allait la repérer ; il suffirait d'un trait de laser pour griller son nouveau corps, et ce qu'il en resterait serait emporté tout droit à la nouvelle Maîtresse. Et les tourments de Washen ne feraient que commencer. Elle se rappela néanmoins qu'elle arborait un profil plutôt discret. Elle avait un nom et une identité solide qui pouvaient résister à toutes les détections. Sa peau était un masque venu de quelqu'un d'autre, qui n'attirait pas l'attention. Plus encore, Washen avait cessé d'être. Le capitaine de premier rang était mort depuis des milliers d'années et le leader loyaliste avait disparu depuis un siècle. Par un coup de chance exceptionnel, ces deux femmes avaient été oubliées, effacées dans un anonymat délicieux qui, dans la plénitude du temps, emporterait chacun de ceux qui étaient assis là aujourd'hui.

— Délicieux, murmura-t-elle.

— Quoi donc ? demanda l'un de ses compagnons.

— Cette crème glacée, répondit-elle en souriant et en replongeant sa cuiller dans le monticule fondant.

Puis, avec une certaine honnêteté, elle ajouta :

— Ça faisait longtemps que je n'avais savouré un aussi bon chocolat.

Pamir acquiesça aimablement. Il avait opté pour un joli visage et, tout comme Washen, il portait une robe de couleur ocre, très simple, qui aurait pu les faire passer pour des membres du clergé dans bien des cultes rationalistes différents. En tant que tels, ils étaient prêts à se comporter comme des prosélytes au moindre signe d'encouragement. Ce qui expliquait que la plupart des passagers évitaient le moindre échange verbal avec eux. Une parfaite identité pour deux humains qui avaient l'intention de se fondre dans la cohue du cœur du vaisseau.

Quant au troisième élément de l'équipe, il était encore plus imposant. Massif et de haute taille, il leva une chope de liquide rance dont il déversa quelques longues goulées dans son orifice de nutrition tout en sifflant tranquillement quelques mots par son orifice respiratoire.

— Cet endroit est très beau, dit son traducteur.

Pamir se tourna vers Washen avec un sourire entendu avant de revenir à l'Hurluberlu.

— Ça te plaît, cette boisson ?

L'alien auquel il s'adressait était fait de plastique moulé avec des moteurs dissimulés. C'était Locke qui était logé dans ce grand corps artificiel, les jambes et les bras bloqués sur les côtés. Il voyait tout ce que l'Hurluberlu voyait. Il entendait tout ce que captaient ses oreilles. Mais sa bouche était tapissée d'un plastique perméable et c'était une IA auxiliaire qui disait à la machine quand elle devait se déplacer et quels mots prononcer. Locke n'était qu'un passager à l'intérieur de l'automate. Du fret vivant. Depuis les tout premiers jours du vaisseau, des dispositifs de ce genre avaient assuré le commerce des choses précieuses ou illégales. À en croire Pamir, ce modèle était le meilleur disponible sur le vaisseau si l'on tenait compte de leur temps limité et de leurs exigences très spéciales.

La voix artificielle répondit en sifflant à la question de Pamir.

— Oui, c'est d'une réelle beauté, déclara la boîte fixée sur la large poitrine de l'IA.

— Et c'est quoi la beauté ? demanda Washen d'un ton doctoral. Te souviens-tu de ce que nous t'avons dit, ami ?

— Oui, le résidu de la raison dilué dans une mer de chaos.

— Exactement, répondirent les humains d'une seule voix en plongeant leurs cuillers dans leur splendide dessert.

Washen, alors, leva les yeux sur les Indociles et murmura à sa seule intention, dans un souffle oppressé :

— Le chaos.

Tout en descendant l'avenue, en observant les aliens et les étranges humains dans leur étrange comportement quotidien, les Indociles luttaient pour garder un sentiment de contrôle absolu. Non, ils ne venaient pas d'un monde relégué, oublié. Non, ils ne s'émerveillaient pas devant l'immense paysage cosmopolite du Grand Vaisseau. Sur leurs visages affables, dans leurs yeux sévères et vigilants, on ne déchiffrait que la dureté effrontée qui était le propre des officiers de police de tout genre. Les capteurs sophistiqués sondaient et aiguillonnaient les corps étranges qui les entouraient, leur extirpaient leurs secrets, prouvant qu'ils n'avaient rien à redouter ici.

Et pourtant.

Derrière leurs regards, il y avait une inquiétude enfantine et presque attirante.

Tandis qu'ils approchaient du café, Washen les observa avec un regard objectif nourri de toute son expérience. À l'évidence, les cinq Indociles avaient passé leur courte vie à se préparer pour ce jour. Pour cette marche en particulier. Ils avaient toujours su qu'ils se retrouveraient à bord du Grand Vaisseau, qu'ils le revendiqueraient pour les Constructeurs. Ils avaient appris leurs rôles, essayé un millier de scénarios jusqu'à la corde – des scénarios conçus par Miocène, sans aucun doute – et, comme tous les enfants de l'Univers, ils ne pouvaient s'empêcher d'accepter ce jour avec un manque absolu d'imagination.

Bien sûr, ils étaient là. Bien sûr, ils étaient maîtres du vaisseau ! Après tout, ce moment leur avait été promis par Till et les Constructeurs morts. Depuis l'instant de leur naissance et dans toutes les formulations !

Mais en dépit des simulations et des leçons patiemment assimilées, la réalité de ces lieux commençait à peser sur leurs esprits inexpérimentés : un Kon puant les salua d'un battement de queue et l'un des jeunes leva la main comme pour se défendre d'un coup imaginaire. Un oiseau au ruissellement doré se posa tour à tour sur la cuirasse des épaules de chacun : il voulait chanter pour avoir de quoi manger et n'eut droit qu'à une secousse irritée. C'est alors qu'un enfant humain, installé à une table proche et qui connaissait un peu les Indociles, leur dit, en leur tendant un scarabée à la carapace gris-brun :

— Pour vous.

Mais c'était un cafard. Il l'avait probablement ramassé sous une des tables du café.

Un Indocile accepta le cadeau et braqua ses capteurs sur le corps et les pattes agitées de la bestiole. Il se tourna ensuite vers ses compagnons et, ne recevant aucune suggestion, il réagit poliment, avala le cafard et le mâcha.

Un silence mortel s'abattit sur l'avenue. Les passagers alentour ainsi que quelques membres de l'équipage en congé retinrent leur souffle tandis que l'Indocile avalait. C'est alors seulement qu'il comprit qu'il avait eu le mauvais réflexe et, un bref instant, il se sentit perdu. *Qu'est-ce que je dois faire ?* Le sage conseil d'un professeur lui revint et il dit d'un ton modeste, charmeur :

— Quelle saveur exquise !

Avant de s'esclaffer, en s'efforçant désespérément de masquer sa gêne au public attentif qui éprouva un soulagement absolu.

Au sein de ce petit drame, il y avait une leçon. Washen jeta un regard à Pamir, qui acquiesça.

On ne regrettait pas la vieille Maîtresse et ses vieux capitaines poussiéreux. La mutinerie avait été rapide, sans qu'une goutte de sang soit versée ; les mutins – quels qu'aient été leurs motifs – avaient un charme authentique, sans mentionner d'autres talents que les touristes appréciaient toujours.

Ces Indociles étaient différents, nouveaux, neufs et de bien des façons très distrayants.

La patrouille poursuivit son chemin et, en quelques instants, atteignit la table de Washen. Au premier regard, ils n'eurent aucune raison d'hésiter. Mais l'officier de poupe – une femme au teint très basané – parut remarquer un détail. Elle se tourna vers Washen qui, trop tard, réalisa qu'elle avait dévisagé l'un des jeunes hommes dont les traits vifs et les yeux gris lui rappelaient Diu.

Car il était peut-être l'un des enfants de Diu.

—S'il vous plaît, dit la femme. Vous voudriez bien présenter vos pièces d'identité ?

Les hommes de son escorte regardèrent alentour avec une impatience très professionnelle.

Washen, puis Pamir, déclinèrent leur nouveau nom et fournirent des échantillons de peau provenant d'autres personnes. L'Hurluberlu fut le dernier à s'exécuter, son attitude parfaitement adaptée à sa nature : un embrouillamini de sons colériques qui se dilua dans la traduction :

—Je vous déteste, mais c'est vous qui avez le pouvoir.

La femme parut comprendre et acquiesça :

— Certes, j'ai le pouvoir, mais je vous admire néanmoins.

Leurs identités furent vérifiées sur les listes de contrôle coûteuses du vaisseau et l'officier déclara enfin :

—Merci pour votre gracieuse coopération.

—Mais de rien, répondit Pamir au nom de tous.

L'Indocile semblait sur le point de s'éloigner mais elle s'arrêta. Comme si une arrière-pensée lui venait, ou bien faisait-elle semblant. Elle se tourna vers Washen et demanda prudemment :

—Pourquoi n'êtes-vous pas d'accord avec nous ?

—C'est ce que vous pensez ? répliqua Washen.

—Oui.

L'Indocile avait certains traits d'Aasleen et aussi certaines de ses attitudes. Cela ne signifiait rien sans doute, mais la femme semblait moins Indocile que les autres. Elle ajouta avec une pointe de colère, en secouant la tête :

—C'est de l'ignorance. Vous vous considérez comme une personne à l'intelligence rationnelle. Si j'en juge seulement à votre uniforme de Rationaliste. Mais je ne crois pas que vous me compreniez vraiment. N'est-ce pas ?

—C'est plus ou moins vrai, admit Washen.

Leur conversation était une excuse pour qu'elles restent proches l'une de l'autre et se dévisagent. La femme officier la scannait pour détecter toute trace d'anormalité, ce qui justifierait un interrogatoire plus poussé.

—À propos de votre monde, dit Washen. Ce lieu qu'on appelle Marrow...

—Oui ?

—Il me paraît très mystérieux. Et improbable, selon moi.

Difficile de ne pas répondre à ces arguments. La femme haussa les épaules et s'efforça d'être aimable en citant une maxime rationaliste :

—« De bonnes questions dissipent tous les mystères. »

—Où êtes-vous née?

—À Hazz.

—Et quand?

—Il y a cinq cent cinq ans.

Washen hocha la tête en se demandant si elle avait déjà rencontré cette femme.

—Hazz… Une ville des Indociles?

—Oui.

—Depuis toujours?

La femme faillit mordre à l'hameçon, mais elle hésita avant de lancer à haute voix, d'un ton mesuré:

—Marrow n'est pas un très grand monde. Mais, depuis que les humains sont venus y vivre, quel que soit leur penchant, ils sont tous devenus des Indociles.

Washen resta silencieuse. La femme se tourna alors vers Pamir et lui dit:

—S'il vous plaît, monsieur, posez une bonne question.

Le visage d'emprunt de Pamir se plissa et, après un long moment, celui-ci demanda:

—Quand donc pourrai-je descendre visiter votre monde?

Elle sondait Pamir, tout comme ses compagnons qui étaient rassemblés en demi-cercle autour de la table, avec leurs détecteurs soniques ou à infrarouge. Et celui qui avait le regard de Diu déclara avec un ricanement tranquille:

—Vous pouvez le visiter dès maintenant, si vous le désirez.

Il voulait dire: «en tant que prisonnier».

La femme le désapprouva d'un regard dur et répondit posément à Pamir:

—Dans le proche avenir, nous organiserons des circuits. Bien sûr. C'est un monde adorable et je suis persuadée que ce sera une destination très appréciée.

Certains passagers approuvèrent, envisageant probablement une croisière. C'est alors que l'Hurluberlu rota bruyamment et annonça:

—J'ai une bien meilleure question à poser.

—Comme vous voudrez, dit la femme officier.

—Est-ce que je peux rallier les Indociles?

Ce qui provoqua un instant de silence tendu. Puis la femme retrouva son sourire sincère et répondit du fond du cœur:

—Je ne sais pas. Dès que je retrouverai Till, je lui poserai certainement la question…

Elle fut brusquement interrompue par une secousse. Brève et timide, mais que tous remarquèrent. À chaque table, les consommateurs étaient paralysés devant leurs boissons renversées, tandis que le plafond, les murs et les dalles du sol tremblaient.

Un bruit se propagea ensuite, profond et grave, venu d'en haut. Il courut sur toute l'avenue, droit vers les profondeurs du vaisseau.

Washen feignit la surprise. Pamir fit encore mieux. Il se dressa de toute sa hauteur, toisa la femme et proféra d'un ton proche de la terreur:

—Merde, mais c'était quoi, ça?

Visiblement, elle l'ignorait. Durant un long moment, les cinq Indociles furent aussi perdus que n'importe qui. C'est alors que Washen avança une explication en regardant ses compagnons :

—Un impact. Une comète. Nous approchons de cette étoile et de ce trou noir… C'est probablement une des comètes qui vient de nous percuter !

La rumeur se répandit dans le café et courut dans toute la longue avenue.

La femme indocile était prête à croire l'explication de Washen. Mais un nexus lui envoya une information générale avec une telle clarté qu'elle faillit grimacer de douleur avant de marmonner et d'annoncer à ses collègues :

—Un moteur… vient de tomber en panne…

Elle prit alors conscience quelle n'aurait pas dû parler à voix haute et elle esquissa un sourire peu convaincu avant d'ajouter :

—Mais nous contrôlons la situation.

Les humains étaient affligés ou bien riaient nerveusement. Les aliens, eux, digéraient la nouvelle avec une sérénité absolue ou des cris phéromoniques. L'atmosphère du café était lourde de relents bizarres, de sons perçants autant qu'indigestes.

Un autre message arriva alors sur une fréquence sécurisée. La femme indocile pencha la tête avec une expression intense avant de s'exclamer :

—Avec moi. Tous !

Les cinq Indociles de la patrouille s'élancèrent au pas de course.

Ce qui ne fit qu'augmenter la panique générale. Les clients étaient tous à l'écoute des nouvelles officielles et des canaux porteurs de rumeurs. Les projections holos envahissaient les écrans, le sol de granit et l'air ambiant. L'un des deux propulseurs du vaisseau venait de s'éteindre prématurément. Rien d'autre n'était certain. Un millier d'experts qui se disaient compétents juraient qu'aucune combinaison d'erreurs ne pouvait expliquer un pareil dysfonctionnement, rien d'aussi catastrophique. Et de toutes parts, des voix s'élevaient pour répéter :

—Sabotage !

En trois minutes, soixante-cinq individus et organisations fantômes revendiquèrent cette tragédie.

Washen jeta un bref coup d'œil à Pamir. Au début il ne réagit pas, puis il annonça en se redressant :

—Il faut que nous partions.

Il parcourut du regard l'avenue, comme s'il traçait la route jusqu'à leur prochain refuge.

—Par-là.

Il saisit l'Hurluberlu par son coude épineux. Plus loin, il y avait un tunnel étroit, discrètement éclairé, perpendiculaire à l'avenue.

Pamir et le faux alien s'avancèrent côte à côte. Ils franchirent une porte démone et se retrouvèrent dans une atmosphère plus dense, plus chaude. Le tunnel s'orienta vers la droite et une petite silhouette apparut en courant, le noir de son uniforme à peine distinct de la pénombre.

Il n'y avait pas la place pour trois.

La collision fut brutale. L'officier de sécurité se retrouva sur le dos, les yeux fixés sur une face d'alien à l'expression indéchiffrable.

Pamir était à genoux et il marmonna, en tendant une large main secourable :

— Toutes mes excuses.

L'Indocile poussa un cri profond, déchirant. C'est alors que le reste de son escouade surgit et le découvrit. Les gardes déployèrent leurs armes et lancèrent des sommations. L'Indocile le plus bruyant ordonna :

— Reculez !

L'Hurluberlu réagit selon sa nature profonde et gronda :

— Je reste où je suis. Et vous, vous restez là.

Un anneau cinétique pénétra dans son cou, oblitérant la chair et les os de céramique. Rien de vital ne fut endommagé et l'automate vacilla à peine, ses longues mains levées vers le plafond tandis que sa boîte de traduction criait :

— Non, non, non, non !

Saisis de panique, les Indociles ouvrirent le feu sur le monstre.

La tête bascula en arrière sur un lambeau de cuir, les jambes furent dissoutes par les lasers et le corps géant s'effondra sur les moignons de ses genoux. Un anneau explosif ravagea le corps, révélant un humain enfermé dans un paquet clandestin, enveloppé dans une couche de silicone transparent.

Locke s'était tourné vers les gardes. Son expression ne reflétait qu'une terreur absolue et écrasante, une surprise totale.

Washen, qui se tenait près de lui, ne voyait que ses yeux immenses.

Toutes les armes étaient braquées sur lui. Suivit un instant où tout était possible. Ils allaient peut-être abaisser leurs lasers et le libérer. Peut-être. Mais Washen s'élança vers son fils en hurlant :

— Non !

La dernière image que Locke vit fut sa mère tentant de le protéger avec son corps inadéquat, avant qu'une brillance violette ne se déploie pour l'éternité.

Quarante-deux

Une chaîne d'explosions infimes, presque délicates, avait détruit les valves et les stations de pompage. Aucune cible vitale n'avait été touchée. Le Grand Vaisseau était fait de redondances construites sur d'autres redondances tenaces. Néanmoins les effets cumulés furent catastrophiques : un lac d'hydrogène pressurisé se forma dans le pire des lieux possibles, et un dernier sabotage bloqua une bouteille magnétique, provoquant le déversement d'une masse miroitante d'antihydrogène métallique dans le nouveau lac. L'explosion qui en résulta ouvrit une plaie de douze kilomètres de large remplie de plasma.

L'énorme fusée toussa avant de s'éteindre.

En quelques secondes, les forces de sécurité furent alertées et se rassemblèrent dans les stations de gestion de désastre.

Dans les minutes qui suivirent, avec ses lasers et ses dents d'hyperfibre, une détaleuse se fraya un chemin dans la couche de scories la plus mince. Une tête libre surgit à la surface, la bouche boursouflée de plasmas résiduels, les yeux ouverts dans un arc-en-ciel de radiations dures.

Miocène ne voyait que l'arc-en-ciel. Puis elle ferma cette paire d'yeux et ouvrit les siens, ne voyant que par le biais du regard dur de son fils. D'une voix calme et basse, elle dit alors, à l'adresse de son fils et d'elle-même :

— Ce n'est rien. Rien qu'un inconvénient.

Avant même qu'il réponde, elle rassura Till :

— La poussée reprend dans sept minutes. Si nous utilisons les pompes de relais à pleine puissance. Je vais prolonger la poussée pour compenser le retard et le vaisseau reprendra le bon cap.

Till l'avait prévu et il demanda en secouant la tête :

— Mais qui est responsable ?

Elle lui dit ce qu'elle savait. Il répéta avec une déception douloureuse.

— Des Rémoras. Lesquels ? On peut le savoir ?

Miocène lui fournit des gouttes de données avec des transmissions codées et des images visuelles provenant des yeux lointains du système de sécurité.

La présomption de culpabilité se limitait à cela. Rien n'était parfaitement incriminant. Mais la défaillance de l'écumeur avait été trop parfaite pour être crédible. Miocène en conclut froidement :

— Je n'ai jamais fait franchement confiance aux Rémoras.

Confidentiellement, Till afficha moins d'émotion.

— Ce sont nos ennemis. Où sont-ils maintenant ?

Un écumeur de remplacement avait eu rendez-vous avec l'équipage des Rémoras avant de poursuivre vers la face avant du vaisseau.

— J'ai ordonné qu'on les capture, dit Miocène. Mais je pressens qu'ils ne seront plus à bord.

— Et l'écumeur en panne ? demanda son fils, entrevoyant la meilleure alternative.

— Il a été remorqué jusqu'en ville.

Till garda le silence un long moment. Miocène perçut sur un nexus de sécurité une ride, un frémissement et elle suspendit brusquement son souffle.

— Est-ce que tu as…, commença-t-elle.

— Vous ne l'auriez pas fait ? contra-t-il dans la seconde.

Avant que Miocène lui donne son opinion, il poursuivit d'un ton assuré :

— Nous allons utiliser des équipes d'au moins cinq personnes. Et elles chercheront uniquement cet équipage. Ce n'est pas raisonnable ?

— Raisonnable ou téméraire, c'est la responsabilité de la Maîtresse. Ce qui veut dire que c'est à moi qu'il revient de prendre la décision.

Till soupira avant d'afficher un large sourire.

— Faites-le.

Il y avait tout un univers de données qui ne demandait qu'à être consulté. Méthodiquement, mais à une vitesse proche de la lumière, Miocène assigna des degrés d'importance à chaque fragment d'information, réelle ou vague, avant d'absorber et de digérer tous ceux qui paraissaient critiques. Dans divers secteurs du vaisseau, des manifestations de protestation étaient en cours. On avait fait usage d'armes sur une demi-douzaine d'avenues, mais uniquement à titre d'avertissement. Avec les milliards de passagers que comptait le vaisseau, c'était la garantie que certaines de ces batailles avaient été simplement d'origine criminelle. Il existait en permanence un ruissellement parfaitement normal de violence. Locke était toujours porté disparu et un millier de traces de preuves indiquaient qu'il avait été tué dès le premier jour. La Maîtresse se focalisa ensuite sur les équipes que Till avait envoyées dans la cité des Rémoras : leur formation, leur dossier d'entraînement, leur jeune expérience fragile. Elles étaient tout aussi bonnes que d'autres, ni guère meilleures que la plupart. Mais est-ce qu'une telle opération n'exigeait pas les meilleurs éléments ? Risquer un certain nombre de vies dans une cité appartenant à l'ennemi n'était-ce pas un gaspillage évident et dangereux…

Elle s'attarda sur le terme « gaspillage ».

Avant de retourner à l'image des dégâts que lui transmettait le regard de la détaleuse. Elle inspira une longue bouffée de plasma cloqué en pensant aux machines anciennes qui avaient été massacrées sans but réel et calcula le nombre d'ingénieurs et des drones que les réparations nécessiteraient.

Des ingénieurs indociles, probablement, mais elle ne se fiait même pas à ses propres éléments. Furieuse, elle s'adressa à son Premier Siège :

— Je veux que tes ordres soient maintenus.

— Comme vous le désirez, madame.

— Je veux aussi qu'un dispositif d'armement complet soit mis en place à proximité. Au cas où nos troupes seraient attaquées. Là où nous étions quand les fusées se sont allumées… Ce serait une position avantageuse et assez ironique, non ?

Le visage de Till s'illumina.

— Tout à votre service, madame !

Il s'inclina et elle espéra que c'était vraiment devant elle.

Quarante-trois

Une armada de tabourets minuscules, blancs, était installée sur un tapis humide et sombre ; des plumets de vapeur s'élevaient dans l'air lumineux.

Pendant longtemps, rien ne se passa, rien ne changea.

Puis une fissure s'ouvrit, une main et un poignet sales apparurent dans la lumière, et ensuite le coude, le bras qui s'agitait, et enfin les doigts écrasèrent les champignons fragiles dans leurs mouvements de plus en plus frénétiques.

Finalement, la main battit en retraite et disparut. Un bref instant passa.

C'est alors qu'avec un bruit mou, humide, le sol s'ouvrit largement et qu'un corps nu surgit, haletant et crachant, avant de tousser violemment pour se perdre en une série de gémissements apaisés.

L'homme regardait autour de lui.

Il était cerné par une forêt de champignons poussant dru, chacun d'eux étant large comme un arbre de vertu adulte. Il avait une expression de stupéfaction, de doute et de frayeur ; même s'il ne suffoquait plus, sa respiration était accélérée et les battements de son cœur précipités, anxieux. Bien qu'il s'essuyât souvent les yeux de ses mains sales, il ne parvenait pas à croire à ce qu'il voyait.

Dans un souffle rauque, il marmonna :

— Où ? Mais où ?

Un homme de haute taille surgit de la forêt de champignons. Il portait l'uniforme de sous-maître, mais le tissu en était froissé et usé, les manches effilochées ; une longue déchirure montrait une de ses jambes pâles. Il affichait un demi-sourire et dit en s'agenouillant :

— On se calme. Un nom. Généralement, on commence avec un nom.

— Mon nom ?

— Ce serait préférable.

— Locke.

— Bien sûr.

— Qu'est-ce qui m'est arrivé ? bredouilla Locke.

— Vous étiez là. Vous devriez le savoir mieux que moi.

Comme s'il retrouvait son sang-froid, Locke s'extirpa de la terre noire et serra longuement ses genoux. Avant de demander d'une toute petit voix :

— Je suis où, là ?

— Vous devriez connaître la réponse, encore une fois.

Le visage de Locke était ouvert et semblait très jeune.

— D'accord, dit-il avec une expression de résignation et d'espoir. Je ne vous connais pas. Quel est votre nom ?

— Hazz.

Locke faillit répondre, puis referma la bouche.

— Je considère cela comme un signe de reconnaissance, dit l'homme qui était mort depuis longtemps en se redressant.

» Allez vous nettoyer. Dites-moi quel genre de vêtements vous voulez porter et vous les aurez. Ensuite, si vous le voulez bien, vous me suivrez. (Hazz eut un sourire entendu et ajouta :) Je connais quelqu'un qui a terriblement envie de vous voir.

Locke s'était attendu à quelqu'un d'autre.

Il avait revêtu une tenue de cuir de style indocile et suivit Hazz dans la forêt de champignons. Mais son expression ouverte disparut pour être remplacée par la colère. Il se raidit et, quand il tenta de parler, sa voix s'éteignit.

Après une seconde, il dit enfin, avec une amertume absolue :

— Père.

Diu était juché sur un champignon pétrifié devant un abri rudimentaire. Il portait les mêmes vêtements bigarrés qu'à l'instant de sa mort et il y avait dans ses yeux gris la même étincelle de malice. D'un ton tranquille, moqueur, il demanda :

— Qui donc t'a tué ? L'un de tes fils, j'espère.

Locke s'arrêta net, les lèvres plissées en une expression de détermination sinistre. Diu rit en claquant ses genoux.

— Ou peut-être pas. Mais je parierais que c'était un parent lointain. C'était ton sang qui courait dans ses veines, j'en suis certain.

— Je devais le faire, grommela Locke. Vous étiez en train de tuer ma mère...

— Elle méritait de mourir, répliqua Diu en ponctuant chaque mot d'un haussement d'épaules. Parce qu'elle s'était échappée de Marrow comme ça. Trop tôt et sans prévenir personne. Elle a failli prévenir la Maîtresse de notre présence. Est-ce que tout cela a favorisé la cause des Indociles ?

Locke attendait, la bouche ouverte.

— Elle était dangereuse. Tout ce qu'on voulait, tout ce qu'on méritait était menacé, rien qu'à cause d'elle et de Miocène.

Locke inspira une bouffée d'air qui resta dans ses poumons jusqu'à devenir fétide.

—Mais oublions les crimes innommables et méprisables de ta mère. Nous avons un autre adversaire. Potentiellement plus dangereux pour les Indociles, autant que pour la grande cause des Constructeurs.

—Qui ?

Diu grommela en secouant la tête avec dégoût :

—S'il te plaît. (Puis il se redressa en déclarant :) Tu avais une mission. Un devoir clair. Mais tu as préféré te précipiter dans cette maison alien dès que tu en as eu l'occasion. Et je veux savoir pourquoi, mon fils. Était-il vraiment important que tu te rendes là-bas ?

Locke pivota très vite sur lui-même, mais le sous-maître Hazz avait disparu.

—Dis-le-moi, le pressa Diu.

—Vous ne savez pas pourquoi ?

—Ce que je sais est sans importance. Ce que j'ignore et tout ce qui compte ici sera ta réponse.

Locke resta silencieux.

—Est-ce que tu comptais retrouver ta mère ?

Rien.

—Parce que tu ne l'aurais pas pu. Toi et Till, vous n'avez pas réussi à découvrir son cadavre il y a un siècle. Qu'est-ce que tu comptais faire en repartant seul là-bas ?

—Je n'ai pas à m'en expliquer...

—C'est faux ! Tu dois le faire ! Parce que je ne pense pas que tu saches ce que tu veux. Durant tout cet horrible dernier siècle, tu étais complètement perdu ! Je ne te pose pas ces questions rien que pour apaiser mon âme arrogante. Je le fais seulement pour sauver ton âme malheureuse. (Diu partit d'un rire féroce.) Et alors ? Tu pensais vraiment que c'était tellement facile d'être mort ? Que les Constructeurs allaient se contenter d'ignorer tes derniers crimes ?

—Mais je n'ai rien fait de mal !

—La vieille Maîtresse se frayait un passage vers Marrow, mais les Indociles n'ont jamais su comment elle avait trouvé l'ancien trou. Il semblerait d'après une enquête que l'issue cachée ait été trouvée lors d'une visite de routine. (Diu ferma les yeux un moment, puis les rouvrit avec une expression furieuse.) Tu t'es rendu dans l'habitat des Sangsues... Pour voir si la vieille Maîtresse n'était pas passée avant toi. Parce que, en ce cas, elle aurait pu savoir où se trouvait Washen. Et alors, peut-être, on aurait pu sauver ta mère. Admets-le devant ton père, Locke. Allez.

—Parfait, je le reconnais.

—Tu avais sans doute peur que personne n'ait retrouvé ta mère alors que tu voulais la secourir. Un très noble sentiment. Parce qu'une poussée prolongée était imminente. La plus longue depuis des siècles. Et si ses restes avaient été aspirés dans l'un des moteurs et incinérés ? Avant que le fils dévoué ait pu la sauver, la mettre à l'abri ?

Locke prit encore une inspiration, jusqu'à ce qu'elle bloque son cœur paniqué.

— Dis-moi que c'est la vérité ! aboya Diu.

— C'est la vérité.

— Mais non, tu mens. N'essaie pas de tromper ton vieux père. Je m'y connais en mensonges. Le réservoir est un immense océan d'hydrogène – et il y en a d'autres – alors quelles sont les chances pour que l'on arrache Washen à sa tombe ? Est-ce qu'on la retrouvera un jour ? Brisée et dispersée… Telle qu'elle était. Washen aurait pu survivre dans les abîmes éternellement… Et si l'on excepte toi et Till, et Miocène… qui aurait pu le savoir ?

Locke ne réagit pas.

— Et à propos de cette petite montre qu'elle avait…

Locke eut un regard triste et, presque trop doucement, il demanda :

— Que voulez-vous dire ?

— Toi et Till, vous avez nettoyé l'habitat des Sangsues. Il vous a fallu des jours avec des ressources minimales, mais vous avez fait un boulot exemplaire. (Diu eut un sourire omnipotent et remarqua :) C'est bizarre, non ? Tu as fait du bon travail en brouillant tes pistes, mais un unique indice critique n'a pas été remarqué. Planté à l'arrière, enfoncé dans un mur de plastique des Sangsues…

Locke émit une plainte sourde et douloureuse.

— On peut se demander si cet indice a été ignoré par hasard ou à dessein ?

Locke observait ses orteils, les épaules voûtées.

— À moins que quelqu'un n'ait trouvé cette montre… qu'il l'ait eue entre les mains, peut-être… Et l'ait intentionnellement laissée là pour que quelqu'un tombe dessus, non ? Ce qui était précisément ce que tu espérais, n'est-ce pas ?

» Est-ce que je me trompe, fils ? Till ne te surveillait pas, car il avait confiance en toi. C'est comme ça que tu as pu laisser ce signe. Cette marque. Tu voulais tellement qu'on retrouve ta mère…

Avec une violence nouvelle, Locke cria :

— Non. Je ne vous dirai rien !

Mais Diu n'était plus devant lui.

Locke cligna des yeux et sentit son corps s'affaisser. Le désespoir se mêlait au soulagement. Une main tiède le prit par l'épaule et, sachant que c'était elle, il se tourna, pleurant à la façon douce et coléreuse d'un homme qui sait qu'il a été abusé et découvre qu'en fait, au fond des choses, il ne s'en soucie même pas…

— C'est quoi cet endroit et ces hommes morts ?

— Un autre coin du vaisseau, lui assura Washen, cramponnée à son dos. Pamir l'a découvert avant de retrouver ma montre. Une IA vit ici. Avec mon aide, elle a créé Hazz. Et ton père. Grâce à elle, j'ai pu observer tes réactions et scanner divers secteurs de ton système nerveux.

— Vous avez lu dans mon esprit ?

— Jamais, dit-elle en se détachant de lui pour le regarder en face avant d'avouer : Tu n'as pas vu les soldats des Indociles. Personne ne nous a tiré dessus. Il s'agissait d'un simulacre, qui n'existait qu'à l'état de fausses données projetées droit dans tes yeux et tes oreilles. Et il est certain que tu n'es pas mort en ce moment.

Le soulagement se traduisit en une grimace de méfiance et de culpabilité.

— Il n'y a que nous, lui assura Washen.

— Et Pamir ?

— Il travaille ailleurs. (Juchée sur le champignon, elle ne quittait pas Locke des yeux.) Il n'y a personne d'autre. Dis-moi ce que tu veux me dire. Ensuite, si tu le souhaites, je te laisserai rejoindre Till. Ou bien, si tu le veux, tu pourras rester assis ici. (Elle hésita un bref instant.) Mais si tu ne veux rien me dire, je l'accepterai aussi. D'accord ?

Locke regarda ses mains vides en soupirant et déclara enfin :

— Je pense que je vais essayer d'expliquer les choses. Peut-être.

Washen s'efforça de ne pas montrer son excitation. Elle se contenta de hocher la tête et demanda d'une voix douce :

— C'est comment chez nous ?

— Très changé, bredouilla-t-il en levant un regard étonné vers sa mère. Vous n'en avez pas idée, mère. Ce siècle a été tellement long ! (Et les mots affluèrent sous l'effet de la pression mentale :)

» Quand je suis revenu, les Loyalistes avaient disparu. Conquis. Dissous. Il y avait tellement de sympathisants et de croyants ouverts à l'intérieur de vos frontières que l'invasion a été facile. Hazz était proprette et tranquille ; peu de choses ont changé. Du moins pendant quelque temps. (Il passa les mains dans ses cheveux blonds avant de poursuivre :) Till et moi sommes revenus ensemble, et il m'a demandé de faire sauter les charges de Diu pour obturer le haut du puits. Ensuite, il s'est adressé à tout le monde. Dans votre temple, avec la tête de Miocène à ses pieds. Il a expliqué qu'il fallait que nos deux sociétés se rejoignent, que nous serions tous plus forts ainsi, que nous faisions partie du plan final des Constructeurs et que bientôt tout serait expliqué. Mais vous auriez du mal à croire à ce qu'est devenu Marrow. C'est un endroit très étrange.

Washen faillit lui poser la question :

— À quel moment est-ce devenu étrange ?

Locke devina ses pensées. Il inclina la tête comme s'il allait la réprimander, mais il dit dans un souffle :

— Le temps nous manque.

— Comment ? Qu'est-ce que tu veux dire ?

— Je n'en suis pas certain.

D'une voix calme, mais plus dure, Washen lui demanda alors :

— Que sais-tu exactement ?

— Il y avait des délais à tenir. Till voulait que nous reprenions le vaisseau avant que son cap soit modifié. Avant la poussée d'aujourd'hui, si possible.

Depuis votre départ, notre population a été multipliée par dix. Nos usines sont aussi vastes que des villes. Nous avons fabriqué des armes et formé des soldats, nous avons bâti des engins de forage énormes conçus pour creuser vers le haut, mais aussi vers le bas.

— Vers le bas, répéta Washen en se rapprochant. (Elle demanda dans un souffle excité :) Mais où est-ce que vous avez trouvé le carburant nécessaire ?

Locke gardait les yeux baissés et elle insista :

— Till savait, à propos de Diu. Et depuis le début. C'est la seule explication logique.

Il acquiesça faiblement. Washen ne pouvait s'offrir le luxe se sentir satisfaite. Elle s'agenouilla devant son fils en s'efforçant de capter son regard.

— Till connaissait les repaires secrets de Diu. N'est-ce pas ?

— Oui.

— Comment ? Est-ce qu'il a vu ton père quand il les utilisait ?

Locke hocha la tête.

— Till était encore jeune quand, après ses premières visions, il découvrit une crypte. Il l'observa et, finalement, Diu en sortit.

— Que savait-il d'autre ?

— Que c'était Diu qui lui envoyait ses visions. Les légendes à propos des Constructeurs et des Mornes.

— Mais pourquoi Till a-t-il cru tout ça ?

Locke eut un rire harmonieux avant d'expliquer d'un ton incisif :

— Till a pris conscience que Diu était un agent. Un instrument. (Il secoua la tête.) La coupe d'acier n'a nul besoin de croire à l'eau qui étanche la soif d'un homme.

— J'accepte cela, dit Washen.

— Le jour où les Indociles sont nés…

— Oui ?

— Cette vallée, cet endroit où je vous ai conduite… la crypte d'hyperfibre était enfouie dans une des crevasses… et nous sommes passés au large…

Washen ne fit aucun commentaire.

— Je ne savais pas. Pas encore. (Il eut un ricanement amer.) Des années auparavant, Till avait interrogé sa mère à propos des systèmes de sécurité. Comment ils fonctionnaient, comment on pouvait les tromper. Miocène avait jugé que c'était une préoccupation digne d'un capitaine et elle lui avait appris ce qu'il voulait savoir. Ensuite, Till avait pénétré dans la crypte et convaincu l'IA qu'il était Diu, et c'est comme ça qu'il est descendu jusque dans Marrow. Là, au milieu du fer humide, dans la chaleur, il a découvert la machinerie qui faisait fonctionner les arcs-boutants.

— D'accord, dit Washen, très calme.

— C'est de là que venait toute notre énergie. Au cœur, il y a un réacteur matière-antimatière.

— Tu l'as vu ?

— Une fois. Till me fait confiance. Quand nous sommes retournés sur Marrow, quand Miocène a été ressuscitée, il nous y a accompagnés. Rien que pour nous faire visiter, pour nous raconter ce qu'il savait. Tout. Miocène était très excitée. Elle avait fait construire un conduit pour pomper l'énergie. Selon elle, le réacteur, dès qu'il serait pleinement compris, pourrait transformer toute la Voie lactée, l'humanité, chacun de nous.

— Et, dans cet endroit, nous pouvons trouver des réponses? demanda Washen. Est-ce que nous pouvons apprendre quelque chose de nouveau concernant le Grand Vaisseau?

Locke secoua la tête avec une expression de colère et de déception.

— Mère, si Marrow se dissimule dans le vaisseau, et si toute cette machinerie se trouve à l'intérieur de Marrow, comment pouvez-vous penser qu'il existe une solution à tous ces mystères?

— Parce qu'il y a autre chose, plus profond? balbutia-t-elle.

Il acquiesça fugacement.

— Tu l'as vu de tes yeux?

Il reprit son souffle.

— Non. Il n'y a que Till qui soit allé à cette profondeur. Et aussi Diu, je suppose.

— Ton père?

— C'est aussi le père de Till. Celui-ci s'en est toujours douté. En secret. Et c'est en secret qu'il a déchiffré nos gènes avec les meilleurs manipulateurs. Rien que pour être sûr.

En silence, Washen accepta cette nouvelle révélation, avant de demander:

— C'est tout ce que tu désires me dire? À propos de ton demi-frère et de tous les mystères du vaisseau?

— Non. J'ai certains doutes. Depuis le dernier siècle, quand j'ai tué Diu… J'ai entendu les plans de Till et ceux de Miocène, j'ai collaboré à combler tous les vides. J'ai aussi vu ce qu'ils ont fait de Marrow et de ses habitants… Quand je regarde au fond de moi, je me pose des questions.

Il gardait les yeux baissés, mais Washen s'interdit de l'étreindre à nouveau. Elle recula de quelques pas avant de demander enfin, lentement, d'une voix impitoyable:

— Est-ce que tu fais partie des Constructeurs?

Il ferma ses yeux gris.

— C'est la question que tu te poses, n'est-ce pas? Parce que si tu ne fais pas partie des bonnes âmes ressuscitées des Constructeurs, que ce soit par accident ou selon un plan, il se pourrait peut-être que Till et tous les Indociles… vous soyez les Mornes ressuscités!

Quarante-quatre

Chaque visage était absolument unique, marqué d'une beauté résolue, inattendue, qui s'imposait toujours avec le temps.

Pamir observait tous ces visages tout en écoutant leurs voix fluides.

— C'était ma décision. Mon plan. Ma responsabilité.

Un sourire s'était dessiné sur le visage d'Orléans et ses yeux d'ambre avaient changé de forme, créant des rides autour de ses lèvres qui imitaient un sourire.

— J'accepte le reproche et votre sanction. Ou bien votre approbation et vos félicitations. Quel que soit le verdict que vous souhaitez rendre dans votre sagesse.

La plupart des juges rémoras semblaient mal à l'aise, et ce n'était pas parce que Pamir pouvait mal interpréter leurs expressions. Une vieille femme – une descendante directe de Wune, leur fondatrice – cita les codes des Rémoras :

— Le vaisseau est la plus grande forme de vie. Qui endommage ses organes vitaux y laissera sa propre existence. (Son œil unique, pareil à un rubis flottant dans un lait jaune, se dilata jusqu'à remplir la moitié de sa visière, et sa bouche comprimée déclara :) Orléans, tu connais nos codes. Et je me souviens de deux occasions où tu as arraché la tenue d'un autre adversaire pour des crimes bien moins graves que le sabotage d'un moteur !

Dans le bâtiment de diamant, une centaine de juges et de doyens étaient rassemblés. Il n'y avait aucun sas et pas d'atmosphère. Deux portes s'ouvraient sur les avenues où des centaines de citoyens se battaient pour avoir une chance d'assister à ce jugement à demi-secret. Toutes les déclarations officielles étaient brouillées et, à la différence de Pamir, le public ne pouvait qu'épier les visages pour suivre le procès.

Une autre doyenne se dressa et grommela d'un ton coléreux :

— Un autre code peut être invoqué. Le premier de Wune et le plus essentiel, à mon avis.

À l'unisson, les Rémoras psalmodièrent :

— « Notre premier devoir est de protéger le vaisseau de toute agression. »

Le visage bleuté de celle qui avait parlé parut afficher un acquiescement et sa voix musicale se fit entendre :

— Cela pourrait être le système de défense d'Orléans, s'il le choisit. L'agression reste une agression, qu'elle soit due à l'impact d'une comète ou à un pouvoir dangereux. (Son casque pivota et elle demanda à l'accusé :) Tel est ton argument, Orléans ?

— Absolument ! s'exclama-t-il.

Avant de regarder son compagnon en agitant ses yeux pédonculés. Comme prévu, Pamir s'avança en lançant :

— Citoyens très distingués, je demande à m'adresser à la cour.

Sa tenue était équipée d'une signature électronique. Comme tous les Rémoras le faisaient entre eux, il suffisait d'un coup d'œil pour identifier son nom, son grade et son statut officiel.

La doyenne cyclope grogna :

— Est-ce bien approprié ? Un criminel recherché défendant un criminel captif ?

Mais un autre doyen – un petit homme rond au visage velu et rouge, intervint d'un ton irrité :

— À plus tard les sarcasmes. Exprimez-vous, Pamir. Je veux vous entendre.

— Nous n'avons guère de temps, Les escouades des Indociles arrivent. Ils veulent Orléans, mais ils seront ravis de me trouver, moi aussi.

— Bien.

— J'aimerais avoir le temps de réfléchir, continua Pamir. D'ouvrir un grand débat, pour entendre une décision juste venue de tous. Mais chaque moment qui passe rend les Indociles plus forts. À chaque minute, un nouveau vaisseau décolle de Marrow, avec à son bord des munitions et des soldats, forts de croyances dérisoires et pathétiques, qui ne répondent à aucun souhait des Rémoras.

Il s'interrompit brièvement pour consulter un nexus et vérifier l'avancée des Indociles. Il se tourna ensuite vers les visages étranges et beaux.

— Je ne tiens pas à être le Maître Capitaine, mais la Maîtresse légitime est morte, ou pire. Et je suis l'officier de premier rang. Selon la charte, je suis en titre le Maître, ce qui fait de Miocène une prétendante illégitime. Et, puisque je me présente devant vous, ici, je dois vous rappeler que durant plus de cent millénaires, vous avez été au service du vaisseau et avez respecté ses règles, tout comme vous avez servi la foi de Wune. Avec dévotion et bravoure. Ce que je vous demande désormais, ce que j'attends de vous, c'est cela :

» Résistez aux Indociles. En tant que Maître Capitaine provisoire, je vous demande de ne rien leur concéder. Surtout pas votre coopération, ni vos ressources ou vos talents. Est-ce trop vous demander ?

Un silence tendu s'installa. La cyclope résuma ce qui était évident.

— Miocène va être très mécontente. Et les Indociles vont certainement répliquer…

— Nous aussi, grommela la femme au visage bleu.

346

Tous les juges s'exprimèrent à la fois dans une réaction commune de sécurité, à la fois méfiants et inquiets, tristes et irrités. Néanmoins, c'était la méfiance qui l'emportait. Certain que les émotions pouvaient varier le temps d'un battement de cœur, Pamir choisit cet instant pour crier :

— Vous me promettez de ne rien leur donner ?

On vota rapidement. Deux Rémoras sur trois déclarèrent qu'ils étaient d'accord.

— Parfait. Et merci.

Pamir passa à l'étape suivante. S'il voulait échapper aux Indociles, il devait le faire dès maintenant. Toutefois, il s'obligea à s'avancer dans l'immeuble blister et à répéter encore une fois :

— Ne leur concédez rien.

Puis, avec la lourdeur gracieuse que lui conférait sa tenue, il se laissa tomber et s'assit sur la coque douce du Grand Vaisseau.

Des équipes d'Indociles se frayaient un chemin parmi l'assistance. Pamir entendit l'appel bruyant des sirènes et distingua des casques luisants. Il resta assis, tout comme les juges et Orléans, qui affichaient une expression sombre et déterminée, profitant de ces derniers instants pour se souvenir qu'il avait commis quelques actes aussi stupides que ce qu'il faisait à présent.

Mais très peu et toujours seul, sans obliger d'autres que lui à courir un risque.

Un autre ululement provoqua la dispersion des derniers civils. Des hommes en tenue noire violacée s'avançaient au milieu du chaos, leurs lasers pointés vers le haut. Derrière la visière, leur visage était gris et dur : ils étaient les descendants des capitaines disparus, inflexibles, incorruptibles.

Mais leur tenue de combat était légère et leurs armes auraient pu être plus puissantes. Miocène, ou qui que ce soit, avait décidé d'une intervention mesurée.

Pamir inspira à fond.

Deux équipes d'Indociles contrôlaient les portes ouvertes. Une troisième venait de découvrir un escalier non répertorié qui accédait au sous-sol de la ville. Les deux dernières entouraient Orléans et le scannaient tout en examinant les autres Rémoras.

— De par l'autorité de la Maîtresse Capitaine…, commença un Indocile.

— Quelle autorité ? répliquèrent des dizaines de voix en brouhaha.

— Nous procédons à l'arrestation de cet homme !

Des rires se propagèrent, mais nombre de Rémoras gardaient le silence. La cyclope les prévint :

— Nous devrons faire ce qu'ils demandent.

Le leader des Indociles déclama une autre liste de suspects tout en faisant signe à ses hommes d'accélérer la procédure de scan.

— Vite et bien ! Vite et bien ! lança-t-il.

347

Mais le reste de l'équipe d'Orléans était portée manquante. Chaque soldat transmit un rapport négatif avec une expression de peur, d'excitation et de dégoût. Après deux scans, l'un s'exclama :

— Celui-là n'est pas comme les autres. Regardez.

Pamir s'efforça de sourire et cessa de retenir son souffle.

L'Indocile eut une expression étonnée.

— C'est cet officier de premier rang porté disparu, chef. Pamir !

Le chef se retourna sans répondre. Tous les soldats parurent surpris, puis soulagés. C'est alors qu'un Rémora au visage bleuté leur annonça :

— Il s'agit du Maître Capitaine. Qui est notre invité dans ce logis. Ce qui signifie…

— Emparez-vous de lui ! cria le chef des Indociles.

Une bonne moitié des Rémoras réagirent en hurlant :

— Non !

L'officier braqua son arme sur eux.

— Reculez, sinon je découpe vos putains de tenues ! C'est bien compris ?

C'était parfaitement clair.

La cyclope était assise sur un sac gicleur rémora. Elle s'était portée volontaire en prétextant que même si elle n'était pas d'accord avec le vote, il fallait le respecter et que les soldats ne la scanneraient pas d'aussi près que les autres. Les sécurités du sac étaient désactivées et ses évents fermés. Quand elle l'envoya d'un coup de pied au milieu de la salle, Pamir et les Rémoras restèrent assis, tournés vers le mur arrondi, protégés de la bombe par leurs paquetages blindés.

L'explosion fut d'abord silencieuse, puis différente.

Pamir était encore sur la coque, la tête entre les genoux, et le souffle soudain le projeta sur la surface grise et lisse, il alla rebondir contre les Rémoras et les soldats avant qu'une de ses épaules ne heurte le mur de diamant.

La structure s'emplit brièvement d'une atmosphère brûlante. Tous furent balayés avec violence, les lasers furent arrachés des mains des Indociles. En quelques secondes, d'autres mains s'en emparèrent et activèrent leurs sécurités.

Pamir se redressa en titubant.

Il avait le genou gauche fracturé, mais les servomoteurs de sa tenue soutinrent sa jambe. Il cria par trois fois « Orléans ! » avant que le Rémora surgisse et le précède en courant vers l'escalier.

Un trait de laser jaillit et balaya la voûte. Puis le soldat fut maîtrisé, on lui arracha son arme et Orléans cria en agitant les bras :

— Par-là !

Il enfila un corridor faiblement éclairé. Sa tenue avait été trouée et Pamir distingua un jet de vapeur blanche qui s'en échappait. La vie d'Orléans fuyait dans le vide, mais pas trop vite, se dit Pamir. Il fallait espérer.

Ils atteignirent une bifurcation. À gauche, puis à droite. Et ensuite, tout droit vers le bas.

Orléans se retourna et fit un geste vieux comme l'humanité : il porta un doigt ganté à ses lèvres de caoutchouc.

— Chut !

Il plongea dans le trou noir et sans fond qui s'ouvrait devant eux. Pamir le suivit. Dans l'obscurité parfaite, il n'éprouva aucune sensation de chute ni d'accélération. Le temps semblait se ralentir et le capitaine tenta de se relaxer, de se préparer à percuter le sol lointain. Mais, soudain, une voix inattendue résonna dans ses oreilles :

— Pamir ? Est-ce que tu peux parler ?

Washen.

— Pamir, tu m'entends ?

Il ne se risqua pas à répondre, même sur une fréquence brouillée. Quelqu'un pouvait capter son aboiement et le repérer. Néanmoins, Washen devait elle aussi en avoir conscience, et elle ne se taisait pas. C'était comme s'ils tombaient ensemble.

— J'ai des nouvelles ! Notre ami nous a aidés et il va continuer...

Bien.

— Mais j'ai besoin de savoir si nos autres amis vont faire de même. Est-ce qu'ils acceptent de se battre avec nous ?

À cet instant, la coque résonna sous un choc puisant.

Dans un crissement, Pamir racla la paroi. Toute la coque du vaisseau s'était plissée sous l'impact. Puis, il retomba dans le vide, en apesanteur, fonctionnant comme un minuscule vaisseau interstellaire... Il ferma les yeux, se souvint qu'il devait continuer à respirer, et dit, pour Washen et pour lui-même :

— Les Rémoras vont se battre...

Il ajouta dans un souffle :

— Nous sommes en guerre.

Quatrième partie
LES MORNES

Ma solitude parfaite, éternelle, fracassée par la richesse des étoiles et la vie, foisonnante et turbulente, c'était comme si elle avait toujours été ainsi. Les cieux remplis de soleils et de mondes vivants, et toute cette vie à l'intérieur de moi, riche, stable, prospère, bien au-delà de ce qui est nécessaire ou raisonnable, mais comment pourrait-il en être autrement ? La vie paisible, avant tout. La vie ponctuée de grandes amours et de défaites supportables. La vie faite d'enfants nés de l'ovule et de la semence, de programmes et de cristaux froids, et tous ces enfants se précipitant dans leur incarnation toujours neuve avec cet élan d'innocence qui s'érode jusqu'à devenir cet enjouement frais qui est la marque de la maturité que le temps, dans sa contrainte inexorable, nous impose.

J'avais failli oublier la mort.

Non pas en tant que théorie, certainement pas. En tant que tragédie essentielle et occasionnelle, je ne pouvais pas contourner cette grande balance. Mais en tant que pratique – inévitable conséquence de la vie – la mort me paraissait rejetée derrière moi tout comme ma solitude que j'avais longtemps chérie.

Ou bien je n'avais jamais réellement connu la mort.

Pour moi, son visage était sévère autant qu'assuré, mais d'une beauté inattendue. Une beauté qui émanait d'un corps élancé qui devenait plus puissant et adorable à chaque carnage. Un corps qui se nourrissait d'une seule âme ou de dix millions d'âmes, qui dévorait les vivants avec une malice capricieuse et les abandonnait pour qu'ils pensent :

Pourquoi pas moi ?

Pourquoi je reste seul ?

J'entends leurs voix. Des murmures montent de ma peau.

Des cris. Des cliquetis codés, des grondements électromagnétiques, et toujours la mort adorable qui s'abreuve de leur malheur glorieux.

—*Abandonnez votre poste… maintenant !*

—*Attaquez… maintenant !*

—*Vous les voyez ? Non, non, pas encore !*

—Attendez…

—Pas là, il faut que vous soyez près de la boutique pansement-prière… Est-ce que vous voyez, non?

—Battez en retraite!

—Des pertes… supérieures à… onze millions dans le bombardement, et vingt millions de réfugiés dans le sous-sol…

—Ils nous ont tendu une embuscade au point de rassemblement, avec des nucléaires de l'entrepôt des machines!

—Tuez-moi s'il le faut.

—Je le ferai. C'est promis.

—Pertes évaluées à quatre-vingts pour cent. L'essaim fonctionne encore.

—Repliez-vous et creusez!

—Nous avons un réacteur saboté. Hors service. Besoin d'ingénieurs.

—Et si on faisait l'amour, vite fait?

—Les prisonniers vont être rassemblés ici selon leur niveau de connaissances. Par moi. Ils seront ensuite interrogés ou sacrifiés selon les moyens standard…

—Des fanatiques.

—Des maniaques.

—Des enculés sans âme.

—Ça vous dirait une petite baise rapide?

—Venez voir, venez voir! Je veux que vous voyiez ça, tous. Des cyborgs, mes amis! Comme les Mornes! Rien que des machines farcies de boyaux bizarres. Venez toucher. Sentez. Imprégnez-vous de leur chair étrange. Découpez leur coquille pour en faire des trophées. Des machines et de la viande, et beaucoup de mal aussi, et rien d'autre, je vous le promets!

—Pertes: quatre-vingt-douze pour cent. L'essaim est effectivement diminué.

—Fuyez n'importe où, comme vous le pourrez…

—Avis: DANS LE DERNIER CONTINGENT DE PRISONNIERS IL Y AVAIT UN FAUX DOIGT FAIT D'ANTIMATIÈRE. TOUS LES PRISONNIERS DOIVENT ÊTRE INSPECTÉS MINUTIEUSEMENT AVANT L'EMBARQUEMENT…

—En retraite… avec tous les écumeurs disponibles!

—Ce sont les Mornes ressuscités! Et c'est notre devoir et notre honneur de les hacher menu, de les tuer lentement!

—Notre dernière cité… Le-Cœur-de-Wune… a été abandonnée…

—Avis: LES PASSAGERS NE DOIVENT PAS ÊTRE SOUMIS AU MÊME TRAITEMENT QUE LES RÉMORAS. ILS NE SAURAIENT ÊTRE EXÉCUTÉS SOMMAIREMENT, SANS TENIR COMPTE DE LEUR COMPORTEMENT. LES CODES CIVILS RESTENT EN VIGUEUR. BUREAU DE LA MAÎTRESSE CAPITAINE…

—Je ne vous dirai jamais rien, les Mornes! Jamais!

—Maintenant, ils nous appellent les Mornes. Quoi que ça veuille dire, je l'ignore. Mais ça pourrait être une insulte, si j'y réfléchis bien.

— Chassez-les! Balayez-les!

— Je suis fichu, faites comme vous m'aviez promis.

— Craquement électromagnétique. Choc dur.

— Fais de beaux rêves, mon ami.

— Mon essaim a disparu. Il n'y a plus personne de vivant. Ma famille est en grande partie à Happens River. Dites-leur…

— Ça va, tas de merde! Je suis un Morne. On est tous de gentils connards de Mornes. Ça vous fait peur? Est-ce que ça vous fait pisser dans votre froc! Parce qu'on va maintenir nos positions, connards, et si vous cherchez à nous avoir, il faudra venir nous chercher!

— Tous les moteurs sécurisés!

— Réacteurs en ligne!

— Les Indociles ne s'arrêtent pas… de nouvelles unités ne cessent d'affluer. Ils sont plus nombreux que les étoiles…

— Je répète: battez en retraite. Vous savez comment!

— ANNONCE PUBLIQUE : LES COMBATS INSURRECTIONNELS SE SONT APAISÉS DURANT LES DERNIÈRES HEURES. LA FACE AVANT DU VAISSEAU EST EN SÉCURITÉ. SES FONCTIONS ESSENTIELLES N'ONT JAMAIS ÉTÉ ENDOMMAGÉES. LES DISTRICTS DES PASSAGERS N'ONT JAMAIS ÉTÉ EN DANGER. MERCI DE LA PART DE LA MAÎTRESSE CAPITAINE POUR VOTRE SOUTIEN ET VOS MARQUES D'AFFECTION…

— Donc, on a encore un peu de temps. Ça te dirait une petite baise tranquille?

— Ça me semble bien.

— Maintenant, là?

— Chassez-les ! Balayez-les !

— Je suis fichu, faites comme vous m'aviez promis.

— Craquement électromagnétique. Choc dur.

— Fais de beaux rêves, mon ami.

— Mon essaim a disparu. Il n'y a plus personne de vivant. Ma famille est en grande partie à Happens River. Dites-leur…

— Ça va, tas de merde ! Je suis un Morne. On est tous de gentils connards de Mornes. Ça vous fait peur ? Est-ce que ça vous fait pisser dans votre froc ! Parce qu'on va maintenir nos positions, connards, et si vous cherchez à nous avoir, il faudra venir nous chercher !

— Tous les moteurs sécurisés !

— Réacteurs en ligne !

— Les Indociles ne s'arrêtent pas… de nouvelles unités ne cessent d'affluer. Ils sont plus nombreux que les étoiles…

— Je répète : battez en retraite. Vous savez comment !

— ANNONCE PUBLIQUE : LES COMBATS INSURRECTIONNELS SE SONT APAISÉS DURANT LES DERNIÈRES HEURES. LA FACE AVANT DU VAISSEAU EST EN SÉCURITÉ. SES FONCTIONS ESSENTIELLES N'ONT JAMAIS ÉTÉ ENDOMMAGÉES. LES DISTRICTS DES PASSAGERS N'ONT JAMAIS ÉTÉ EN DANGER. MERCI DE LA PART DE LA MAÎTRESSE CAPITAINE POUR VOTRE SOUTIEN ET VOS MARQUES D'AFFECTION…

— Donc, on a encore un peu de temps. Ça te dirait une petite baise tranquille ?

— Ça me semble bien.

— Maintenant, là ?

Quarante-cinq

C'est un des généraux qui l'annonça, et plutôt maladroitement.

— Les Rémoras sont presque vaincus, lança-t-il devant les dernières projections stratégiques.

Puis, il prit conscience que la Maîtresse avait entendu sa déclaration audacieuse et il se redressa en raidissant les épaules pour ajouter :

— Nous avons détruit toutes leurs villes, nous en avons tué un grand nombre et avons fait beaucoup de prisonniers. Leurs réfugiés ont été expédiés vers la proue. Sans couverture armée, dans un désespoir total. (Il tourna le regard de ses yeux pâles vers Till tout en souriant en direction de la Maîtresse et en s'inclinant.) Madame…

Il allait avoir droit à une réprimande. Violente, dure et définitive.

Miocène affichait un mince sourire et elle répondit à son officier :

— Nous n'avons aucune raison de nous réjouir.

— Bien entendu, madame. Je désirais seulement dire…

Elle l'interrompit d'un geste impératif. Sans répondre, elle se tourna successivement vers chacun de ses généraux. Till, lui, ne regardait personne, tandis que Miocène ajoutait :

— Quand nous sommes arrivés ici, j'ai remarqué un homme. Un mâle humain qui se trouvait hors du pont et qui ne portait rien qu'une pancarte avec une inscription.

Silence.

— « La Fin est Proche », cita-t-elle.

Le silence se fit plus embarrassé.

— Je suis une personne très occupée, mais j'ai encore le temps de poser des questions simples. À l'évidence, c'était un fou. L'une de ces pauvres âmes qui focalisent trop, qui ne parviennent jamais à se libérer d'une idée obsessionnelle, pathétique. Durant six siècles, ce fou a porté cette pancarte en public. Juste à côté de la station de la Maîtresse. Est-ce que vous saviez ça ? Est-ce que vous saviez qu'il peignait son message sur un nouveau parchemin chaque matin en prenant soin de ne jamais répéter la couleur et les volutes des caractères. Pour quelle raison était-ce aussi important à ses yeux, je ne saurais le dire. Il y a deux jours – la dernière fois que j'ai quitté ces quartiers – j'aurais pu m'arrêter pour lui poser la question. J'aurais pu le laisser exprimer ses passions. Comment se fait-il, monsieur, que vous souhaitiez investir des centaines d'années dans ce qui semble plutôt futile à un esprit normal ?

Miocène soupira longuement :

— Même si je le voulais, je ne pourrais pas lui poser de questions à présent. Pas plus que je ne saurais l'aider, même si je savais ce qui est le mieux. Parce qu'il a disparu. Il aura passé plus de deux cent mille matins à se lever à l'aube pour répéter son avertissement selon sa propre logique tordue… Mais, pour une quelconque raison, ce fou n'est pas revenu dans son coin habituel il y a deux jours de cela. Ou bien était-ce hier matin. Ou aujourd'hui. Aucun de mes yeux de sécurité ne l'a vu. Il a disparu, tout simplement. Vous ne pensez pas que c'est très bizarre ?

L'une de ses générales – Blessing Gable – s'éclaircit la gorge et risqua :

— Madame…

— Non. Taisez-vous. (Elle secoua la tête et mit tous les autres en garde :) Vos raisons ne m'intéressent guère. Pas plus sur ce point que sur aucun autre. Franchement, je dois avouer que le destin de cet être bizarre ne me préoccupe pas plus que cela. Ce qui m'afflige, c'est que quelqu'un soit parvenu à ses propres conclusions sans poser auparavant les simples questions qui s'imposaient. Ce qui m'attriste, c'est l'unique question que je me pose : quoi d'autre mes généraux inexpérimentés et vaniteux ont-ils oublié de se demander ou de se poser mutuellement la question ?

Till s'avança. Cette réunion au sommet était de son fait. Pour des raisons évidentes et pressantes, Miocène avait confié à son Premier Siège la conduite de la guerre. Elle avait trop de nouvelles responsabilités pour tout assumer. De toute façon, les événements en cours étaient trop violents et essentiels pour qu'une Maîtresse s'y implique. Mieux valait son fils qu'elle. Et elle ne ressentait pas un nanogramme de doute.

— Vous avez raison, madame, dit Till, en s'inclinant pour donner l'exemple aux généraux, comme s'il s'adressait au sol de marbre. Il est trop tôt pour parler de victoire. Et, si victoire il y a, le prix à payer sera terrible. Et puis, bien sûr, les Rémoras ne sont pas nos principaux ennemis.

— Oui, oui. Très exactement.

Cette réunion n'avait pas été organisée par elle et elle pouvait s'en abstraire à tout instant. Le plus important de son programme, c'était de montrer son pouvoir. Elle se dirigea brusquement vers l'un des corridors qui accédaient au labyrinthe de ses appartements, tout en prévenant son fils, par nexus privé :

— Quand tu en auras fini, viens me retrouver…

— Oui, mère, répondit-il d'une voix crispée. Ça ne prendra plus très longtemps.

Miocène songea à regarder par-dessus son épaule. Mais non, ça n'améliorerait rien. Elle savait par expérience qu'elle ne lirait aucune émotion inattendue sur ces visages. *Pose autant de questions que tu le veux,* se dit-elle. *Mais ne gaspille pas ta précieuse énergie alors que tu sais que tu n'obtiendras aucune réponse, plaisante ou amère.*

Les appartements de la Maîtresse avaient toujours été un terrain familier. Une personne plus faible, sous l'emprise du doute, aurait pu fuir ces pièces petites, confortables et ordinaires à dessein. Néanmoins, la nouvelle Maîtresse n'avait pas songé un instant à habiter ailleurs. Si elle avait mérité le fauteuil de l'ancienne Maîtresse, pourquoi ne pas lui succéder dans sa résidence ? Néanmoins, après ces premières semaines dans les corridors, les alcôves, les jungles en pot et le vieux lit somptueux, Miocène ne se sentait toujours pas à son aise.

Son lit était déjà occupé.

— La réunion ? demanda Vertu.

— Tout se passe bien.

Pour s'en assurer, elle se connecta aux yeux et aux oreilles de la sécurité. Les vociférations et l'agitation des généraux se heurtaient aux grondements de Till. Elle épia l'échange avec satisfaction, puis demanda :

— Ça progresse ?

— Plutôt lentement, répliqua Vertu.

Les Rémoras savaient comment endommager le vaisseau. Il semblait bien que l'amour que Wune professait pour la machine géante n'ait guère eu d'importance ; ils ne cessaient de répéter leurs attaques avec le même zèle que celui qu'ils montraient vis-à-vis de Miocène et de sa fonction. En un instant, Miocène absorba les derniers rapports de destruction et les probabilités de réparation, l'un de ses nexus ayant refusé de lui transmettre les données au premier essai.

Irritée, elle lança :

— Ce problème ressurgit.

— C'est contre ça que je vous ai prévenue. (Vertu la regardait avec ses grands yeux gris, trop grands pour son visage et pour dissimuler quoi que ce soit.) Ce que l'on vous a fait… Eh bien, ça n'a jamais été fait auparavant ! Pas avec un humain. Des changements profonds…

— Dans une période de temps profane, oui. Je sais ce que tu m'as dit, comme tout le monde.

Elle demanda avec désinvolture à son uniforme de fondre à partir des épaules. Le tissu tomba en se froissant sur le tapis vivant, laissant son corps nu et adorable brillant dans la clarté du faux soleil de la chambre.

Elle s'assit au bord du lit.

Vertu se rapprocha d'elle, mais il lui fallut un instant pour effleurer sa poitrine. Bien sûr, il n'aimait pas son nouveau corps, et, bien sûr, cela importait peu à Miocène. Les nexus avaient besoin de place et d'énergie ; son corps devait augmenter proportionnellement à ses responsabilités. Et puis, la timidité de Vertu avait un certain charme. Elle était même séduisante. Les paupières lourdes, elle ne put s'empêcher de sourire en voyant les petits doigts qui essayaient désespérément de caresser l'aréole de son sein gauche.

— Nous n'avons pas le temps pour ça, dit-elle. Mon Premier Siège sera bientôt là.

Vertu en fut soulagé, mais il laissa sa main se promener encore un instant, sentant sous ses doigts le sein riche de sang et de fluides nouveaux.

Quand il retira enfin la main, elle demanda à sa chemise de nuit de l'habiller. Plus tard, d'un ton inquiet, Vertu lui dit :

— Vous semblez fatiguée. Plus que d'habitude, je dirais.

— Ne me dis pas de dormir.

— Même moi je n'y arrive pas.

Miocène retrouva son sourire et un compliment lui vint à l'esprit quand elle tourna la tête :

J'aimerais que tu sois aussi doué avec mes nexus qu'avec mon humeur.

Elle était sur le point de formuler ces mots mais une pulsion d'urgence inattendue dans un de ses nexus se changea en un flash cohérent et elle hésita, après avoir prononcé :

— J'aimerais…

Vertu attendait, prêt à sourire à son tour. Elle se focalisait sur une chose que nul autre ne pouvait voir. Après un instant, son amant trouva le courage de lui demander :

— Qu'est-ce qui ne va pas ?

— Rien.

Miocène se redressa et regarda sa chemise de nuit avec une expression confuse, comme si elle ne se souvenait pas de l'avoir demandée.

Et elle répéta :

— Rien.

Elle regarda Vertu.

— Attends ici. Attends.

Elle fit un pas en direction du mur du fond, ordonna à son uniforme de la revêtir à nouveau et, pour la troisième fois, elle répéta :

— Attends.

Tandis qu'une porte se formait dans le granit rouge poli.

— Mais, balbutia Vertu, où allez-vous ?

La porte se referma et se verrouilla sur elle.

Miocène n'avait pas été surprise par les issues et les lieux secrets de l'appartement de l'ancienne Maîtresse. Au poste de Premier Siège, elle avait compris que le réseau complexe de pièces et de couloirs cachait des espaces privés, ainsi que des itinéraires de fuite. La seule surprise avait été que les lieux secrets étaient pour le moins aussi banals que les endroits publics. Ils étaient pauvrement meublés et, le plus souvent, leur fonction n'était pas évidente. Les pièces les plus vastes avaient d'ores et déjà été améliorées depuis l'arrivée de Miocène dans les lieux, remplies de têtes qui se momifiaient lentement. Un moyen approprié de conserver les capitaines exécutés, la cruauté et la vulgarité faisant bon ménage. Toutefois, la pièce qui se trouvait derrière sa chambre était bien plus exiguë, et personne, pas même Vertu ou Till, ne savait qu'elle dissimulait une écoutille cachée que l'ex-Maîtresse avait fait installer durant une récente crise de paranoïa, et qui donnait accès à un cap-car banalisé qui avait été construit sur place, paré pour cet instant précis.

Dès qu'elle fut en route, Miocène s'assura que nul ne la cherchait. Et c'est alors seulement qu'elle relut le message qui lui était parvenu par l'un des canaux les plus anciens et les plus secrets utilisés par les capitaines.

Le visage était familier et la femme avait appelé depuis une cabine holo, dans une station, loin dans les profondeurs du vaisseau.

Il se trouva que Miocène connaissait bien cette cabine. La femme souriait, ses cheveux noirs étaient coupés court et aplatis. Son visage était lisse et lumineux, comme s'il avait été refait récemment. On lisait dans son sourire un mélange de plaisir suffisant et de vindicte.

— Je sais ce qu'est le Grand Vaisseau. Et je crois vraiment qu'il faut que vous le sachiez, vous aussi.

Washen.

— Rencontrons-nous, dit celle qui était morte. Et venez seule.

En voyant ce visage, en entendant ces mots improbables, Miocène avait failli murmurer à haute voix :

— Nous ne nous rencontrerons pas… et je ne viendrai certainement pas seule.

Mais Washen avait anticipé son entêtement, et elle lui dit avec une déception sincère :

— Mais si, vous viendrez. Vous n'avez pas le choix.

Miocène ferma les paupières et se concentra sur le message enregistré, sur le regard noir de ces yeux profonds et constamment vifs.

— Retrouvons-nous au Grand Temple, dit Washen. À Hazz. Sur Marrow.

Puis elle faillit éclater de rire, avant de demander :

— Que craignez-vous ? Il n'y a nulle part ailleurs dans toute la Création où vous seriez plus en sécurité, espèce de pute dingue entre toutes les putes !

Quarante-six

Une flotte de vieux écumeurs, de glisseurs lisses et de cap-cars rétro-convertis s'envola sur la coque immense. Tous les véhicules étaient masqués afin d'imiter la texture usée de l'hyperfibre, leurs moteurs étaient camouflés et assourdis, et ils étaient accompagnés de pseudos cap-cars, des holoéchos conçus pour être redoutables ou dérisoires et détourner le feu des Indociles sur eux, en épargnant les attaquants fantômes.

Orléans pilotait lui-même l'un de ces fantômes.

Une pulsion électromagnétique avait fait sombrer l'IA du véhicule dans la démence, ne lui laissant pas d'autre solution. La même pulsion avait détruit le réacteur principal et l'engin ne dépendait plus que d'un auxiliaire qui ne cessait de chuchoter :

—Je suis malade. J'ai besoin de maintenance. Ne vous fiez pas à moi.

Le Rémora ignora ses plaintes. Il se tourna vers les passagers et leur posa une question chuchotée :

—Dans combien de temps ?

Une fille au visage blanc laiteux lui répondit :

—Quatre-vingt-douze minutes, selon la dernière projection.

Ce qui était trop long. Qu'est-ce qui pouvait prendre autant de temps ? Mais il ne se risqua pas à poser la question.

Il repéra alors une libellule des Indociles qui montait à l'horizon pour les rattraper. Avec retard, il souffla : « Cible. » Deux jeunes hommes, au fond de l'écumeur, avaient également repéré l'ennemi, et ils visaient déjà le centre minuscule et mal protégé de la libellule. Mais leur laser exigeait une marge de chargement trop importante et une décharge de lumière focalisée balaya l'holoprojection – une colonne de lumière mauve intense qui glissa sur la coque du vaisseau avec une grâce sinistre, en quête d'un objectif à carboniser.

Les garçons crièrent trop tard :

—Chargé. Paré à faire feu !

Mais Orléans venait de faire basculer le volant de gouverne, déviant leur tir, tandis que le point où ils s'étaient trouvés était calciné par des énergies brutes. Un ululement électromagnétique flétrit tout élément électronique dans un rayon d'un kilomètre. Les commandes de l'écumeur obéirent à des ordres imaginaires en ignorant ceux qui étaient authentiques. Orléans jura et reprit le contrôle alors que ses fluides vitaux étaient sauvagement secoués par la gravité. Il jura encore, les autres passagers partageant ses sentiments.

Une voix répéta :

— Feu !

Leur armement était infime comparé à celui des Indociles, mais il comprenait des éléments de visée récupérés sur l'un des principaux lasers du vaisseau – des éléments capables de détecter et de frapper des molécules avec une portée fantastique. Le rayon étroit traversa le ciel couleur lavande avant de percuter la cible blindée et de la projeter vers la coque qu'elle n'aurait jamais dû quitter.

Il y eut quelques vivats.

Pur réflexe.

Une dizaine de nouveaux fantômes les encadraient soudain, mais aucun n'était convaincant. Orléans s'en aperçut immédiatement et prit conscience que leurs projecteurs étaient détériorés, qu'ils étaient sur le point de craquer ; il les neutralisa avant que les Indociles s'en aperçoivent.

Mieux valait dépendre de son propre camouflage. Et, si possible, rattraper le reste de la flotte pour se perdre au milieu des innombrables fantômes et leurres.

Ce qui parut possible à Orléans, pendant un court instant.

La femme qui était derrière lui et qui écoutait une fréquence sécurisée, se pencha et lui serra l'épaule. Avec les pseudo-neurones grillés de sa tenue, il ne ressentit qu'un faible attouchement. Qu'il apprécia pourtant.

— Dans combien de temps ? demanda-t-il.

— Quarante.

Les équipes de sabotage avaient rattrapé le plan prévu. Et dans vingt-deux minutes, elles seraient à l'intérieur du bunker.

La femme s'adressa à nouveau à lui, mais elle fut interrompue par la plainte d'un des réacteurs de l'écumeur.

— Je suis vraiment en panne, dit le moteur, avant d'ajouter avec une certaine fierté : Mais je tiendrai encore onze minutes. Je le promets.

Va te faire foutre, se dit Orléans.

Il chuchota aux autres :

— Désolé. Nous n'arriverons pas à nous mettre à l'abri. Quelqu'un aurait une idée ?

Aucun sentiment de surprise. Ce qu'Orléans lisait sur les visages et qu'il pouvait pratiquement goûter dans l'éther n'était que du désappointement qui s'évapora aussitôt. Deux semaines de guerre expliquaient cela. Les émotions étaient aussi plates et lisses qu'une couche neuve d'hyperfibre. Comme il s'y était attendu, les garçons de l'artillerie déclarèrent :

— On devrait faire demi-tour. Et essayer au moins de tuer quelques-uns de ces salauds.

Mais ils ne tueraient personne. C'est eux qui se feraient tuer.

Orléans se tourna vers eux. Les radiations dures avaient flétri sa peau, provoquant des mutations et des cancers bizarres, des cloques et des ampoules noirâtres. Ses yeux d'ambre étaient flasques, ses crocs mal alignés.

— Ça, ce n'est pas un choix, dit-il.

Des dizaines d'yeux se fermèrent, un assortiment splendide : une marque absolue de respect pour les Rémoras.

— Je connais un endroit, continua Orléans. Ça n'est pas un bunker, mais il y a un toit.

Il se détourna en marmonnant :

— Du moins, je l'espère.

Il lança l'écumeur sur un nouveau cap. La femme revint vers lui et lui toucha à nouveau l'épaule. Qu'est-ce qu'elle avait donc à lui dire ?

Mais non, elle voulait seulement avoir un contact avec lui, le palper. Et c'est à cet instant que les dernières gouttes d'énergie s'enfuirent du réacteur agonisant. Il se concentra sur le toucher de la main de la femme et dériva vers une rêverie aussi ancienne que toutes leurs espèces.

Les Rémoras n'existaient que pour les besoins constants d'entretien de la coque.

Ils s'acquittaient très bien de leur tâche, mais pas parfaitement. La vitesse était toujours critique quand il fallait combler un profond cratère d'impact. L'hyperfibre, et surtout celle de haut grade, était sensible à une multitude de variables. Des défauts survenaient occasionnellement. Une couche se détériorait avant d'avoir été traitée, et d'autres couches supérieures s'attendrissaient et se froissaient. Les agents volatiles formaient des bulles et ces bulles affaiblissaient l'ensemble. Intervenir en arrachant les dernières couches signifiait une perte de temps, et, plus grave encore, cela impliquait le risque d'une collision avec une comète plus large avant d'avoir radoubé l'impact.

— Mieux vaut garder la fissure, avait dit Wune à propos de la coque et d'autres problèmes. Il vaut mieux consolider et protéger. N'oubliez pas : une fissure d'un jour pourrait être le trésor du lendemain.

Loin sur la face avant du vaisseau, il y avait une large fissure. Des tunnels cachés accédaient à une chambre assez vaste pour abriter tous les Rémoras survivants, la machinerie préservée et les armes qui avaient été récupérées secrètement durant les dix derniers jours. Une forteresse qui pouvait résister au dernier assaut de n'importe quel salopard.

Si ce n'est qu'Orléans ne l'atteindrait jamais. Son écumeur était à peine capable de se frayer une route sur quatre kilomètres jusqu'à une bulle plus petite et moins sûre. Il l'avait découverte en visitant l'un des longs mémoriaux blancs comme des os pour déchiffrer les noms de ses amis morts. Il y avait plus d'un siècle, durant un tour d'inspection. À proximité du mémorial, il y avait un évent de gaz qui permettait d'accéder à la coque et à la bulle exiguë, obscure et pas particulièrement profonde.

Dès que l'écumeur tomba en panne, il lança :

— Allez ! Courez !

Les tenues des Rémoras étaient faites pour résister, pas pour la vitesse. La détresse poussa chaque homme et chaque femme sur la surface lisse et grise sans aucun repère. Toutefois, la spire blanche du mémorial se dressait comme un phare et il suffisait de la regarder dès les premières foulées pour mesurer son avance et penser : *Plus près. Plus très loin.*

Chacun soufflait, au seuil du désespoir, en plein effort : *Encore quelques pas. Quelques secondes. Quelques centimètres.*

Personne ne regardait le ciel.

Le feu lavande des boucliers devenait plus intense en captant des doses de gaz de plus en plus importantes et des poussières nanoscopiques. Les lasers géants frappaient toujours des météorites grosses comme des poings, des hommes, des palais. Et, au milieu des étoiles, il y avait un soleil rouge et boursouflé, ancien, mourant, dont la masse menaçait le vaisseau et déviait déjà sa trajectoire.

C'est alors qu'un éclair de lumière jaillit de l'arrière et les Rémoras se retournèrent.

Les garçons dirent :

— Écumeur.

Rien de plus.

Orléans ralentit et se retourna brièvement ; il ne vit que des ombres vives sur fond d'incandescence. Des lasers, toujours et, dans le lointain, l'éclair silencieux et délicieux des mines nucléaires.

Il courut encore plus vite en pensant : *Nous avons le temps.* Alors qu'ils ne l'avaient pas. Une armée de monstres indociles fondait sur eux et, s'il comptait bien, il ne leur restait que trois minutes avant…

Avant.

Il cessa de penser, leva les yeux et se dit avec confiance : *Encore quelques petites foulées.*

Le mémorial était haut mais encore trop loin pour être imposant. Orléans fit appel aux servomoteurs de ses jambes à pleine puissance et aussi à ses propres muscles pour accélérer sa course. Soulagé, il cracha un juron à chaque souffle.

La femme au visage de lait cria :

— Plus vite !

Il prit conscience qu'il s'était laissé distancer. Elle agita le bras.

La tenue d'Orléans était à la limite du point de détresse et il le sut avant même que le mécanisme ne le lui annonce. La guerre et la malchance avaient érodé les servos de ses jambes qui commençaient à se coincer toutes les trois foulées.

— Rien à foutre ! jura-t-il.

Ses muscles vinrent au secours de ses jambes.

Sa tenue était maintenant d'un poids accablant, mais ils étaient tout près du but, enfin. Orléans grogna, fit encore quelques pas, mais il n'eut d'autre issue que de s'arrêter, immobile, ses poumons parfaits et profonds inspirant de l'oxygène frais à partir de son urine et de son sang pour chasser les toxines de ses muscles et leur faire retrouver un peu de force.

Ses compagnons étaient à la base de la spire et disparaissaient l'un après l'autre dans un trou invisible.

Une fois encore, la femme répéta, en se retournant et en agitant les bras, le visage à peine visible :

— Plus vite !

Orléans vacilla, s'arrêta encore une fois. En haletant, il se retourna pour mesurer le chemin qu'il avait parcouru. Des véhicules blindés glissaient et chassaient sur la plaine grisâtre. Chacun, selon la logique des Indociles, avait été conçu comme un scarabée, les élytres repliés, avec des armes entre ses pattes. Un laser ouvrit le feu et le jet ardent balaya le mémorial avant de se perdre dans l'infini… La spire blanche fondit à la base, s'inclina avec une majesté silencieuse et s'effondra en cabossant à peine la coque.

Un deuxième tir détruisit le socle.

Qu'étaient devenus la femme et tous les autres ? Orléans ne les voyait plus. Il n'avait devant lui qu'une flaque d'hyperfibre liquéfiée. Peut-être étaient-ils dans le sous-sol, à l'abri ? Il se répétait que c'était probable, possible… Puis, il prit conscience qu'il courait encore en essayant de fuir l'armée rapide des attaquants.

Il était pitoyable.

Impuissant, il se retrouva au bord de la flaque boueuse. Il se tourna alors vers ceux qui arrivaient. Ils étaient presque sur lui, mais, voyant qu'il était seul et sans défense, ils prenaient leur temps.

Ces monstres devaient se dire qu'il pouvait être un prisonnier précieux. Leur Maîtresse les récompenserait peut-être de lui ramener un redoutable criminel comme Orléans.

Il recula d'un pas défaillant.

L'hyperfibre était fantastiquement chaude, profonde, et saturée de bulles de gaz libres. Mais, sans un afflux d'énergie supplémentaire, elle allait se vulcaniser encore. Elle se ramollirait, sa résistance faiblirait ; un jour on devrait l'arracher de la coque pour tout remplacer et, bien sûr, édifier un mémorial encore plus grand. Mais la tenue d'Orléans était aussi en hyperfibre. D'une excellente qualité, bien qu'un peu usée. Il pourrait supporter la chaleur. Sa chair allait bouillir et cloquer, d'accord, mais sa visière de diamant n'éclaterait pas, et après, peut-être… peut-être…

Il recula encore.

Et bascula.

Le poids de ses réacteurs et de ses systèmes de recyclage l'aida à plonger partiellement sous la surface. La douleur, d'abord, fut intense et persistante, puis elle disparut. Sa tête et son casque étaient seuls encore visibles. Il put encore un instant observer le grand soleil rouge magnifique, enveloppé dans les boucliers et les traits incessants des lasers… Il se demanda si c'était le moment de plonger un peu plus profond.

Soudain, sans prévenir, les boucliers s'évaporèrent et les lasers géants cessèrent de faire feu sur les projectiles à risques qui approchaient du vaisseau.

L'espace d'un souffle, une pluie battante et soudaine se mit à tomber.

Quarante-sept

Washen et les autres avaient repéré un des cap-cars des Indociles – un véhicule construit comme une mouche cuivrée – et ils étaient montés dans la forêt d'épiphytes pour se camoufler et épier la chose qui venait de se poser sur la berge de gravier. Ils pouvaient avoir à faire à n'importe qui et ils restèrent cachés jusqu'au moment où un homme qui pouvait être Pamir sauta au sol et cria d'une voix dure, fatiguée, depuis la rivière :

— Washen ! Je suppose que tu as changé d'idée. (Il secoua la tête.) Bon. Je ne peux pas t'en vouloir. Je n'ai jamais été vraiment d'accord avec cette partie de ton plan.

Il regarda dans la direction précise où elle se trouvait. Elle se leva en épaulant son laser.

— Tu pouvais me voir ?

— Depuis longtemps, répliqua-t-il d'un ton mystérieux avant de montrer son véhicule : Je l'ai volé et je l'ai maquillé.

Quee Lee et Perri se redressèrent, puis Locke, enfin.

Un frémissement passa soudain sur le canyon. L'un de ses récents nexus apprit à Washen ce qu'elle avait déjà deviné : une comète venait de toucher la coque, oblitérant dans l'instant un millier de kilomètres cubes de blindage.

— S'il faut que vous partiez, dit Pamir, c'est tout de suite. Nous sommes en situation d'urgence.

Quee Lee effleura le bras de Washen et lui dit avec un ton de souci maternel :

— Il a peut-être raison. Vous ne devriez pas faire cela.

Ils descendaient vers la grève et Washen ordonna à son fils :

— Vérifie que tout est en ordre. Et fais vite !

Locke acquiesça d'un air sombre et sauta à bord du véhicule. Elle se tourna vers les autres et leur rappela, comme à elle-même :

— Nous avons besoin d'un appât convaincant. Délicieux et substantiel. Qui leur offrir sinon moi.

Pas de réponse.

— Et que faire avec Miocène ?

— Elle a reçu ton invitation il y a vingt-deux minutes, dit Pamir. Nous n'avons depuis détecté aucun déplacement de sa part. Mais c'est un long voyage, improvisé, et, comme elle soupçonne une embuscade, je ne m'attends pas à ce qu'elle arrive très vite ni qu'elle suive les itinéraires faciles.

Une secousse énorme se propagea dans le vaisseau.

— C'est la plus forte, estima Perri.

Les boucliers étaient désactivés depuis cinq minutes.

— Quelle est l'explication officielle ? demanda Washen.

— Les Rémoras sont des salauds, dit Pamir. Officiellement, ils ont prouvé qu'ils étaient les ennemis du vaisseau ; dans dix ou quinze minutes, cinquante peut-être, les réparations seront effectuées, les boucliers réparés, et, d'ici demain, chacun de ces fumiers sera mort.

Deux secousses suivirent. Locke cria depuis le cap-car :

— Tout est prêt !

Washen sauta à bord et reprit avec peine son souffle. Elle était anxieuse et ne comprit pourquoi que l'instant d'après. Ce n'était pas parce qu'elle était l'appât. Les palpitations de son cœur n'avaient rien à voir avec le danger. Elle aurait réagi de même dans une paix absolue. Elle allait regagner Marrow après une absence de plus d'un siècle. Elle retournait chez elle, et c'était un moment absolument intense.

Elle agita la main à l'adresse de Quee Lee et de son époux. Puis, la portière se referma, et, d'un ton pressé, mal assuré, elle lança à Pamir :

— Merci pour tous ces jours.

La fouille de sécurité des Indociles fut minutieuse, mais ils étaient totalement surpris par l'irruption de ces deux intrus : une célèbre capitaine morte et son fils encore plus connu.

— Vous étiez porté disparu, dit un militaire en dévisageant Locke avec une expression d'admiration et de gêne. Nous avons cherché votre corps, monsieur. Parce que nous pensions que vous aviez été tué dès le premier jour.

— Les gens peuvent toujours se tromper, dit Locke.

Le soldat de la sécurité hocha la tête puis hésita avant de poser la première question qui s'imposait.

Locke y répondit avant même qu'il la formule.

— J'étais en mission. Suivant la volonté de Till lui-même. (Il s'exprimait avec autorité et désinvolture, comme si tout était évident.) J'étais censé retrouver ma mère. À tout prix.

L'homme parut se ratatiner dans son uniforme sombre, il jeta un regard à leur prisonnier et dit :

— Il faut que je demande des instructions…

— Adressez-vous à Till, lui déclara calmement Locke.

—J'y vais, bredouilla le soldat.

—Moi, je vais attendre dans mon cap-car. Si vous êtes d'accord.

—Mais... oui, monsieur.

La station était perchée au débouché du tunnel d'accès. Le trafic était intense vers le haut et le bas. Washen aperçut des véhicules d'acier massif dont la structure était inspirée des ailes-marteaux. Ceux qui étaient vides plongèrent dans la mâchoire béante large d'un kilomètre tandis que d'autres déversaient des unités fraîches vers les lignes des Indociles.

Le carnage de la bataille ne cessait pas. Et le plus grave pour le vaisseau était sans doute la montée de la panique au sein de l'équipage et des passagers.

Washen ferma les yeux et laissa ses nexus absorber les nouvelles données. Des décharges codées. Des images en provenance des yeux et des oreilles de sécurité. Les avenues et les plazzas étaient bondées de passagers terrifiés et furieux. Toutes les clameurs accusaient la nouvelle Maîtresse aussi bien que l'ancienne. Et les Indociles également, plus les Rémoras dans la foulée. Ainsi que cet adversaire, le plus terrifiant : la stupidité élémentaire. Elle surprit alors une pluie de cailloux et de poussière qui s'abattait au tiers de la vitesse de la lumière sur les véhicules des Indociles qu'elle fracassait dans un épanchement de lumière et de chaleur torride. Une armée venait de donner l'assaut en plein dans le piège ultime des Rémoras ; elle serait exterminée en quelques instants. Toutefois, une autre allait lui succéder. Washen observa les ailes-marteaux d'acier qui s'envolaient vers la bataille. Dans le déchaînement meurtrier des messages codés, des appels désespérés et des ordres, une seule question tournoyait encore. C'est alors qu'une réponse fictive, mais absolument crédible, fut captée. Elle était cryptée avec des sceaux de sécurité falsifiés.

L'IA de la station l'étudia et, à cause d'une défaillance récente et subtile de ses talents cognitifs, elle annonça :

—Cela émane de Till. C'est authentique. (Elle ajouta avec un soulagement presque joyeux :) Il faut que vous rameniez le prisonnier. Je vous salue, officier.

—Merci, répliqua Locke.

Il dégagea son cap-car et plongea derrière une des ailes-marteaux vides, accéléra jusqu'à ce que l'essaim des véhicules montant devienne flou. C'était soudain comme si tout Marrow s'éveillait pour affronter un univers vaste et exceptionnellement dangereux.

—Des changements, avait promis Locke.

Il avait minutieusement décrit la nouvelle Marrow, avec la tristesse et l'ironie d'un poète. Washen nourrissait des espoirs. Elle savait que les Loyalistes soumis avaient achevé le pont de Miocène et qu'ensuite, avec les ressources des Indociles, il avait été consolidé, ce qui avait permis à des armées entières de franchir les arcs-boutants fléchissant. Le vieux camp de base des capitaines abritait les ingénieurs qui reconstruisaient en hâte le tunnel d'accès. L'énergie et tous les matériaux bruts avaient été importés du monde d'en dessous. Des lasers dotés d'une puissance fantastique avaient agrandi l'ancien tunnel et l'hyperfibre de la chambre avait été sauvegardée et purifiée avant d'être appliquée en une couche épaisse sur les parois de fer brut du dessus. Ensuite, les mêmes lasers avaient été déplacés pour creuser un tunnel parallèle suffisamment large pour porter les conduits d'énergie et de communication. Ils l'appelaient l'Échine. Marrow était ainsi reliée au vaisseau. Désormais, ils ne faisaient qu'un.

Avec une fierté mesurée, Locke annonça :

— À partir d'ici, tout est notre œuvre.

Le tunnel devint plus étroit ; les ailes-marteaux les frôlaient de peu dans le silence du vide.

— Il est assez solide ? s'enquit Washen.

— Plus que tu le penses, répondit Locke, presque sur la défensive.

Une fois encore, Washen ferma les yeux pour observer le spectacle de la guerre. Les Indociles avaient battu en retraite, ou ils avaient péri, tout comme les liens des Rémoras s'étaient éteints. Il n'y avait plus rien à voir sinon la coque abîmée portée au rouge, rayonnante sous l'effet des impacts et des batailles comme le grand soleil sanguinolent qui passait au large.

Elle coupa tous ses nexus. Locke, calmement, s'identifia et demanda :

— Je demande un passage immédiat pour Marrow. J'ai un prisonnier à haut risque.

Encore une fois, Washen se demanda : *Et si…*

C'était Locke qui s'était proposé pour la ramener ici. C'était lui qui, de son plein gré, l'avait aidée à trouver des moyens efficaces pour percer le dispositif de sécurité – un voyage qui s'était remarquablement bien passé. Ce qui avait amené Washen à se demander si tout ça n'était pas une ruse. Et si Till avait dit à son vieil ami :

— Je veux que tu retrouves ta mère par tous les moyens. Pour nous deux. Et que tu te débrouilles pour la ramener à la maison. Avec mon accord et tous mes souhaits de bonne chance.

Oui, c'était une possibilité.

Elle se souvenait d'un certain jour où elle avait suivi son fils dans une jungle lointaine. Locke obéissait aux ordres de Till, alors. Même si cela semblait improbable, ça pouvait encore être le cas. Bien sûr, Locke n'avait prévenu personne de la rébellion qui se préparait, ni du plan des Rémoras de saboter les boucliers. À moins que ces événements n'aient été autorisés dans un but plus vaste et difficile à entrevoir.

Elle y réfléchit longuement et rejeta cette possibilité, avec une conviction quasi physique.

L'aile-marteau qui les précédait ralentissait. Locke la contourna avant de piquer vers le fond encore invisible. Il avait peut-être lu dans les pensées de sa mère. Ou bien, il était sur la même longueur d'onde qu'elle.

— Je ne t'ai jamais dit qu'un des favoris de Miocène lui avait fourni une explication pour les arcs-boutants ?

— Quel favori ?

— Vertu. Tu ne l'as jamais rencontré ?

— Une fois. Très brièvement.

Leur IA reprit les commandes et freina leur descente. Ils passèrent devant des milliers d'ailes-marteaux vides qui attendaient dans les hangars le prochain contingent.

— Tu sais comment ça se passe avec l'hyperfibre, reprit Locke. Les attaches sont renforcées dès qu'on maîtrise les microflux quantiques.

— Je n'ai jamais vraiment compris ce concept, avoua Washen.

Locke hocha la tête, comme s'il comprenait son sentiment. Puis il sourit et toute trace de chagrin disparut de son visage.

— Selon Vertu, ces arcs-boutants sont constitués de tels microflux, mais ils ont été dépouillés de leur matière normale. Ils sont nus et, pour autant qu'ils conservent leur énergie, ils restent quasi éternels.

Si c'est vrai, songea-t-elle, *ça pourrait être le fondement d'une nouvelle technologie fantastique.*

— Et que pense Miocène de cette hypothèse ?

— Si c'est bien vrai, ce nouvel outil pourrait être formidable. Quand nous aurons appris à le reproduire, bien entendu.

Washen hésita avant de demander :

— Et en ce qui concerne Till ?

Locke ne parut pas avoir entendu sa question. Il se contenta de dire :

— Vertu s'est inquiété. Dès qu'il a fait part de sa spéculation à Till, il a déclaré à tout le monde que dérober l'énergie du noyau de Marrow équivalait à la pomper dans ses arcs-boutants. Nous risquions d'affaiblir la machinerie et, à terme, si nous n'y prenions pas garde, nous pourrions détruire Marrow et le vaisseau.

Washen l'écoutait sans vraiment l'entendre.

Leur cap-car franchit une brève série de portes démones, ralentit comme s'il allait s'arrêter, et soudain le tunnel s'ouvrit sur le blister de diamant, tout en bas, le pont massif et impressionnant, au centre, avec le paysage de Marrow, de part et d'autre. Elle s'était préparée à la pénombre, mais elle fut surprise néanmoins. Ce monde s'était dilaté depuis qu'elle l'avait quitté, et le crépuscule y était plus dense. Des feux innombrables étincelaient sur la surface de fer, dans l'atmosphère chaude et sèche.

Marrow était désormais une vaste cité qui se déployait sous le regard, sans interruption.

Washen avait été prévenue mais elle ressentit un chagrin soudain.

— Till a cru aux inquiétudes de Vertu, dit Locke. À toutes, et cela l'a abattu. Mais vous savez ce qu'il lui a dit ? Et à nous tous ?

Suivant un appel muet, leur car plongeait vers le pont, tout droit vers un puits d'accès ouvert. Vers leur maison.

— Il a dit quoi ? marmonna Washen.

— « Ces arcs-boutants sont trop solides pour qu'on les détruise facilement. J'en suis certain. » Voilà ce qu'il a dit. Ensuite, il nous a souri. Tu connais son sourire. Et il a répété : « Ils sont simplement trop solides. Ce serait trop facile. Les Constructeurs ne travaillent pas comme ça… »

Quarante-huit

Un long sifflement, intense, dur et excité, s'échappa de la bouche qui respirait.

Pamir grommela :

— Silence.

Comme si c'était nécessaire, comme qui quelqu'un pouvait les entendre ici.

— Elle arrive, dit le traducteur inséré dans le thorax de l'Hurluberlu. Je vois la fausse Maîtresse. Un seul coup et elle est éliminée à jamais.

— Non, dit Pamir. Nous allons attendre encore.

Il s'adressait à tous. À cinq cents humains, y compris sept des capitaines survivants, et sans doute deux fois plus d'Hurluberlus. Mais cette installation était immense, et la plupart étaient occupés à leur travail spécifique et frénétique de professionnels. Il fallait absolument détecter les pièges et les désamorcer. Toute la machinerie qui n'avait pas fonctionné depuis des milliards d'années devait se réveiller. En secret. Le travail de cette équipe devait être couplé à celui de vingt autres, chacune opérant sur un point clé, chacune s'efforçant de tenir un délai qui apparaissait de plus en plus absurde à chaque souffle.

L'Hurluberlu répéta :

— Je vais la tuer.

— C'est toi qui vas te tuer ! lança Pamir.

C'était une insulte violente, dangereuse : le suicide était l'ultime abomination. Toutefois, l'alien connaissait Pamir depuis longtemps et le respectait. Il décida d'avaler l'insulte sans faire de commentaire. Puis il pointa un doigt énorme sur un infime nœud de données qui se déplaçait rapidement vers le bas du conduit d'alimentation et, avec un sifflement lent, il déclara à l'humain :

— Ceci est le faux véhicule de la fausse Maîtresse. C'est certain. Dans la confusion générale, personne ne va le détecter jusqu'à ce qu'il soit trop tard. Si vous me le permettez…

— Pour nous mettre à découvert ?

Les deux bouches de l'Hurluberlu se refermèrent.

Pamir secoua la tête sous le poids du dégoût et de la fatigue.

— Miocène n'est pas idiote. Masquez votre scan pour qu'il apparaisse comme s'il appartenait aux Indociles et examinez ce cap-car quand il passera. Elle ne sera pas à bord. Même en étant pressée, elle ne ferait pas une telle erreur.

L'Hurluberlu se prépara, serra ses grosses mains et concentra son esprit obstiné pour lancer une série d'instructions brèves aux capteurs cachés.

Pamir se pencha vers le sabord de surveillance, observant les engins des Indociles qui décollaient et survolaient leur cachette. Le cap-car de Miocène n'était qu'un infime flocule d'hyperfibre, à peine discernable à l'œil nu, qui passa brièvement au large. Pamir attendit un instant avant de demander :

— Qu'est-ce que vous avez vu ?

— Un passager.

Pamir faillit accuser le coup, mais il demanda :

— De quel genre ?

— Composé de lumière façonnée. Un holo ressemblant plus ou moins à la fausse Maîtresse.

Pamir se contenta d'acquiescer. Miocène s'était probablement glissée dans un des véhicules de ses troupes sans rien dire de son but, au cas où ses ennemis guetteraient sur la route.

Un grondement brutal et profond interrompit ses réflexions. Dans le lointain, des humains et des Hurluberlus s'interpellaient :

— Une attaque ? Ou encore un autre impact ?

— Un impact ! aboyèrent plusieurs voix reconnaissables.

— De quel degré ?

— Des dommages ?

Une grosse comète avait percuté la coque à proximité du sabord Eridini. En relevant les premières données, Pamir sut que le choc avait été violent. Un record de destruction. Il résista à sa première impulsion : appeler les Rémoras et demander à Orléans ou à quiconque de réactiver les boucliers. C'était encore prématuré. Il se pencha sur les images transmises d'en bas, choisit une des machines d'acier au hasard et la regarda plonger dans le tunnel d'accès, passant dans la station où Washen et son fils avaient attendu la permission de disparaître dans les abîmes impossibles.

Soudain, l'un des chefs d'équipe chuchota dans son oreille :

— Nous sommes prêts, ici. La grosse valve est à nous.

Dans l'instant suivant, un ingénieur hurluberlu lui annonça :

— On est en position, ici. Malgré tous les risques, invisibles et en avance sur le programme.

Ça va donc être possible ! pensa Pamir.

Son cœur battit très fort dans sa gorge et sa voix faillit se briser quand il demanda à l'alien à côté de lui :

— Et nous ?

— Tout près, sifflota l'autre.

Une pause, puis un autre sifflotement rageur :

— Une merde des étrangers.

— Quoi donc ? Ne me dites pas que ça vient des pompes…

— Non.

L'Hurluberlu désigna de son pouce griffu l'un des véhicules qui venaient de surgir, ses antennes et ses lasers de gros calibre déployés. Des soldats en armure se déployaient déjà dans les sas à injection.

— Mon scan…, geignit l'alien.

— Ce n'est peut-être qu'une patrouille de routine, suggéra Pamir. Ou bien quelqu'un aura constaté que leur énergie est détournée.

L'Hurluberlu répondit :

— Si c'était moi, je me tuerais.

— Parfait.

Pamir s'écarta du sabord et des écrans, et suivit une passerelle à la construction de laquelle il avait participé un siècle auparavant. Dans les recoins les plus sombres, les gens n'étaient que des taches indistinctes. Les pompes géantes semblaient proches, trompeusement simples : des boules et des œufs lisses d'hyperfibre qui enveloppaient une machinerie pareille à un cœur colossal, fantastiquement puissant, assez résistant pour durer des milliards d'années avant d'encaisser leur premier battement de tonnerre.

C'était la même station de pompage que les capitaines avaient utilisée comme repaire clandestin. Les Indociles l'avaient fouillée à fond et, en se servant de diverses astuces, ils avaient tenté de la sécuriser. À l'occasion, ils y envoyaient des patrouilles. Mais il n'y avait pas assez de soldats, ils étaient en guerre, il y avait des milliers de kilomètres de conduits d'alimentation à garder, et ils ne perdaient jamais de temps à démanteler les camouflages sophistiqués que Pamir avait fait installer.

Pamir demanda dans un souffle :

— Dans combien de temps ?

— Prêts, dirent quelques-uns.

— Bientôt, promirent d'autres.

Il retourna au sabord et aux écrans. Il calculait dans quel délai lui et les Indociles seraient face à face.

— Prêt, annonça un autre poste.

Puis un autre encore.

L'Hurluberlu remarqua :

— Avec ce que nous avons maintenant, nous pouvons passer à l'action.

Moins de pompes qu'il en aurait fallu et toutes les valves qui n'étaient pas encore sous contrôle. Mais oui, ils devraient faire avec. Ce dont ils avaient rêvé dans l'appartement de Quee Lee et ce que Pamir avait vécu comme un songe devenait en quelque sorte une réalité.

L'alien ouvrit ses bouches et son respirateur siffla.

— Il faut le faire maintenant. Rejeter ces monstres de l'Univers.

Pamir ne répondit pas. Il revint au sabord. Le blindé aile-marteau manœuvrait pour donner l'assaut. Le capitaine se tourna vers un écran détecteur : une étincelle annonçait un autre cap-car en progression rapide, comme s'il ne s'attendait à aucune résistance.

—Non, dit-il à l'alien. (Avant d'ajouter à l'intention de toutes les équipes qui se trouvaient dans un rayon de mille kilomètres :) Préparez-vous. Maintenant.

L'Hurluberlu siffla sur un mode furieux, et l'interprète eut le bon sens diplomatique de ne pas traduire.

—On attend, insista Pamir. On attend.

Et il marmonna pour lui-même :

—Ce piège insensé doit être un peu plus rempli.

Quarante-neuf

L'ascension vers la liberté avait pris près de cinq millénaires. Une âme forte pouvait accomplir ce qui était considéré comme impossible : édifier une société à partir de rien, avant de maîtriser son destin en juste récompense. Comment Miocène aurait-elle pu considérer autrement cette épopée ? Pourtant, elle se retrouvait soudain en train de récapituler sa carrière, de revenir en arrière d'un coup d'œil, d'un battement de cœur, trop rapidement pour souffrir du moindre doute. Tout cela parce qu'un collègue mort et la personne la plus proche d'un ami qu'elle connaissait lui avaient envoyé quelques mots en lui promettant de la rencontrer et de lui révéler une histoire.

C'était un piège, à l'évidence. Son instinct l'avait su instantanément, Mais elle se risqua hors de la sécurité de la station, car elle avait pris sa décision. C'est alors que les Rémoras abattirent les boucliers du vaisseau et qu'elle commença à comprendre l'énormité du piège. Cependant, elle n'arrêta pas son plongeon. Elle pouvait lancer des ordres depuis n'importe où, et elle ne s'en priva pas ; des directives, des encouragements ardents, des menaces ouvertes : elle voulait avoir la certitude que l'insurrection serait matée dans les plus brefs délais. Ainsi elle atteignit victorieusement l'apex de la nouvelle passerelle, débarqua de son aile-marteau pour se diriger vers le cap-car qui l'attendait… Une fois là, elle hésita, et se surprit à observer la surface grise et gonflée de Marrow.

L'homme de garde – un personnage au visage carré qui se nommait Golden – s'avança vers la Maîtresse du vaisseau en souriant. D'un ton fier, il annonça :

— Je les ai expédiés tout droit en bas, madame. Tout droit.

Elle ne put s'empêcher de demander :

— Mais qui donc ?

— Locke et sa prisonnière. Qui d'autre attendiez-vous ?

Miocène ne répondit pas.

Lentement, très lentement, elle ferma les yeux. En esprit, elle voyait encore les lueurs froides de Marrow et sa surface de fer noir. Mieux qu'avec les yeux ouverts. Une vague de soulagement se propageait en elle, en même temps qu'une joie infinie, jubilatoire.

Si elle avait affaire à une embuscade, se dit-elle, c'était Washen qui était l'appât. Elle se rappela alors qu'elle-même n'était pas démunie de ressources, qu'elle disposait d'une puissance terrible, d'océans d'expérience et d'habileté, et aussi de cruauté.

Elle résuma toutes les possibilités avant d'aboutir à la même décision, avec une résolution nouvelle. Elle rouvrit les yeux et regarda Golden :

— Bien.

Elle ne se focalisa pas sur son sourire fier et son air idiot.

— Merci pour votre aide.

Elle regagna son cap-car aveugle, pressurisé, s'installa dans le premier siège et, sans un mot, repartit vers les profondeurs, de plus en plus vite, entre les jeux d'arcs-boutants usés qui effleuraient son esprit et lui donnaient, durant ces moments qui s'étiraient, le sentiment délicieux qu'elle était folle.

Cinquante

L'administratrice du Temple portait encore la longue robe grise de sa fonction et opposait toujours une résistance à tout ce qui pouvait menacer sa vie au quotidien. Elle se redressa et observa les nouveaux venus avec une horreur absolue avant de croiser les bras, de reprendre son souffle pour cracher à l'adresse de Washen :

— Non ! Vous êtes morte en héroïne. Alors, restez morte !

Washen éclata de rire.

— J'ai essayé ! J'ai vraiment fait tous les efforts possibles, chérie.

Ce fut Locke qui s'avança le premier. Assez près pour être intimidant. Avec une voix douce qui ne laissait aucun doute sur qui avait l'autorité, il déclara :

— Nous avons besoin d'une des salles du Temple. Peu importe laquelle. Et c'est vous, personnellement, qui accompagnerez vos invités jusqu'à nous avant de vous retirer. Est-ce bien compris ?

— Quels invités ?

— Les pauvres âmes enfermées dans votre bibliothèque.

Washen esquissa un sourire. La femme ouvrit la bouche pour protester, mais Locke ne lui en laissa pas l'occasion.

— Vous voudriez qu'on vous assigne à un autre poste, chérie ? Peut-être dans une de ces équipes héroïques sur la coque ?

La femme ferma la bouche.

— Alors, insista Locke, il y a une salle libre ?

— Alpha.

— Donc, c'est là que nous serons.

Et, avec la solennité d'un capitaine, il attendit que la subalterne se retire.

Leur parcours jusqu'à la salle fut bref et exaltant. Washen s'était attendue à des changements, mais le monde surpeuplé et desséché de l'extérieur restait toujours à l'extérieur. Les corridors étaient presque déserts et exactement tels qu'elle s'en souvenait. Tout était là, jusqu'aux attrape-mouches en pot. L'air était plus sec qu'avant ; même s'il était probablement purifié, il était encore lourd des relents de Marrow : la rouille, les poussières de métal et d'insectes, avec en plus une odeur que l'on ne pouvait que qualifier d'*étrange*.

Elle se surprit à penser que c'était une puanteur agréable.

Un fidèle s'inclina devant Locke avant de rester bouche bée devant sa mère.

Elle avait déjà remarqué que tous étaient filiformes comme si la famine organisée était ici une institution. Mais, au moins, ils ne portaient pas des vêtements taillés dans leur propre chair. Une subsistance de la tradition loyaliste ? À moins que tous ces gens affamés ne guérissent pas assez vite pour qu'on utilise leur propre dépouille.

Elle ne se permit pas de poser la question.

Soudain impatiente, elle entra dans la salle et les lumières s'éveillèrent sur son passage. Le plafond en dôme était comme dans son souvenir, semblable à un ciel. Au-delà de la balustrade d'acier, le pont de diamant était toujours là. Mais plus lourd, plus solide et mieux protégé que dans les plans originaux d'Aasleen. Les canalisations occupaient deux puits avant de se rejoindre dans l'ancien camp de base : un câble blindé était à peine visible, accroché dans le ciel incurvé à dix kilomètres de distance avant de disparaître à nouveau.

L'Échine.

— C'est une maquette ? demanda Washen.

Locke dut lever les yeux en réfléchissant à sa question.

— Non. C'est une projection holo. Très précise et en temps réel.

Bien.

Elle le dévisagea, prête à le remercier et à le complimenter sur tout ce qu'il avait accompli.

Une voix nouvelle les interrompit :

— Washen !

C'était Manka. Et Saluki, Kyzkee, Westfall, Aasleen. Et puis Promesse, avec Rêve, comme toujours. Ils s'avançaient en glissant, leurs pieds ne quittant jamais vraiment le sol. Leurs visages n'avaient pas changé, ils étaient seulement plus minces. Quand ils l'effleurèrent, elle éprouva un frisson, puis une chaleur désespérée, une joie authentique.

Elle sentit aussi leur crainte instinctive que Washen ne soit pas réelle et soit susceptible de disparaître dans l'instant.

— Je suis réelle, dit-elle, et on pourrait m'enlever à tout moment, avoua-t-elle.

Plus d'une centaine d'anciens capitaines l'étreignirent avec effusion. Et tous demandèrent à mi-voix :

— Comment se passe la mutinerie ?

— Quelle mutinerie ? demanda Washen.

Aasleen comprit et, en riant, elle se redressa en essayant de déplisser son uniforme.

— On a entendu des rumeurs. Des avertissements. Tout récemment, des gardes à demi entraînés ont remplacé nos vieux surveillants, dit Manka. Les anciens ne semblaient guère satisfaits de leur avenir.

Tous les visages se levèrent vers le pont de diamant et les images lointaines ; pendant longtemps, le silence persista. Puis, Saluki demanda :

— Et Miocène ? La nouvelle Maîtresse se porte-elle bien ou devons-nous nous réjouir ?

Washen était sur le point de répondre quand une voix nouvelle les interpella depuis le seuil :

— Miocène est en parfaite forme, chéri. Et elle vous remercie pour votre préoccupation si douce et chaleureuse.

La nouvelle Maîtresse s'avança.

Elle ne semblait pas s'inquiéter d'une quelconque menace et, pour un regard inattentif, elle aurait pu sembler se maîtriser totalement. Mais Washen connaissait bien cette femme. Son visage bouffi et son corps dissimulaient bien des indices et son uniforme étincelant lui conférait une autorité instantanée, aisée. Ses yeux étaient vigilants. Ils se promenèrent sur les autres, s'arrêtèrent sur Washen, brièvement, avant d'épier ceux qui l'entouraient, un à un. Elle était entourée par ses capitaines jadis loyaux et semblait essayer de décider qui allait l'attaquer en premier. Puis son regard se perdit et ses yeux sombres observèrent des ennemis qui étaient invisibles d'où elle se trouvait.

D'une voix qui semblait parfaitement maîtrisée, elle dit à Washen :

— Je suis venue seule comme vous me l'avez demandé. Je supposais néanmoins que nous ne serions que toutes les deux, chérie.

Washen, prudemment, ne répondit pas tout de suite. Ce silence irrita Miocène qui la toisa en demandant d'un ton rauque :

— Vous vouliez me dire quelque chose. Vous vouliez « m'expliquer le vaisseau » si je me souviens bien de vos paroles

— Expliquer est peut-être un mot excessif, mais je peux au moins vous proposer une hypothèse nouvelle sur ses origines. (Washen montra les grands sièges de bois d'arbre de vertu à tous.) Asseyez-vous. S'il vous plaît. J'espère que mon explication ne va pas prendre trop de temps. Je l'espère vraiment. Néanmoins, si je considère ce que j'ai à vous dire, vous apprécierez de ne pas rester debout…

D'une main, Washen sortit sa montre et en ouvrit le couvercle. Sans même la consulter, elle la referma et, en la brandissant, elle dit :

— Le vaisseau. Quel âge a-t-il ? (Avant que quiconque réponde, elle ajouta :) Nous l'avons découvert vide. Il filait tout droit vers nous, venant de ce qui est peut-être la région la plus vide de l'Univers visible. Bien sûr, nous avons trouvé quelques indices sur son âge, mais ils sont imprécis, contradictoires. Il est plus facile de croire qu'il date d'il y a quatre, cinq ou six milliards d'années.

Dans une galaxie jeune et précoce, une vie organique intelligente est apparue et a duré suffisamment longtemps pour construire cette merveille. Le Grand Vaisseau. Ensuite, une tragédie horrible mais imaginable a pu exterminer les constructeurs. Avant même de profiter de leur création, ils étaient morts. Et nous avons, par pure chance, récupéré cette antique machine…

Washen fit une pause, puis annonça rapidement, d'un ton serein :

— Non, non. Je pense que le vaisseau a plus de six milliards d'années.

Miocène se jeta sur l'appât.

— Impossible ! Comment pouvez-vous *tout* expliquer si vous admettez cette absurdité ?

— Retracez la course du vaisseau dans l'espace et le temps, et vous verrez des galaxies à terme. L'espace vide nous permet de voir loin, et certaines de ces taches de lumière infrarouge sont parmi les plus vieilles que perçoit notre regard. L'Univers ne datait pas encore d'un milliard d'années et les premiers soleils se formaient et explosaient, crachant les premiers métaux dans le cosmos exceptionnellement jeune, minuscule et chaud…

— Trop tôt, répliqua Miocène.

À la différence des autres, elle était restée debout et, poussée par un mélange d'énergie nerveuse et de colère viscérale, elle s'approcha de Washen, les poings levés, en donnant de petits coups violents dans le vide.

— Oui, bien trop tôt. Comment pouvez-vous imaginer que la vie intelligente aurait pu évoluer alors ? Dans un univers qui n'avait à offrir que de l'hydrogène, de l'hélium et quelques infimes traces de métaux ?

— Sauf que ce n'est pas ce que je propose, dit Washen.

Le visage bouffi de Miocène accusa le coup, elle ouvrit la bouche, mais aucun son n'en sortit.

— Allons plus loin encore, poursuivit Washen en se tournant vers Aasleen, Promesse et Rêve. Locke me l'a expliqué. Au centre de Marrow, des atomes d'hydrogène et d'antihydrogène sont créés, et chacun d'eux fusionne avec d'autres atomes du même type. Puis les deux variétés de cendre d'hélium sont transformées en atomes de carbone, ou d'anticarbone. Le processus aboutit à du fer et de l'antifer que le réacteur rejette ensemble en les annihilant. Les énergies produites par ce tour de sorcellerie alimentent les arcs-boutants et les industries des Indociles, ce qui permet à Marrow de palpiter comme un cœur énorme.

— Nous avons entendu parler du moteur des arcs-boutants, intervint Aasleen.

Washen acquiesça.

— Ce qui est sous vos pieds, c'est comme la Création.

Quelques visages avides approuvèrent. Miocène, hérissée, ne dit rien et Washen continua :

— Nous avons toujours admis le concept que le vaisseau avait été taillé dans un monde jovien ordinaire, et Marrow dans le noyau de ce monde jovien. Mais je crois que nous nous sommes trompés. Que nous avons pris le problème à l'envers. Imaginons une intelligence puissante et ancienne. Elle n'est pas organique. Elle évolue dans cet environnement rapide, dense et riche de l'Univers initial. En utilisant le moteur qui se trouve sous nous, elle crée de l'hydrogène, du carbone et du fer. Tous les éléments. Notre vaisseau a pu être construit à partir du néant. À partir de rien. Avant même que l'Univers soit suffisamment froid et sombre pour que la matière ordinaire acquière sa forme ordinaire, quelqu'un a pu concevoir cet endroit. Comme un labo. Comme un moyen de voir l'avenir lointain. Pourtant, même si c'est vrai, je me pose la question : pourquoi ces constructeurs ont-ils lancé leur jouet aussi loin ?

Dans la salle, c'était le silence. Tous attendaient.

— Les indices sont partout et évidents, dit Washen. Intentionnellement. Toutefois, l'esprit qui nous les a laissés était bizarre et, je crois, terriblement pressé. (Elle leva encore les yeux vers le pont de diamant, prit son souffle et acheva :) Marrow. (Elle se tourna vers Aasleen :) Ce n'est qu'une supposition. Plus ou moins. Mais nous avons de bonnes raisons de penser que Marrow est le premier lieu à partir duquel la vie organique a évolué. Sous son ciel brillant, sous la lumière des arcs-boutants, dans un environnement froid et vide comparé à l'univers environnant, les premiers microbes sont nés, avant d'évoluer vers une vaste variété d'organismes complexes… Ce lieu n'a été que l'incubateur élaboré à partir duquel les espèces animales et les phyla protozéens ont tenté d'exister…

» Les moteurs, les réservoirs et les habitats ont été construits plus tard. Tout ce qui a été appris ici a été appliqué au design. Les humains ont trouvé des marches intouchées qui attendaient des pieds humanoïdes. Pourquoi ? Parce que les recherches des constructeurs les avaient amenés à penser que l'évolution organique aboutirait inévitablement à des créatures telles que nous. Nous avons trouvé des contrôles d'environnement. Réglés pour ajuster les atmosphères et les températures selon la physiologie de nos passagers. Pourquoi ? Parce que les constructeurs ne pouvaient que spéculer sur nos besoins spécifiques et qu'ils avaient la volonté de nous aider.

» Vous vous rappelez nos anciennes recherches génétiques ? demanda-t-elle à Promesse et Rêve. Les formes de vie de Marrow sont anciennes. La diversité génétique y est supérieure à tout ce que l'on trouve sur les mondes normaux. Ce qui nous incite à penser que ce lieu est très, très vieux…

— Mais à propos des premiers humanoïdes ? demanda Rêve. Que leur est-il arrivé ?

— Ils se sont éteints, répondit sa sœur dans la seconde. Des espèces de petite taille, hautement adaptables, c'était ce qu'il fallait ici. Pas des grands singes avec de gros pieds lourds.

Aasleen leva la main.

— Je ne comprends pas. Pourquoi construire cette machine merveilleuse et la lancer au loin ? C'est peut-être mon côté ingénieur, mais ça me paraît un gaspillage malheureux.

Washen effleura sa montre et répéta encore une fois :

—Des indices.

Elle fit tournoyer la montre et la lança vers la travée. Des dizaines de mains essayèrent de la rattraper, mais le boîtier percuta le sol avant de glisser jusqu'à l'autre bout de la salle et de se perdre entre les ombres.

—Ils ne se sont pas contentés de lancer le vaisseau, ils l'ont lancé vers une région où ils étaient certains qu'il ne heurterait *rien* pendant très, très longtemps. (Elle s'exprimait lentement, avec une aisance et une certitude appuyées.) Ils l'ont envoyé dans l'Univers en expansion en s'assurant qu'il percerait le mur de chaque galaxie à son point le plus faible. Il est évident qu'ils ne voulaient pas qu'on le trouve. Si la course du vaisseau avait varié d'une fraction nanoscopique, il serait également passé au large de notre galaxie. Il nous aurait évités et aurait continué hors de notre groupe local, dans une autre région vide où il serait passé sans être remarqué pendant un autre milliard d'années.

Washen s'interrompit et reprit en souriant :

—Les Constructeurs. Je n'ai jamais voulu croire en eux, mais ils sont bien réels, ou du moins ils l'étaient. En un certain sens, Diu a deviné une part de leur histoire. De même que Till. Et l'ensemble des Indociles. À travers leur culture ou quelque épiphanie programmée, les humains ont la capacité d'admettre une histoire vieille de quinze milliards d'années peut-être, qui remonte au commencement de la Création. Même après tout ce temps, je soupçonne cette histoire d'être encore importante. Toujours aussi vaste. Et je crois que nous devons affronter ce fait improbable !

Miocène gardait les yeux baissés, les bras ballants, avec une expression rigide de frayeur. Un capitaine rapporta à Washen sa montre brisée qu'il posa dans sa main tendue.

—Merci, dit-elle. (Elle attendit qu'il reprenne sa place avant de poursuivre d'un ton prudent :) Si les Constructeurs étaient réels, alors les Mornes l'étaient aussi. Si ce n'est que je pense que les Indociles ont pris les choses un peu à l'envers. Les Mornes ne sont pas venus de l'extérieur pour tenter de s'emparer du Grand Vaisseau. Du moins pas selon notre sens de la géométrie. Pourquoi construire une grande machine et la lancer aussi loin que possible ? Parce qu'elle a une fonction spécifique, terrible. Qui exige de l'isolement et de la distance, en raison de la sécurité que cela procure.

» Je n'en suis pas certaine, mais je pense que le Grand Vaisseau est une prison.

» Là, sous nos pieds, sous le fer chaud et au-delà du moteur à arcs-boutants, il existe au moins un Morne. C'est ce que je suppose. Les arcs-boutants constituent les murs. Les barreaux. Marrow se dilate et se contracte pour alimenter et entretenir les arcs-boutants. Les Constructeurs avaient supposé que ceux qui seraient les premiers à aborder le vaisseau seraient prudents et minutieux et qu'ils découvriraient assez rapidement Marrow. Qu'ils sauraient la déchiffrer. Toutefois, ces pauvres Constructeurs ne s'étaient pas doutés, même dans leurs pires cauchemars, que notre espèce débarquerait ici sans rien comprendre, qu'elle ferait de leur prison un vaisseau de croisière, un séjour de luxe et de petites vies sans fin.

Elle se tut et reprit son souffle.

Miocène, tout d'abord, resta silencieuse, puis l'apostropha d'un ton furieux :

— Vous avez parlé à mes IA ?

— Quelles IA ?

— Les vieilles érudites. L'une d'elles est parvenue à une conclusion similaire. Que le vaisseau était un modèle de l'Univers. Que l'expansion de Marrow est censée imiter les phases de dilatation de l'Univers, puis l'espace sans vie, et plus loin encore les espaces vivants…

Miocène secoua la tête et réfuta le tout d'un mot :

— Coïncidence !

Aasleen posa une question qui s'imposait :

— Si c'est bien une prison, pourquoi en sommes-nous les gardiens ? Est-ce que les Constructeurs n'ont pas laissé derrière eux quelque chose pour tout surveiller et, le moment venu, nous donner des explications ?

Ce fut Locke qui répondit. Un peu en retrait de sa mère, il déclara aux capitaines :

— Les gardiens sont merveilleux. Jusqu'à ce qu'ils décident de changer de camp.

— Admettons que le Morne soit emprisonné, il peut quand même chuchoter entre les barreaux. Si vous voyez ce que je veux dire.

— Diu. Till, murmurèrent une bonne moitié des capitaines.

— Tous les deux sont allés loin dans l'intérieur de Marrow, leur rappela Washen, avant de regarder son fils en se mordant la lèvre au moment de livrer sa dernière supposition :

— Le Morne n'est pas un Constructeur qui aurait mal tourné. Il doit être totalement différent. Les Constructeurs n'ont pas pu réformer ni détruire cette entité. Tout ce qu'ils ont pu faire, c'est l'enfermer pour un temps. Et, à présent, ils ont disparu. Ils sont morts. Mais la chose qui est encore là, sous nos pieds, vit encore. Elle est toujours aussi puissante et dangereuse. Ce qui nous amène à conclure que nous avons ici une entité plus vieille encore que les Constructeurs. Encore plus résistante. Et je pense deviner ce qu'elle veut après avoir été emprisonnée aussi longtemps… et je sais qu'elle fera n'importe quoi pour parvenir à ses fins !

Cinquante et un

Les sas d'injection percutèrent le mur en un choc amorti. Les charges nucléaires creuses perçaient l'hyperfibre dans un grondement assourdi par la plainte perçante des pompes. Puis vinrent les éclats soudains, blancs et mauves, silencieux, et Pamir se pencha vers le bas en criant à l'Hurluberlu :

— Tirez sur le cap-car !

Mais soudain le véhicule freina et se glissa derrière l'un des blindés militaires vides. Le vaisseau encaissa le jet de minicharges nucléaires tandis que la carrosserie du véhicule absorbait le déchaînement de laser rétromodifié et de l'orage de micro-ondes que crachait l'Hurluberlu. L'acier se changea en scories qui explosèrent en déversant une pluie de métal rougi à blanc. Le cap-car accéléra et disparut au-delà de la station de pompage.

L'Hurluberlu ne fit pas de commentaires sur son tir lamentable.

Pamir grommela :

— Merde !

Et il se tourna vers son compagnon alien. Il n'y avait plus personne. Là où l'alien aurait dû se trouver, il n'y avait qu'un nuage de gaz incandescent et de cendres qui dérivait avec une lenteur trompeuse. La balustrade avait fondu. Sans doute à cause d'un tir au hasard venu du bas, sinon Pamir aurait été tué en même temps. Il se précipita vers l'ascenseur le plus proche, son laser balayant devant lui et ses nexus les plus sécurisés en alerte maximale. Il lança un ordre bref codé à chaque équipe, à chaque IA :

— Noyez-moi ces salauds !

Il bondit alors jusqu'à la cabine, une main ascensionnelle l'agrippa et le lança vers le haut à une vitesse telle qu'il ne sentit plus ses pieds sous lui. Comme s'il avait été sauvagement battu. Il tomba à genoux, le ventre douloureux ; quand il s'étendit sur le sol, inerte, il prit conscience que la plainte des pompes avait changé de ton. Une vibration puissante monta vers lui : l'hydrogène s'engouffrait dans les gueules avides en acquérant une vélocité terrifiante. C'était un fleuve né dans l'instant, plus vaste que l'Amazone et fabuleusement, légitimement furieux.

Une équipe d'Hurluberlus avait fermé la valve gigantesque.

Elle reçut le choc d'une colonne d'hydrogène pressurisé, frigorifié, et l'énorme conduit d'alimentation frémit, vibra, mais résista.

L'hydrogène forma une flaque tourbillonnante et une centaine d'ailes-marteaux – pilotées mais vides – furent emportées par le maelström, dans le froid brutal, projetées contre les parois et la valve, leurs coques furent fracassées, dispersées en éclats, en boue tournoyante qui finit par se déposer au fond en une couche fine de sédiment.

À la station de surveillance, la panique était à son comble. L'officier – celui-là même qui avait laissé passer Washen – appela Till et Miocène. Ils étaient dans les profondeurs, en péril. Il fit une estimation des taux de flux et des simulations de l'inondation. D'une voix sèche, apeurée, il annonça :

— Capitaine, madame, vous devriez obturer le tunnel. Pour préserver Marrow.

Les charges préréglées devraient briser les nouvelles parois d'hyperfibre et l'effondrement qui suivrait boucherait tout. Les Indociles seraient saufs pour un jour encore...

Miocène ne répondit pas. Till fut le premier à réagir. D'un ton calme, presque indifférent, il ordonna à tous :

— Le tunnel doit rester ouvert. Dans l'immédiat et pour toujours.

— Pas pour toujours, marmonna l'officier.

— Si vous le pouvez, essayez de vous sauver, lui conseilla Till. Sinon, je poserai un baiser sur votre âme quand vous serez ressuscité !

L'officier se raidit et, incapable d'imaginer une autre solution, il attendit près de la plus proche fenêtre.

Une aile-marteau en détresse apparut, celle qui avait attaqué la base ennemie. Ses sas se déployèrent avant d'être fracassés ; sa carapace grise fut projetée contre la paroi opposée avant de plonger vers un des bâtiments de la station, dans une brève vibration suivie d'un fracas suraigu. Surpris, l'officier prit conscience qu'une atmosphère s'était formée à l'extérieur et que l'hydrogène s'évaporait, suscitant un vent brutal qu'il pouvait presque ressentir. Il avait une main pressée sur la vitre de diamant car le vent se transformait maintenant en ouragan, et bien pire encore.

— Mais si personne ne ferme le tunnel, murmura-t-il, et si l'inondation atteint ma maison...

À l'évidence, Till ne comprenait pas le problème. Il appela Miocène sur une fréquence différente. Avec l'espoir qu'elle l'écoutait, il expliqua tout d'une voix où perçait la panique.

Au dehors, le torrent grossissait. L'hydrogène dans le conduit d'alimentation avait atteint le niveau de la station, les premiers ruisseaux s'infiltraient entre les buildings pour former rapidement une muraille liquide qui venait heurter les structures blindées, à la grande frayeur des malheureux qui se trouvaient à l'intérieur.

En contemplant la vague noire, rugissante, l'officier dit :

— Merde ! Ça n'était pas censé se passer comme ça.

Une autre voix se joignit à la sienne, proche et familière. Celle d'une femme respectée, sinon aimée. Elle lui demanda :

— Que faites-vous ?

— Miocène ? Rien. J'attends.

— Je ne comprends pas… Quoi ?

— Madame…

Il se retourna, suffisamment troublé pour penser que la Maîtresse était là, à côté de lui. Mais non. Ce n'était que sa voix familière qui résonnait dans son nexus, plus furieuse que jamais.

— Mais enfin qu'est-ce que vous faites ? hurla Miocène.

— Mais rien du tout.

Une fois encore, il toucha la fenêtre, il sentit le froid brutal… Puis il perçut un grincement faible, presque sans conséquence, tout près, quelque part. La dernière réaction de l'homme fut de fermer les yeux. Et cet ultime réflexe très simple, très ancien, lui permit d'avoir la force de rester debout…

Cinquante-deux

- **M**ais qu'est-ce que vous faites?

Chacune des bouches de Miocène gronda cette interrogation qui fut transmise par tous les nexus, crachée du plus profond de sa gorge, entre ses dents de céramique, au cœur du Grand Temple. Ses mots furent relayés jusqu'à l'Échine neuve, avant d'être amplifiés, et l'équipage, comme chaque passager, écouta avec horreur la question que la nouvelle Maîtresse semblait poser à chaque idiot recroquevillé dans sa lâcheté.

Qu'est-ce qu'ils faisaient?

Ils furent des milliards à répondre.

En chuchotant, en grognant, en pétant, en chantant et en criant avec violence, ils firent savoir à la Maîtresse qu'ils avaient peur et qu'ils étaient las. Quand les boucliers fonctionneraient-ils à nouveau, quand donc leur vie leur appartiendrait-elle?

Miocène n'entendit rien.

Son regard sauvage et noir était fixé sur les capitaines qui attendaient, et sur Washen et son traître de fils. Mais, en fait, le seul visage qu'elle voyait vraiment dévalait le tunnel d'accès et approchait maintenant du pont. Un joli visage à l'expression fière, un instant troublée par quelque chose qu'il voyait au loin, puis fière à nouveau quand le problème se résolut de lui-même. Finalement, avec un sourire étrange, embarrassé, Till rencontra le regard de sa mère et fit remarquer à son compagnon, en observant l'un des yeux de sécurité du cap-car:

—Je pense qu'elle comprend enfin… enfin…

Vertu se recroquevilla comme s'il s'attendait à ce qu'on le frappe. Puis il se mit à geindre:

—Madame, je n'avais pas le choix. Mon amour. Absolument pas le choix…

Miocène s'échappa du véhicule en train de chuter. En revenant au Temple pour rejoindre les capitaines, sa bouche ancienne reprit inutilement son souffle.

—J'ai été stupide.

Washen faillit répondre mais s'abstint. Aasleen tenta de réconforter la Maîtresse.

— Nous n'aurions pu imaginer ça, encore moins le croire, dit-elle en effleurant de ses doigts noirs ses lèvres béantes.

» Si l'on suppose que le Morne existe et que le vaisseau est sa prison…

Miocène referma les bras sur sa poitrine en sanglotant.

— Non, non, je ne peux pas le croire.

Depuis combien de temps n'avait-elle pas versé autant de larmes ?

Washen regarda les autres capitaines et, calmement, avec un accent convaincu et rassurant, elle expliqua :

— C'était un piège. Il se peut qu'il y ait un Morne sous nos pieds, ou pas. Néanmoins, il existe des créatures appelées les Indociles, ils se sont emparés de mon vaisseau et je veux que cet état de chose cesse. Immédiatement.

En termes clairs et nets, elle leur décrivit le fleuve d'hydrogène qui déferlait sur eux, en estimant à quel moment la gravité le porterait jusqu'à Marrow. Une chose était certaine, le camp de base qui était au-dessus d'eux serait anéanti. Ainsi que le blister de diamant et le pont. Ensuite, le fluide glacial deviendrait une pluie horrifiante, et l'électricité statique ou encore une bougie oubliée pourrait déclencher un grand incendie. L'oxygène de Marrow tenterait de consumer le flot, de transformer l'hydrogène en eau douce et en chaleur. Mais le réservoir de fuel était immense et, à terme, il n'y aurait plus d'oxygène. Et la pluie glaciale tomberait librement sur la cendre et le fer, les morts, et ce serait la fin de la civilisation des Indociles…

Après une pause, Washen ajouta :

— Il n'existe qu'une autre option. Ou deux. (Elle se tourna vers Miocène, suffisamment confiante pour se rebiffer.) Votre reddition totale. Ou alors, si vous le pouvez, essayez de démolir le tunnel d'accès. De l'abattre une fois pour toutes, en détruisant l'Échine et en bouchant tout avant que l'inondation nous submerge.

Miocène, qui continuait à pleurer, afficha une expression de plaisir pervers. Tandis qu'elle essuyait ses larmes, un sourire se forma sur son visage gonflé, étranger. Et c'est avec une jubilation froide et affreuse qu'elle lança à Washen :

— Oui, vous êtes habile. Je devine comment vous avez volé ces pompes et ces valves. Je ne pourrai plus les voler à mon tour. En tout cas, pas à temps. Toutefois, quand je regarde ces pompes, vous savez ce que je vois d'autre ? Vous savez ce qui se passe ici ?

Washen se maîtrisa avant de demander :

— Quoi ?

Miocène se connecta à la salle d'holoprojection et leur montra. Dans l'instant, les capitaines, obéissant à un ordre silencieux, se retrouvèrent dans un blister d'observation à l'arrière du vaisseau, entourés des buses géantes des fusées qui ne fonctionnaient plus. Elles étaient toutes plus ou moins inclinées et paraissaient parfaitement ordinaires. Mais, à l'instant où une dizaine de voix réclamèrent des explications, des feux jaillirent, assez puissants pour carboniser des mondes, vomissant des jets de lumière et de gaz vers les étoiles.

Tout à coup, chaque buse s'était activée.

Parmi les capitaines, aucun n'avait le souvenir d'un jour où tous les moteurs avaient été lancés. Stupéfaits et déconcertés, ils demandèrent des explications.

— C'est mon fils, leur avoua Miocène.

Une fois encore, elle se domina et ses mains nerveuses étreignirent sa chair épaisse, flasque, avec une violence telle que le sang coula entre ses doigts.

— Quand nous avons procédé à cette dernière poussée, j'ai cru que j'étais seule à contrôler les moteurs. Et Till m'a laissée croire ce que je voulais…

Washen s'avança pour l'effleurer et lui dire d'une voix sèche :

— Peu importe Till. Ce que je veux savoir, c'est pourquoi il allume les moteurs *maintenant* !

Miocène éclata de rire, avant de sangloter.

C'est alors que Washen passa ses longues mains dans sa chevelure noire et chuchota comme n'importe quel pilote avant le crash :

— Oh, merde !

Cinquante-trois

Le froid glacial saisit Washen à la gorge et au ventre et, durant un instant fugace et violent, elle sentit la panique, la sienne et celle de tous les autres. Le choc était trop énorme, trop soudain. De tous les capitaines, seule Miocène semblait capable de se lamenter avec une véritable angoisse, effondrée sur le sol d'acier, en sanglots, les mains serrées sur son cou épais, d'abord incohérente, puis se perdant en murmures avec une confiance solide, inattendue.

— Cette catastrophe est la mienne. L'Univers ne m'oubliera jamais, ne me pardonnera jamais. Jamais.

— Ça suffit, gronda Washen.

Les capitaines échangèrent des plaintes et des chuchotements. Washen empoigna brusquement les mains et les cheveux de Miocène pour l'obliger à la regarder. D'une voix dure, elle exigea :

— Montrez-nous exactement ce qui se passe. Là, tout de suite.

Miocène ferma une fois encore les yeux. Les capitaines se retrouvèrent sur la face avant du Grand Vaisseau. Devant eux, ils avaient un soleil rouge sénile qui paraissait terriblement proche. Mais ils avaient encore plusieurs milliards de kilomètres à franchir. Au tiers de la vitesse de la lumière, il leur faudrait quinze heures, et s'ils se fiaient aux plans exacts dressés depuis des siècles, ils contourneraient l'atmosphère torride de ce soleil à cinquante millions de kilomètres de distance, sans danger.

Mais, à chaque seconde, leur cap changeait, il mutait souvent et dangereusement.

— Si les moteurs continuent de fonctionner…, dit Miocène, les yeux clos.

L'image sauta de quinze heures. Le vaisseau plongea dans la couronne extérieure du soleil rouge – un plasma chaud plus ténu que la plupart des vides dignes de ce nom. La coque du vaisseau pouvait absorber à la fois la chaleur et des milliards d'impacts infimes, mais la seule friction pouvait diminuer un peu plus sa vélocité. Le temps cligna encore et les capitaines tombaient vers le partenaire infiniment dense du soleil agonisant ; la gravité formidable du trou noir tordit la coque jusqu'à ce qu'elle se fracasse, les entrailles anciennes du vaisseau éparpillées en un disque ardent d'accrétion, chaque fragment, chaque particule destinés à sombrer dans ce grand néant obscur, à jamais effacés de l'Univers.

—Non, non, non! hurla Locke.

—Et le Morne? demandèrent une dizaine de voix.

D'un ton dubitatif, Aasleen suggéra:

—Il mourra peut-être.

Mais les trous noirs existaient dans l'Univers du début, ils avaient été créés dans les remous et les tourbillons de plasmas hyperdenses, leur rappela Washen.

—Les Constructeurs auraient pu faire cela. Néanmoins, ils s'en sont bien gardés; ce qu'ils ont choisi, quelle qu'en ait été la raison, fut de lancer le vaisseau vers une région où il y avait peu de trous noirs, sinon aucun.

L'image se dissipa. Ils étaient de retour dans le Temple.

Washen leva le regard vers le plafond haut, vers le camp de base, avant de revenir à Miocène en lui demandant calmement:

—Vous êtes certaine de ne pas pouvoir couper les moteurs?

Furieuse, Miocène répliqua:

—Qu'est-ce que vous croyez donc que je fais, merde? J'essaie de les éteindre. Mais ils ne me reconnaissent pas et je ne peux pas annuler le contrôle de Till!

—Alors, pourquoi vient-il ici? Si nous n'y pouvons rien, pourquoi reste-t-il auprès des moteurs à attendre?

L'expression de douleur sur le visage de Miocène s'apaisa. Elle réfléchissait.

—Parce que ce n'est pas mon fils qui fait ça, lâcha-t-elle. Bien sûr. Ce n'est pas lui qui contrôle les moteurs.

Le Morne, se dit Washen. Après quinze milliards d'années en tant que prisonnier, bien sûr, il ne pouvait que vouloir s'emparer de la barre à ce moment clé, parfait!

Miocène leva les yeux vers le pont de diamant, le blister et l'Échine. L'Échine permettait à quelque chose, dans les tréfonds de Marrow, de donner des ordres de capitaine. Tout en acceptant cette impossibilité, elle demanda:

—Washen, si je parviens à faire descendre le pont, à couper le lien avec Marrow… Croyez-vous qu'avec vos alliés, vous pourriez saboter suffisamment de machines, assez vite pour nous sauver?

—Je l'ignore…, commença Washen.

Ils ressentirent et entendirent une secousse presque douce. Le sol d'acier bougea et ils regardèrent leurs pieds.

—Vous avez fait quoi? demanda Locke.

Miocène se dressa avec une majesté lasse, ses yeux rougis clignèrent à plusieurs reprises et, d'une voix épuisée, elle répondit:

—J'ai déclenché le dispositif de contrôle des séismes. C'est un vieux système et ça a toujours été le mien. Jamais on n'a pu me le voler.

Une seconde secousse passa dans le Temple.

Heureuse de son habileté méchante et presque infinie, Miocène annonça :

— Le fer est fatigué de dormir, je pense. Et je ne crois pas qu'il nous reste beaucoup de temps.

Il suffit d'un mot et d'un regard sévère pour que les capitaines réquisitionnent toutes les cabines d'ascenseur et tous les cap-cars du pont. Vides ou bondés, tous descendirent en direction du Temple.

— Saviez-vous que le dispositif de contrôle avait échoué ? couina l'administratrice. Que le niveau de la cité a déjà bougé de cinq mètres ?

Miocène répondit après un moment :

— Oui, je sais.

— Est-ce que je dois faire embarquer les gradés de haut rang pour les sauver ?

Bien entendu, elle considérait qu'elle en faisait partie. Et c'est avec une indifférence tranquille que Miocène lui dit :

— Oui, bien entendu. Restez néanmoins sur place jusqu'à ce que les autres se soient rassemblés. C'est bien compris ?

— Oui, madame, bien sûr…

Ils embarquèrent à bord du cap-car le plus spacieux. Washen se retrouva entre Miocène et Locke. Elle inspira brièvement avant qu'ils démarrent vers le haut, les poumons écrasés. Ensuite, le pont tout entier roula avec violence. Le véhicule grinça dans le puits. Quelqu'un cria et Washen prit conscience que c'était elle. Locke affronta l'accélération et il trouva la force de prendre sa menotte dans sa grosse main en lui disant d'une voix triste, abrupte :

— Même si nous mourons, nous pouvons gagner.

Le pont tressauta et roula encore. Miocène émit un faible gémissement. Washen inclina la tête. Mais non, la vieille pute ne s'adressait pas à elle, mais à quelqu'un qu'elle seule voyait. Son visage avait maintenant une expression passive, bizarre, à la fois joyeuse et glaçante.

Washen risqua :

— Qu'est-ce que vous…

Mais ils étaient déjà dans les arcs-boutants, à demi fous, chahutés, balancés entre les parois du car, dans un grincement irréel, dominé par les cris de détresse et les jurons. Le puits d'ascenseur, déformé par les secousses, ralentit et faillit s'arrêter avant qu'un système auxiliaire ne se déclenche pour porter la cabine en fin de course.

Les portes s'ouvrirent en sifflant. Les capitaines détachèrent leurs harnais en vomissant de la bile avant de se lever. Ils se jetèrent en titubant sur la plate-forme de diamant, dans la clarté vague et grise du camp de base quasi désert.

Deux hommes les attendaient. Vertu pleurait sans la moindre dignité. Till, lui, en parfaite opposition, regardait Miocène avec froideur. Et c'est tout aussi froidement qu'il l'interpella :

—Mère, vous n'avez aucune idée de ce que vous avez fait. Aucune.

—J'essaie de sauver le vaisseau. Mon vaisseau, répliqua-t-elle. C'est tout ce qui compte. Mon vaisseau!

Le visage d'enfant de Locke se raidit dans un premier temps, avant de se détendre.

Sous eux, le pont grinça en s'abaissant, et la plate-forme descendit d'un mètre avant de se stabiliser.

Washen regarda vers le bas. Ce qui ressemblait au premier regard à des nuages de pluie était des colonnes de fumée épaisse qui montaient des feux déclenchés par les innombrables crevasses dans la croûte épaisse qui avaient brisé la plaque de fer sur le fil des fissures.

Elle leva les yeux. La main réconfortante de Till venait de s'abattre sur l'épaule de Vertu et il dit:

—On reprend le cap-car. (Il le secoua doucement.) Locke, si tu le souhaites, tu peux repartir avec nous.

Locke redressa la tête sans répondre.

—Alors, tu vas mourir ici, lui dit Till. Avec les autres…

Miocène leva la main. Un minuscule laser était blotti dans cette masse de chair et de nexus. Il semblait presque inutile, insubstantiel et pathétique. Mais Washen lisait sur le visage de Miocène qu'elle était prête à carboniser son fils.

Elle n'eut pas le temps de faire feu.

Un flash de lumière jaillit du haut: son arme et sa main furent vaporisées dans la même seconde. Néanmoins, Miocène ignora la douleur et réagit avec une violence destructrice. Elle se ploya en avant dans un cri, s'élança sur son ex-fils qu'elle percuta à l'instant où le pont basculait à nouveau dans un flot de lumière mauve qui oblitéra sa jambe avant.

Washen tomba avant de lever les yeux et de voir le soldat indocile. Golden? Il était sur un haut passavant et brandissait un laser de gros calibre avec un calme professionnel. Il tira en rafales trop rapides pour qu'on puisse les compter. Puis il observa Miocène tandis qu'elle gémissait en répandant son sang bouillonnant en bouffées de cendre.

Elle était maintenant mourante et serrait son fils contre elle.

Elle parvint à marmonner d'une voix désespérée, qui s'atténuait peu à peu:

—Je t'en prie.

Les derniers sons sortirent de sa bouche écumante. Puis il n'y eut plus rien.

Un dernier jaillissement de lumière oblitéra la tête de la Maîtresse et sa casquette miroitante; avec un temps de retard, son fils se détourna pour voir le cap-car et son unique occupant disparaître brusquement.

La machinerie du pont succombait. Un module de sécurité emporta Vertu en vitesse vers le bas pour tenter de sauver le précieux cap-car.

Miocène était parvenue à retarder suffisamment son fils.

Washen se tourna vers Till, déchiffrant les pensées qui se succédaient derrière cet attirant visage. Comment tout ceci est-il arrivé ? Quel but ultime cela servait-il ? D'un ton qui aurait pu s'adresser à quelqu'un d'autre, il demanda :

— Et maintenant, qu'est-ce que je fais ?

S'il y eut une réponse, Washen ne l'entendit pas.

Mais Till dut capter quelque chose, ou du moins, l'avoir cru. Car, sans hésiter, il se jeta par la porte ouverte qui se referma l'instant d'après. Le pont eut une dernière secousse, l'Échine fut brisée juste au-dessous du blister de diamant du camp et plongea vers la face ardente de Marrow.

À terme, l'hydrogène liquide allait se déverser.

Les capitaines s'entretinrent sans dresser de plans. Ils étaient prêts à se mettre à couvert ou, peut-être, à chercher encore un cap-car susceptible de survivre à la tempête. Mais Washen ne participait pas aux discussions. Les jambes croisées, elle ne regardait que les aiguilles de sa montre qui tournaient lentement entre ses mains.

Aasleen se dit qu'elle était folle.

Et, une fois encore, Locke se rappela tranquillement de l'étreinte de la mort.

Promesse puis Rêve essayèrent de remercier Washen de les avoir arrachés à Marrow.

— Nous n'avions jamais pensé nous retrouver ailleurs. Et vous avez fait de votre mieux.

Même Golden se joignit à eux, en leur tendant son arme en signe de reddition, avant de passer les minutes suivantes à contempler Marrow qui explosait en bouillonnant.

Finalement, Washen referma sa montre. Et, avec une solennité nonchalante, elle se leva.

Tous avaient les yeux fixés sur elle quand elle s'avança à découvert et leva les yeux. Mais n'était-il pas trop tôt pour la pluie froide ? Ils la virent alors faire signe à quelque chose, quelque part au-dessus d'elle, et chaque capitaine, chaque Indocile levèrent les yeux dans le même instant, dans un silence brutal, tandis qu'une flotte de vaisseaux blancs en forme de baleine ralentissait, se préparant à un rude atterrissage.

Pamir fut le premier à débarquer. Suivi par Perri et dix Hurluberlus armés.

Aasleen reconnut le visage ridé de Pamir et lança dans un rire :

— Mais ça veut dire quoi ? Vous ne savez pas que l'inondation arrive ?

Il haussa les sourcils en souriant, avant de risquer un premier coup d'œil sur Marrow.

— Oh, je l'ai stoppée, dit-il d'un ton désinvolte. Il y a longtemps. Un lac d'hydrogène dans ce grand et long tube de vide… Il s'est évaporé en tombant. Vous pouvez me croire, parce que nous avons dû nager dans ce qu'il en restait et nous n'en avons pas ramené plus de deux gouttes jusqu'ici.

Rêve se sentit insulté et interpella Washen :

— Et votre menace ? Vous deviez renvoyer cette inondation mortelle ?

— Je ne suis pas cruelle au point d'assassiner des mondes sans défense, répliqua-t-elle.

Pamir secoua la tête et prit Washen dans ses bras.

— Tu ne l'aurais pas fait ?

— J'aime seulement taquiner les planètes de temps en temps, dit-elle, en riant et en pleurant, et en se disant que jamais dans sa vie étrange et longue elle n'avait été aussi fatiguée…

Cinquième partie

LES CONSTRUCTEURS

*C*hacun de mes moteurs se déchaîne en crachant du feu, et ces énergies titanesques, incandescentes, se traduisent par de faibles impulsions. Je n'entends rien, sinon cette voix apaisante qui tente de me chuchoter que je dois me rapprocher de ce soleil dilaté, agonisant. Et je lui obéis. Je lui obéis même quand je prévois une collision avec son atmosphère ténue. Même si je ressens des impacts et des petites morts dans tout mon corps, j'obéis aux lois simples de la force, du mouvement et de l'inertie, et je m'approche du soleil, je le frôle… et une peur vivifiante et merveilleuse s'empare de moi…

Un moteur s'arrête.

Puis deux autres.

Tout au fond de moi, des explosions détruisent les circuits d'alimentation et grillent les pompes dans des bruits déchirants. Les moteurs épargnés fonctionnent encore, mais plus faiblement. L'infime impulsion n'est plus qu'une brise douce qui provient de l'arrière et d'un côté.

Mais je continue de tomber vers le soleil.

Et ma peur perd de son enchantement.

Peu à peu, systématiquement, la panique me gagne.

Avec une clarté soudaine, j'assiste à cette grande guerre contre mes moteurs. Chaque acte de violence est trop infime pour compter, ou mal placé, mal calculé. Les effets cumulés sont longs à apparaître, difficiles à percevoir. Finalement, au bord de la douleur, je me rallie et j'essaie de venir en aide à mes compagnons.

Il se peut qu'on m'entende faiblement. Qu'on me sente. Qu'on me croie.

Une Rémora veille sur un millier de valves et, quand je lui murmure mon conseil, elle ferme la dernière qui assure un bénéfice prolongé.

Une bouteille magnétique, vieille de milliards d'années et jamais utilisée, chute brutalement, et au meilleur moment, crachant des échardes d'antifer dans un surgénérateur lancé à pleine puissance.

Des ingénieurs humains assassinent des IA qui ne veulent pas entendre raison avant de se substituer à elles.

Les débris s'agglomèrent en une canalisation de carburant mineure.

Des Hurluberlus attaquent mes moteurs, comme si leur incandescence et leur éclat étaient autant d'affronts pour eux.

Un moteur récalcitrant est basculé dans la direction opposée et alimenté du maximum de carburant.

Finalement, l'habitat des Sangsues est arraché du plafond du réservoir et jeté dans l'embouchure béante d'une énorme canalisation...

Deux autres moteurs se mettent à tousser, sur le point de succomber.

Mais je sens encore le soleil en approche, sa chaleur, son souffle sur mon immense peau... Et un agglomérat de fer et de nickel de la dimension d'une lune moyenne s'enfonce dans mon flanc, l'entaillant en profondeur tout en me laissant intact... me laissant suffisamment de vitesse pour m'évader... pour éviter le soleil d'un rien, quand je considère les distances immenses que j'ai couvertes...

D'un rien.

Un peu plus tard, me réjouissant encore de ma chance, je passe près d'un objet minuscule, noir et énormément massif... Et, une fois encore, ma trajectoire se modifie... et en perçant le rideau d'étoiles et de planètes tournoyantes, je peux voir quelle sera ma prochaine destination...

Le noir, à nouveau.

Le néant sans soleil.

De façon étrange, inattendue, je prends conscience que c'est là que je veux aller... comme si j'étais heureux de retomber chez moi...

Épilogue

—Essaie de parler.

—Hello, dit une voix basse, traînante.

—Désolé. Il est encore trop tôt, madame. J'en ai pleinement conscience. Mais vous avez le droit de savoir ce qui s'est passé, et ce qui se passe encore, et ce que vous devriez espérer quand vos jambes fonctionneront à nouveau. Ainsi que votre voix. Pas des sons émis par une boîte mécanique.

Elle couina :

—Pamir ?

—Oui, madame.

—Je suis… encore en vie ?

—Nous avons trouvé vos restes et ceux des autres capitaines aussi. Pour la plupart du moins. (Pamir hocha la tête, même si elle ne pouvait le voir.) Vos têtes étaient entassées dans une de vos chambres. Dans l'attente du jugement, je suppose. Si Miocène avait réussi…

—Miocène, où est-elle ?

—Votre meilleure amie ? Votre collaboratrice favorite en qui vous aviez tellement confiance ? (Il eut un rire rauque.) Miocène est morte. Nous en resterons là. Les explications peuvent attendre quelques jours.

—Et mon vaisseau ?

—Plutôt esquinté, mais il se remettra. La mutinerie a échoué. Il existe encore des poches de guérilla. Des bandes, des résistants isolés, c'est tout. Et on ne peut plus appeler les renforts.

—Qui… qui dois-je remercier ?

Pamir resta silencieux.

—Vous ?

Une fois encore, il ne répondit pas.

Enfin, sous le coup de multiples émotions, elle lui dit :

—Merci, Pamir.

—Remerciez aussi Washen.

Elle murmura confusément :

—Je devine que je ne comprends pas tout, n'est-ce pas ?

—Mais si, presque tout.

—Et qui d'autre dois-je remercier ?

—Les Rémoras. Et les Hurluberlus. Ainsi qu'une bonne centaine d'autres espèces, plus quelques millions de machines intelligentes. J'ai trouvé pas mal de coopération. Toutefois, j'ai dû faire des promesses. De très grosses promesses.

—Oui ?

—Il y a des vides à combler dans les rangs des capitaines et ailleurs. J'ai persuadé nos nouveaux alliés qu'ils seraient parmi les premiers candidats.

—Les Rémoras ?

—« Tout ce qui pense peut nous être utile. » C'est mon slogan favori depuis quelques semaines. Le meilleur.

—Des Hurluberlus comme capitaines ?

—S'ils veulent bien rester à bord, oui, madame. Naturellement.

—Mais pourquoi partiraient-ils ? Simplement parce que quelques officiers malades ont tenté de s'emparer de mon vaisseau ?

—Eh bien, ce n'est pas exactement ce qui se passe, répliqua Pamir en riant. Tout est très compliqué et la plupart des réponses seraient trop longues à formuler. Mais ce que vous devez savoir, avant toute chose, c'est que nous ne suivons plus notre trajectoire présumée, je le crains…

—Comment ?

—En fait, dans quelques millénaires, nous quitterons la galaxie. Pour nous diriger vers l'Amas de la vierge, apparemment.

Un silence cristallin s'installa entre eux. Puis la voix mécanique demanda :

—Et moi ?

—En ce qui vous concerne, madame ?

—Est-ce que je resterai la Maîtresse ?

—Personnellement, mon opinion n'est pas tranchée. (Pamir ressentait une sombre satisfaction et prononçait chaque parole avec une prudence calculée.) Vous vous êtes entourée de décideurs compétents, vous avez entretenu leurs ambitions et, lorsque quelques capitaines se sont retournés contre vous, vous avez été surprise. Prise au dépourvu, stupéfaite, incompétente.

Un silence nourri de colère.

— Miocène voulait vous traduire en jugement. J'aurais pu le faire. En tant que Maître par intérim je dispose de l'autorité, en principe, et avec l'ambiance générale qui règne en ce moment, je pense que vous auriez perdu votre précieux siège. Avec une sentence juste, et même en vous accordant toutes les circonstances atténuantes.

—Bon, d'accord, Pamir. Quelles sont vos intentions ?

—Nous ne pouvons pas vous perdre. Pas après une mutinerie. Et pas après tous ces changements rapides. (Il soupira.) Notre vaisseau a besoin de continuité et d'un aspect familier ; si vous n'êtes pas d'accord pour revendiquer votre fauteuil – selon certaines conditions – je serai obligé de trouver un moyen d'imposer votre visage et votre grosse voix aux passagers et à l'équipage. Vous comprenez ?

—Oui. (Et elle ajouta, après un instant de réflexion :) Parfait. Bien entendu, vous pouvez être mon Premier Siège, n'est-ce pas, Pamir ?

—Moi ? Non. (Il partit d'un grand rire, sincère et prolongé.) Mais je connais quelqu'un de bien plus qualifié.

Elle était affaiblie et désorientée, mais elle était aussi assez intelligente pour deviner, et elle demanda :

—Où est Washen ? Je peux lui parler ?

—Éventuellement.

Il se leva, coiffa sa casquette miroitante selon l'angle requis, et ajouta :

—Votre Premier Siège est en train de réorganiser les choses dans le vaisseau. Croyez-moi : vous n'auriez pas confié cette mission à quelqu'un d'autre.

Calmement, presque docilement, la Maîtresse lui dit :

—Merci, Pamir.

—Mais de rien.

Elle ajouta alors :

—Je savais bien que vous me porteriez chance un jour. Je ne vous l'ai jamais dit ? Jamais ?

Mais elle était déjà seule. Pamir s'était éclipsé sans lui en demander la permission et il n'y avait plus personne pour entendre sa voix rauque et jubilante qui disait :

—Merci, merci. À tous ceux qui m'ont sauvée, moi et le vaisseau... Un milliard de mercis !

À première vue, ils ne ressemblaient qu'à des amants, rien de plus.

La femme était humaine, grande pour son espèce, adorable, et son partenaire mâle était grand lui aussi, mais pas aussi beau. La femme souriait et parlait calmement, l'homme riait. Puis, avec un ou deux mots, il provoqua un rire long et éclatant de la femme. Ensuite, leurs mains se nouèrent, comme s'ils étaient des amants. Un geste simple et naturel qui paraissait parfait. Les passants leur accordaient à peine un regard. Pourquoi se seraient-ils arrêtés ? Les amants n'étaient pas rares sur cette avenue, et les passagers étaient trop préoccupés par leur propre existence pour remarquer deux humains sans uniforme, derrière leurs visages masqués qui les rendaient anonymes.

C'était une période excitante. Et peut-être merveilleuse. Après des millénaires d'uniformité absolue, sans remous, tout avait changé à bord du Grand Vaisseau. Il y avait eu une mutinerie, puis une guerre, mais à présent qu'elles étaient éteintes, d'autres changements s'opéraient pour chacun. Le vaisseau avait pris un nouveau cap ! On parlait de nouveaux capitaines qui avaient été recrutés parmi les passagers et de nouvelles chances pour toutes les espèces qui étaient à bord ! Et, au centre de ce grand bâtiment ancien, il existait des mystères trop incroyables pour être décrits, et encore moins compris dans les jours et les semaines qui allaient suivre !

Tous voulaient voir cet endroit que l'on nommait Marrow, même d'une distance sûre. Mais, comme ils ne pouvaient pas encore le contempler, ils en parlaient sur un ton excité, ou dans des cris chimiques, avec des accents qui appelaient des questions évidentes pour lesquelles personne ne semblait avoir de réponse.

Qu'est-ce qui était enfermé au centre de Marrow ?

Et qu'était donc cette chose que les autres appelaient le Morne ?

Et qu'en était-il du Grand Vaisseau ? Sa trajectoire allait l'amener à quitter la galaxie, ce qui posait un problème important à la plupart des passagers. Il n'existait que de multiples taxis et peu de mondes habités entre le vaisseau et l'au-delà intergalactique. Il semblait improbable qu'une fraction de ceux qui voulaient embarquer puisse le faire.

Alors, qu'allaient devenir les passagers ?

Piégés, en un sens. Ou bien alors, infiniment bénis. Car combien de pauvres âmes avaient-elles eu droit à une croisière de cette envergure ? Dans des millions d'années, avec un peu de chance, le Grand Vaisseau glisserait en direction de l'Amas de la Vierge. Derrière ses sas il y aurait encore plus de vide, des étendues de temps obscur, et aussi des merveilles qui ne manqueraient pas d'étonner tous ceux qui supporteraient cette longue, longue attente…

Mais que devenaient les Indociles ? demandait-on de toutes parts avec de la peur et un respect grave.

La rumeur voulait que des milliards d'Indociles survivaient dans Marrow, auprès du Morne ancien. Alors que d'autres voix proclamaient que les Indociles circulaient encore au large des avenues illuminées et apparemment paisibles du Grand Vaisseau. Ils avaient disparu durant le chaos et se cachaient à présent dans les lieux déserts les plus lointains, pour préparer leur prochain assaut.

À moins, bien sûr, qu'ils soient encore tout proches.

Certains insinuaient que les Indociles étaient désormais parmi eux. Il y avait peut-être une caste de prêtres spécialement formés qui se présentaient comme de riches passagers humains. Comment les reconnaître ? De quelle façon accidentelle, subtile, pouvaient-ils trahir leur identité pour qu'un simple passager puisse courir le risque de les capturer au grand jour dans une avenue ? Avec tous les honneurs auxquels il aurait droit.

Ces deux amants étaient des Indociles. Ce fut leur repas qui les trahit. Quelqu'un remarqua que la belle et grande femme avait commandé un plateau de choses monstrueuses, des ailes-marteaux, et que lorsqu'on le lui avait servi, elle avait découpé les insectes avec une habileté désinvolte avant d'en donner une part à son homme en lui baisant le dos de la main, attendant qu'il croque la première bouchée.

Et le quelqu'un en question cria alors :

— Des Indociles ! Là !

Des individus d'espèces diverses traduisirent la mise en garde et réagirent en se rapprochant de la petite table, bras et jambes levés, répétant l'alerte dans un concert de voix et de pets effrayés.

—Regardez! Des Indociles!

—Arrêtez-les!

—Oui, qu'on les arrête tout de suite!

Les amants restèrent d'un calme absolu. Sans la moindre hâte, ils posèrent leurs couverts et nouèrent leurs doigts une dernière fois, avec aisance et sérénité… Puis, après un instant de suspense brûlant, ils décidèrent de se débarrasser de leurs déguisements avant de se lever. Et alors, leurs vêtements de touristes redevinrent l'uniforme chamarré et séduisant que les capitaines étaient censés porter.

Et la femme demanda à son amant:

—Qu'en penses-tu?

—Tu manges cette bestiole depuis longtemps?

—Près de cinq mille ans, avoua-t-elle.

—Et ça te semble toujours aussi bon?

—Qu'est-ce que tu en penses?

Ils éclatèrent de rire en s'étreignant, comme s'il n'y avait pas cette foule autour d'eux… comme s'ils étaient parfaitement seuls…

—Je me suis dit que vous aviez besoin de voir par vous-mêmes, dit Washen. Rester assis dans la même salle pendant une éternité n'aide pas le processus créatif.

Les scribes IA contemplaient en silence la surface de Marrow.

—Est-ce que cela vous inspire? D'autres idées vous viennent-elles?

L'une des scribes parla au nom de toutes, d'un ton dégoûté:

—Non. Il est certain que cela ne nous aide pas!

À vrai dire, il y avait peu à voir. Les incendies ravageurs et les flots d'énergie que déversaient les innombrables volcans avaient saturé l'atmosphère de nuages noirs et opaques sur toutes les longueurs d'onde. Pourtant, même si les choses semblaient abominables vues d'en haut, la plus grande part de Marrow ne brûlait plus, ne bouillait plus. Les capteurs à long rayon d'action et toutes les simulations des IA donnaient la même réponse: les territoires anciens des Indociles n'avaient pas été touchés par la conflagration. Ce qui se déchaînait sur ce monde n'était guère plus grave qu'un million d'autres désastres qui l'avaient touché dans le passé. En fait, l'écosystème serait revitalisé par le chaos, alors la plupart des Indociles pourraient se terrer un moment, lécher leurs plaies en attendant que le beau temps revienne.

Les scribes continuaient d'observer poliment le bouillonnement de nuages noirs.

Washen fit un signe. Locke s'avança sur la plate-forme de diamant et proposa aux scribes en s'agenouillant:

411

—Peut-être puis-je vous proposer une idée nouvelle ? Ça vous intéresse, les machines ?

Les visages de caoutchouc se tournèrent vers lui, l'un après l'autre. Leur expression polie était maintenant figée. Elles ne se souciaient plus de rien, sinon du seul et vaste problème digne de leurs efforts.

—Ce vaisseau, dit Locke. Et si vous n'en connaissiez pas les dimensions réelles ?

Une trace d'intérêt lui répondit.

—Quand j'étais enfant, j'avais un jouet. Un modèle réduit du vaisseau. Il était tellement petit qu'il tenait dans ma main. Je n'étais qu'un petit garçon, incapable d'évaluer ses vraies dimensions.

Les scribes écarquillèrent les yeux en imaginant ce jouet d'autrefois.

—Ma mère essaya de m'expliquer la taille des choses. Elle me parla des protons, des kilomètres, des secondes-lumière, des années-lumière, et elle m'assura que le vaisseau était énorme. Mais les années-lumière sont énormes, immenses, non ? Et à l'âge de cinq ou six ans, je pensais vraiment que le vaisseau était énorme à ce point. Il mesurait des millions d'années-lumière. Ce qui était stupide, bien sûr. Elle ne voulait que me taquiner, je me souviens. Oui, je me suis montré stupide comme vous ne pouvez pas l'être, je pense.

Les scribes détournèrent à nouveau les yeux.

—Supposons que les Constructeurs, alors qu'ils assemblaient le vaisseau, ne se sont pas arrêtés à la coque. Marrow entoure les Mornes, quels qu'ils soient, et ce que nous appelons le Grand Vaisseau entoure Marrow. Toutefois, si la coque n'était pas l'aboutissement de leur travail ? Si leur projet visait beaucoup plus loin et qu'après tout ce temps il ait abouti au-delà de ce que nous pouvons imaginer ?

Sans exception, les scribes se penchèrent en avant.

—Regardez dans les structures du vaisseau et ses proportions exactes, cherchez un message caché, conclut Locke. Mais s'il n'est pas écrit dans la pierre, le fer et l'hyperfibre ? Si le vaisseau des Constructeurs est également l'Univers, avec ses milliards d'étoiles et de galaxies tourbillonnantes, ses molécules encore inconnues et tout ce que nous pouvons voir ou supposer dans la création visible ?

Aucune IA ne réagit. Aucune n'émit un son audible pour l'oreille humaine.

Washen, alors, posa la main sur l'épaule de Locke.

—Elles sont intéressées. Elles réfléchissent.

—Alors, c'est bien.

Côte à côte, la mère et le fils s'avancèrent sur la passerelle, les yeux baissés vers la face noire et floue de Marrow. Tous les ingénieurs étaient prêts à déverser de l'hyperfibre dans le camp de base, puis dans le tunnel d'accès. Le choc n'aurait rien d'une catastrophe. Ils allaient prendre leur temps et obturer lentement, laborieusement, le trou béant dans le mur parfait de la salle. Il était évident que les Constructeurs avaient eu leurs raisons propres. Pour Pamir et Washen, l'unique motif avait été de sceller la prison, de refaire les choses telles qu'elles avaient été auparavant, de les rendre aussi permanentes que possible… le seul changement étant les quelques yeux de sécurité invisibles implantés dans la paroi d'argent et destinés à épier les millions de petits-enfants.

Un instant, à cette pensée, Washen ressentit la pulsion brutale de plonger vers Marrow.

Mais elle reprit son souffle, la pulsion s'effaça et, d'un geste habile, elle consulta l'heure avant de déclarer à Locke et aux scribes :

— Nous devons partir. Dès maintenant.

Les machines se levèrent et formèrent une file impeccable.

— Vous avez réfléchi à ce que je vous ai dit ? leur demanda Locke.

L'une d'elles répondit :

— Naturellement.

— Vous aurez bientôt des réponses ?

Le visage de caoutchouc était souriant, un peu hautain et séduisant.

— Bientôt. Dans un siècle ou un million d'années. Oui.

Washen entendit à peine la machine et le rire éclatant de son fils.

Agenouillée sur la passerelle, là où serait coulée la première couche d'hyperfibre, elle abandonna sa montre mécanique, avec le couvercle d'argent ouvert. C'était pour elle la plus difficile des choses à faire. Elle réussit néanmoins à se redresser, en murmurant :

— Pour plus tard. Je la laisse ici et je la retrouverai plus tard…

Achevé d'imprimer sur les presses de l'imprimerie CHIRAT
Numéro d'impression : N° 9645
Dépôt légal : mai 2006
Imprimé en France
4968-1